# Python［完全］入門

松浦健一郎／司ゆき 著

SB Creative

# 本書に関するお問い合わせ

この度は小社書籍をご購入いただき誠にありがとうございます。小社では本書の内容に関するご質問を受け付けております。本書を読み進めていただきます中でご不明な箇所がございましたらお問い合わせください。なお、お問い合わせに関しましては下記のガイドラインを設けております。恐れ入りますが、ご質問の際は最初に下記ガイドラインをご確認ください。

## ご質問の前に

小社Webサイトで「正誤表」をご確認ください。最新の正誤情報をサポートページに掲載しております。

▶ **本書サポートページ**

URL https://isbn2.sbcr.jp/07647/

上記ページの「正誤情報」のリンクをクリックしてください。なお、正誤情報がない場合、リンクをクリックすることはできません。

## ご質問の際の注意点

・ご質問はメール、または郵便など、必ず文書にてお願いいたします。お電話では承っておりません。

・ご質問は本書の記述に関することのみとさせていただいております。従いまして、○○ページの○○行目というように記述箇所をはっきりお書き添えください。記述箇所が明記されていない場合、ご質問を承れないことがございます。

・小社出版物の著作権は著者に帰属いたします。従いまして、ご質問に関する回答も基本的に著者に確認の上回答いたしております。これに伴い返信は数日ないしそれ以上かかる場合がございます。あらかじめご了承ください。

## ご質問送付先

ご質問については下記のいずれかの方法をご利用ください。

▶ **Webページより**

上記のサポートページ内にある「この商品に関する問い合わせはこちら」をクリックすると、メールフォームが開きます。要綱に従って質問内容を記入の上、送信ボタンを押してください。

▶ **郵送**

郵送の場合は下記までお願いいたします。

〒106-0032
東京都港区六本木2-4-5
SBクリエイティブ　読者サポート係

■本書内に記載されている会社名、商品名、製品名などは一般に各社の登録商標または商標です。本書中では®、™マークは明記しておりません。

■本書の出版にあたっては正確な記述に努めましたが、本書の内容に基づく運用結果について、著者およびSBクリエイティブ株式会社は一切の責任を負いかねますのでご了承ください。

# はじめに

本書はプログラミング言語のPython（パイソン）について詳しく解説する入門書です。急がずじっくり読んで、確実に理解したい方に向いています。はじめてPythonを学ぶ方はもちろん、すでにPythonに触れている方が知識を深めるためにもお使いいただけます。C/C++/Javaといった他の言語に慣れていて、次はPythonを習得しようという方にもおすすめです。

本書は基礎編と応用編から構成されています。前半の基礎編では、Pythonの文法や組み込み関数などについて詳細に解説します。後半の応用編では、各種のライブラリを利用して実践的なプログラムを開発する方法を紹介します。仕事の自動化、AI、スクレイピング、データベース、Webといった、すぐに業務や研究に役立ちそうな技術を取り上げます。本書は最初から読むのがおすすめですが、気になるところから読んでも構いません。もし途中でわからなくなったら、関連する章やページを記載してあるので、前に戻って読んでみてください。

Pythonの特徴は、プログラミング言語としての基本機能が充実していて、しかも各機能が非常に使いやすい形に整理されていることです。Pythonには便利なライブラリも豊富に揃っていますが、実は基本機能をよく理解して使いこなすことが上達の早道です。そこで本書では、基本的な文法について特にわかりやすく、詳しく、網羅的に解説しています。すぐに使える書き方のパターンを平易に紹介しつつ、ときには内部の仕組みにまで踏み込んで説明することで、記法を覚えるだけではなく、自信を持ってプログラムが書けるようになることを狙いました。

本書に掲載している多数のプログラム例は、演習問題としても活用できます。プログラム例に先立って、必要な文法やライブラリについて紹介し、これからどんなプログラムを書くのかを提示しました。提示された情報を使ってプログラムを書いてから、解答例としてプログラム例を確認することで、プログラミングの練習をしながら本書を読み進められます。一方で、最初はプログラム例を確認するだけにして、実力を試したくなったときに演習問題として使うのもおすすめです。

かなり読み応えがあるボリュームと内容に仕上がった本書ですが、カラーの紙面を活かして、できるだけ軽快に読み進められるように工夫しました。用語・要点・入力・コメントなどを色分けしてあるので、関心があるポイントに注目して読むのもおすすめです。言語のキーワードやライブラリの関数名・メソッド名・クラス名などについては、発音の例をカタカナで示しました。実際に発音することを通じて、記憶や理解が進むことや、他の技術者との間でコミュニケーションがスムーズになることを狙っています。用語の使い方については、Pythonの公式サイトにある言語仕様書やチュートリアルを参考にしました。

仕事・学業・趣味などでPythonをお使いの方が、本書を通じてPythonの知識や技術を磨き、目標を達成されることを心から願っています。本書を通じて、どんな課題をクリアできたか、Pythonをどんなふうに使いこなせるようになったかといったことを、書籍レビューなどを通じてお知らせいただけたら、とても嬉しいです。

松浦健一郎　司ゆき

# Contents

## 基礎編

## Chapter 3 全ての基本になる文法を学ぶ



## Chapter 4 Pythonを支える4種のデータ構造

# 応用編

## Chapter 10 ライブラリを使うための基礎知識



## Chapter 11 ファイルの読み書き

## Chapter 12 Pythonによる仕事の自動化



## Chapter 13 流行のAI技術を活用する

## サンプルファイルの入手方法

サンプルファイルは、下記のWebページよりダウンロードすることができます。

https://www.sbcr.jp/support/4815602893/

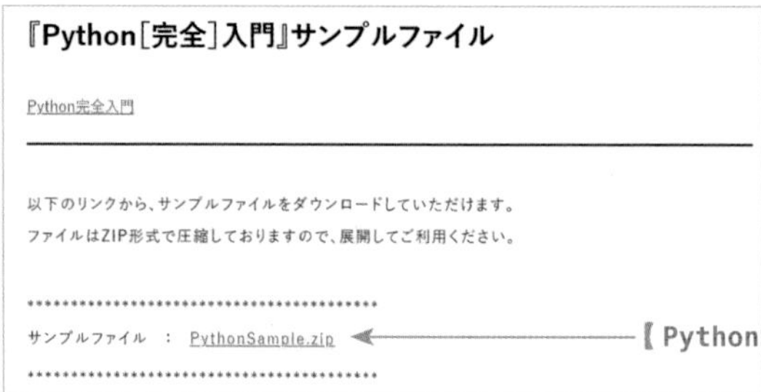


【PythonSample.zipをクリック】

サンプルファイルの各フォルダには、本書内に掲載したサンプルプログラム、またはプログラムの実行に必要なファイルなどが収録されています。サンプルファイルはZIP形式で圧縮されているので、ダウンロード後は、任意のフォルダに展開してご利用ください。

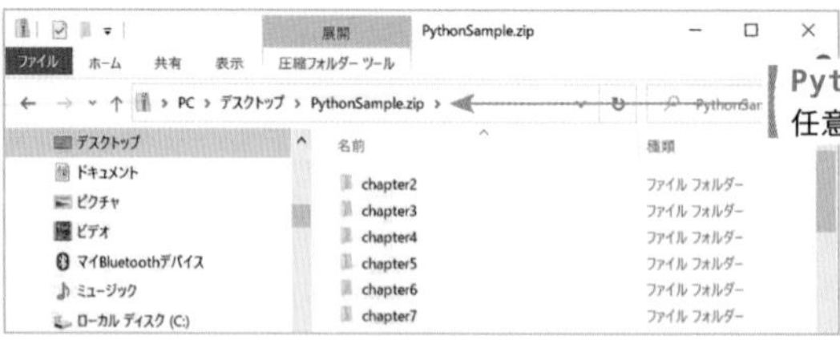


【PythonSample.zipを任意のフォルダに展開】

# 基礎編 Chapter1

# プログラミングを学ぶための準備

Pythonのプログラミングを学ぶために、さっそく準備に取りかかりましょう！最初はPythonの概要を学びます。Pythonがどんなことに役立つのか、Pythonはどんな経緯で現在の姿になったのか、そして他のプログラミング言語と比べてどんな特徴があるのかを紹介します。次に、Pythonのプログラムを書いて動かすための開発環境をインストールします。いくつかの開発環境が選べるので、ぜひ気に入った環境を見つけてみてください。

本章の学習内容

①Pythonの概要
②開発環境のインストール

# section 01 まずはPythonの特徴を理解する

Pythonはどのようなプログラミング言語なのか、何が作れるのか、どの点が優れているのかを学びましょう。Pythonの特徴を知ることによって、Pythonがどんな利益をもたらしてくれるのか、そしてどのようにPythonを使えばその利益を享受できるのかを、イメージしやすくなります。Pythonが開発された経緯の紹介や、他の言語との比較も行います。

## ❖今のあなたにとってPythonは「使える」言語か？

これからPythonを学ぶにあたって、「プログラムを開発したい」「仕事を自動化したい」「研究に使いたい」「プログラミングの知識を深めたい」など、色々な目的をお持ちかと思います。Pythonは幅広い用途に対応できるプログラミング言語なので、多くの皆さんの希望をかなえてくれることと思います。

Pythonは例えば、次のような目的に使えます。

・プログラムの開発

Pythonは多種多様なプログラムを開発できる言語です。例えば、昨今のソフトウェア開発には欠かせないデータベースやWebの技術を使ったプログラミングも、Pythonの得意分野です(Chapter15)。Webから有用な情報を集めるスクレイピングにも対応できます(Chapter14)。

・仕事の自動化

日常的な仕事を自動化することができれば、間違いが少なくなり、スピードが上がって、もっと時間を効率的に使えるようになるかもしれません。Pythonを使えば、例えばExcelを使った仕事やシステム管理の仕事などを、プログラムで自動的に処理することができます(Chapter12)。

・AIの活用

Pythonは研究の分野、近年は特にAI(人工知能)の分野において広く使われています。これはPythonから利用できる機械学習のライブラリが充実しているためです。他にもデータ分析、数値演算、可視化など、研究に利用できるライブラリが多数あります(Chapter13)。

・プログラミングの知識を深める

Pythonは、プログラミングにおける有用なアイディアやテクニックがたくさん詰め込まれている言語です。例えば、Pythonにおけるデータ構造やオブジェクト指向の知識は、他のプログラミング言語を使うときにも役立ちます(Chapter4、7、16)。Pythonを学ぶことで、プログラミング一般に対する知識を深めて、技術を向上させることができます。

上記のいずれの項目も、本書で実際に体験できます！ぜひ楽しみながらPythonを学んでください。Pythonには多くの機能がありますが、全てを覚えておく必要はありません。本書を読む際には、「暗記」ではなく「理解」に注力してください。一度理解しておけば、もし忘れてしまっても、必要になったときに解説やプログラムを見直せば、すぐに思い出すことができます。

## ❖ Pythonの歴史は意外に長い

Pythonは近年とても人気があるプログラミング言語です。電気および情報工学分野の学会であるIEEE(Institute of Electrical and Electronics Engineers、アイトリプルイー)が毎年発表しているプログラミング言語のランキングにおいても、Pythonは2017年、2018年、2019年、2020年と連続でトップに立っています。以下に続くのはJava、C、C++、JavaScript、R、Arduino、Go、Swift、Matlabと、なかなかの強豪揃いです。

近年のAIのブームとともに人気を集めたPythonですが、誕生したのは1989年、一般に公開されたのは1991年なので、すでに約30年の歴史があります。1972年に生まれたCに比べると若い言語ですが、1995年に生まれたJavaやJavaScriptよりも古くからある言語です。最初は教育用プログラミング言語として開発され、その取りつきやすさは現在のPythonにも継承されています。Pythonの使いやすさは、学習用としてはもちろん、研究や実務で利用する場面においても、プログラマに多大なメリットをもたらしています。

現在のPythonは、バージョン3に相当するPython 3です。Python 1は1994年、Python 2は2000年、Python 3は2008年に登場しました。Python 2と3は一部の機能に互換性がないため、Python 2用に書かれたプログラムを運用するために、長期間にわたってPython 2と3が併用されてきましたが、最近はPython 3への移行が進んでいます。本書でもPython 3を使います。

Pythonを開発したのは、オランダ出身でアメリカ在住のプログラマである、グイド・ヴァンロッサム(Guido van Rossum)氏です。Pythonには多くの開発者が関わっていますが、色々な開発者が提案した新機能の中で、どの機能をPythonに採用するのかは、最終的に同氏が決定してきました。

この決定者の立場は、BDFL(Benevolent Dictator for Life、優しい終身の独裁者、善意の終身独裁官)と呼ばれています。独裁官(dictator、ラテン語読みでディクタトル)は「独裁者」と訳されることもありますが、そもそもは共和制ローマの公職で、終身独裁官として英雄ジュリアス・シーザーが有名です。しかし権力を自らに集中させたシーザーは暗殺されてしまい、「独裁者」という言葉も今日ではネガティブな文脈で使われることが多いでしょう。この肩書きが物語るように、グイド・ヴァンロッサム氏は巧みな舵取りが求められる立場にあり、benevolent(善意の、優しい、慈悲深い)という制約を自らに課すことによって、Pythonの開発を継続させてきたものと想像されます。2018年に同氏はBDFLから引退してしまいましたが、それまでの絶妙な采配によるためか、Pythonは機能に一貫性がある、とても使いやすい言語に仕上がっています。

なおPythonという名前は、「空飛ぶモンティ・パイソン」(Monty Python's Flying Circus)という、同氏がファンだった英国のコメディ番組名に由来します。一方でpythonという言葉は、ニシキヘビを意味します。Pythonのアイコンにヘビの絵柄が使われているのは、このためです。

## ❖Pythonの特徴を他の言語と比べてみると

Pythonには色々な長所がありますが、ここでは他言語との違いを意識しながら、三点だけ挙げてみます。「どのプログラミング言語を選んだらよいか」迷ったときの参考になれば幸いです。皆さんもぜひ、Pythonを使い込んでいくうちに長所を見つけてみてください！

・整理され学びやすい文法

Pythonの文法はわかりやすく、覚えやすく、間違えにくいように整理されています。例えば、プログラムの体裁と動作が一致するようになっていたり、限られた記法を覚えるだけで幅広い目的に対応できたり、バグが入りやすい機能は取り除かれていたり、といった工夫が見られます。またオブジェクト指向の機能などは、他言語に比べて覚えなければならない記法をかなり絞ってあります。

・短く簡潔なプログラム

Pythonでは色々な処理を、実にシンプルなプログラムで実現できます。これはよく使う処理を短く書けるように言語の設計が工夫されているためです。また、高機能なライブラリが揃っていて、複雑な仕事をとても簡単な呼び出しでこなすことができます。同じ処理を他言語で書いたときに比べて、ずっと短いプログラムで済んでしまうことがよくあります。

・他言語のエッセンスを凝縮

Pythonは、他のプログラミング言語を念入りに研究し、役に立つ機能を上手に取り込んでいる言語だといえます。Pythonを使っていると、例えばC、C++、Java、JavaScriptといった他言語でも見かけたことのある機能が、巧みに導入されていることに気づきます。データ構造やアルゴリズムといった汎用的なプログラミングの技術も、Pythonは使いやすい形で提供しています。

長所が多いPythonですが、短所も意識しておくとよいでしょう。短所の1つは実行速度です。例えばCやC++のプログラムに比べて、Pythonのプログラムが10倍程度も遅いことがあります。一方でPythonのライブラリの中には、CやC++で書かれているために、CやC++と同等の速度で動作するものも珍しくありません。こういった場合は、いったんライブラリを呼び出してしまい、ライブラリの中を実行し続けている間は、とても高速に動きます。実行速度の遅さを短所にしないためには、高速なライブラリを選ぶことと、時間がかかる処理はライブラリの内部で行わせることが有効です。

section 02

# 自分の手に馴染む開発環境を選ぶ

プログラミング言語によって書かれたプログラムを動かすための仕組みを、処理系(しょりけい)と呼びます。より詳しくは「言語処理系」あるいは「プログラミング言語処理系」と呼びますが、本書では簡単に処理系と呼ぶことにします。

処理系の多くは、ソフトウェアとして実装されています。これらの処理系は、プログラミングに使う各種のソフトウェアと一緒に、開発環境として提供されることが一般的です。

Pythonでプログラミングを行うには、Pythonの開発環境が必要です。幸いPythonの開発環境にはいくつかの選択肢があるので、自分の好みに合う製品を選ぶことができます。

本書では代表的な開発環境の特徴と導入方法を紹介します。ぜひいくつかの開発環境を使ってみて、手に馴染む製品を選んでください。とりあえず、すぐにPythonを使ってみたい方には、最初に紹介するCPythonがおすすめです。本書でも、主にCPythonを使って解説を進めます。

なお、インストールや動作確認、プログラムの作成や実行の際には、**「日本語入力機能をオフにして、半角の英数字や記号を入力できる状態」**にしておいてください。本書におけるほとんどの入力は半角文字です。うっかり全角文字を入力すると、たとえ文字の形が似ていても、半角文字とは別の文字として扱われるので、正常に動作しないことがあります。

## ❖基本のCPython

CPython(シーパイソン)はPythonの一番基本的な開発環境です。CPythonのことを単にPythonと呼ぶこともあります。「C」Pythonという名前の通り、CPythonの実装にはC言語が使われています。

CPythonはPython処理系のリファレンス実装(参考実装)です。他のPython処理系を開発する際にはCPythonを参考にします。Pythonの新機能は通常、最初にCPythonで実装されるので、いち早く最新の機能を使いたい方にはCPythonがおすすめです。

CPythonは、PSF(Python Software Foundation、Pythonソフトウェア財団)が運営する、Pythonの公式Webサイトから入手できます。PSFはPythonの開発や知的財産権の管理を行っている非営利団体です。

**Pythonの公式Webサイトのダウンロードページ**
**URL** https://www.python.org/downloads/

### ●Windowsへのインストール

公式Webサイトのダウンロードページから、インストーラをダウンロードできます。ダウンロードページの上方にある［Download Python 3.○.○］をクリックします。「3.○.○」の部分はバージョン番号で、「○」の部分は随時変わります。

入手したインストーラを実行して、CPythonをインストールします。インストール時の注意点は以下の通りです。

▼インストーラの起動画面

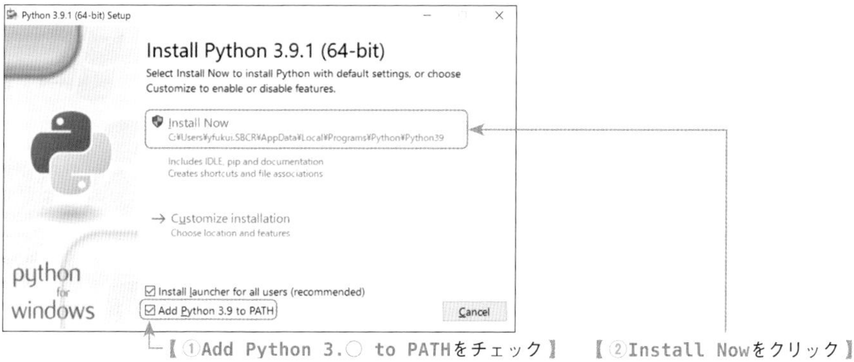


1. 起動画面では、[Add Python 3.○ to PATH](Python 3.○をパスに追加する)をチェックしてから、[Install Now](インストールを実行する)をクリックします。
2. 「このアプリがデバイスに変更を加えることを許可しますか？」というユーザアカウント制御のダイアログが表示されたら、［はい］をクリックします。
3. 「Setup was successful」(セットアップに成功した)と表示されたら完了です。

インストールが終わったら、コマンドプロンプトを使って動作を確認しましょう。**Windows**キーを押してスタートメニューを呼び出して、「cmd」と入力し、［コマ

ンド プロンプト］をクリックすれば、コマンドプロンプトを起動できます。そして、「**python -V**」を入力して**Enter**キーで実行してください。「Python 3.○.○…」のように、インストールしたバージョン番号が表示されたら成功です。もし失敗した場合には、前述の手順に沿って、もう一度インストールしてみてください。

▼コマンドプロンプトによる動作確認

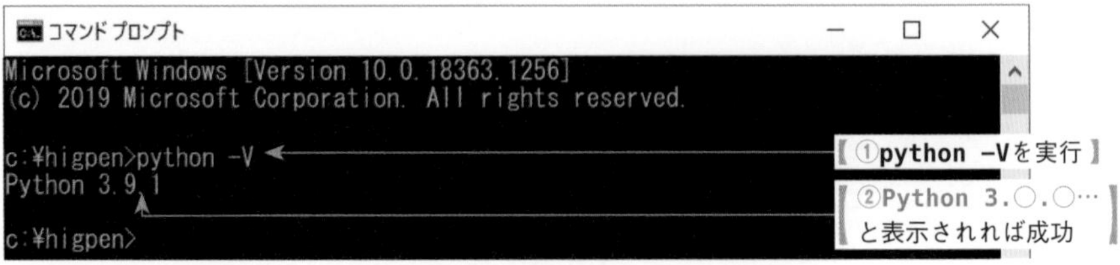


## ●macOSへのインストール

Windowsの場合と同様に、公式サイトのダウンロードページから、インストーラをダウンロードできます。入手したインストーラを実行し、画面の指示に従ってインストールしてください。

インストールが完了したら、ターミナルを起動して「**python3 -V**」を入力して**Enter**キーで実行してください。「Python 3.○.○…」のように、インストールしたバージョン番号が表示されたら成功です。

なお、「python -V」と入力すると、インストールしたPython 3ではなく、あらかじめOSにインストールされているPython 2が起動してしまいます。必ず「python3 -V」と入力してください。

▼macOSのターミナルによる動作確認

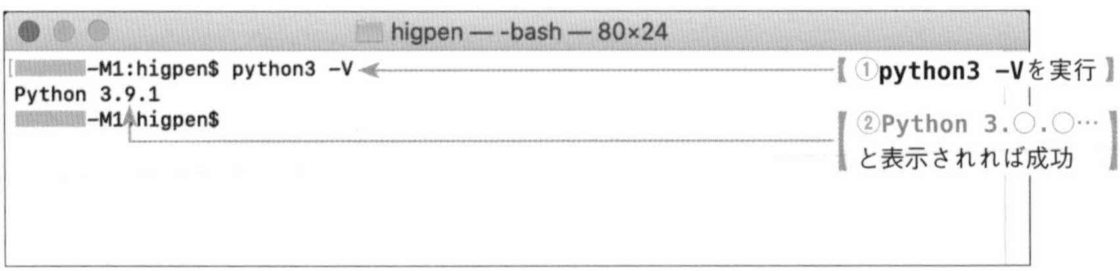


## ●Linuxへのインストール

Linuxのディストリビューション（頒布形態）によっては、Pythonがあらかじめインストールされていることも少なくありません。インストール作業をする前に、とりあえず「**python3 -V**」や「**python -V**」を実行して、「Python 3.○.○…」のようにPython 3のバージョンが表示されるかどうかを試してみるとよいでしょう。もしPython 3がインストール済みならば、そのまま使っても構いません。

Pythonがインストールされていない場合や、インストール済みのバージョンが古い場合には、インストールを行います。公式サイトのダウンロードページからCPythonのソースコードを入手し、自分で構築(ビルド)することもできますが、構築済みのファイルを入手した方が簡単です。入手方法はLinuxのディストリビューションによって異なりますが、例えば広く使われているUbuntu(ウブンツ)の場合には、以下の手順でインストールできます。

❶「**sudo apt update**」を実行して、リポジトリ(ファイルの保管場所)の一覧を更新します。

❷「**sudo apt upgrade -y**」を実行して、インストール済みのファイルを更新します。この作業は時間がかかることがあります。なお「-y」は、作業中の質問に対して自動的に「はい」と回答するオプションです。

❸「**sudo apt install -y python3**」を実行して、Pythonをインストールします。

❹「**python3 -V**」を実行して、動作を確認します。「Python 3.○.○…」のように表示されれば成功です。

上記の❸において、「**sudo apt install -y python3.○**」のように、バージョンを指定してインストールすることもできます。この場合は❹においても「**python3.○ -V**」のように、バージョンを指定して動作を確認してみてください。

▼Linuxのターミナルによる動作確認

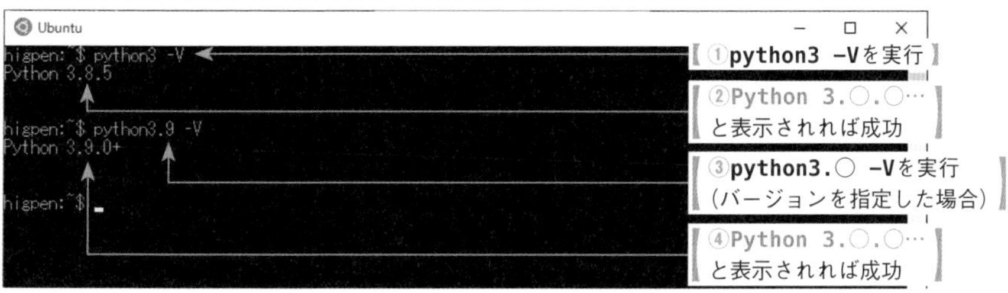

## ❖道具が揃っているAnaconda

Anaconda(アナコンダ)は、Pythonのディストリビューションの1つです。pythonはニシキヘビのことですが、anacondaはニシキヘビとは別の種類とされている南米に棲むヘビです。

AnacondaにはCPythonに加えて、Pythonに関連する代表的なソフトウェア(ライブラリやツール)が同梱されています。特に、数値計算、データ分析、機械学習などのソフトウェアが充実しています。またconda(コンダ)というツールを使って、これらのソフトウェアをインストールしたり、設定が異なる複数の作業環境を管理できることも特徴です。

Anacondaは、Anaconda社のWebサイトからダウンロードできます。

**Anaconda社のWebサイト**

URL https://www.anaconda.com/

Anacondaには無償版と有償版があります。無償版は、本書の執筆時(2020年12月)には個人版(Individual Edition)のダウンロードページ(https://www.anaconda.com/products/individual#Downloads)から入手できました。Webサイトの構成がときどき変わるので、ダウンロードページが見つからない場合には、「anaconda individual」や「anaconda download」でWebを検索してみてください。

ダウンロードページではWindows用、macOS用、Linux用のインストーラが配布されています。「Python 3.○」と示されている項目の中から、お使いの環境に合ったインストーラをダウンロードしてください。

なお、Windowsの場合には64ビット版(64-Bit)と32ビット版(32-Bit)があります。機械学習ライブラリのTensorFlow(テンソルフロー)などのように、64ビット版が必要なソフトウェアもあるので、特に理由がなければ64ビット版を使うとよいでしょう。本書掲載のプログラムについては、64ビット版と32ビット版のどちらを使っても動作します。

インストーラを入手したら実行し、画面の指示に従ってインストールしてください。インストール時の設定(チェックボックスなど)はデフォルトで大丈夫です。

Linuxの場合にはインストール後に、Anacondaの実行ファイルがあるディレクトリ(/home/ユーザ名/anaconda3/bin)へのパスを、手動で追加してください。例えば.bash_profileなどの設定ファイルに、「export PATH=/home/ユーザ名/

anaconda3/bin:$PATH」のように記述します。

インストールが完了したら、動作確認を行います。Windowsの場合は、スタートメニューからAnacondaプロンプト(Anaconda Prompt)を起動し、「**python -V**」を実行します。「Python 3.○.○…」のように、Python 3のバージョン番号が表示されれば成功です。また、「**conda list**」も実行してみてください。インストールされているPython関連のソフトウェア(パッケージ)の一覧が表示されます。

▼Anacondaプロンプトによる動作確認

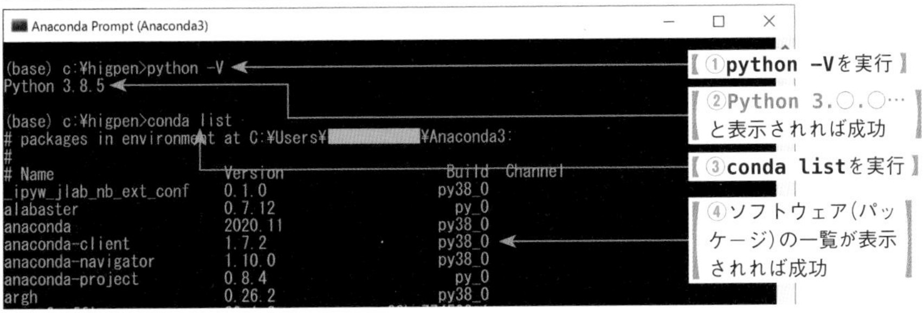


macOSやLinuxの場合は、Anacondaプロンプトはありません。OSに付属するターミナルを起動し、「**python3 -V**」(あるいは「python3.○ -V」や「python -V」)を実行します。「Python 3.○.○…」のように、Python 3のバージョンが表示されれば成功です。また「**conda list**」も実行して、ソフトウェアの一覧が表示されることを確認してください。

Windowsの場合は、CPythonとAnacondaを簡単に併用することができます。CPythonとAnacondaの両方をインストールしておいて、CPythonを使いたいときにはコマンドプロンプトを起動し、Anacondaを使いたいときにはAnacondaプロンプトを起動すればよいのです。CPythonの方が一般に仕様が新しいのですが、一部のソフトウェアは最新のCPythonでは動かないことがあります。こういった場合には、併用しているAnacondaを使って目的のソフトウェアを動かすという使い方が可能です。

## 軽量で使いやすいMiniconda

Miniconda(ミニコンダ)は、その名前の通り、Anacondaを最小限の構成にしたようなディストリビューションです。CPythonとcondaに加えて、少数のソフトウェアだけを同梱しています。後から自分に必要なソフトウェアだけを、condaを使って追加でインストールすることができます。

MinicondaはcondaのWebサイトにある、Minicondaのページからダウンロードできます。

**Minicondaのページ**

URL https://docs.conda.io/en/latest/miniconda.html

Anacondaと同様に、Windows用、macOS用、Linux用があります。「Python 3.○」と示されている項目の中から、お使いの環境に合ったインストーラをダウンロードし、実行してください。インストールと動作確認の手順はAnacondaと同様です。

## 試しながら書くならJupyter Notebook

Jupyter Notebook(ジュピターノートブック、またはジュパイターノートブック)は、プログラムを動かしながら書き進めたいときに便利な開発環境です。入力したプログラムを簡単な操作で実行することができ、実行結果もプログラムのすぐ下に表示されるので、軽快にプログラミングを進めることができます。

▼Jupyter Notebook

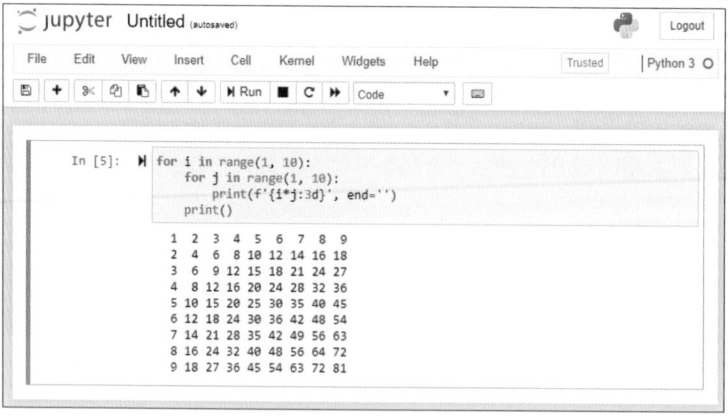

Anacondaには、あらかじめJupyter Notebookがインストールされています。他の環境については、次の方法でインストールできます。

### ●CPython

Windowsはコマンドプロンプトで「**pip install notebook**」を、macOSとLinuxはターミナルで「**pip3 install notebook**」を実行します。pip(pip3)は、Pythonに関連するソフトウェアをインストールするためのツールです。

### ●Miniconda

WindowsはAnaconda(Miniconda)プロンプトで、macOSとLinuxはOSに付属するターミナルで、「**conda install -y notebook**」を実行します。

インストールができたら、コマンドライン(コマンドプロンプト、Anacondaプロンプト、ターミナル)で「**jupyter notebook**」を実行します。Jupyter Notebookのサーバが起動し、Webブラウザが開いて、Jupyter Notebookの画面が表示されます。Jupyter Notebookを使っている間は、サーバが動いているコマンドラインのウィンドウを開いたままにしておいてください。サーバを終了するには、コマンドラインでCtrl+Cキーを入力します。

Jupyter Notebookには、より高機能なJupyterLab(ジュピターラボ)という関連製品もあります。詳細はJupyterプロジェクトのWebサイト(https://jupyter.org/)に記載されています。

## ❖多言語対応の統合開発環境Visual Studio Code

Pythonに対応した統合開発環境の中で、人気のある製品の1つがVisual Studio Code(ビジュアルスタジオコード)です。プログラムを補完して入力を支援する機能や、ライブラリのヘルプを表示する機能など、便利な機能を使いながらプログラムを開発したいときに役立ちます。エディタで入力したプログラムを、簡単な操作で実行し、結果を同じウィンドウ内のコンソールで確認することもできます。

▼Visual Studio Code

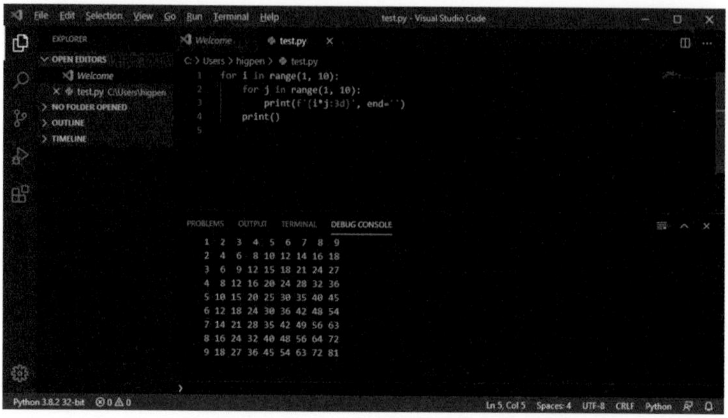

Visual Studio Codeのインストーラは、同製品のWebサイトからダウンロードできます。

**Visual Studio CodeのWebサイト**

**URL** https://code.visualstudio.com/

Windows用、macOS用、Linux用が配布されています。Pythonの処理系が別途必要なので、前述のCPython、Anaconda、Minicondaのいずれかをインストールしておいてください。

Visual Studio Codeは、数多くのプログラミング言語に対応しています。Pythonを通じてVisual Studio Codeの使い方に慣れたら、他の言語による開発にも利用できます。

Visual Studio Code以外のPythonに対応した統合開発環境としては、PyCharm（パイチャーム）なども人気があります。無償版（Community）と有償版（Professional）があり、同製品のWebサイト（https://www.jetbrains.com/pycharm/）からダウンロードできます。Windows、macOS、Linuxに対応しています。

# 基礎編 Chapter2

# Pythonプログラミングを始めよう

開発環境の準備はできましたか？準備ができたら、いよいよPythonプログラミングを始めます。Pythonでは気に入った1つの開発環境を使うこともできますが、状況に応じていくつかを使い分けるのも便利です。そこで最初に、どんな状況でどの開発環境を使うと効果的なのかを紹介します。続いて、Pythonプログラムを作成するのに必要な基礎知識を学びます。ぜひ実際にプログラムを動かしながら、Pythonプログラムの書き方に親しんでみてください。

**本章の学習内容**

①開発環境の利用方法と使い分け方
②Pythonプログラムの基礎知識

# section 01 状況によって開発環境を使い分ける

Pythonのプログラミングでは、作成するプログラムの規模に応じて、開発環境を使い分けると便利です。例えば、小さなプログラムを書きながら言語を学ぶときには簡潔で軽量な環境を使い、複数のファイルにまたがる大きなプログラムを書くときには高機能で本格的な環境を使うといった感じです。ここではプログラムの規模が小さい方から大きい方に向かって、それぞれの状況に向いた環境を紹介していきます。全てを使う必要はなく、気に入った環境だけを使えば大丈夫です。

なお、Pythonのプログラムはスクリプトとも呼ばれます。簡易的なプログラミング言語のことをスクリプト言語と呼び、その言語で書いたプログラムのことをスクリプトと呼びます。Pythonの場合は、スクリプト言語としても本格的なプログラミング言語としても使えるためか、スクリプトとプログラムという呼び方が混在しています。本書ではプログラムと呼ぶことにします。

## ❖言語を学ぶのに便利なPythonインタプリタの対話モード

インタプリタというのは、プログラミング言語で書かれたプログラムを実行するための仕組み(多くの場合はソフトウェア)の1つです。コンピュータに搭載されているCPU(Central Processing Unit、中央処理装置)が実行できるのは、機械語(マシン語)で書かれたプログラムだけで、Pythonのように人間が理解しやすく記述しやすい高級言語(高水準言語)で書かれたプログラムは、直接には実行できません。そこで、インタプリタが役立ちます。インタプリタ(interpreter)は通訳(者)を意味する言葉ですが、ちょうど外国語を同時通訳するように、高級言語のプログラムを解釈しながら実行してくれます。

Pythonを実行するためのインタプリタは、Pythonインタプリタと呼ばれています。このインタプリタは対話モード(インタラクティブモード)という、入力したプログラムをその場で実行する機能を搭載しています。操作感としては、コマンドプロンプトやターミナルでコマンドを入力して実行するときに近いです。Pythonインタプリタのプログラムを編集する機能は簡易なものなので、長いプログラムを書くときには向きません。しかし、Pythonを学習するときや、Pythonの機能を確認したいときに、1行から数行程度のプログラムを入力して使うのにはとても便利です。



### ●Pythonインタプリタを対話モードで起動する

Pythonインタプリタを対話モードで起動してみましょう。コマンドライン(コマンドプロンプト、Anacondaプロンプト、ターミナル)から、インストール時の動作確認に使った「**python**」「**python3**」「**python3.○**」のいずれかを実行してください。動作確認の際には「-V」を付けましたが、今回は何も付けません。また、入力には半角文字を使い、全角文字は使わないでください。

以下の実行例では、コマンドラインのプロンプト(ユーザに入力を促す表示)を「>」で示しています。実際のプロンプトは環境によって異なり、カレントディレクトリ、ユーザ名、マシン名などの文字列を含んでいたり、「>」「$」「%」「#」のように色々な記号が使われていたりするので、お使いの環境に合わせて読み替えてください。このプロンプトで「**python**」を実行すると、Pythonインタプリタが起動します。

```
>python
Python 3.○.○ (…)
Type "help", "copyright", "credits" or "license" for more information.
>>>
```

正しく起動すると、上記のようにバージョン情報「Python 3.○.○ (…)」が表示されます。「Type "help", "copyright", "credits" or "license" for more information.」は、「help、copyright、credits、licenseと入力するとより詳しい情報が表示される」というガイドです。

最後に表示される「>>>」は、Pythonインタプリタのプロンプトです。Pythonインタプリタが表示するプロンプトには2種類あり、最初に表示される「>>>」は一次プロンプト、特定の条件で表示される「...」は二次プロンプトと呼ばれます。

Pythonインタプリタを終了する方法を紹介しておきましょう。Windowsの場合はCtrl＋Zキーを押して、画面に「^Z」と表示されたらEnterキーを押します。macOSやLinuxの場合はCtrl＋Dキーを押します(Enterキーは不要です)。

以下はWindowsにおける実行例です。コマンドラインのプロンプト「>」に戻ったら、Pythonインタプリタの終了は成功です。

```
>>> ^Z
>
```

次のように「**quit()**」を実行しても、Pythonインタプリタを終了することができます。Pythonインタプリタでコマンドを実行するには、コマンドラインと同様に、コマンドを入力した後にEnterキーを押します。

```
>>> quit()
>
```

### ●簡単なプログラムを実行する

再びPythonインタプリタを起動して、簡単なプログラムを実行してみましょう。**「1＋2＊3」を計算して結果を表示**するプログラムです。次のように「**print(1+2*3)**」と入力し、Enterキーを押して実行してみてください。結果の「7」が表示され、一次プロンプト「>>>」に戻れば成功です。

```
>>> print(1+2*3)
7
>>>
```

「print(…)」のように書くと「…」が画面に表示されるイメージです。例えば「print(1+2*3)」のように「…」の部分に式を書いた場合には、式を計算した結果を画面に表示します。

このprintは、Pythonの組み込み関数(Pythonインタプリタに組み込まれている基本的な関数)の1つです。このprint関数を使って、もう少しインタプリタに親しんでみましょう。なお、関数(かんすう)の詳細はChapter6で、組み込み関数の詳細はChapter9で解説します。

さて、プログラムの入力に失敗したときの動作も体験してみましょう。「**print(1+2*3**」のように、あえて最後の「)」を除いて入力し、実行してみてください。この場合は二次プロンプト「...」が表示され、計算の結果はまだ表示されません。

```
>>> print(1+2*3
...
```

このようにプログラムが完結していない場合、Pythonインタプリタはプログラムの続きがあると判断して二次プロンプト「...」を表示します。次のようにプログラムの続き「)」を入力し、Enterキーを押してみてください。プログラムが実行されて、結果の「7」が表示されます。

```
>>> print(1+2*3
... )
7
>>>
```

二次プロンプト「...」から一次プロンプト「>>>」に戻る方法を、もう1つ紹介します。再び「**print(1+2*3**」を実行し、二次プロンプト「...」が表示されたら、Ctrl＋Cキーを入力してください。KeyboardInterrupt（キーボードによる中断）と表示され、一次プロンプト「>>>」に戻ります。

```
>>> print(1+2*3
...                    ← Ctrl＋Cを入力
KeyboardInterrupt
>>>
```

実はPythonインタプリタの対話モードでは、「print(…)」を実行する代わりに、単に「…」の部分だけを入力して実行しても、結果を表示することができます。試しに「**1+2*3**」と入力し、実行してみてください。

```
>>> 1+2*3
7
>>>
```

「print(…)」と入力するよりも「…」の部分だけを入力した方が簡単です。このように式の計算結果を表示するだけのプログラムについては、print関数を省略するのがおすすめです。

複数行のプログラムも入力してみましょう。0から9までの10個の数値を表示するプログラムです。次のような手順で操作してください。

1. 一次プロンプト「>>>」で「**for i in range(10):**」とEnterキーを入力します。
2. 二次プロンプト「...」が表示されるので、Tabキーと「**print(i)**」とEnterキーを入力します。
3. 再び二次プロンプト「...」が表示されるので、Enterキーだけを入力します。
4. 0から9までの数値が表示され、一次プロンプト「>>>」に戻れば成功です。

以下は正しく実行できた例です。forは繰り返しを行うための構文で、詳しくはChapter5で解説します。

```
>>> for i in range(10):
...     print(i)
...                         ← Enterを入力
0
1
2
3
4
5
6
7
8
9
>>>
```

正しく実行できなかった場合、エラーが表示されることがあります。以下は手順2でTabキーを入力し忘れた例です。IndentationError(インデントのエラー)と表示され、一次プロンプト「>>>」に戻ります。

```
>>> for i in range(10):
... print(i)
  File "<stdin>", line 2
    print(i)
    ^
```

```
IndentationError: expected an indented block
>>>
```

もしエラーが表示されて一次プロンプト「>>>」に戻ったら、再び手順1からプログラムを入力し直してみてください。二次プロンプト「...」から上手く戻れない場合には、Ctrl+Cキーを入力してみてください。

手順2でTabキーを入力するのは、プログラムの一部をインデント(字下げ)するためです。プログラミング言語の中には、プログラムの見た目を読みやすくするためだけにインデントを使うものがありますが(C/C++やJavaなど)、Pythonではインデントによってプログラムの動きが変わります。詳しくはこのChapter2の後半で解説します。

さて、これでPythonインタプリタの対話モードについて、基本的な使い方をマスターしました。最後に、覚えておくと便利なキー操作を紹介しましょう。カーソルキーの上下(↑や↓)を押すと、過去の入力を呼び出すことができます。以前に入力したプログラムを再び実行したいときや、少し修正してから実行したいときに便利なので、ぜひ活用してみてください。

## 少し長いプログラムにも対応できるJupyter Notebook

Pythonインタプリタの対話モードは、1行から数行のプログラムを扱う場合にはとても手軽で便利なのですが、プログラムの行数が増えると操作が煩雑になり、作業効率が落ちます。こんなときは、次に紹介するテキストエディタを使えばよいのですが、もう少し手軽な方法としてJupyter Notebookがあります。対話モードで扱うには行数が多いけれども、一画面に収まるくらいの比較的小さなプログラムの場合には、Jupyter Notebookを使ってみる価値があります。

ここでは、Jupyter Notebookに興味を持っている方向け に使い方を解説します。本書はJupyter Notebookを使わなくても読み進められますので、Pythonのプログラミングを早く体験したい方は、この項目を飛ばして、次のテキストエディタの項目まで進んでいただいても大丈夫です。

インストール時の動作確認と同様に(26ページを参照)、コマンドライン(コマンドプロンプト、Anacondaプロンプト、ターミナル)で「**jupyter notebook**」を実行し、Jupyter Notebookを起動してください。サーバが起動し、Webブラウザが開いて、次のような画面が表示されれば成功です。

この画面はダッシュボードと呼ばれます。ダッシュボードは、サーバを起動したときのカレントディレクトリ(作業中のディレクトリ)にある、ファイルとフォルダ(ディレクトリ)の一覧を表示します。この実行例では、カレントディレクトリは空になっています。

サーバを終了するには、コマンドラインでCtrl+Cキーを入力します。

▼Jupyter Notebookのダッシュボード

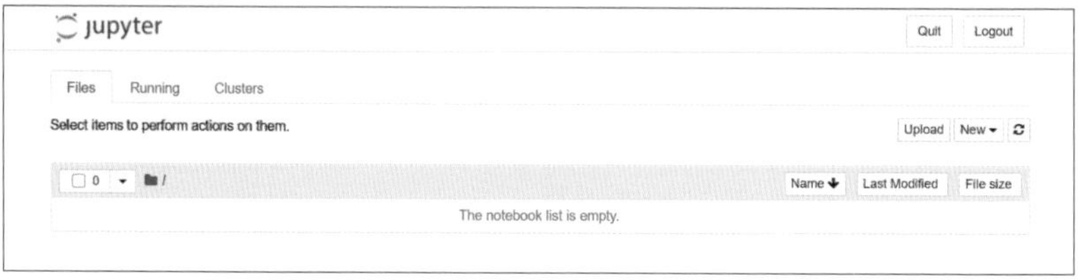


Jupyter Notebookでは、ノートブック(notebook)と呼ばれるファイルの中にプログラムを書きます。新しいノートブックを作成してみましょう。以下のように[New]をクリックし、メニューの[Python 3]をクリックしてください。

▼新しいノートブックの作成

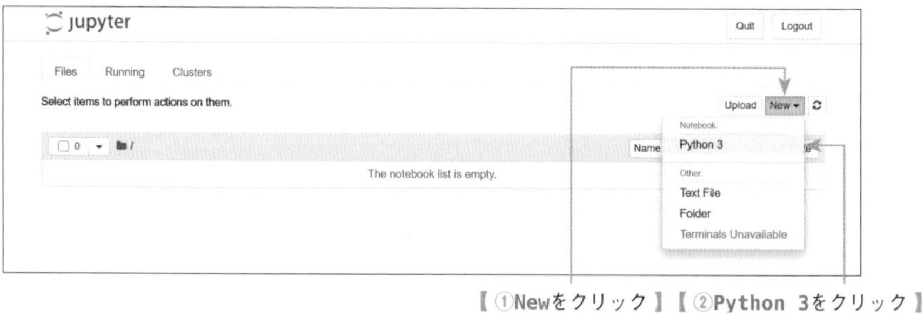


作成に成功すると、以下のようなエディタが開きます。「In…」の右にある空欄はコードセル(セル)と呼ばれていて、ここにプログラムを書きます。

▼エディタとコードセル

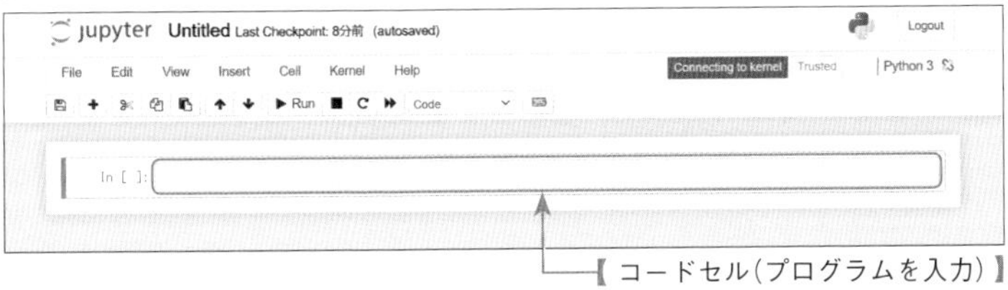


## ●Jupyter Notebookでプログラムを実行する

「**print(1/2-3)**」というプログラムを書いた後に、**Shift**+**Enter**キーを入力してみてください。プログラムの下に、実行結果が表示されます。そして、次のコードセルが作成されます。

以下では計算結果の「-2.5」が表示されました。なお、Pythonインタプリタと同様に、Jupyter Notebookで式の計算結果を表示する場合には、print関数を省略することができます(33ページを参照)。

▼プログラムの実行(次のセルを作成する)

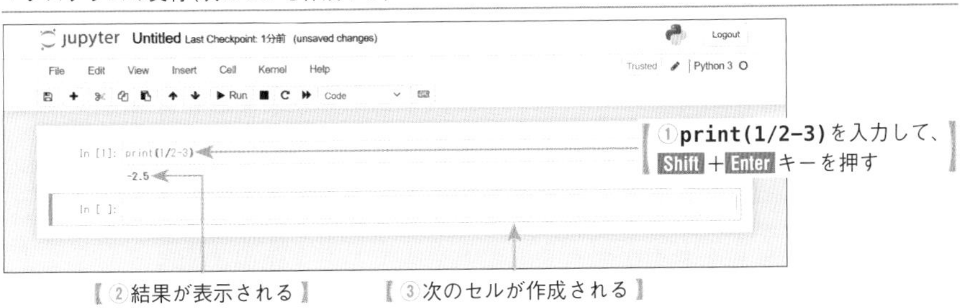


複数行のプログラムも書いてみましょう。次のように操作してください。

1. 「**for i in range(10):**」と**Enter**キーを入力します。この**Enter**キーは、プログラム中の改行を入力します。この時点では、まだプログラムを実行しません。
2. 自動的にインデントされるので、「**print(i*i)**」を入力します。
3. **Ctrl**+**Enter**キーを入力して、プログラムを実行します。

**Shift**+**Enter**キーは次のセルを作成しますが、**Ctrl**+**Enter**キーは次のセルを作成しません。次のセルに進みたいかどうかに応じて、使い分けられます。

▼複数行のプログラムの実行(次のセルを作成しない)

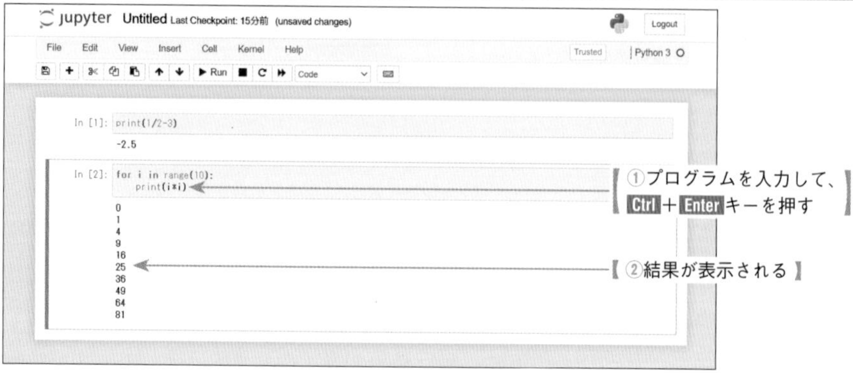


## ●作成したプログラムを保存する

作成したプログラムを保存してみましょう。まずはノートブックに名前を付けてみます。[Untitled] 部分をクリックしてから、名前を入力し、[Rename] をクリックします。以下の実行例では、名前を「my_project」(マイプロジェクト)にしてみました。

▼ノートブックに名前を付ける

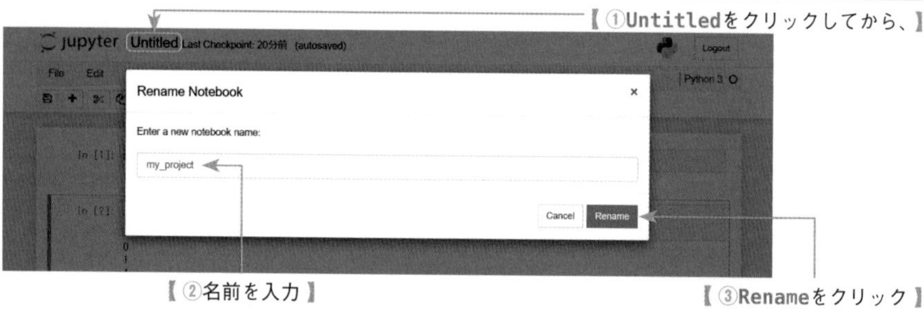


以下のように「Untitled」が「my_project」に変化すれば成功です。ノートブックを保存するには、左端にあるディスク(フロッピーディスク)のアイコンをクリックします。あるいはEscキーを押してプログラムを編集するモードを抜けてから、Sキーを押します。実はノートブックはときどき自動的に保存されていて、保存されると「autosaved」(自動セーブされた)と表示されます。

▼ノートブックの保存

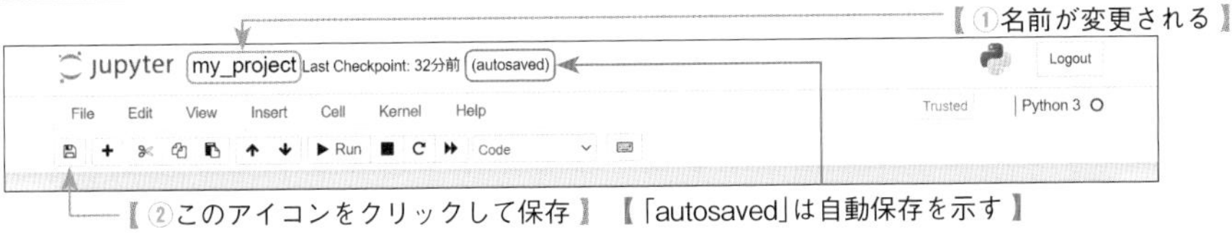


ダッシュボードを見ると、「my_project.ipynb」というファイルが出現しています。これが保存したノートブックです。次回はダッシュボードでこのファイルをクリックすれば、保存したノートブックを開いて、作業を続けることができます。

▼保存したノートブック

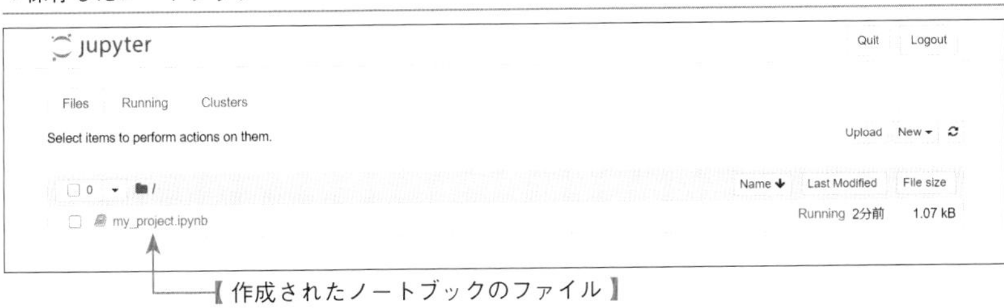


これでJupyter Notebookでプログラムを書くために最小限必要な機能を使ってみることができました。他には次の表のような操作を覚えておくと便利です。なお、Jupyter Notebookの「Help」(ヘルプ)メニューの「Keyboard Shortcuts」(キーボードショートカット)から、キー操作の一覧(英語)を見ることもできます。

元に戻す、切り取り、コピー、貼り付けなどの操作はWindowsのキー操作に似ていますね。上下のセルに移動する操作は、テキストエディタのvi(vim)でカーソルを上下に移動する操作と共通です。Kキーと Jキーを使うと、カーソルキーの上下(↑や↓)を使うのに比べて、指がキーボードのホームポジションから離れないので便利です。

▼覚えておくと便利な操作

| キー | 機能 |
|---|---|
| Enter | 編集モードにする(セルの内容を編集できる) |
| Tab | 入力補完(関数名などを補完したり候補を表示したりする) |
| Esc | コマンドモードにする(以下の操作はコマンドモードで行う) |
| ↑またはK | 上のセルに移動 |
| ↓またはJ | 下のセルに移動 |
| S | ノートブックを保存 |
| A | 現在のセルの上に新しいセルを作成 |
| B | 現在のセルの下に新しいセルを作成 |
| Z | 元に戻す(アンドゥ) |
| X | 切り取り(カット) |
| C | コピー |
| V | 現在のセルの下に貼り付け(ペースト) |
| Shift+V | 現在のセルの上に貼り付け(ペースト) |

Jupyter Notebookを使うと、プログラムを入力して実行したり、一度実行したプログラムを修正してまた実行したり、といった作業が容易になります。インタプリタの対話モードでは効率が悪いけれども、テキストエディタを使うのは少し大げさ…という場合に、ぜひ活用してみてください。

## ❖本格的なプログラミングにはテキストエディタ

行数の多いプログラムを書くときや、プログラムのファイルが複数に分かれるような本格的なプログラムの開発を行うときには、テキストエディタを使うか、この後で紹介する統合開発環境(とうごうかいはつかんきょう)を使うとよいでしょう。もし、普段からプログラムや文章などを書くのに使っているような、気に入ったテキストエディタがあるのならば、まずは試しにそのテキストエディタを使って、Pythonのプログラムを書いてみるのがおすすめです。文字エンコーディングのUTF-8に対応しているテキストエディタであれば、Pythonのプログラミングに使えます。

ここではWindowsに付属するメモ帳(notepad.exe)を例に、Pythonのプログラムをファイルに保存する方法と、保存したプログラムを実行する方法を説明します。

### ●テキストエディタでプログラムを入力する

Windowsのスタートメニューを開いた状態で「notepad」と入力し、メモ帳を起動して、以下のプログラムを入力してください。このプログラムは、**縦書きで「Python」を表示した後に、横書きで「プログラミング」と表示**します。

▼hello.py

```
for c in 'Python':
    print(c)
print('プログラミング')
```

2行目の「**print(c)**」は、タブまたは空白でインデント(字下げ)してください。以下の例では空白4個でインデントしています。

▼メモ帳でプログラムを入力

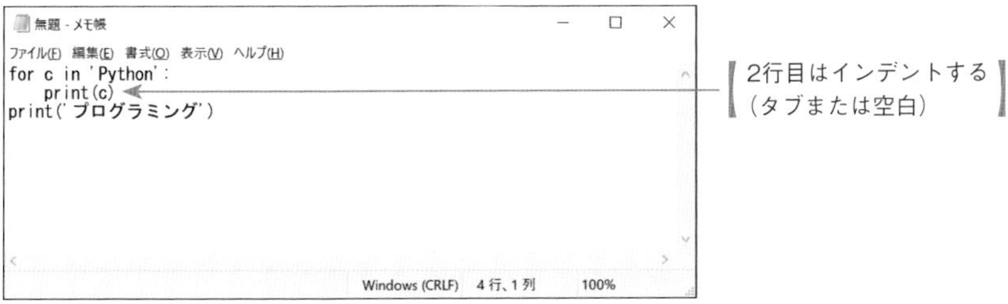


このプログラムをファイルに保存します。保存先を「デスクトップ」、ファイル名を「hello.py」、文字コード（エンコード）を「UTF-8」にしてください。ファイルの拡張子に指定した「.py」は、Pythonのプログラムを表します。

▼プログラムをファイルに保存

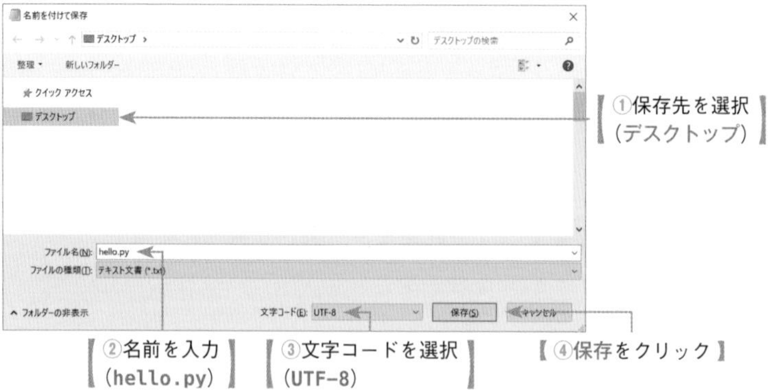


テキストエディタによっては「UTF-8(BOM付き)」を選択できるものもありますが、「UTF-8」を選ぶのがおすすめです。BOM(ボム)はByte Order Mark(バイトオーダーマーク)の略で、Unicode(ユニコード)の文字エンコーディングを判別するために、ファイルの先頭に付加する数バイトのデータのことです。UTF-8は、広く使われている文字コードであるASCII(アスキー)との互換性がありますが、BOMを付けると互換性が失われます。BOMがなければ、ASCIIだけに対応したプログラムでも正常に扱える可能性が高まるので、BOMを付けないことがおすすめです。

なお、文字コードと文字エンコーディングは近い概念なのですが、少し意味が異なります。コンピュータで文字を扱うために、文字に対して割り当てた数値のことを文字コードと呼びます。この数値をコンピュータで実際に扱うデータ(バイト列)にする方法のことを文字エンコーディングと呼びます。ASCIIやUnicodeは文字コードであり、UTF-8はUnicodeに対する文字エンコーディングの1つです。本書では主に文字エンコーディングという用語を使います。

### ●保存したプログラムを実行する

保存したプログラムを実行してみましょう。コマンドライン(コマンドプロンプトやAnacondaプロンプト)を起動し、次のように操作してください。

1. 「**cd C:¥Users¥ユーザ名¥Desktop**」を実行して、カレントディレクトリをデスクトップに移動します。cd(change directory)はカレントディレクトリを変更するコマンドです(ドライブ名とユーザ名は各自の環境に合わせてください)。

❷「**python hello.py**」と **Enter** キーを入力して、Pythonプログラムを実行してください。

▼保存したプログラムを実行

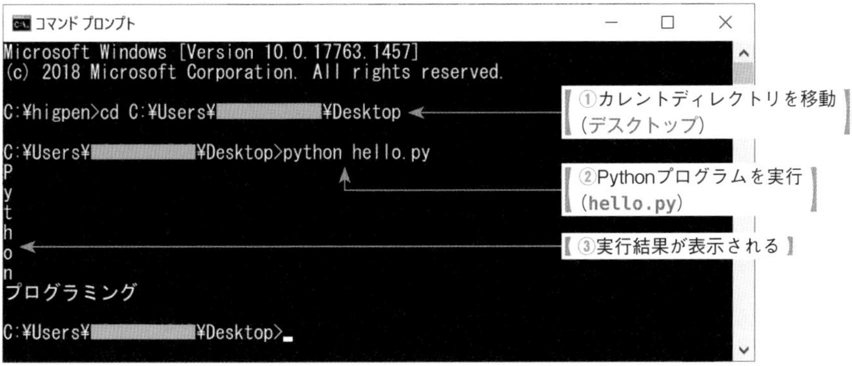


正しくプログラムを実行できると、次のように表示されます。

```
>python hello.py
P
y
t
h
o
n
プログラミング
```

### ●正しく実行できなかった場合

正しく実行できず、エラーメッセージが表示された場合には、次のように対処してください。代表的なエラーの例を示します。

以下は、Pythonを正しくインストールできていない場合のエラーです。Chapter1の手順に沿って、Pythonをインストールし直してみてください。

```
'python' は、内部コマンドまたは外部コマンド、
操作可能なプログラムまたはバッチ ファイルとして認識されていません。
```

以下は、プログラムのファイルが開けない場合のエラーです。カレントディレクトリが正しいか、ファイル名が正しいか、カレントディレクトリ(デスクトップ)にファイル(hello.py)があるかを確認してください。

```
python: can't open file 'hello.py': [Errno 2] No such file or directory
```

上記のメッセージを和訳すると、以下のようになります。

python: hello.pyが開けない: [エラー番号2] ファイルまたはディレクトリがない

以下は、ファイルをUTF-8で保存しなかった場合のエラーです。文字エンコーディング(文字コード)にUTF-8を指定して、ファイルを保存し直してください。

```
  File "hello.py", line 3
SyntaxError: Non-UTF-8 code starting with '\x83'
in file hello.py on line 3, but no encoding declared;
see http://python.org/dev/peps/pep-0263/ for details
```

上記のメッセージを和訳すると、以下のようになります。

ファイル「hello.py」の3行目
シンタックスエラー：UTF-8ではない文字コード(16進数の83から始まる)が、
ファイルhello.pyの3行目にある。しかし、エンコーディングが宣言されていない。
詳細はhttp://python.org/dev/peps/pep-0263/を参照。

入力したプログラムが間違っていた場合にも、エラーメッセージが表示されます。例えば2行目の「**print(c)**」を「**print(d)**」にすると、エラーになります。

```
Traceback (most recent call last):
  File "hello.py", line 2, in <module>
    print(d)
NameError: name 'd' is not defined
```

上記のメッセージを和訳すると、以下のようになります。

トレースバック(最近の呼び出しを最後に表示する):
　ファイル「hello.py」の2行目、モジュール内
　　print(d)
ネームエラー:「d」という名前は定義されていない

エラーメッセージには、エラーの場所や原因が書かれています。あてずっぽうにプログラムを修正するのではなく、エラーメッセージをよく読んで、ピンポイントでプログラムを修正するのがおすすめです。エラーが発生した場所は「File "ファイル名", line 行番号」のように示されているので、エラーメッセージの意味が読み取れない場合でも、ぜひ場所は確認してください。

## ❖本書のサンプルファイルを実行するには

テキストエディタを使ったプログラミングの方法に関連して、本書のサンプルファイルに収録されたプログラムを実行する方法を紹介します。以下はWindowsにおいて、本章Chapter2の「hello.py」を実行する方法です。

なお、サンプルファイルの入手方法は、14ページをご参照ください。

1. サンプルファイル(PythonSample.zip)をデスクトップに展開します。デスクトップ以外に展開することもできますが、ここではデスクトップを使います。
2. コマンドラインで「**`cd C:¥Users¥ユーザ名¥Desktop`**」を実行して、デスクトップに移動します。
3. 「**`cd PythonSample`**」を実行して、展開したサンプルファイルのフォルダに移動します。
4. 「**`cd chapter2`**」を実行して、Chapter2のフォルダに移動します。
5. 「**`python hello.py`**」を実行して、hello.pyを実行します。縦書きの「Python」と横書きの「プログラミング」が表示されたら成功です。

本書のプログラムを学習のために手作業で入力してみるのは、文法を覚える効果もあるのでおすすめです。入力する際には、どんな文法が使われているのか、ぜひ意識しながら入力してみてください。

一方で、手作業でプログラムを入力すると、プログラムが正しく動作しないこと

もよくあります。もし正しく動かなかったら、ぜひ一度サンプルファイルのプログラムを、手を加えずにそのまま実行してみてください。サンプルファイルのプログラムが正しく動作したら、手作業で入力したプログラムのどこかに入力ミスがある可能性があります。

プログラムが長くなってくると、どこが間違っているのかを目で見つけるのが難しくなります。この場合はツールを使って、手作業で入力したプログラムと、ダウンロードファイルのプログラムを比較するのがおすすめです。

Windowsの場合には、コマンドラインで以下のようにfcコマンドを使えば、ファイルAとファイルBにおいて異なる行が、前後の行とともに表示されます。

ファイル間で異なる行の表示(fcコマンド)

```
fc /n ファイルA ファイルB
```

ただし、日本語を含むファイルについては、文字が正しく表示されない(文字化けする)場合があります。WinMerge(https://winmerge.org/)などの、ファイル比較ツールをインストールして使うのもよいでしょう。

macOSやLinuxの場合には、ターミナルでdiffコマンドを使用します。ファイルAとファイルBの異なる部分が表示されます。

ファイル間で異なる部分の表示(diffコマンド)

```
diff ファイルA ファイルB
```

## ❖統合開発環境を上手に使って軽快にプログラミング

入力補完やヘルプ表示といった便利な機能を利用しながら開発を進めたい場合には、統合開発環境を使うとよいでしょう。ここではVisual Studio Codeを使って、いくつかの開発支援機能を利用しながら、簡単なプログラムを作成してみます。Visual Studio Codeをインストールしていない場合には、この項目は飛ばして、次のセクションに進んでも大丈夫です。

Visual Studio Codeをインストールしてある場合には、以下のように操作してみてください。**1から6までのランダムな整数を表示するサイコロ**のプログラムを作ります。

❶ Visual Studio Codeを起動します。
❷ [File] メニューの [New File] をクリックするかCtrl+Nキーを押して、新しいファイルを作成します。
❸ [File] メニューの [Save] をクリックするかCtrl+Sキーを押して、ファイルを保存します。保存先は「デスクトップ」、ファイル名は「dice.py」としてください。dice(ダイス)はサイコロのことです。

プログラムを作成すると、Visual Studio Codeの画面上に次のようなメッセージが表示される場合があります。これはPython用の拡張機能をインストールするかどうかの質問です。入力補完機能を利用するためにはインストールが必要なので、[Install] をクリックしてください。

▼入力補完機能を利用可能にする

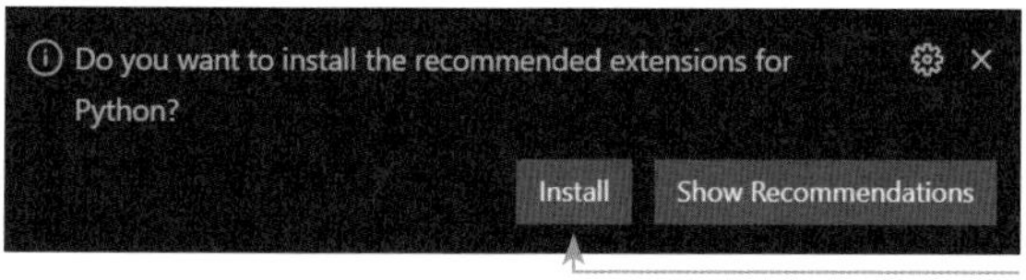


【①Installをクリック】

あわせて次のメッセージも表示されます。これはVisual Studio Code上で使うPythonインタプリタを選ぶようにという指示です。[Select Python Interpreter] をクリックして、使用するPythonインタプリタを選択してください。

▼Pythonインタプリタを利用可能にする

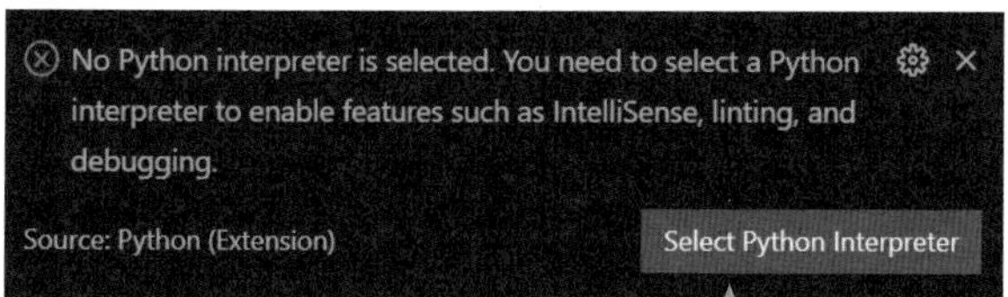


【①Select Python Interpreterをクリック】

### ●プログラムを入力する

続いて、以下のようなプログラムを入力します。

▼dice.py

```
import random
print(random.randint(1, 6))
```

プログラムを入力する際には、次のように操作してみてください。まず1行目を「**import r**」まで入力すると、「r」で始まる入力候補の一覧が表示されます。選択した候補のヘルプ(説明)を表示することもできます。カーソルキーの上下で候補を選択し、**Enter**キーか**Tab**キーで決定します。ここでは「random」を選択し、決定してください。

▼入力候補を選択する

この入力補完機能を利用すると、長い名前を素早く入力したり、うろ覚えの名前から目的の関数などを探したりすることができます。この機能を利用しながら2行目を「**print(random.r**」まで入力し、表示された候補から「randint」を選択して、ヘルプを表示してください。「Return random integer in range [a, b], including both end points.」(両端を含む[a, b]の範囲にあるランダムな整数を返す)というヘルプが表示されます。なお、「(」を入力すると、対となる「)」も自動的に入力されます。

**Enter**キーか**Tab**キーを押すと「**randint**」が入力されます。続けて「**(**」を入力すると、今度は「randint(a: int, b:int) -> int」(randintは整数aと整数bを受け取って整数を返す)と「param a: int」(引数aは整数)というヘルプが表示されます。引数(ひきすう)というのは関数に渡す値のことです。ここでは「randint(1, 6)」となるように、「**1, 6**」を入力してください。引数の入力中には、現在どの引数を入力しているのかが表示されます。

▼引数のヘルプ表示

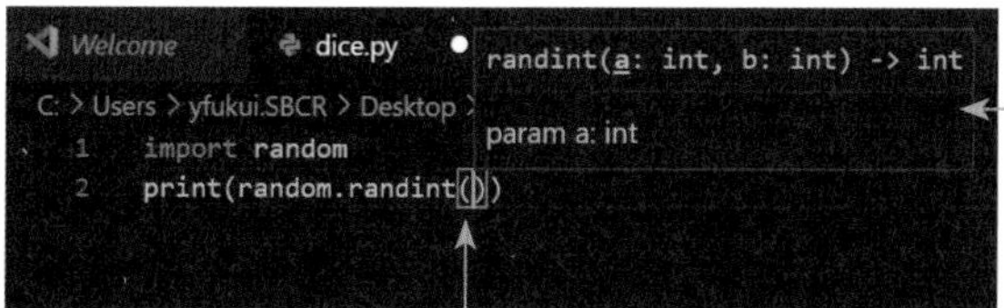


【①(を入力】【②引数のヘルプが表示される】

### ●プログラムを実行する

プログラムを入力したら、[Run] メニューの [Start Debugging](デバッグ開始)をクリックするか**F5**キーを押して、実行してみてください。もし「Debug Configuration」(デバッグの構成)と表示されたら、[Python File](Pythonファイル)をクリックします。TERMINAL(ターミナル)が自動的に開き、Windows Powershell(パワーシェル)が起動して、Pythonプログラムが実行されます。以下では2回実行してみました。ここでは「6」と「5」が表示されましたが、ランダムなので、実行例とは異なる結果になる場合もあります。

▼プログラムの実行

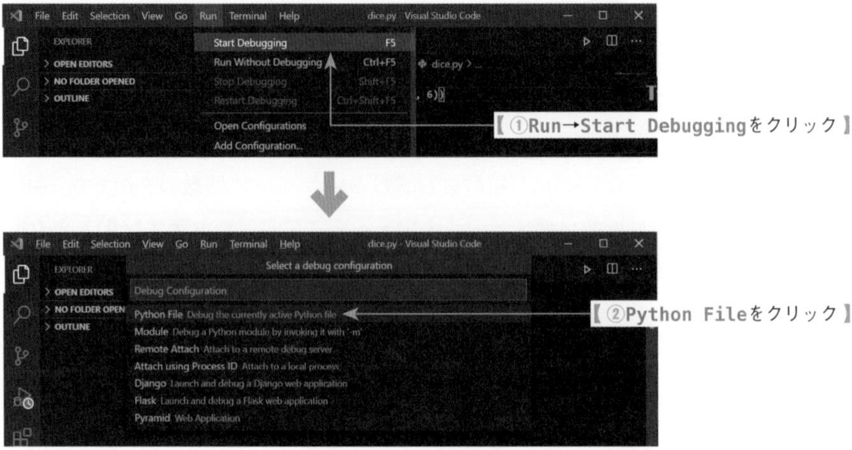


▼プログラムの実行結果

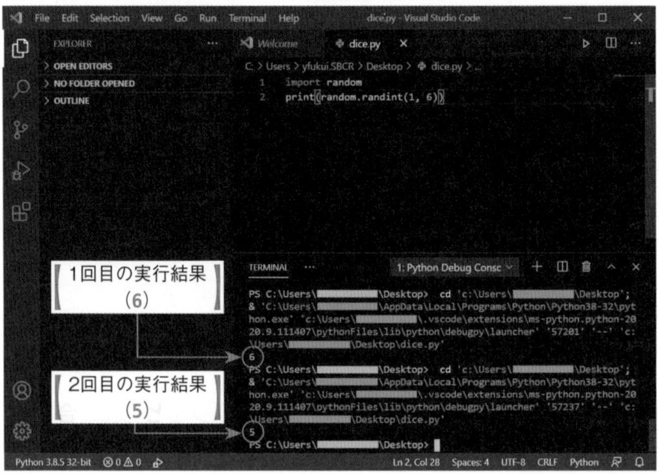


このようにVisual Studio Codeを使うと、入力補完やヘルプ表示が利用できるので、プログラムを素早く入力したり、使いたい機能を探したりすることが容易になります。またデバッガ(デバッグのためのツール)を利用すれば、プログラムを指定した箇所で一次停止したり、変数の値を確認したりしながら、バグの原因を探すことができます。

section 02

# Pythonプログラムの基礎知識

ここからはいよいよ、Pythonの文法について学んでいきます。最初はPythonプログラムのごく基本的な事柄から始めましょう。print関数、関数の一般的な知識、プログラムの実行順序、インデント、コメント、そして標準コーディングスタイルについて学びます。手元にコンピュータがある場合には、どの開発環境を使っても構いませんので、ぜひプログラムを入力して動作を確かめながら、Pythonプログラミングに慣れていってください。

## 何でもprint関数で表示してみよう

ここまでに何度か使ってきたprint(プリント)関数は、式の計算結果を表示するPythonの機能です。このprint関数は実に色々なものを表示することができます。

ここではprint関数の便利な使い方をいくつか学んでみましょう。一番基本的な使い方は、次のように式を1つだけ渡す方法です。前述のように、関数に対して渡すデータのことを引数(ひきすう)と呼びます。ここではprint関数に対して、引数として1つの式を渡しているわけです。なお、式も値の一種なので、式の部分には値を指定することもできます。

式の結果を表示する(print関数)

```
print(式)
```

実際に使ってみましょう。**「total」と表示した後に、100と120と150の合計を表示**してみます。次のようにプログラムを入力して、「print1.py」という名前で保存します。

▼print1.py

```
print('total')
print(100+120+150)
```

保存したプログラムの実行は、コマンドラインで「**python**」に続けてファイル名(○.py)を入力して Enter キーを押します。「python」とファイル名の間は空白を入れてください。

プログラムの実行

```
python ファイル名
```

なお、プログラムを実行する際にはcdコマンドを使って、ファイルを保存した場所をカレントディレクトリにしておいてください。あるいは「C:¥Users¥ユーザ名¥Desktop¥ファイル名」のように、パスを使ってファイルの場所を指定してください。実行方法の詳細は42ページに記載されています。

カレントディレクトリの変更(cdコマンド)

```
cd ディレクトリ
```

実行結果は次の通りです(ここではコマンドラインで実行しています)。print関数の引数を「'○'」のようにすると、○に指定した**文字列**(文字の並び)を表示することができます。文字列の詳細はChapter3で解説します。

「total」と表示した後に改行し、合計値の「370」を表示した後にまた改行します。このようにprint関数は、表示のたびに改行します。

```
>python print1.py
total
370
```

引数を渡さずに次のようにprint関数を使うと、改行だけを出力できます。

改行だけを出力する

```
print()
```

複数の引数をカンマ(,)で区切って渡すこともできます。以下を実行してみてください。

▼print2.py

```
print('total', 100+120+150)
```

この場合は、渡した値を空白で区切って表示します。いくつかの値をまとめて表示したいときに便利です。

```
>python print2.py
total 370
```

print関数は表示のたびに改行しますが、この改行を抑制する方法を覚えておくと便利です。まずは普通に、**0から9までの数値を改行しながら表示**してみましょう。なお、forは処理を繰り返し実行する際に使用します。ここではprint関数を10回繰り返し実行しています。for文の詳細はChapter5で解説します。

▼print3.py

```
for i in range(10):
    print(i)
```

次のように表示されます。これでも構わないのですが、たくさんの値を表示すると行数が多くなって、結果が確認しにくいこともあるでしょう。

```
>python print3.py
0
1
2
3
4
5
6
7
8
9
```

次のように「end='○'」という引数を追加すると、改行の代わりに○に指定した文字列を出力することができます。

改行の代わりに文字列を出力

```
print(引数, …, end='○')
```

例えば「**end=' '**」のように空白(スペース)を指定してみてください。値を空白で区切って、1行に表示できます。

▼print4.py

```
for i in range(10):
    print(i, end=' ')
```

実行結果は次のようになります。

```
>python print4.py
0 1 2 3 4 5 6 7 8 9
```

「**end=''**」のように空文字列(空の文字列)を指定すると、値をつなげて表示します。

▼print5.py

```
for i in range(10):
    print(i, end='')
```

実行結果は次のようになります。

```
>python print5.py
0123456789
```

複数の文字も指定できます。例えば「**end='-->'**」とすると、値を「-->」で区切って表示します。

▼print6.py

```
for i in range(10):
    print(i, end='-->')
```

実行結果は次のようになります。

```
>python print6.py
0-->1-->2-->3-->4-->5-->6-->7-->8-->9-->
```

上記で「…9-->」ではなく「…9」のように最後の「-->」を表示したくない場合には、別の方法を使う必要があります。例えば、Chapter3で解説するjoinメソッドとstr関数、Chapter8で解説する内包表記を使うと、次のようなプログラムが書けます。

▼print7.py

```
print('-->'.join([str(i) for i in range(10)]))
```

実行結果は次のようになります。

```
>python print7.py
0-->1-->2-->3-->4-->5-->6-->7-->8-->9
```

さて、ここまでに紹介した使い方を知っておけば、自由にprint関数を使いこなせるかと思います。さらに凝った表示をしたいとき、例えば桁数を指定して表示したいような場合には、Chapter9で解説するformatメソッドやf文字列を併用するとよいでしょう。

## 色々な関数に共通する使い方を覚える

Pythonにはprint以外にも数多くの関数(かんすう)があります。関数というのは、何らかの機能を提供する処理を再利用しやすい形にまとめたものです。提供する機能は関数ごとに異なりますが、どの関数も共通の方法で使えるので、ここで使い方を学んでおきましょう。

関数を実行することを、関数を「呼び出す」といいます。また、関数に渡す値を引数(ひきすう)と呼び、関数が返す値を戻り値(もどりち)と呼びます。関数を呼び出すと、関数は渡された引数を使って何らかの処理を行います。処理が終わると、呼び出し元に制御が戻り、戻り値が返ってきます。返ってきた戻り値は、表示したり、他の計算に使ったりすることができます。

▼関数の仕組み

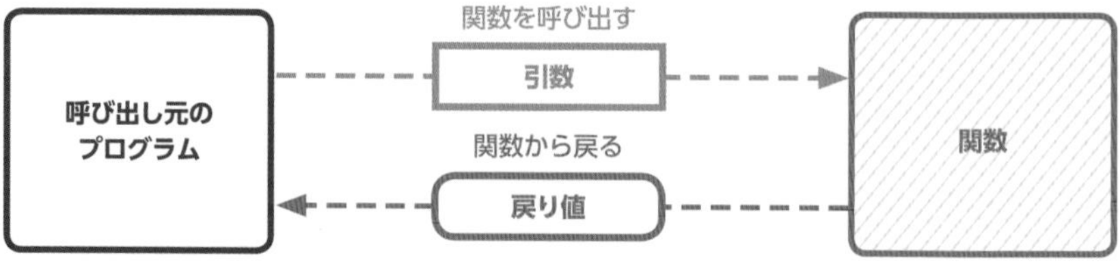


関数は次のように呼び出します。複数の引数がある場合は、カンマ(,)で区切ります。いくつの引数を渡せるかは、関数によって異なります。print関数のように、任意個の引数を渡せる関数もあります。

関数の呼び出し(引数が0個の場合)

```
関数名()
```

関数の呼び出し(引数が1個の場合)

```
関数名(引数)
```

関数の呼び出し(引数が2個以上の場合)

```
関数名(引数, …)
```

### ●戻り値がある関数の例

print関数の例では、戻り値について意識していませんでした。戻り値がある関数のわかりやすい例として、len(レン)関数を使ってみましょう。lenはlength(長さ)のことです。len関数は文字列の長さ(文字数)などを戻り値として返します。

文字列の長さを返す(len関数)

```
len(文字列)
```

**「Python」の文字数**を調べてみましょう。次のプログラムを実行してみてください。

▼func1.py

```
print(len('Python'))
```

「Python」は6文字なので「6」が表示されます。

```
>python func1.py
6
```

この例では、len関数が返した戻り値を、print関数に引数として渡しています。このように、ある関数の戻り値を、別の関数の引数として利用することもできます。

Pythonインタプリタの対話モードや、Jupyter Notebookで実行する場合は、次のようにprint関数を省略しても構いません。

```
>>> len('Python')
6
```

len関数の呼び出しにおける、引数と戻り値の関係は次の通りです。len関数に対し、引数として'Python'を渡すと、戻り値として6を返します。

```
>>> len('Python')  ← 引数'Python'をlen関数に渡す
6                  ← 戻り値として6を返す
```

戻り値を使って計算をすることもできます。例えば**「Python」と「プログラミング」の文字数の合計**を求めてみましょう。次のプログラムを実行してください。

▼func2.py

```
print(len('Python')+len('プログラミング'))
```

「Python」は6文字、「プログラミング」は7文字なので、合計は「13」になります。

```
>python func2.py
13
```

このようにPythonでは、「プログラミング」のような日本語の文字に関しても、英語の文字と同様に文字数を調べることができます。「Pythonプログラミング」のように、英語と日本語の文字が混在した文字列についても、同様に文字数を調べられます。

### ●print関数の戻り値

ところで、print関数にも戻り値があります。次のプログラムを使って、print関数の戻り値を表示してみましょう。**内側にある「print()」の戻り値を、外側のprint関数で表示**します。

▼func3.py

```
print(print())
```

実行結果は「None」と表示されます。none(ナン)というのは「何もない」という意味です。Pythonでは「何もない」ことを表すためにNoneという特別な値を使います。print関数のように、特に意味がある戻り値を返さない関数は、Noneを返します。

```
>python func3.py
None
```

### ●キーワード引数と位置引数

さて、print関数に「end='○'」という引数を追加すると、改行の代わりに指定した文字列を出力することができました(53ページを参照)。この「引数名=値」のような形式の引数をキーワード引数と呼びます。一方、引数名を書かないで値だけを渡す形式の引数は位置引数と呼びます。

いくつの位置引数が使えるのか、どんな引数名のキーワード引数を使えるのかは、関数によって異なります。位置引数とキーワード引数を併用する場合には、位置引数を左に(先に)、キーワード引数を右に(後に)書きます。

キーワード引数と位置引数

```
関数名(位置引数, …, キーワード引数名=値, …)
```

位置引数とキーワード引数の順序について、print関数を使って実験してみましょう。**「Python」と表示した後に、改行の代わりに「!」を表示**します。次のプログラムを実行してみてください。これは位置引数を左に、キーワード引数を右に書いているので、正しいプログラムです。

▼func4.py

```
print('Python', end='!')
```

実行結果は次のようになります。

```
>python func4.py
Python!
```

あえて**キーワード引数を左に、位置引数を右に書いた、間違ったプログラム**を実行してみましょう。

▼func5.py

```
print(end='!', 'Python')
```

「'Python'」という位置引数の先頭でエラーが発生します。エラーメッセージの意味は「文法エラー：位置引数がキーワード引数の後にある」です。

```
>python func5.py
  File …, line 1
    print(end='!', 'Python')
                   ^
SyntaxError: positional argument follows keyword argument
```

これで関数を呼び出す方法は習得できました。同様の方法であらゆる関数を呼び出すことができるので、ぜひ色々な関数を使って、便利な関数を見つけてみてください。

## ❖プログラムは上から下に実行する

Pythonでは多くのプログラミング言語と同様に、複数行のプログラムについては、上から下の行に向かってプログラムを実行していきます。例えば次のプログラムは、**「1」「2」「3」を順に表示**します。

▼statement1.py

```
print(1)
print(2)
print(3)
```

上の行から順番にprint関数が実行されていきます。

```
>python statement1.py
1
2
3
```

一般にプログラムは、複数の**文**(ステートメント)から構成されています。文とはプログラムを構成する基本的な単位です。Pythonには、「式文」「代入文」「if文」「for文」など色々な種類の文があります。文には、1行で書ける**単純文**と、複数行に渡る**複合文**があります。

Pythonでは、単純文については各行に1つの文を書くのが基本です。上記のプログラムでは、「**print(1)**」「**print(2)**」「**print(3)**」という3つの文を、3行に分けて書いています。

セミコロン(;)を使えば、複数の文を1行にまとめて書くことも可能です。上記のプログラムを1行にまとめて書いてみましょう。

▼statement2.py

```
print(1); print(2); print(3)
```

実行結果は次のようになります。

```
>python statement2.py
1
2
3
```

1行に複数の文を書く方法は、文法としては問題はありませんが、コーディングスタイルとしては推奨されていません。特に強い理由がなければ、各行に1つの文だけを書くことをおすすめします。

## ❖インデントは見た目のためだけじゃない

インデント(字下げ)とは、プログラムの行頭に空白やタブを入れて、行頭を右に下げることです。多くのプログラミング言語、例えばC/C++やJavaなどにおいては、インデントはプログラムを読みやすくするために使うもので、インデントの違いがプログラムの動きを左右することはありません。それに対してPythonでは、インデントがプログラムの構造を決めるので、インデントが違えばプログラムの動きも変わります。

プログラミング言語において、インデントを使ってプログラムの構造を表現する方式のことをオフサイドルールと呼びます。オフサイドルールを採用している言語は、プログラミング言語全体から見ると少数派ですが、例えばPythonが影響を受けた教育用言語のABCや、関数型言語のHaskell(ハスケル)などがあります。

Pythonはインデントの使い方が決められていて窮屈だ！という考えもありますが、インデントの使い方が統一されていることによって、Pythonのプログラムは誤解が生じにくく、読みやすいものになっています。また、インデントを自由に使える言語では、インデントの使い方に関してプログラマ間で非生産的な論争が起きることが多いのですが、Pythonではそういった論争の心配も少なくて済みます。

例えば、**「start」と「stop」という文字列を交互に3回繰り返して表示**するプログラムを書いてみましょう。Pythonと比較するために、最初はC言語によるプログラム(の主要部分)を示します。startを表示する「**printf("start¥n");**」と、stopを表示する「**printf("stop¥n");**」を、for文を使って3回繰り返します。

▼C言語による例

```
for (int i=0; i<3; i++) {
    printf("start¥n");
    printf("stop¥n");
}
```

実行結果は次のようになります。

```
start
stop
start
stop
start
stop
```

上記のプログラムと似ていますが、以下は正しく動かないプログラムです。一見すると、「**printf("start¥n");**」と「**printf("stop¥n");**」をfor文を使って繰り返しているように見えますが、実行するとstopが最後にしか表示されません。

▼C言語による間違った例

```
for (int i=0; i<3; i++)
    printf("start¥n");
    printf("stop¥n");
```

実行結果は次のようになります。

```
start
start
start
stop
```

C言語ではインデントはプログラムの構造をわかりやすくするために使いますが、不適切な使い方をすると、逆にプログラムの構造を誤解させてしまいます。上記のプログラムでは、実際の構造は以下のようになっていて、「**printf("start¥n");**」だけをfor文を使って繰り返しています。「**printf("stop¥n");**」は最後に1回しか実行しません。

▼C言語による間違った例の構造

```
for (int i=0; i<3; i++)
    printf("start¥n");
printf("stop¥n");
```

このようにインデントを自由に使える言語では、インデントとプログラムの構造が連動していないので、プログラマのミスによって上記のような誤解を招くプログラムを書いてしまう危険があります。そのため、例えば「いかなる場合もfor文には波括弧を付けよう」といったコーディングスタイルを課すことになり、これが「for文の波括弧を省略するのは無作法である」といった他のプログラマへの攻撃につながって、論争が生じる(そして仕事が進まない)という悪い流れになりがちです。

その点Pythonでは、インデントの使い方が決められているので、誤解や論争が生じにくくなっています。C言語の場合と同様に、**「start」と「stop」という文字列を交互に3回繰り返して表示**するプログラムを書いてみましょう。

▼indent1.py

```
for i in range(3):
    print('start')
    print('stop')
```

2行目と3行目は空白4個分のインデントを入れています。このようにインデントを入れることで、1行目から3行目までを一連の処理として実行することができます。

インデントの見た目通り、startを表示する「**print('start')**」と、stopを表示する「**print('stop')**」の両方が、for文によって3回繰り返されます。波括弧がないので、前述のC言語のプログラムに比べて、少ない行数で済んでいることにも注目してください。

```
>python indent1.py
start
stop
start
stop
start
stop
```

stopを最後の1回だけ表示したいときには、次のようなプログラムにします。インデントの見た目通り、startを表示する「**print('start')**」だけが、for文によって3回繰り返されます。

▼indent2.py

```
for i in range(3):
    print('start')
print('stop')
```

実行結果は次のようになります。

```
>python indent2.py
start
start
start
stop
```

このようにPythonでは、インデントとプログラムの構造が連動しているおかげで、誤解を招くプログラムを書いてしまう危険が減っています。また、プログラムの行数を少なくできるという利点もあります。

Pythonのインデントには、空白とタブのどちらを使っても構いませんし、空白とタブを組み合わせても構いません。インデントの深さ(空白やタブの個数)は自由ですが、一連の処理に関してはインデントの深さを合わせる必要があります。以下は空白3個を使った適切なインデントの例です。

▼indent3.py

```
for i in range(3):
   print('start')
   print('stop')
```

実行結果は次のようになります。

```
>python indent3.py
start
stop
start
stop
start
stop
```

以下は空白3個と空白6個が混在しており、for文に属する一連の処理に関してインデントの深さが合っていない不適切なインデントの例です。この場合はエラーが発生します。エラーメッセージの意味は「インデントのエラー：予期しないインデント」です。

▼indent4.py

```
for i in range(3):
   print('start')
      print('stop')
```

実行結果は次のようになります。

```
>python indent4.py
  File …, line 3
    print('stop')
    ^
IndentationError: unexpected indent
```

後述する標準コーディングスタイル「PEP8」においては、インデントに空白4個を使うことが推奨されています。特に理由がなければ空白4個を使うのがよいのですが、環境によっては空白4個を入力するのが面倒だったり、空白4個を使うとプログラムが編集しにくくなったりする場合もあるでしょう。その場合には、とりあえずタブを使ってインデントしておき、必要になったときにテキストエディタなどのツールを使って、タブを空白4個に置換する方法もおすすめです。環境によっては、タブを使ってインデントすると、自動的に空白4個に置き換えてくれることもあります。

Pythonのインデントに抵抗があるという声を聞くことはありますが、実際に使ってみると利点があり、なかなか使い心地がよいものです。ぜひ利点を把握したうえでPythonのインデントに慣れてみてください。

その昔、まだプログラムの記録媒体がパンチカード(厚手の紙に穴を空けて情報を記録する媒体)だった時代のプログラミング言語では、プログラムの各行について、何桁目に何を書くのかが決められていました。こういった言語の例としては、科学技術計算に使うFORTRAN(フォートラン)や、金額計算や事務処理に使うCOBOL(コボル)などがあります。FORTRANやCOBOLは現在でも広く使われていて、今では何桁目に何を書くのかが決まっている「固定形式」に加えて、他のプログラミング言語のように柔軟な表記が可能な「自由形式」にも対応しています。もし固定形式によるプログラミングの経験があれば、Pythonにおいてインデントの使い方が決められていることなどは、まったく窮屈に感じないかもしれません。

## ❖#から行末まではコメント

Pythonプログラムにコメント(人間が読むための注釈)を書くには、#(シャープ)を使います。#から行末までがコメントになります。コメントはプログラムの説明を書くためや、プログラムの一部を無効にする(**コメントアウトする**)ために使います。

この後で解説する標準コーディングスタイル(PEP8)では、説明を書きたい処理の前に、コメントだけの行を書く方法が推奨されています。この方法は**ブロックコメント**と呼ばれています。ブロックコメントには、以後に続く処理の説明を書きます。

ブロックコメント

```
# コメント
処理
…
```

以下は**ブロックコメントの例**です。#の後には空白を1個置くことが推奨されています。

▼comment1.py

```
# 合計金額を表示
print('total', 100+120+150)
```

実行結果は次のようになります。

```
>python comment1.py
total 370
```

一方、処理と同じ行にコメントを書く方法もあります。この方法は**インラインコメント**と呼ばれています。インラインコメントには、同じ行にある処理の説明を書きます。

インラインコメント

```
処理  # コメント
```

以下は**インラインコメントの例**です。処理と#の間には空白を2個以上、#の後には空白を1個、それぞれ置くことが推奨されています。

▼comment2.py

```
print('total', 100+120+150)  # 合計金額を表示
```

実行結果は次のようになります。

```
>python comment2.py
total 370
```

標準コーディングスタイルでは、基本的にブロックコメントを使い、インラインコメントは控えめにするように推奨しています。特に必要がなければ、ブロックコメントを使うとよいでしょう。

なおC/C++やJavaには、1行のコメントを書くための記法(//)の他に、複数行のコメントを書くための記法(/*と*/)がありますが、Pythonにはありません。複数行に渡るコメントを書きたいときには、#を使った1行のコメントを複数行並べます。

複数行のコメント

```
# 複数行のコメントを書くには、
# 1行のコメントを複数行並べます。
```

**プログラムの一部をコメントアウト**したいときには、コメントアウトしたい行の先頭に#を挿入します。

▼comment3.py

```
# print('total', 100+120+150)
```

**複数行のプログラムをコメントアウト**したいときには、手作業では少し面倒ですが、各行の先頭に#を挿入する必要があります。

▼comment4.py

```
# print('total')
# print(100+120+150)
```

テキストエディタによっては、簡単な操作で複数行をコメントアウトする機能があります。例えばVisual Studio Codeでは、複数行を選択してからCtrl＋Kキーと Ctrl＋Cキーを続けて入力すると、選択した行をまとめてコメントアウトすることができます。コメントアウトを解除するには、複数行を選択してからCtrl＋Kキーと Ctrl＋Uキーを続けて入力します。

テキストエディタにコメントアウトの機能がない場合には、三重クォート文字列という文法を使って、コメントアウトの代わりにする方法もあります。三重クォート文字列とは、「'''」(3個のシングルクォート)か、「"""」(3個のダブルクォート)で囲まれた文字列のことです。コメントアウトしたい範囲を「'''」か「"""」で囲むことによって、その部分のプログラムを無効にすることができます。以下の**三重クォート文字列の例**では「'''」を使いましたが、「"""」を使っても構いません。

▼comment5.py

```
'''
print('total')
print(100+120+150)
'''
```

三重クォート文字列は、本来は複数行に渡る文字列を書くための文法です。テキストエディタによるコメントアウトの支援が受けられないときの代替手段にとどめておくことをおすすめします。

## ❖標準コーディングスタイル「PEP8」

「プログラムの見た目をどのように書くか」という流儀のことを**コーディングスタイル**と呼びます。プログラムを動かすためには守る必要がある文法とは違い、コーディングスタイルは守らなくても構いません。しかし、適切なコーディングスタイルに沿ってプログラムを書くことにより、プログラムの可読性(読みやすさ)を向上することができます。

コーディングスタイルは文法とは異なり、正解や不正解が明確に定まりません。個人の好みに左右される部分も大きいので、コーディングスタイルをめぐって非生産的な論争が起きることがよくあります。そこでPythonでは、**PEP8**と呼ばれるスタイルガイドにおいて標準コーディングスタイルを定めています。

PEP(ペップ)は「Python Enhancement Proposal」の略で、「Pythonの機能を向上するための提案」という意味です。色々な開発者によって数多くのPEPが作成され、その中の一部がPythonの機能として採用されてきました。PEP8のように、各PEPには番号が付いています。Pythonの公式Webサイトには、PEPの一覧を掲載したページがあります。

**PEPの一覧**

URL https://www.python.org/dev/peps/

PEP8の題名は「Style Guide for Python Code」(Pythonコードのためのスタイルガイド)です。PEP8は、インデントやコメントの書き方、変数名や関数名の命名方法、空白の入れ方などを述べています。PEP8の内容は多岐にわたるので、本書ではまとめて説明するのではなく、各文法を解説する際にPEP8が推奨するコーディングスタイルについても紹介しています。

自分が書いたプログラムがPEP8に沿っているかどうかを調べたいときには、ツールを使うのがおすすめです。例えば**pycodestyle**(パイコードスタイル)というツールは、プログラム中のPEP8に沿っていない箇所を、理由とともに表示してくれます。

pycodestyleは次のようにコマンドラインからインストールします。macOSや

Linuxでは、「pip」の代わりに「pip3」や「pip3.○」を使ってください。

pycodestyleのインストール(CPythonの場合)

```
pip install pycodestyle
```

pycodestyleのインストール(Anaconda/Minicondaの場合)

```
conda install -y pycodestyle
```

pycodestyleはコマンドラインから次のように実行します。PEP8に沿っているかどうかを調べたいPythonプログラムのファイル名を指定してください(cdコマンドでファイルを保存したディレクトリに移動するか、パスを使ってファイルの場所を指定してください)。

pycodestyleの実行

```
pycodestyle ファイル名
```

pycodestyleの実験用に、あえてPEP8に沿っていないプログラムを用意しました。テキストエディタで入力して「style1.py」というファイル名で保存してください。本書のサンプルファイルを利用しても構いません。

▼style1.py

```
for i in range(10):
  print(i,end=' ')
```

コマンドラインを使って「**pycodestyle style1.py**」を実行してください。以下のようなエラーが表示されます。

```
>pycodestyle style1.py
style1.py:2:3: E111 indentation is not a multiple of four
style1.py:2:10: E231 missing whitespace after ','
```

エラーメッセージを和訳すると「style1.py:2行目: 3桁目: E111 インデントが4の倍数ではない」「style1.py:2行目:10桁目: E231「,」の後に空白がない」という意味になります。

エラーメッセージに沿って修正したのが、以下のプログラムです。ファイル名は「style2.py」としました。「**pycodestyle style2.py**」を実行すると、何も表示されません。これはプログラムがPEP8に沿っているということです。

▼style2.py

```
for i in range(10):
    print(i, end=' ')
```

PEP8に沿っているかどうかを調べるだけではなく、PEP8に沿うように自動的にプログラムを修正してくれるツールもあります。例えば**autopep8**(オートペップ8)というツールを使ってみましょう。autopep8は次のようにコマンドラインからインストールします。macOSやLinuxでは、「pip」の代わりに「pip3」や「pip3.○」を使ってください。

autopep8のインストール(CPythonの場合)

```
pip install autopep8
```

autopep8のインストール(Anaconda/Minicondaの場合)

```
conda install -y autopep8
```

autopep8はコマンドラインから次のように実行します。PEP8に準拠させたいPythonプログラムのファイル名を指定してください。「-i」は指定したファイルに修正後の内容を上書きするためのオプションです。「-i」を付けない場合は、修正後のプログラムを画面に表示します。

autopep8の実行

```
autopep8 -i ファイル名
```

PEP8に沿っていない先ほどのプログラム(style1.py)を修正してみましょう。「**autopep8 -i style1.py**」を実行してプログラムを修正した後に、「**pycodestyle style1.py**」を実行してみてください。エラーが表示されなくなることから、プログラムが修正されたことがわかります。テキストエディタで「style1.py」を開いて、内容を確認してみてください。「style2.py」と同じ内容になっているはずです。

あまり神経質になる必要はありませんが、強い理由がなければ、PEP8に沿ってプログラムを書くのがおすすめです。autopep8などのツールを利用して、後から修正するのでも構いません。PEP8に準拠しておけば、他の人にプログラムを見せるときにも、支障なく読んでもらえる可能性が高まります。

本書に掲載しているプログラムも、基本的にはPEP8に沿っています。ただし紙面や説明の都合で、空行の行数を減らしたり、演算子の両側に空白を入れないなど、一部PEP8に準拠していない部分があります。

# 基礎編 Chapter3

# 全ての基本になる文法を学ぶ

Pythonの型、変数、数値、文字列について学びましょう。これらはとても基本的な文法なので一見簡単に思えますが、実はなかなか奥が深いのです。ここをしっかり学んでおくと、Pythonのプログラムがどのように動くのかが見えるようになるので、自信を持ってプログラムを読んだり書いたりできるようになります。また、他の色々な文法を学ぶことがスムーズになり、理解も深くなります。本書では表層的な文法だけではなく、文法の背後にある仕組みについても言及します。ぜひ一度、じっくりと学んでみてください。

**本章の学習内容**

①Pythonの基本的な型
②変数の概念と使い方
③数値を使った計算
④文字列の扱い方

# section 01 扱っている値の型を常に意識する

型(かた)というのは値の種類のことです。Pythonには色々な型がありますが、ここでは最も基本的な型である、**数値**、**文字列**、**真偽値**について学びます。Pythonのプログラミングで重要なのは、扱っている値がどんな型なのかを、常に意識しておくことです。

## ❖数値には整数と浮動小数点数がある

Pythonの数値には**整数**と**浮動小数点数**(ふどうしょうすうてんすう)があります。「123」や「456」のように小数部分がない数値は整数、「1.23」や「45.6」のように小数部分がある数値は浮動小数点数です。なお小数部分が「0」であっても、小数部分があれば浮動小数点数になります。例えば「789」は整数ですが、「789.0」は浮動小数点数です。

C/C++/Javaなどのプログラミング言語では、整数や浮動小数点数について、それぞれビット数が異なる複数の型が用意されています。C/C++は環境によってビット数が変動するので、ビット数が一定であるJavaの例を紹介しましょう。Javaの整数型には、8ビットのbyte(バイト)、16ビットのshort(ショート)、32ビットのint(イント)、64ビットのlong(ロング)があります。浮動小数点数型は、32ビットのfloat(フロート)と、64ビットのdouble(ダブル)です。

このように多くの型があるのは、プログラマが状況に応じて型を使い分けるためです。ビット数が少ない型を使えば、数値を記録するために必要なメモリの容量を減らすことができます。また、ハードウェア(CPUなど)が処理するのに向いたビット数の型を使えば、計算を高速に行うことが可能です。

一方Pythonでは、整数型は**int**、浮動小数点数型は**float**だけです。なお、intはinteger(整数)、floatはfloating-point(浮動小数点)やfloating-point number(浮動小数点数)に由来すると思われます。

## ❖intには桁数の上限がない

Pythonにおける整数型のintは、ビット数が可変です。扱う値の桁数に応じてビット数が自動的に変化します。メモリの許す限りビット数を増やすことができるので、非常に桁数が多い整数を扱うことが可能です。このような整数のことを、**多倍長整数**(たばいちょうせいすう)と呼びます。CPythonでは、32ビットや16ビットといった通常の(固定長の)整数を、必要な桁数に応じて複数並べる(配列にする)ことによって、多倍長整数を実装しています。

多倍長整数によって非常に桁数が多い整数を扱えることを、実際に体験してみましょう。Pythonインタプリタの対話モード(30ページを参照)やJupyter Notebook(35ページを参照)を使って、次のような計算をしてみてください(ここではPythonインタプリタの対話モードで実行しています)。**はべき乗の**演算子**(えんざんし、計算を行うための記号)です。

まずは試しに、**2の2乗(4)と10乗(1024)を計算**してみてください。「**2**2**」と「**2**10**」を入力します。

```
>>> 2**2
4
>>> 2**10
1024
```

式の結果の表示については、32ページを参照してください。

次は**2の31乗(2147483648)と32乗(4294967296)を計算**してみましょう。C/C++/Javaなどにおいて、32ビットの整数型(符号付き整数)を使う場合、扱える値の上限は「2の31乗から1を引いた値(2147483647)」です。Pythonでは以下のように、この上限を超える値も問題なく扱えます。

```
>>> 2**31
2147483648
>>> 2**32
4294967296
```

最後に**2の100乗、1000乗、10000乗を計算**してみてください。Pythonでは非常に桁数が多い値を扱えることがわかります。何行にも渡って結果が表示されるのはなかなか壮観です(「2**1000」と「2**10000」の結果は途中を省略しています)。

```
>>> 2**100
1267650600228229401496703205376
>>> 2**1000
107150860718626732094842504906O…0429831652624386837205668069376
>>> 2**10000
199506311688075838488374216268З…0686391511681774304792596709376
```

他のプログラミング言語でよく使われる32ビットの整数は、実は10桁程度の整数までしか扱えません。そのため、金額、ID(社員番号や商品番号など)、ゲームのスコアなどを扱う場合には、桁数が足りないことがあります。桁数があふれてしまうと、エラーが発生したり、エラーが発生せずに不適切な結果のまま処理を継続してしまったり、といった問題が生じます。

Pythonのintは多倍長整数なので、こういった問題が起きる心配が事実上(メモリを使い果たさない限り)ありません。整数については、桁数を気にせずに扱うことができます。

なお、プログラム内に値を書くための記法を**リテラル**と呼びます。プログラム内に整数値を書くための記法は**整数リテラル**です。整数リテラルの先頭に何も付けない場合は**10進数**になります。先頭がゼロとビー(0bか0B)ならば**2進数**、ゼロとオー(0oか0O)は**8進数**、ゼロとエックス(0xか0X)は**16進数**です。10進数には0～9の数字、2進数には0と1、8進数には0～7、16進数には0～9とa～f(またはA～F)の英字が使えます。

試しに、**「123」の整数値を、10進数(123)、2進数(0b1111011)、8進数(0o173)、16進数(0x7b)の整数リテラルとして入力**してみてください。どの場合も「123」と表示されれば成功です。

```
>>> 123          ← 10進数
123
>>> 0b1111011    ← 2進数
123
>>> 0o173        ← 8進数
123
>>> 0x7b         ← 16進数
123
```

現実世界において桁数の大きな数値を表記するときには、値を見やすくするために、「1,000,000」(百万)のようにカンマ(,)を使って区切ります。Pythonではアンダースコア(_)を使って、整数リテラルを区切ることができます。区切る位置は3桁ごとに限らず、任意の位置で区切れます。

例えば**1兆を表す整数リテラルを、3桁ごとに区切る方法と4桁ごとに区切る方法**で書いてみてください。「1000000000000」(0が12個)と表示されれば成功です。

```
>>> 1_000_000_000_000      ← 3桁区切り
1000000000000
>>> 1_0000_0000_0000       ← 4桁区切り
1000000000000
```

このように桁数が多い整数でも容易に扱えるのが、Pythonのよいところです。1兆円の金額を扱う計算や、1兆点のスコアを扱うゲームでも、まったく心配がないですね。

## ❖ floatは単精度ではなく倍精度である

Pythonにおける浮動小数点数型のfloatは、ビット数が固定されています。多くの環境において、CPythonのfloatは64ビットです。これはCPythonがfloatを、C言語のdoubleを使って実装しているためです。多くの環境において、C処理系のdoubleは64ビットなので、CPythonのfloatも64ビットになります。

intのビット数が可変なのに、floatのビット数が固定なのは、ハードウェアの機能を活用するためです。浮動小数点数の演算機能を持つ多くのハードウェアは、IEEE 754と呼ばれる浮動小数点数の形式に基づいて設計されています。IEEE 754では、単精度(たんせいど)と呼ばれる32ビットの浮動小数点数や、倍精度(ばいせいど)と呼ばれる64ビットの浮動小数点数の形式を定めています。IEEE 754に基づくハードウェアは、単精度や倍精度の浮動小数点数を高速に処理することができます。

このようなハードウェアの性能を引き出すために、多くのプログラミング言語も、浮動小数点数の形式としてIEEE 754を採用しています。多くのC/C++処理系やJavaでは、floatがIEEE 754の単精度に、doubleがIEEE 754の倍精度に対応します。

doubleはdouble-precision（倍精度）という意味です。一方、Pythonではfloatが IEEE 754の倍精度に対応します。

C/C++/Javaでは、速度や省メモリを重視する場合は単精度を、精度を重視する場合は倍精度をというように、状況に応じて型を使い分けます。Pythonでは倍精度だけに絞ることで型の使い分けをなくして、言語仕様をシンプルにし、プログラマの負担を減らしています。Pythonの言語仕様書によれば、単精度を使うことで処理時間や使用メモリを減らしたとしても、そもそもPythonでは各種のオブジェクトを扱う負荷が大きいのであまり意味がなく、むしろ単精度と倍精度の両方を採用することは言語を複雑にして好ましくない…ということです。

さて、Pythonのfloatはビット数が固定されているので、扱える値の桁数に限界があります。floatが64ビットの場合、有効桁数（正しく表現できる桁数）は15桁程度です。

実験してみましょう。Pythonインタプリタの対話モードやJupyter Notebookで、**15桁の9を並べた「9.999999999999999」と16桁の9を並べた「9.9999999999999999」を入力**してみてください。前者は正しく表現できますが、後者は「9.99999999999998」となり、正しく表現できません。

```
>>> 9.999999999999999
9.999999999999999
>>> 9.9999999999999999
9.999999999999998
```

floatでは有効桁数が足りない場合には、Pythonの標準ライブラリ（Pythonに標準で付属するライブラリ）に含まれている、decimal（デシマル、小数）という機能を使う方法があります。decimalではプログラマが有効桁数を指定することができ、floatでは扱えないような桁数の多い値を正しく表現することが可能です。なお、ライブラリはプログラム内で使用する色々な機能をまとめたものです。なおライブラリとは、プログラミングに役立つ色々な機能をまとめたソフトウェアのことです。

プログラム内に浮動小数点数の値を書く記法が浮動小数点数リテラルです。浮動小数点数リテラルには2種類の記法があります。「0.0123」のような通常の書き方と、「1.23e-2」のような指数表記と呼ばれる書き方です。指数表記の「○e□」は、「○×10$^{□}$」という値になります。○は仮数部、□は指数部と呼ばれます。

例えば**「1234.5678」を表す浮動小数点数リテラルを、通常の書き方と指数表記の両方で入力**してみてください。どちらも「1234.5678」と表示されれば成功です。

```
>>> 1234.5678
1234.5678
>>> 1.2345678e3
1234.5678
```

なお、数値リテラルの末尾にジェー(jかJ)を付けると、虚数を表すことができます。例えば「123j」や「1.23j」のような要領です。このような記法を**虚数リテラル**と呼びます。「123+456j」や「1.23+4.56j」のように、整数や浮動小数点数と虚数を組み合わせて、**複素数**を表すこともできます。

数学では虚数単位に小文字のアイ(i)を使いますが、工学では電流の記号として大文字のアイ(I)を使うことが多いので、虚数単位にはiを避けてjを使います。Pythonは工学と同じ流儀というわけです。

虚数や複素数を表現するために、Pythonは浮動小数点数を利用します。例えば「123j」や「123+456j」のように整数だけを使って記述しても、Pythonの内部では浮動小数点数に変換されます。そのため桁数に上限がない整数とは異なり、虚数や複素数には浮動小数点数と同様に、有効桁数の上限があります。

複素数の計算をしてみましょう。例えば、**「(1+2j)*(3+4j)」を計算**してみてください。アスタリスク(*)は乗算の**演算子**(計算を行うため記号)です。手で計算すると以下のようになります。jは虚数単位なので、「j*j」は「-1」になることに注意してください。

```
  (1+2j)*(3+4j)
= 1*3 + 1*4j + 2j*3 + 2j*4j
= 3 + 4j + 6j + -8
= -5+10j
```

以下はPythonによる計算です。上記と同じ結果が出ていますね。複素数については、以下のように括弧で囲まれて表示されます。

```
>>> (1+2j)*(3+4j)
(-5+10j)
```

## ❖文字列はシングルクォートでもダブルクォートでも

文字列とは0個以上の文字を並べた値です。文字列を扱うのが**文字列型**です。Pythonにおける文字列型は**str**です。strはstring(文字列)を意味します。

C/C++/Javaなどの言語では、文字列型と文字型(1個の文字を扱うための型)を併用しますが、Pythonには文字列型しかありません。1個の文字は、1文字の文字列として扱います。

**文字列リテラル**(文字列の値)は、シングルクォート(')またはダブルクォート(")で両側を囲んで表します。どちらのクォートを使っても構いません。**空文字列**(空の文字列)を書くこともできます。

文字列の書き方

```
'文字列の内容'
"文字列の内容"
```

空文字列の書き方

```
''
""
```

例えば、**「Python」という文字列リテラルを2種類のクォートを使って入力**してみてください。どちらのクォートを使った場合にも、Pythonインタプリタは「'Python'」と表示します。

```
>>> 'Python'     ← シングルクォートを使用
'Python'
>>> "Python"     ← ダブルクォートを使用
'Python'
```

文字列の中にシングルクォートが含まれているときには、文字列をダブルクォートで囲むのがおすすめです。逆にダブルクォートが含まれているときには、シングルクォートで囲みます。例えば以下のメッセージを文字列リテラルにしてみてください。

```
Can't open the file.
Loading "hello.py".
```

```
>>> "Can't open the file."      ← ダブルクォートを使用
"Can't open the file."
>>> 'Loading "hello.py".'       ← シングルクォートを使用
'Loading "hello.py".'
```

以下のように両方のクォートが含まれているメッセージは、どのように書けばよいでしょうか？

```
Can't run "hello.py".
```

実は、¥(円記号)を使って「¥'」のように書けば、シングルクォートによる文字列の中にシングルクォートを含めることができます。同様に「¥"」のように書けば、ダブルクォートによる文字列の中にダブルクォートを含めることが可能です。環境によっては円記号(¥)の代わりに、「\」(バックスラッシュ)を使います。

上記のメッセージを、**シングルクォートおよびダブルクォートを使って文字列リテラルに**してみてください。どちらの場合にもPythonインタプリタは、シングルクォートと「¥'」を使って文字列を表示します。

```
>>> 'Can¥'t run "hello.py".'       ← シングルクォートを使用
'Can¥'t run "hello.py".'
>>> "Can't run ¥"hello.py¥"."      ← ダブルクォートを使用
'Can¥'t run "hello.py".'
```

このように円記号(またはバックスラッシュ)を使って、通常では文字列の中に入れにくい文字を書く記法のことを**エスケープシーケンス**と呼びます。以下はよく使うエスケープシーケンスの例です。

▼エスケープシーケンスの例

| 記法 | 意味 |
|---|---|
| ¥¥ | 円記号またはバックスラッシュ |
| ¥' | シングルクォート |
| ¥" | ダブルクォート |
| ¥n | 改行 |
| ¥t | タブ |

### ●文字列リテラルの連結

複数の文字列リテラルを並べると、自動的に連結(結合)されます。文字列リテラルの間に空白、タブ、改行が入っても構いません。以下は、**「Hello,」と「Python!」を連結**する例です。

```
>>> 'Hello,' 'Python!'
'Hello,Python!'
```

上記の機能を利用して、1行に入らないような長いテキストを複数行に分けて書くことができます。以下は**print関数を使って長いテキストを表示**するプログラムです。この例のように、関数呼び出しの引数が長い場合や多い場合には、改行しながら複数行にわたって書くこともできます。

▼str_literals1.py

```
print(
'1行に入らないような長いテキストを書きたいときには、'
'このように複数の文字列リテラルを並べる方法があります。'
)
```

実行結果は次のようになります。

```
>python str_literals1.py
1行に入らないような長いテキストを書きたいときには、このように複数の文字列リテラルを並べる方法があります。
```

また、文字列同士は+(プラス)で連結することもできます。+は加算の演算子ですが、文字列に対しては連結の働きをします。

文字列の連結

```
文字列+文字列
```

例えば、**「Hello,」と「Python!」を、+演算子で連結**してみてください。

```
>>> 'Hello,'+'Python!'
'Hello,Python!'
```

### ●複数行のテキスト

長い1行のテキストではなく、複数行にわたるテキストを書きたいときには、**三重クォート文字列**(三連クォート文字列)を使う方法があります。三重クォート文字列は、3個のシングルクォート(''')か、3個のダブルクォート(""")で囲んで記述します。

▼triple_quotes1.py

```
print('''
複数行に渡るテキストを書きたいときには、
三重クォート文字列を使う方法があります。
''')
```

三重クォート文字列の中で改行すると、文字列にも改行が入ります。上記のプログラム例を実行すると、以下のように空行(改行だけの行)が表示されるので、文字列に改行が含まれていることがわかります。

```
>python triple_quotes1.py
                                          ← 空行
複数行に渡るテキストを書きたいときには、
三重クォート文字列を使う方法があります。
                                          ← 空行
```

プログラム上では改行したいけれども、文字列には改行を入れたくない場合には、次のように行末に¥(円記号)または\(バックスラッシュ)を書きます。これはエスケープシーケンスの一種で、行末の改行を無効にすることができます。

▼triple_quotes2.py

```
print('''¥
複数行に渡るテキストを書きたいときには、
三重クォート文字列を使う方法があります。¥
''')
```

実行してみると、今度は余分な空行が入りません。先ほどの実行結果と比べてみてください。

```
>python triple_quotes2.py
複数行に渡るテキストを書きたいときには、
三重クォート文字列を使う方法があります。
```

### ●パスの文字列リテラル

さて、今度は「C:¥Users¥myname¥Desktop」といった**Windowsのパス(ファイルやディレクトリの所在を表す文字列)を文字列リテラル**にしてみてください。パスには円記号(またはバックスラッシュ)が含まれているので、エスケープシーケンス(¥¥または\\)を使う必要があります。

```
>>> 'C:¥¥Users¥¥myname¥¥Desktop'
'C:¥¥Users¥¥myname¥¥Desktop'
```

Pythonインタプリタが表示する文字列にも、エスケープシーケンスが使われています。次のようにprint関数を使うと、正しいパスの文字列になっていることが確認できます。

```
>>> print('C:¥¥Users¥¥myname¥¥Desktop')
C:¥Users¥myname¥Desktop
```

パスには多くの円記号(またはバックスラッシュ)が含まれているので、全てをエスケープシーケンスにするのは面倒です。こんなときはraw文字列を使う方法があります。raw(ロー)は「生の」あるいは「未加工の」という意味です。

通常の文字列リテラルでは、円記号(またはバックスラッシュ)をエスケープシーケンスの記号として扱うので、円記号は¥¥(バックスラッシュは\\)とする必要があります。一方raw文字列では、円記号(またはバックスラッシュ)をエスケープシーケンスの記号として扱わないので、通常の文字と同様にそのまま書くことができます。

raw文字列を書くには、文字列リテラルの先頭に「r」または「R」を付けます(以下では「r」を使う例を示しました)。三重クォート文字列にも適用できます。

raw文字列

```
r'文字列の内容'
r"文字列の内容"
```

raw文字列(三重クォート文字列)

```
r'''文字列の内容'''
r"""文字列の内容"""
```

raw文字列を使って、再び**「C:¥Users¥myname¥Desktop」というパスを文字列リテラルに**してみましょう。print関数を使って、正しいパスの文字列になっていることも確認してください。

```
>>> r'C:¥Users¥myname¥Desktop'
'C:¥¥Users¥¥myname¥¥Desktop'
>>> print(r'C:¥Users¥myname¥Desktop')
C:¥Users¥myname¥Desktop
```

ここまでに、文字列リテラル、文字列リテラルの連結、三重クォート文字列、raw文字列について学びました。これだけ知っていれば、文字列が必要な大部分の状況に対処できるでしょう。

## ❖比較の結果は真偽値になる

真偽値(しんぎち)というのは、真(しん)と偽(ぎ)という2種類の値だけをとる型です。真理値(しんりち)やブーリアン型(Boolean data type)とも呼ばれます。ブーリアンという名称は、ブール代数などを考案した数学者のジョージ・ブール(George Boole)に由来します。Pythonにおける真偽値の型も、スペルは異なりますがbool(ブール)です。

真は「はい」「イエス」「条件の成立」などを表す値で、PythonではTrue(トゥルー)と書きます。偽は「いいえ」「ノー」「条件の不成立」などを表す値で、PythonではFalse(フォルスまたはフォールス)と書きます。TrueやFalseはPythonのキーワード(プログラミング言語において特別な意味を持つ語)です。

### ●比較演算子を使った比較

「等しい」「等しくない」「大きい」「小さい」といった比較を行う計算のことを、**比較演算**と呼びます。比較演算の結果は真偽値になります。Pythonには以下のような**比較演算子**(比較演算を行うための記号)があります。

▼比較演算子

| 演算子 | 使い方 | 結果がTrueになる条件(これ以外はFalseになる) |
|---|---|---|
| == | **A == B** | AがBに等しい |
| != | **A != B** | AがBに等しくない |
| < | **A < B** | AがBよりも小さい |
| > | **A > B** | AがBよりも大きい |
| <= | **A <= B** | AがB以下(Bよりも小さいか等しい) |
| >= | **A >= B** | AがB以上(Bよりも大きいか等しい) |

Pythonインタプリタの対話モードを使って、比較演算を実行してみましょう。**整数の「123」と「456」に対して比較演算子を適用**してみてください。

```
>>> 123 == 456
False
>>> 123 != 456
True
```

```
>>> 123 < 456
True
>>> 123 > 456
False
>>> 123 <= 456
True
>>> 123 >= 456
False
```

標準コーディングスタイルのPEP8では、比較演算子の両側に空白を1個ずつ入れることを推奨しています。上記の入力例はPEP8に沿っていますが、空白の入力が面倒だと感じたら、無理に入力しなくても構いません。空白を省略しても問題なく動作します。

文字列を比較することもできます。**文字列の'apple'と'banana'に対して比較演算子を適用**してみてください。文字列の大小関係は辞書順で決まります。つまり辞書の前方にある文字列は小さく、後方にある文字列は大きいとされます。文字列を構成する各文字の大小関係は、Unicode(ユニコード)において文字ごとに割り当てられた、コードポイントと呼ばれる番号を使って決められます。

```
>>> 'apple' == 'banana'
False
>>> 'apple' != 'banana'
True
>>> 'apple' < 'banana'
True
>>> 'apple' > 'banana'
False
>>> 'apple' <= 'banana'
True
>>> 'apple' >= 'banana'
False
```

### ●ブール演算子を使った比較

複数の比較演算を組み合わせて、複雑な条件を記述したいときには、**ブール演算子(論理演算子)**を使います。以下のように、ブール演算子には**and**(アンド)、**or**(オア)、**not**(ノット)があります。andは論理積、orは論理和、notは否定(または論理否定)とも呼ばれます。

▼ブール演算子(論理演算子)

| 演算子 | 使い方 | 結果がTrueになる条件(これ以外はFalseになる) |
|---|---|---|
| and | **A and B** | AとBの両方がTrue |
| or | **A or B** | AまたはBがTrue(両方がTrueでもよい) |
| not | **not A** | AがFalse |

上記の「A」や「B」には値だけではなく、式も書くことができます。式を書いた場合は、式の結果の値が比較の対象になります。

例えば、**「A」に「123 < 456」、「B」に「456 < 789」という式を当てはめてブール演算子を使用**してみてください。

```
>>> 123 < 456 and 456 < 789
True
>>> 123 < 456 or 456 < 789
True
>>> not 123 < 456
False
```

Pythonでは複数の比較演算子を並べて、**「123 < 456 < 789」のような式**を書くことができます。これは上記の「123 < 456 and 456 < 789」と同じ意味ですが、より簡潔に書くことが可能です。

```
>>> 123 < 456 < 789
True
```

C/C++/Javaなどの言語では「123 < 456 and 456 < 789」と同様に、「123 < 456 && 456 < 789」のように書く必要があります。Pythonで「123 < 456 < 789」のように書けることは、プログラムを短く簡潔にする効果と、同じ式(この場合は456)を繰り返し書くことを回避する効果があります。

さて、Pythonのブール演算子について知っておきたいのは、ショートサーキット(short-circuit)という機能です。ショートサーキットというのは電気回路がショート(短絡)することですが、ブール演算子においては一部の処理を省略することを指します。

ショートサーキットが適用されるのはandとorの演算です。「A and B」や「A or B」においては、最初にAを処理しますが、Aの値によってはBの処理を省略します。

「A and B」がTrueになるのは、AとBの両方がTrueのときです。もしAがFalseならば、Bの値にかかわらず結果はFalseになるので、Bを処理する必要はありません。そこで、Bの処理を省略します。

また「A or B」がTrueになるのは、AまたはBがTrueのときです。もしAがTrueならば、Bの値にかかわらず結果はTrueになるので、Bを処理する必要はありません。そこで、Bの処理を省略します。

ショートサーキットの実験をしてみましょう。まずはandです。以下のプログラムを実行してみてください。**ショートサーキットが適用されなかった場合だけ「print('B')」が処理されて、画面に「B」が表示**されます。なお「print('B')」のような関数呼び出しや、関数呼び出しを含む計算も、式の一種として扱われます。

```
①123 < 456 and print('B')
②123 > 456 and print('B')
```

①は「123 < 456」がTrueなので「print('B')」も処理されます。②は「123 > 456」がFalseなのでショートサーキットが適用されて、「print('B')」は処理されません。この場合Pythonインタプリタは、式全体を計算した結果である「False」を表示します。

```
>>> 123 < 456 and print('B')
B
>>> 123 > 456 and print('B')
False
```

orについても試してみましょう。以下のプログラムを実行してみてください。

```
③123 < 456 or print('B')
④123 > 456 or print('B')
```

③は「123 < 456」がTrueなので、orが成立してショートサーキットが適用されて、「print('B')」は処理されません。この場合Pythonインタプリタは、式全体を計算した結果である「True」を表示します。④は「123 > 456」がFalseなので、「print('B')」も処理されます。

```
>>> 123 < 456 or print('B')
True
>>> 123 > 456 or print('B')
B
```

## ❖型の間を自由に行き来する

これまでに整数(int)、浮動小数点数(float)、文字列(str)、真偽値(bool)という4種類の型を学びました。今度はこれらの型の間で、値の型を変換する方法について知っておきましょう。

型の変換には、組み込み関数(言語処理系の本体に組み込まれている関数)のint、float、str、boolを使います。正確には、これらは組み込み関数ではなく組み込み型(組み込みのクラス)なのですが、見た目や使い方は関数によく似ているので、組み込み関数の一種としても扱われます。

### ●int関数を使った変換

これらの組み込み関数を実際に使ってみましょう。最初のint関数は、引数の式の値を整数に変換して返します。式の部分には値を指定することもできます。

引数の式を整数に変換(int関数)

```
int(式)
```

例えば、**浮動小数点数の「1.2」と「-1.2」を整数に変換**してみてください。

```
>>> int(1.2)
1
>>> int(-1.2)
-1
```

「int(1.2)」や「int(-1.2)」のように、int関数で浮動小数点数を整数に変換したときの結果は、環境によって異なる可能性があります。これはCPythonの実装に使われているC言語において、浮動小数点数を整数に変換したときの結果が、環境によって異なるためです。

環境を問わず結果を一定にしたい場合には、標準ライブラリのmathに含まれている、floor関数やceil関数を使うのがおすすめです。floor(フロア)は床のことで、ceil(シール)は天井(ceiling、シーリング)のことです。floor関数は床関数、ceil関数は天井関数とも呼ばれます。

これらの関数を使う前には「**import math**」を実行して、mathライブラリ(mathモジュール)を読み込んでおく必要があります。import文はライブラリの読み込みを行います。なお、int関数のような組み込み関数(組み込み型)は、import文で読み込まなくても使用可能です。

ライブラリの読み込み(import文)

```
import ライブラリ名
```

そして、以下のように関数を呼び出します。floor関数は「式の値以下の最大の整数」を返し、ceil関数は「式の値以上の最小の整数」を返します。

式の値以下の最大の整数を返す(floor関数)

```
math.floor(式)
```

式の値以上の最小の整数を返す(ceil関数)

```
math.ceil(式)
```

まず「**import math**」を実行してみてください。何も表示されなければ成功です。続いて、先ほどの**「1.2」や「-1.2」に対してfloor関数とceil関数を適用**してみてください。

```
>>> import math
>>> math.floor(1.2)
1
>>> math.ceil(1.2)
2
>>> math.floor(-1.2)
-2
>>> math.ceil(-1.2)
-1
```

次は**文字列の'123'と'abc'を整数に変換**してみてください。「'123'」は変換できますが「'abc'」は変換できないのでエラーになります。エラーメッセージの内容は「値のエラー : int()で10進数に変換するには不適切なリテラル: 'abc'」です。

```
>>> int('123')
123
>>> int('abc')
Traceback (most recent call last):
  File "<stdin>", line 1, in <module>
ValueError: invalid literal for int() with base 10: 'abc'
```

最後に**真偽値のTrueとFalseを整数に変換**してみてください。Trueは「1」、Falseは「0」になります。

```
>>> int(True)
1
>>> int(False)
0
```

### ●float関数を使った変換

今度はfloat関数を使ってみましょう。float関数は、式の値を浮動小数点数に変換して返します。

式の値を浮動小数点数に変換して返す(float関数)

```
float(式)
```

**整数の123、文字列の'123'、真偽値のTrueとFalseを、浮動小数点数に変換**してみてください。いずれの結果も末尾に「.0」が付くので、浮動小数点数であることがわかります。

```
>>> float(123)
123.0
>>> float('123')
123.0
>>> float(True)
1.0
>>> float(False)
0.0
```

### ●str関数を使った変換

次はstr関数です。str関数は、式の値を文字列に変換して返します。

式の値を文字列に変換して返す(str関数)

```
str(式)
```

**整数の123、浮動小数点数の1.23、真偽値のTrueとFalseを文字列に変換**してみてください。以下のように、真偽値は「'True'」と「'False'」という文字列になります。

```
>>> str(123)
'123'
>>> str(1.23)
'1.23'
>>> str(True)
'True'
>>> str(False)
'False'
```

文字列同士はプラス(+)で連結することができますが(82ページを参照)、文字列と数値(あるいは数値と文字列)を連結する場合には、str関数で数値を文字列に変換しておく必要があります。**文字列の'Python'と'Programming'、文字列の'Python'と整数の3をそれぞれ連結**してみてください。

```
>>> 'Python'+'Programming'
'PythonProgramming'
>>> 'Python'+str(3)
'Python3'
```

### ●bool関数を使った変換

最後はbool関数です。bool関数は、式の値を真偽値(TrueまたはFalse)に変換して返します。

式の値を真偽値に変換して返す(bool関数)

```
bool(式)
```

**整数の123と0、浮動小数点数の1.23と0.0、文字列の'abc'と''を真偽値に変換**してみてください。変換の結果がFalseになるのは、整数や浮動小数点数の場合はゼロ、文字列の場合は空文字列のときです。その他の整数、浮動小数点数、文字列はTrueになります。

```
>>> bool(123)
True
>>> bool(0)
False
>>> bool(1.23)
True
>>> bool(0.0)
False
>>> bool('abc')
True
>>> bool('')
False
```

「str(False)」は'False'になりますが、「bool('False')」はTrueになります。これは、'False'は空文字列ではないためです。ご注意ください！

```
>>> str(False)
'False'
>>> bool('False')
True
```

# section 02 後で必要な値は変数に保存しておく

プログラミング言語における変数(へんすう)とは、値を保存しておくための、名前が付いた領域のことです。変数名(変数の名前)を使って、変数に保存した値を読み出したり、新しい値を書き込んだりすることができます。変数には色々な使い方がありますが、後で必要になる値を保存しておくのが代表的な使い方です。

Pythonにも変数があります。変数の使い方は上記の通りですが、仕組みは少し違っています。Pythonの変数は「値を保存しておくための領域」ではなく、むしろ「値に名前をバインドする(束縛する、結び付ける)機能」だといえます。詳しくは、実際に変数を使いながら学びましょう。

## 値を代入すれば新しい変数ができる

Pythonで変数を作成するには、変数に値を代入(だいにゅう)します。代入というのは、変数に対して値を書き込むことです。代入は=(イコール)を使って、次のように書きます。

なお、C/C++/Javaなどの言語では、=は代入演算子と呼ばれます。一方Pythonでは、=は演算子ではなくデリミタ(区切り文字)の一種とされています。

変数の作成

```
変数名 = 式
```

このように代入を行う文のことを、代入文と呼びます。式の部分には値だけを書くことも、演算子や関数呼び出しなどを組み合わせた式を書くこともできます。

例えば、**変数xに123を代入したうえで、xの値を表示**してみてください。値の表示にはprint関数を使いますが、Pythonインタプリタの対話モードでは、変数名を入力するだけでも値を表示できます。

```
>>> x = 123
>>> print(x)
123
```

```
>>> x
123
```

上記の「**print(x)**」のように、変数は関数の引数として使用することもできます。また、式の中で変数を使用したり、変数に式の値や関数の戻り値などを代入することも可能です。

標準コーディングスタイルのPEP8では、「=」の両側に空白を1個ずつ入れることになっています。例えば「x=123」と書いても動きますが、「x = 123」と書くことが推奨されています。

複数の変数に対して同じ値を代入するときには、次のように書けます。複数の代入文を並べるよりも簡潔に書けます。

複数の変数に同じ値を代入

```
変数名A = 変数名B = … = 式
```

例えば、**変数yと変数zに4.56を代入したうえで、yとzの値を表示**してみてください。yとzに同じ値が代入されていることが確認できます。

```
>>> y = z = 4.56
>>> y
4.56
>>> z
4.56
```

複数の変数に対して異なる値を代入するときには、複数の代入文を並べても構いませんが、次のようにも書けます。複数の変数名と式を、それぞれカンマ（,）で区切ります。変数名Aに式Aの値を代入、変数名Bに式Bの値を代入…という要領で、変数ごとに指定した値を代入できます。

複数の変数に異なる値を代入

```
変数名A, 変数名B, … = 式A, 式B, …
```

例えば、**変数xに123、変数yに4.56、変数zに'789'を代入したうえで、x, y, zの値を表示**してみてください。この例のように、値の型は式ごとに異なっても大丈夫です。

```
>>> x, y, z = 123, 4.56, '789'
>>> x
123
>>> y
4.56
>>> z
'789'
```

以上のようにPythonでは、変数に値を代入すれば、その変数が作成されます。C/C++/Javaなどの言語には、例えば「int x」や「double y」のように、あらかじめ変数の型と名前を定義(または宣言)しておくための構文がありますが、Pythonにはありません。

またC/C++/Javaなどとは違い、Pythonの変数は型が固定されていません。ある型の値を代入した変数に、別の型の値を代入して上書きすることができます。例えば、**変数xに文字列'Python'を代入した後に、同じxに整数3を代入**してみましょう。代入するたびに変数の値を確認してください。xの値が文字列から整数に変わっていることがわかります。

```
>>> x = 'Python'
>>> x
'Python'
>>> x = 3
>>> x
3
```

## ❖変数は値のオブジェクトを参照している

Pythonの変数に対する理解を深めるために、C/C++とPythonにおける変数の仕組みを比較してみましょう。以下のように、**変数xに123を、変数yと変数zに4.56を代入**した状況を考えます。

```
>>> x = 123
>>> y = z = 4.56
```

まずはC/C++の変数です。整数や浮動小数点数の場合には、メモリ上に確保された変数の領域に、値を直接書き込みます。以下の図には変数名も示しましたが、この変数名はビルド(コンパイルやリンク)の際だけに存在するもので、プログラムを実行する際にはメモリ上には存在しません(デバッグ用の情報として存在する場合はあります)。

▼C/C++における変数の仕組み

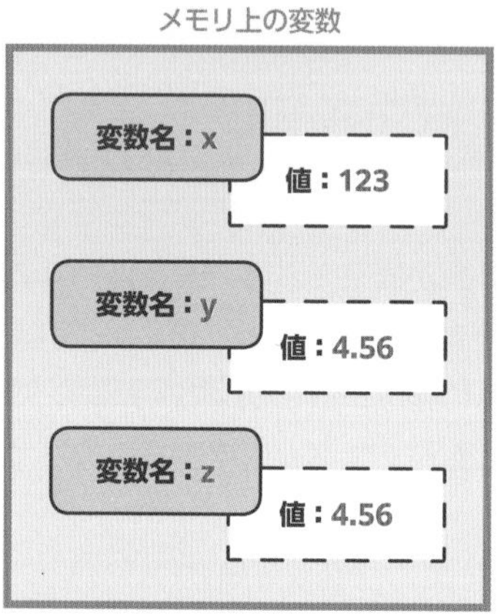


次はPythonの変数です。Pythonでは、整数や浮動小数点数を含む全ての型を、**オブジェクト**として実現しています。オブジェクトとは、データ(値)と操作(処理)をまとめた構造のことです(オブジェクトについてはChapter7で解説します)。オブジェクトはメモリ上に配置されています。それとは別に、変数の一覧もメモリ上に配置されています。

各変数の情報としては、変数名と参照先が保存されています。プログラムで変数を使うと、Pythonはその変数名を一覧から見つけて、参照先にある値にアクセスします。CPythonの場合には参照先の情報として、オブジェクトが配置されているメモリのアドレス(番地)を使います。

▼Pythonにおける変数の仕組み

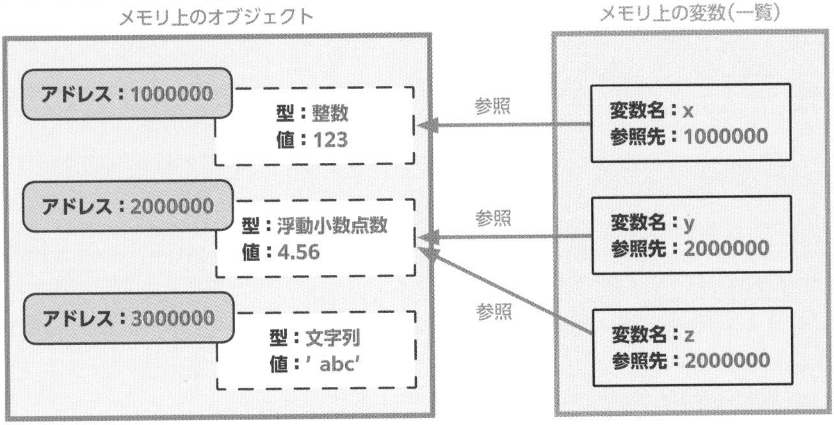


Pythonで「x = 123」のような代入を行うと、大まかには次のような処理が行われます。

1 整数「123」のオブジェクトをメモリ上に生成します。
2 変数の一覧から変数名xを探し、見つからない場合はxを一覧に登録(追加)します。
3 xの参照先として1のアドレスを記録することにより、xを「123」に紐付けします。

CPythonで組み込み関数のidを使うと、オブジェクトが配置されているメモリのアドレスを取得することができます。id関数は「オブジェクトを一意に識別する番号(整数)を返す関数」であり、CPythonはメモリのアドレスを識別番号として使っているというわけです。

id関数は次のように使います。式の値に対応するオブジェクトの識別番号(CPythonではアドレス)が返ります。

オブジェクトの識別番号を返す(id関数)

```
id(式)
```

先ほど値を代入した**変数x、y、zに対してid関数を適用**してみてください。アドレスが10進数で表示されます。アドレスは状況によって変化するので、以下とは異なる値が表示されるかもしれません。

```
>>> id(x)
1739587408
>>> id(y)
17645264
>>> id(z)
17645264
```

「id(y)」と「id(z)」が同じ値を返していることに注目してください。これは変数yとzが同じオブジェクトを参照しているということです。先ほどの図(Pythonにおける変数の仕組み)にも示したように、複数の変数が同じオブジェクトを参照することもあります。

一方、この図の文字列'abc'のように、どこからも参照されていないオブジェクトが生じることもあります。どこからも参照されていないオブジェクトは、もはや保存しておく必要がないので、Python処理系が自動的に削除し、他の用途に使うためにメモリを空けます。この仕組みをガベージコレクションと呼びます。他の言語では、例えばJavaもガベージコレクションを行います。

CPythonの場合、あるオブジェクトが参照されているかどうかを、リファレンスカウント(参照カウント)という仕組みで検出します。リファレンスカウントでは、オブジェクトを参照するたびにカウントを「+1」し、参照を外すたびにカウントを「-1」します。カウントが「0」になったら、そのオブジェクトはもう参照されていないと判断します。

オブジェクトの参照に関連する機能を、もう1つ使ってみましょう。式の値が同一のオブジェクトを参照しているかどうかを調べる、is演算子とis not演算子です。

同一のオブジェクトを参照しているかどうかを調べる(is演算子)

```
A is B
```

同一のオブジェクトを参照していないかどうかを調べる(is not演算子)

```
A is not B
```

is演算子は「AはBである」、is not演算子は「AはBではない」という意味です。AとBが同一のオブジェクトを参照しているとき、is演算子はTrueを返します。逆にAとBが別のオブジェクトを参照しているとき、is not演算子はTrueを返します。

is演算子とis not演算子は、==演算子や!=演算子とは違います。isやis notが「同一のオブジェクトを参照しているかどうか」を判定するのに対して、==や!=は「オブジェクトの値が同一かどうか」を判定します。

次のような例で試してみましょう。**変数xに整数123を、変数yに浮動小数点数123.0を代入したうえで、xとyに対してisとis not、そして==と!=を適用**します。結果を比べてみてください。

```
>>> x = 123
>>> y = 123.0
>>> x is y
False
>>> x is not y
True
>>> x == y
True
>>> x != y
False
```

整数123と浮動小数点数123.0のように型が異なる場合は、同一のオブジェクトにはなりません。そのため「x is y」はFalseに、「x is not y」はTrueになります。

一方、数値を==や!=で比較するときには、Python処理系が自動的に両者の型を合わせてから値を比較します。整数と浮動小数点数を比較する場合には、整数を浮動小数点数に変換することで、浮動小数点数同士の比較にします。今回の例では、整数123を浮動小数点数に変換すると123.0になるので、「x == y」はTrueに、「x != y」はFalseになります。

Pythonのisとis notは、Javaの==と!=に似ています。また、Pythonの==と!=は、Javaのequalsメソッドとその否定に似ています。Javaを使ったことがある方は、PythonとJavaの違いにご注意ください。

## ❖変数と定数は名前で区別する

プログラミング言語では、変数名や関数名などの名前のことを識別子(しきべつし)と呼びます。識別子には英字、数字、そして一部の記号を使うのが一般的ですが、Pythonでは日本語の文字を含めて、Unicode(ユニコード)に含まれている多種多様な文字を使うことができます。

例えば、**変数numberに123を、変数textに'hello'を、変数「合計」に「100+200+300」をそれぞれ代入**してみましょう。代入後、各変数の値を表示してみてください。

```
>>> number = 123
>>> number
123
>>> text = 'hello'
>>> text
'hello'
>>> 合計 = 100+200+300
>>> 合計
600
```

標準コーディングスタイルのPEP8は、変数名と関数名には英小文字を使うことを推奨しています。名前が複数の単語から構成されている場合には、単語の間をアンダースコア(_)で区切ります。例えば、**変数error_messageに、文字列'File not found.'を代入し、さらに変数の値を表示**してみてください。

```
>>> error_message = 'File not found.'
>>> error_message
'File not found.'
```

識別子の1文字目に数字を使うことはできません。例えば「321zero」は無効な識別子です。また、先頭を「_」(アンダースコア1個)や「__」(アンダースコア2個)にした識別子は、特定の目的(Chapter7で学ぶように、オブジェクトの属性を外部から隠蔽するためなど)に使います。通常の識別子については、先頭をアンダースコアにしないことをおすすめします。

Pythonのキーワード(文法上特別な意味を持つ語)と同じ識別子は使えません。本書執筆時(2020年12月)のPythonには、以下の図のように35個のキーワードがあります。

▼Pythonのキーワード

| | | | | |
|---|---|---|---|---|
| False | await | else | import | pass |
| None | break | except | in | raise |
| True | class | finally | is | return |
| and | continue | for | lambda | try |
| as | def | from | nonlocal | while |
| assert | del | global | not | with |
| async | elif | if | or | yield |

プログラムを書いていると、定数(ていすう、変更しない値に対して名前を付けたもの)を使いたくなることがあります。C/C++では変数を定義する際に「const」を、Javaでは変数を宣言する際に「final」を付けると、その変数の値を変更することを禁止して、定数にすることができます。

一方Pythonでは、定数を作成する方法はなく、普通の変数を使います。そのため定数の値も、変更しようと思えば変更できてしまいます。そこでPEP8では、変数には英小文字を、定数には英大文字を使うことを推奨しています。単語の区切りには、どちらもアンダースコア(_)を使います。英大文字を使うことで、変数と定数を見た目で区別できるようになり、不用意に定数を変更してしまうことを防止する効果があります。

定数を作成してみましょう。**定数MAX_LENGTH(最大の長さ)に10000を代入して、MAX_LENGTHの値を表示**してみてください。

```
>>> MAX_LENGTH = 10000
>>> MAX_LENGTH
10000
```

このようにPythonでは、他の言語にあるような定数を作成するための文法が省略されています。他の方法で代替できるような文法を省くことで、できる限り文法を簡潔にし、習得や使用を容易にしているのが、Pythonの特色です。

## ❖不要になった変数を削除したいときには

不要になった変数は放置しておいても、プログラムが終了すれば自動的に削除されるので問題はありませんが、手動で削除する方法も知っておくとよいでしょう。以下のようなdel文を使います。del(デル)はdelete(デリート、削除する)を意味します。

変数の削除(del文)

```
del 対象
```

対象には変数名や関数名などの識別子を指定します。後で学ぶように、インデックスやスライスを指定したり(Chapter4)、属性を指定したり(Chapter7)することもできます。また、以下のようにカンマ(,)で区切って一度に複数の対象を指定することもできます。

複数の対象を削除する

```
del 対象, …
```

del文を使ってみましょう。まず**変数xに123を代入してxの値を表示し、次にdel文でxを削除してから再びxの値を表示**してみてください。

```
>>> x = 123
>>> x
123
>>> del x
>>> x
Traceback (most recent call last):
  File "<stdin>", line 1, in <module>
NameError: name 'x' is not defined
```

最後のエラーは「名前のエラー：xという名前が定義されていない」という意味です。del文で識別子を削除すると、その識別子は未定義の状態になります。

section 03 
# 数値を使って計算を行う

数値を使って色々な計算をする方法を学びましょう。計算を行うための記号を演算子(えんざんし)と呼びます。リテラルや変数に演算子を組み合わせれば、さまざまな式を書いて、値を計算することができます。

演算子には多くの種類がありますが、ここでは主に数値の計算を行う演算子を紹介します。正しく式を書いたり理解したりするために重要な優先順位の概念や、関数の呼び出しを組み合わせてより複雑な式を書く方法についても学びます。



## 演算子を使って足し算や掛け算を行う

加算(足し算)や乗算(掛け算)などを行う演算子のことを、算術演算子(さんじゅつえんざんし)と呼びます。Pythonには以下のような算術演算子があります。

▼二項算術演算子

| 演算子 | 使い方 | 機能 |
|---|---|---|
| + | A+B | 加算(足し算) |
| - | A-B | 減算(引き算) |
| * | A*B | 乗算(掛け算) |
| @ | A@B | 行列積(行列の掛け算) |
| / | A/B | 除算(割り算) |
| // | A//B | 除算(割り算、結果にfloor関数を適用する) |
| % | A%B | 剰余(割り算の余り) |
| ** | A**B | べき乗(AのB乗) |

計算の対象となる項(値や式など)が2個ある演算子のことを、二項演算子(にこうえんざんし)と呼びます。上記の演算子は、二項演算子かつ算術演算子なので、二項算術演算子と呼びます。上記の表では、2つの項をAとBで示しました。一方、項が1個だけの演算子のことを単項演算子(たんこうえんざんし)と呼びます。Pythonの単項算術演算子は、符号を表す-と+です。

算術演算子の中で、使い方に注意が必要なものを紹介しましょう。まず行列積を求める@(アットマーク)は、Pythonの組み込み型(Python処理系の本体に組み込まれている型)では使うことができません。例えばNumPy(ナムパイ)などの、外部のライブラリでサポートされています(Chapter13)。

次に除算については、/(スラッシュ 1個)が通常の除算なのに対して、//(スラッシュ 2個)は除算の結果にfloor関数(式の値以下の最大の整数を返す)を適用します。/の結果は常に浮動小数点数になりますが、整数間に//を適用した場合には結果が整数になります。

実際に試してみましょう。まずは**「/」を使って「5/2」と「4/2」を計算**してみてください。

```
>>> 5/2
2.5
>>> 4/2
2.0
```

「4/2」の結果は整数の「2」でも表せますが、結果は浮動小数点数の「2.0」となっています。このように整数で表せる場合でも、/の結果は常に浮動小数点数になります。

今度は//を使ってみましょう。**「//」を使って「5//2」と「4//2」を計算**してみてください。

```
>>> 5//2
2
>>> 4//2
2
```

「5//2」の結果は「2.5」ですが、floor関数で「式の値以下の最大の整数」を求めることにより、結果は整数「2」になります。「4//2」の結果も整数「2」です。

浮動小数点数に対しても//を適用してみましょう。**「5.0//2.0」と「4.0//2.0」を計算**してみてください。

```
>>> 5.0//2.0
2.0
>>> 4.0//2.0
2.0
```

このように浮動小数点数に対して適用すると、//の結果は浮動小数点数になります。floor関数は適用されるので、「5//2」は「2.5」ではなく「2.0」です。なお以下のように、**整数と浮動小数点数の組み合わせに対して//を使った場合**にも、結果は浮動小数点数になります。

```
>>> 5.0//2
2.0
>>> 5//2.0
2.0
>>> 4.0//2
2.0
>>> 4//2.0
2.0
```

**負数(負の数)に対して//を使う**ときには、結果に注意してください。例えば「-3/2」は「-1.5」ですが、「-3//2」は「-2」になります。floor関数は「式の値以下の最大の整数」を返すので、「floor(-1.5)」は「-2」になるためです。

```
>>> -3/2
-1.5
>>> -3//2
-2
```

//に関連して、剰余(割り算の余り)を求める%(パーセント)も使ってみましょう。%は整数にも浮動小数点数にも適用することができます。「整数 % 整数」の結果は整数に、「浮動小数点数 % 浮動小数点数」「整数 % 浮動小数点数」「浮動小数点数 % 整数」の結果は浮動小数点数になります。例えば、**「3を2で割った余り」と「3.5を1.5で割った余り」**を求めてみてください。

```
>>> 3%2
1
>>> 3.5%1.5
0.5
```

//と%には「A == (A//B)*B +(A%B)」の関係があります。つまり「割り算の結果(A//B)に、割る数(B)を掛けて、剰余(A%B)を足すと、割られる数(A)に戻る」ということです。この関係を踏まえて**「-3%2」と「-3%-2」**の結果を予想してから実行してみてください。予想と合っていましたか？

```
>>> -3%2
1
>>> -3%-2
-1
```

「-3%2」については、まず「-3/2」が「-1.5」なので、「-3//2」は-「2」です(-1.5以下の最大の整数)。「A == (A//B)*B + (A%B)」に当てはめると、「-3 == -2*2 + (-3%2)」なので、「-3%2」は1となります。

「-3%-2」については、「-3/-2」が1.5なので、「-3//-2」は1です(1.5以下の最大の整数)。「A == (A//B)*B + (A%B)」に当てはめると、「-3 == 1*-2 + (-3%-2)」なので、「-3%-2」は-1となります。

このように負数に対する//や%の結果には注意が必要です。実際の結果とは異なる結果を想定してプログラムを書いてしまうと、原因がわかりにくいバグになる危険性があります。Xが被除数(割られる数)、Yが除数(割る数)のとき、剰余「X%Y」の符号は次の通りです。なお、割り切れたときには剰余は0になります。

▼剰余の符号

| X | Y | X%Y |
|---|---|---|
| + | + | + |
| + | - | - |
| - | + | + |
| - | - | - |

## ❖演算子の優先順位を覚えて式を正しく理解する

式の値を計算することを、式を評価すると呼びます。演算子を使った式を評価するときには、演算子の優先順位がとても重要です。優先順位を覚えることで、式を正しく読み解いたり、正しく簡潔な式を書くことが可能になります。

演算子の優先順位は、2個の演算子が隣接しているときに、どちらの演算子を先に評価するのかを決めます。例えば、**「2+3*4」という式**を考えてみましょう。「2+3」と「3*4」の、どちらを先に評価するのでしょうか？

```
>>> 2+3*4
14
```

数学と同様にPythonも、加算(+)より乗算(*)を優先します。そのため「3*4」を先に評価して、結果は「14」になります。もし「2+3」を先に評価させたい場合には、下記のように丸括弧の「(」と「)」を使います。

```
>>> (2+3)*4
20
```

Pythonにおける演算子の優先順位は以下の通りです。一度に覚えるのは大変かもしれませんが、よく使う演算子から覚えるとよいでしょう。優先順位に自信がないときには、無理をせずに丸括弧を使って式を書くのがおすすめです。

▼演算子の優先順位

| 優先順位 | 演算子 | 機能 |
|---|---|---|
| ↑高優先順位 | (…)、[…]、{…}、{…:…} | 括弧式、リスト、集合、辞書 |
| | x[…]、x[…:…]、x(…)、x.… | インデックス、スライス、呼び出し、属性参照 |
| | await x | await式 |
| | ** | べき乗 |
| | 単項 +、単項 -、~ | 正符号、負符号、ビット単位のNOT(否定) |
| | *、@、/、//、% | 乗算、行列積、除算、除算(floor)、剰余 |
| | +、- | 加算、減算 |
| | <<、>> | 左シフト、右シフト |

| | | |
|---|---|---|
| | & | ビット単位のAND(論理積) |
| | ^ | ビット単位のXOR(排他的論理和) |
| | \| | ビット単位のOR(論理和) |
| | in、not in、is、is not、<、<=、>、>=、!=、== | 所属検査(メンバーシップテスト)同一性テスト、比較 |
| | not | ブール演算のNOT(否定) |
| | and | ブール演算のAND(論理積) |
| | or | ブール演算のOR(論理和) |
| | if … else | 条件式(三項演算子) |
| | lambda | ラムダ式 |
| ↓ 低優先順位 | := | 代入式 |

優先順位に関連して、結合性についても意識する必要があります。結合性は、同じ優先順位を持つ2個の演算子が隣接しているときに、どちらの演算子を先に評価するのかを決めます。例えば、**「2/3*4」という式**を考えてみましょう。「2/3」と「3*4」の、どちらを先に評価するのでしょうか？

実はPythonでは、**(べき乗)以外の演算子については左側から評価します。これを左結合と呼びます。したがって「2/3*4」については、「2/3」を先に評価します。「2/3*4」は「(2/3)*4」と同じ結果になり、「2/(3*4)」とは結果が異なることに注目してください。

```
>>> 2/3*4
2.6666666666666665
>>> (2/3)*4
2.6666666666666665
>>> 2/(3*4)
0.16666666666666666
```

**は右結合なので、右側から評価します。例えば**「2**3**4」を計算**してみてください。もし左結合ならば「(2**3)**4」と同じ結果になるはずですが、右結合なので「2**(3**4)」と同じ結果になります。

```
>>> 2**3**4
2417851639229258349412352
>>> (2**3)**4
4096
>>> 2**(3**4)
2417851639229258349412352
```

「Pythonの演算子は左結合だが、**だけは右結合である」と覚えておくとよいでしょう。

## ❖累算代入文で計算と代入をまとめる

累算代入文(るいさんだいにゅうぶん)というのは、二項演算子による計算と代入文とを一緒にした文です。変数に代入された値に対して計算を行い、計算結果を再び変数に代入したい場合に役立ちます。

例えば、**変数xに100を代入してから、xに1を加算**してみましょう。まずは+演算子と通常の代入文を使ってみてください。最後にxの値を表示すると「101」になるはずです。

```
>>> x = 100
>>> x
100
>>> x = x+1
>>> x
101
```

上記の例において、「x = x+1」の代わりに「x += 1」と書いてみてください。上記と同様に、xに「1」が加算されます。

```
>>> x = 100
>>> x
100
>>> x += 1
>>> x
101
```

このように「x = x+1」のような二項演算子と代入文の組み合わせは、「x += 1」のような累算代入文で書くことができます。累算代入文を使うことの利点は、プログラムが簡潔になることです。

また型によっては、累算代入文の方が実行時の効率もよくなる場合があります。二項演算子と代入文の組み合わせにおいては、計算結果の新しいオブジェクトが生成され、このオブジェクトが変数にバインド(結び付け)されます。累算代入文においては、型によっては変数にバインドされたオブジェクト自体を変更し、新しいオブジェクトは生成しません。このようにオブジェクトの生成を省略できるので、累算代入文の方が効率がよくなります。

したがって特に理由がなければ、二項演算子と代入文を組み合わせる代わりに、累算代入文を使うのがおすすめです。累算代入文では、加算を行う+=も含めて、次のようなデリミタ(区切り文字)が使えます。

▼累算代入文で使えるデリミタ

| デリミタ | 機能 |
|---|---|
| += | 加算 |
| -= | 減算 |
| *= | 乗算 |
| @= | 行列積 |
| /= | 除算 |
| //= | 除算(floor) |
| %= | 剰余 |
| **= | べき乗 |
| <<= | 左シフト |
| >>= | 右シフト |
| &= | ビット単位のAND(論理積) |
| ^= | ビット単位のXOR(排他的論理和) |
| \|= | ビット単位のOR(論理和) |

なおC/C++/Javaなどの言語では、+=や-=のような記号のことを複合代入演算子と呼びます。Pythonでは、これらの記号は演算子ではなく、代入文の=と同様にデリミタという扱いになっています。

# section 04 文字列を切ったりつなげたり

文字列は非常に使用頻度が高い型です。ここでは文字列の代表的な操作について学びましょう。演算子を使って文字列を連結する方法、インデックスやスライスを使って文字や部分文字列を抽出する方法、メソッドを使って文字列を加工する方法を学びます。

インデックスやスライスは、リスト(Chapter4)などのデータ構造でも使う重要な機能です。またPythonには、イミュータブルな(変更できない)オブジェクトと、ミュータブルな(変更できる)オブジェクトがあり、文字列はイミュータブルなオブジェクトの代表例です。文字列を例に、インデックスとスライスの使い方や、イミュータブルとミュータブルという考え方に、ぜひ慣れてみてください。

## 文字列をつなげる演算子

すでに何度か使用していますが、文字列は+演算子で連結することができます。+演算子を数値に適用すると加算になりますが、文字列に適用すると連結になります。このように同じ演算子でも、適用する型によって働きが変わるので、常に型を意識しながらプログラミングを行うのがおすすめです。

文字列の連結

```
文字列+文字列
```

+演算子を使ってみましょう。**文字列'hello'と'.txt'を連結して、文字列'hello.txt'を作成**してみてください。

```
>>> 'hello'+'.txt'
'hello.txt'
```

文字列と数値(または数値と文字列)を連結する場合には、str関数などを使って、数値を文字列に変換する必要があります(93ページを参照)。例えば、**文字列'version'と数値1.0を連結**してみてください。

```
>>> 'version'+str(1.0)
'version1.0'
```

累算代入文も使えます。**変数xに文字列'hello'を代入してから、+=を使って、文字列'.txt'を連結**してみてください。

```
>>> x = 'hello'
>>> x
'hello'
>>> x += '.txt'
>>> x
'hello.txt'
```

同じ文字列を繰り返し連結する場合には、*演算子を使うのがおすすめです。文字列と整数(または整数と文字列)に*演算子を適用すると、文字列を整数が表す個数だけ繰り返し連結することができます。

同じ文字列を繰り返し連結

| |
|---|
| **文字列*整数**<br>**整数*文字列** |

例えば、**20個の文字列'-+-'を連結**してみてください。目盛りが入った横線のような文字列ができます。

```
>>> '-+-'*20
'-+--+--+--+--+--+--+--+--+--+--+--+--+--+--+--+--+--+--+--+-'
>>> 20*'-+-'
'-+--+--+--+--+--+--+--+--+--+--+--+--+--+--+--+--+--+--+--+-'
```

*についても、累算代入文が使えます。**変数xに文字列'-+-'を代入してから、*=を使って20回繰り返し**てみてください。

```
>>> x = '-+-'
>>> x
'-+-'
>>> x *= 20
>>> x
'-+--+--+--+--+--+--+--+--+--+--+--+--+--+--+--+--+--+--+--+-'
```



## 文字列はイミュータブル

数値や文字列といったPythonの組み込み型は、全てオブジェクト(Chapter7)として実装されています。これらの中には、イミュータブル(変更不可能)なオブジェクトと、ミュータブル(変更可能)なオブジェクトがあります。文字列はイミュータブルなオブジェクトなので、変更することはできません。

文字列は変更できないはずなのに、+演算子や*演算子や累算代入文を使って連結ができるのは、少し不思議に感じるかもしれません。実はこういった文字列の操作においては、元の文字列は変更されておらず、結果の文字列が新しく生成されているのです。

**変数xに文字列'Answer:'を代入してから、+=を使って、文字列'Yes'を連結**する例で説明しましょう。まずはプログラムを書いてみてください。結果は'Answer:Yes'となります。

```
>>> x = 'Answer:'
>>> x
'Answer:'
>>> x += 'Yes'
>>> x
'Answer:Yes'
```

以下は「x = 'Answer:'」を実行した状態です。'Answer:'という文字列のオブジェクトに、変数xがバインドされています。言葉を換えれば、変数xが'Answer:'という文字列を参照しています。なお、図に示したアドレスは説明用で、実際のアドレスとは異なります。

▼文字列の連結前

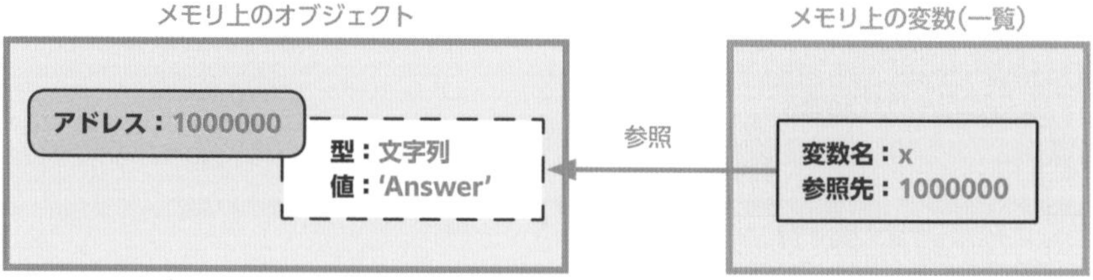


以下は「x += 'Yes'」を実行した状態です。'Answer:Yes'という文字列のオブジェクトが新しく生成されて、変数xがバインドされます。先ほどの'Answer:'という文字列は、どこからも参照されなくなるので、ガベージコレクションの対象となり、いずれ破棄されます。

▼文字列の連結後

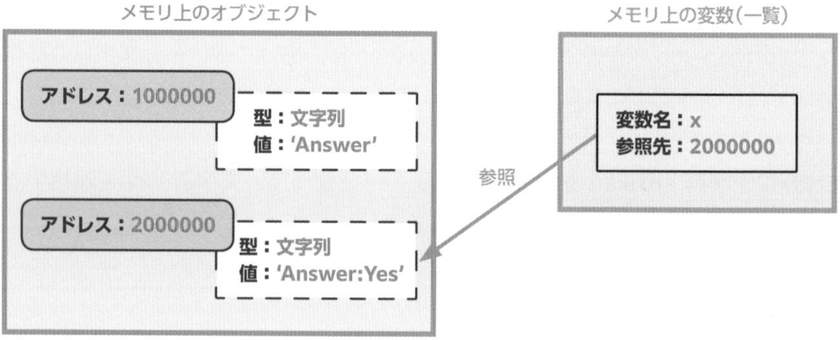


このように文字列はイミュータブルなので、連結などの操作を行うと、結果の文字列を表す新しいオブジェクトが生成されます。新しいオブジェクトの生成には、処理時間もメモリも消費します。通常の使用ではあまり気にする必要はありませんが、何度も文字列を操作するプログラムでは、処理がとても遅くなることがあります。

例えば、以下のプログラムを実行してみてください。このプログラムは**変数xに空文字列''を代入した後に、+=を使って'-+-'を連結する操作を、1000万回繰り返し**ます。環境によりますが、このプログラムの実行には長い時間がかかる場合があります。実行を中止したい場合には、Ctrl + Cキーを押してください。また、繰り返しの回数を少なくしてみてください。

▼str_concat1.py

```
x = ''
for i in range(10000000):
    x += '-+-'
```

上記のプログラムが遅いのは、文字列を連結するたびに、新しい文字列のオブジェクトを生成しているためです。連結が進んで文字列が長くなるほど、新しいオブジェクトを生成する際に消費する処理時間やメモリも増えていきます。

このように文字列の連結を何度も繰り返すのは、できる限り避けるべきです。上記の場合には、代わりに*演算子を使うのがおすすめです。+=による連結を繰り返すのとは異なり、*演算子は一度の処理で最終的な文字列を作成するので、とても高速です。以下のプログラムを実行してみてください。***演算子を使って1000万個の文字列'-+-'を連結し、変数xに代入**します。

xの値を表示すると、非常に多くの「-+-」が表示されます。表示を中止したい場合には、Ctrl+Cキーを押してください。

```
>>> x = '-+-'*10000000
>>> x
'-+--+--+--+--+--+--+--+--+--+--+--+--+--+--+--+--+--+--+--+-…
```

## インデックスを使って文字を取り出す

インデックス(index)は、整数を使って要素を指定する機能です。インデクスとも呼びます。C/C++/Javaなどの言語では、インデックスに相当する機能は添字(そえじ)と呼ばれています。

文字列にインデックスを適用すると、指定した位置の文字を取り出すことができます。また、リストやタプルに適用すると、指定した位置の要素を取り出すことが可能です(Chapter4)。文字列、リスト、タプルのように、インデックスで要素の位置を指定できるオブジェクトのことを、シーケンスと呼びます。

インデックスは次のように書きます。文字列の部分には、値が文字列になる式(例えばリテラルや変数など)を書くことができます。インデックスの部分には、値が整数になる式を書けます。

指定した位置の文字を取り出す

```
文字列[インデックス]
```

実際にインデックスを使ってみましょう。まずは**変数xに文字列'hello.txt'を代入**してください。このxに対してインデックスを適用し、指定した位置の文字を取り出してみます。

```
>>> x = 'hello.txt'
>>> x
'hello.txt'
```

以下は文字列内の位置とインデックスの対応関係です。先頭の文字はインデックス0に対応し、次の文字はインデックス1に対応します。以後は2、3、4…のように、文字ごとにインデックスが1ずつ増加します。末尾の文字は「文字数-1」のインデックスに対応します。'hello.txt'の文字数は9なので、末尾のtに対応するインデックスは8(9-1)です。

インデックスには負数(負の数)も使えます。負数のインデックスは、文字列の末尾から数えるときに便利です。末尾の文字はインデックス-1に対応し、次は-2、-3、-4…のように、文字ごとにインデックスが1ずつ減少していきます。先頭の文字は「-文字数」のインデックスに対応します。

負数のインデックスは「通常のインデックス - 文字数」に等しくなります。逆に、通常のインデックスは「負数のインデックス + 文字数」と同じです。

▼インデックス

| | | | | | | | | | | | | |
|---|---|---|---|---|---|---|---|---|---|---|---|---|
| 文字列(文字数9) | | | h | e | l | l | o | . | t | x | t | | |
| インデックス | | | 0 | 1 | 2 | 3 | 4 | 5 | 6 | 7 | 8 | 9 | … |
| 負数のインデックス | … | -10 | -9 | -8 | -7 | -6 | -5 | -4 | -3 | -2 | -1 | | |

上記の図には、文字列の範囲を越えるインデックスも示しました。これらのインデックスを使って文字列内の文字を取り出そうとするとエラーになりますが、後述するスライスでは、このような文字列の範囲を越えるインデックスを使うこともあります。

さて、インデックスを使って、**文字列'hello.txt'から'.'(ドット)を取り出し**てみましょう。通常と負数の、両方のインデックスを使ってみてください。

```
>>> x = 'hello.txt'
>>> x[5]
'.'
>>> x[-4]
'.'
```

インデックスで1文字を取り出した場合でも、結果は1文字だけの文字列になります。Pythonには1文字を扱うための専用の型はなく、1文字でも文字列として扱います。

前述のように、文字列はイミュータブル(変更不可能)です。そのため、文字列内の文字を変更しようとするとエラーになります。例えば以下では、**文字列'hello.txt'内の文字'.'を、'-'に変更**しようとしています。

```
>>> x = 'hello.txt'
>>> x[5] = '-'
Traceback (most recent call last):
  File "<stdin>", line 1, in <module>
TypeError: 'str' object does not support item assignment
```

エラーの内容は「型エラー：strオブジェクトは要素の代入に対応していない」です。このように、文字列の一部を変更することはできません。文字列の一部を変更したい場合には、既存の文字列を変更するのではなく、変更後の文字列を新しく生成する必要があります。文字列'hello.txt'の'.'を'-'に置き換える例は、次のスライスを使って実現してみます。

## ❖スライスを使って部分文字列を切り出す

スライス(slice)は、複数の整数を使って要素の範囲を指定する機能です。パンやチーズやハムなどをスライスする(切る)ように、一部の要素を切り出すことができます。スライスはシーケンス(文字列、リスト、タプル)に適用することが可能です。スライスを文字列に適用すると、部分文字列(文字列の一部)を取り出せます。

スライスにはいくつかの機能がありますが、以下が基本的な使い方です。範囲の開始インデックスと終了インデックスを指定します。ただし、終了インデックスに対応する要素は除外される(取り出されない)ので、注意してください。

文字列の一部を取り出す

**文字列[開始インデックス:終了インデックス]**

実際にスライスを使ってみましょう。**変数xに文字列'hello.txt'が代入**されているとします。このxにスライスを適用して、**文字列'hello'と'txt'を取り出し**てみてください。「ファイル名.拡張子」から、ファイル名と拡張子を抽出するイメージです。前述の図でインデックスを確認しながら、開始インデックスと終了インデックスを考えてください。

```
>>> x = 'hello.txt'
>>> x[0:5]
'hello'
>>> x[6:9]
'txt'
```

終了インデックスに対応する文字は取り出されないことに注意してください。例えばx[0:4]と書くと、x[4]に対応する文字oは取り出されないので、結果は'hell'になってしまいます。x[6:8]も同様に、x[8]に対応する文字tが除外されるので、結果は'tx'になります。

```
>>> x = 'hello.txt'
>>> x[0:4]
'hell'
>>> x[6:8]
'tx'
```

さて、次のように開始インデックスや終了インデックスを省略することもできます。開始インデックスを省略すると先頭から、終了インデックスを省略すると末尾まで、両方を省略すると先頭から末尾まで(つまり全体)を指定したことになります。

先頭から終了インデックスまでを指定

```
文字列[:終了インデックス]
```

開始インデックスから末尾までを指定

```
文字列[開始インデックス:]
```

先頭から末尾までを指定

```
文字列[:]
```

インデックスの省略を使って、再び**文字列'hello'と'txt'を取り出し**てみてください。'txt'については、負数のインデックスも使ってみましょう。開始と終了の両方を省略することも試してみてください。

```
>>> x = 'hello.txt'
>>> x[:5]     ← 先頭から
'hello'
>>> x[6:]     ← 末尾まで
'txt'
>>> x[-3:]    ← 末尾まで、負数のインデックス
'txt'
>>> x[:]      ← 先頭から末尾まで(全体)
'hello.txt'
```

インデックスでは実現できない例として紹介した、**文字列'hello.txt'の'.'を'-'に置き換える処理**を、スライスを使って実現してみましょう。まず、上記のように'hello'と'txt'を取り出します。これらの間に'-'を連結することで、'hello-txt'という文字列にしてみてください。通常と負数の、どちらのインデックスを使っても構いません。

```
>>> x = 'hello.txt'
>>> x[:5]+'-'+x[6:]     ← 通常のインデックス
'hello-txt'
>>> x[:5]+'-'+x[-3:]    ← 負数のインデックス
'hello-txt'
```

文字列はイミュータブルなので、文字列内の文字を置き換えることはできません。

しかし上記のように、置き換え後の文字列を、新しい文字列として生成することは可能です。

さて、スライスには他にも機能があります。要素を指定した個数ごとに取り出すためのストライド(stride、歩幅)という機能です。ステップと呼ばれることもあります。

ストライドは次のように書きます。インデックスと同様にストライドも整数で、負数も使えます。また開始インデックス、終了インデックス、ストライドは、いずれも省略することができます。

指定した数ごとに文字列を取り出す

```
文字列[開始インデックス:終了インデックス:ストライド]
```

ストライドを使ってみましょう。**変数xに文字列'-W-E-L-C-O-M-E-'を代入**してください。そして**ストライドを使ってxから'WELCOME'という文字列を取り出し**てください。

```
>>> x = '-W-E-L-C-O-M-E-'
>>> x
'-W-E-L-C-O-M-E-'
>>> x[1::2]
'WELCOME'
```

x[1::2]では、開始インデックスが1、終了インデックスは省略、ストライドは2です。インデックス1に対応するWから始めて、2文字ごとに文字を取り出します。

今度は負数のストライドを使ってみましょう。ある文字列が回文(先頭から読んでも末尾から読んでも同じ文)かどうかを判定する式を書いてみます。**変数xに文字列が代入されているとき、xが回文ならばTrue、回文でなければFalseになる式**を書いてください。そして、xが'しんぶんし'のときはTrue、'かつおぶし'のときはFalseになることを確認してください。

```
>>> x = 'しんぶんし'
>>> x == x[::-1]
True
>>>
>>> x = 'かつおぶし'
```

```
>>> x == x[::-1]
False
```

元の文字列xと、逆から読んだ文字列x[::-1]を、==演算子で比較します。このようにストライドが負数のとき、開始インデックスを省略すると文字列の末尾から、終了インデックスを省略すると文字列の先頭まで、両方を省略すると末尾から先頭まで(つまり全体)を指定したことになります。

「しんぶんし」は目で見てもすぐに回文だと判定できますが、少し長い回文でも試してみてください。例えば「わるいてっさくがくさっているわ(悪い鉄柵が腐っているわ)」や「かるいきびんなこねこなんびきいるか(軽い機敏な子猫何匹いるか)」などに、上記の式を適用してみてください。いずれも結果はTrueになります。

さて、インデックスとスライスでは、範囲外の(対応する要素がない)インデックスを指定したときの動作が異なります。まずインデックスについては、範囲外の場合にはエラーが発生します。例えば、**変数xに文字列'ABC'を代入し、文字列の範囲外にあるx[3]やx[-4]を指定**してみてください。いずれの場合も「インデックスエラー：文字列のインデックスが範囲外」と表示されます。

```
>>> x = 'ABC'
>>> x[3]
Traceback (most recent call last):
  File "<stdin>", line 1, in <module>
IndexError: string index out of range
>>> x[-4]
Traceback (most recent call last):
  File "<stdin>", line 1, in <module>
IndexError: string index out of range
```

一方スライスでは、開始インデックスや終了インデックスが範囲外でもエラーにはなりません。以下にいくつかの例を示します。最後の例では、インデックスは範囲内にありますが、開始インデックスが終了インデックスよりも後になっています。

```
>>> x = 'ABC'
>>> x[1:4]         ← 終了インデックスが範囲外(x[1:3]と同じ結果)
'BC'
```

```
>>> x[-4:2]        ← 開始インデックスが範囲外(x[0:2]と同じ結果)
'AB'
>>> x[-4:4]        ← 両方のインデックスが範囲外(x[0:3]と同じ結果)
'ABC'
>>> x[3:]          ← 開始インデックスが範囲外(末尾より後)
''
>>> x[:-4]         ← 終了インデックスが範囲外(先頭より前)
''
>>> x[2:0]         ← 開始インデックスが終了インデックスよりも後
''
```

## ❖メソッドを使って色々な文字列の操作をする

メソッドは、オブジェクトに対する処理を、再利用しやすい形にまとめたものです。関数に似ていますが、操作の対象となるオブジェクトを指定して呼び出すことが、メソッドの特徴です。

Pythonの文字列型(strクラス)には、文字列を操作するための色々なメソッドが用意されています。メソッドの一覧は、標準ライブラリドキュメントの「組み込み型」のページ(https://docs.python.org/ja/3/library/stdtypes.html#string-methods)に記載されています。本書ではこの中から、便利なメソッドをいくつか紹介します。

文字列のメソッドは次のように呼び出します。関数の呼び出しに似ていますが、「文字列.」のように、操作の対象となる文字列を指定する点が異なります。この文字列の部分には、文字列リテラル、文字列を代入した変数、値が文字列になる式などを書くことができます。

メソッドの呼び出し

```
文字列.メソッド名(引数, …)
```

それでは、実際に文字列を操作するメソッドを使ってみましょう。最初は、文字列を大文字にするupperメソッドと、小文字にするlowerメソッドです。文字列はイミュータブルなので、upperは大文字にした新しい文字列を返し、lowerは小文字にした新しい文字列を返します。元の文字列は変化しません。

文字列を大文字にする(upperメソッド)

```
文字列.upper()
```

文字列を小文字にする(lowerメソッド)

```
文字列.lower()
```

例えば、**文字列'Python'にupperとlowerを適用**してみてください。これらのメソッドは、文字の大小を統一してから文字列を比較する際などに役立ちます。

```
>>> 'Python'.upper()
'PYTHON'
>>> 'Python'.lower()
'python'
```

次は、文字列の先頭が指定した接頭辞から始まるときにTrueを返すstartswithメソッドと、末尾が指定した接尾辞で終わるときにTrueを返すendswithメソッドです。「starts with」は「…から始まる」、「ends with」は「…で終わる」を意味します。

先頭が指定した接頭辞から始まるときにTrueを返す(startswithメソッド)

```
文字列.startswith(接頭辞の文字列)
```

末尾が指定した接尾辞で終わるときにTrueを返す(endswithメソッド)

```
文字列.endswith(接尾辞の文字列)
```

startswithを使って、**文字列'pycodestyle'と'Python'が、接頭辞'py'から始まるかどうか**を調べてみてください。startswithは文字の大小を区別するので、'Python'に対する結果はFalseになります。

```
>>> 'pycodestyle'.startswith('py')
True
>>> 'Python'.startswith('py')
False
```

文字の大小に関係なく接頭辞との一致を調べたいときには、前述のupperやlowerを使って文字の大小を統一してから、startswithを適用するとよいでしょう。例えば、

**文字列'Python'にlowerを適用して小文字にしてから、startswithを使って接頭辞'py'との一致**を調べてみてください。

```
>>> 'Python'.lower().startswith('py')
True
```

このように、メソッドの戻り値に対して別のメソッドを呼び出す場合には、次のように書けます。メソッドAの戻り値を変数に保存し、その変数に対してメソッドBを呼び出しても構わないのですが、以下の書き方の方が簡潔です。

メソッドの戻り値に対して別のメソッドを呼び出す

```
オブジェクト.メソッドA(引数, …).メソッドB(引数, …)…
```

endswithも使ってみましょう。**変数fileに文字列'hello.py'および'hello.txt'を代入し、各々が接尾辞'.py'で終わるかどうか**を調べてみてください。このようにendswithは、ファイルが特定の拡張子を持つかどうかを調べるために使うことができます。

```
>>> file = 'hello.py'
>>> file.endswith('.py')
True
>>> file = 'hello.txt'
>>> file.endswith('.py')
False
```

続いては、文字列の一部を置き換えるreplaceメソッドです。以下のように書くと、文字列に含まれる全ての旧文字列を新文字列に置換した、新しい文字列を返します。第3引数を使うと、置き換える個数の上限を指定することができます。

文字列の一部を置き換える(replaceメソッド)

```
文字列.replace(旧文字列, 新文字列)
```

置き換える個数の上限を指定

```
文字列.replace(旧文字列, 新文字列, 個数)
```

replaceを使って、ファイルの拡張子を変更してみましょう。**変数fileに文字列'image.jpg'を代入した後に、'.jpg'を'.jpeg'に置換**してみてください。

```
>>> file = 'image.jpg'
>>> file.replace('.jpg', '.jpeg')
'image.jpeg'
```

第3引数も使ってみましょう。**文字列'anaconda'にreplaceを適用して、全ての'a'を'A'に置換**してみてください。次に、**第3引数に1を指定して、最初の'a'だけを置換**してみてください。

```
>>> 'anaconda'.replace('a', 'A')
'AnAcondA'
>>> 'anaconda'.replace('a', 'A', 1)
'Anaconda'
```

最後は、文字列内から指定した検索文字列を探すメソッドです。検索を開始する位置が先頭か末尾かの違いと、検索文字列が見つからない場合の動作の違いで、4種類のメソッドがあります。見つからない場合の処理に、戻り値を利用したいならばfindやrfindを、例外処理(Chapter8)を利用したいならばindexやrindexを使います。

▼文字列を検索するメソッド

| 使い方 | 検索開始位置 | 見つからない場合の動作 |
|---|---|---|
| **文字列.find(検索文字列)** | 先頭 | -1を返す |
| **文字列.rfind(検索文字列)** | 末尾 | -1を返す |
| **文字列.index(検索文字列)** | 先頭 | 例外(ValueError)を発生 |
| **文字列.rindex(検索文字列)** | 末尾 | 例外(ValueError)を発生 |

これらのメソッドとスライスを使って、**名前からファーストネーム、ミドルネーム、ラストネームを取り出す**プログラムを書いてみましょう。名前の文字列は変数nameに代入しておきます。最初はPythonの作者である'Guido van Rossum'を代入してみてください。'Guido'、'van'、'Rossum'を取り出すことができれば成功です。

```
>>> name = 'Guido van Rossum'
>>> name[:name.find(' ')]
'Guido'
>>> name[name.find(' ')+1:name.rfind(' ')]
'van'
>>> name[name.rfind(' ')+1:]
'Rossum'
```

上記ではfindとrfindを使いましたが、indexとrindexを使っても同じ結果になります。次は変数nameに皆さんの名前を代入して、同じプログラムを実行してみてください。ミドルネームがない場合は、''(空文字列)が取り出せれば成功です。

```
>>> name = 'Kenichiro Matsuura'
>>> name[:name.find(' ')]
'Kenichiro'
>>> name[name.find(' ')+1:name.rfind(' ')]
''
>>> name[name.rfind(' ')+1:]
'Matsuura'
```

文字列内に検索文字列が出現する回数を調べるには、countメソッドを使います。戻り値は出現回数(整数)です。

文字列内に検索文字列が出現する回数を調べる(countメソッド)

```
文字列.count(検索文字列)
```

**文字列'internationalization'の中に、文字列'i'と'tion'が、それぞれ何回出現するのか**を調べてみてください。

```
>>> 'internationalization'.count('i')
4
>>> 'internationalization'.count('tion')
2
```

文字列には他にも役に立つメソッドがあります。前述の標準ライブラリドキュメントを参照して、便利なメソッドを見つけてみてください。

# 基礎編 Chapter4

# Pythonを支える4種のデータ構造

データ構造というのは、データを格納する形式のことです。Pythonにはリスト、タプル、集合、辞書という4種類の基本的なデータ構造があります。これらはPython以外のプログラミング言語でも使用されますが、特にPythonでは簡単に利用できるように文法が工夫されています。
データ構造ごとに「ランダムアクセスに強い」とか「検索に強い」といった特徴があります。目的に応じて適切なデータ構造を選択することによって、プログラムの処理速度やメモリの使用効率を向上することができます。ぜひデータ構造ごとの特徴に注目して、的確に使い分けてみてください。

本章の学習内容

①リストの概念と使い方
②タプルの概念と使い方
③集合の概念と使い方
④辞書の概念と使い方

# section 01 複数のデータを格納するならリストを使う

多くの場合、データ構造には複数のデータを格納します。格納された各データのことを要素(ようそ)と呼びます。

Pythonにおけるデータ構造の中でも、リストは最も使う機会が多いと思われるデータ構造です。リストには次のような特徴があります。

・シーケンスなので、インデックスやスライスが使える
・ミュータブルなので、要素の変更・追加・削除ができる

どのデータ構造を使えばよいか迷ったら、とりあえずリストを使っても構いません。商品のリスト、顧客のリスト、測定値のリスト、ファイル名のリストなど、あらゆる種類のデータをリストに格納することができます。一方で、イミュータブルにしたければ「タプル」、検索を速くしたければ「集合」や「辞書」がおすすめです。タプル、集合、辞書については、この後のページで解説します。

## ❖リストは角括弧で作成する

リストを作成するには、[](角括弧)間に、格納する値をカンマ(,)で区切って並べます。値のところに、変数や式を書くこともできます。また、空のリスト(空リスト)を作ることも可能です。

リストの作成(値が2個以上の場合)

```
[値, …]
```

リストの作成(値が1個の場合)

```
[値]
```

リストの作成(値が0個(空のリスト)の場合)

```
[]
```

作成したリストを後で利用したい場合には、次のように変数に代入するとよいでしょう。

リストを変数に代入する

```
変数 = [値, …]
```

アイスクリームのフレーバー(風味、flavor)を、リストを使って管理する例を考えてみましょう。**'vanilla'、'chocolate'、'strawberry'という3個の文字列を格納したリストを作成し、変数flavorに代入**してください。さらに変数flavorの値を表示して、リストが正しく作成されたことを確認してください。

```
>>> flavor = ['vanilla', 'chocolate', 'strawberry']
>>> flavor
['vanilla', 'chocolate', 'strawberry']
```

リストに格納する値の型は任意です。同じ型の値を格納することが多いですが、異なる型の値を混在させることもできます。例えば、**文字列'one'、整数2、浮動小数点数3.0を格納したリスト**を作成してみてください。

```
>>> ['one', 2, 3.0]
['one', 2, 3.0]
```

Pythonインタプリタの対話モードでリストを作成すると、上記のようにリストの内容が表示されます。作成したリストを後で利用したい場合には、前述のように変数に代入します。

list(リスト)関数を使うと、イテラブル(繰り返し可能なオブジェクト)から、リストを作成することができます。厳密には、listは関数ではなくクラス(Chapter7)であり、以下はlistオブジェクトの生成となります。

リストの作成(list関数)

```
list(イテラブル)
```

例えば、**0から9までの整数を格納したリスト**を作成してみましょう。0から9までを並べて書く方法もありますが、次のようにlist関数とrange関数を組み合わせた方が簡単です。listと同様に、厳密にはrangeは関数ではなくクラスです。そして、range関数の呼び出しによって生成されるrangeオブジェクトは、イテラブルの一種です。

```
>>> [0, 1, 2, 3, 4, 5, 6, 7, 8, 9]
[0, 1, 2, 3, 4, 5, 6, 7, 8, 9]
>>> list(range(10))
[0, 1, 2, 3, 4, 5, 6, 7, 8, 9]
```

続いては、**'A'から'G'までの文字を格納したリスト**を作成してみましょう。'A'から'G'までを並べてもよいのですが、次のようにlist関数と文字列を組み合わせた方が簡単です。文字列もイテラブルの一種です。

```
>>> ['A', 'B', 'C', 'D', 'E', 'F', 'G']
['A', 'B', 'C', 'D', 'E', 'F', 'G']
>>> list('ABCDEFG')
['A', 'B', 'C', 'D', 'E', 'F', 'G']
```

## ❖インデックスとスライスをリストに使う

リストはシーケンスの一種なので、文字列やタプルと同様に、インデックスやスライスを適用できます。インデックス、開始インデックス、終了インデックス、ストライドの使い方は、文字列の場合(122ページを参照)と同様です。以下のリストの部分には、値がリストになる変数や式を書きます。

リストから指定した位置の要素を取り出す(インデックス)

```
リスト[インデックス]
```

リストの一部を取り出す(スライス)

```
リスト[開始インデックス:終了インデックス]
リスト[開始インデックス:終了インデックス:ストライド]
```

リストに対してインデックスやスライスを使ってみましょう。題材はドリンク(飲料、drink)の一覧です。最初にリストを作成します。**'coffee'、'tea'、'milk'、'water'を格納したリストを作成して変数drinkに代入**してください。そしてdrinkの値を表示し、リストができたことを確認してください。

```
>>> drink = ['coffee', 'tea', 'milk', 'water']
>>> drink
['coffee', 'tea', 'milk', 'water']
```

それでは**インデックスを使って'milk'を取得**してみてください。'milk'は3番目ですが、インデックスは「0」から始まることにご注意ください。また、負数のインデックスも使ってみてください。

```
>>> drink[2]
'milk'
>>> drink[-2]
'milk'
```

リストはミュータブルなので、要素を読み出すだけではなく、要素に書き込むことも可能です。以下のように書くと、インデックスで指定した要素に、式の値を書き込むことができます。

リストの要素に値を書き込む

```
リスト[インデックス] = 式
```

drinkのリストにおいて、**'water'を'soda'に変更**してみてください。ここでは負数のインデックスを使ってみましょう。変更後にdrinkの値を表示して、変更できたことを確認してください。

```
>>> drink
['coffee', 'tea', 'milk', 'water']   ← 元は'water'
>>> drink[-1] = 'soda'
>>> drink
['coffee', 'tea', 'milk', 'soda']    ← 'soda'に変更された
```

次は**スライスを使って'tea'と'milk'を取得**してみてください。'tea'のインデックスは「1」、'milk'のインデックスは「2」ですが、スライスでは終了インデックスに対応する要素(ここでは「3」の'soda')は除外される(取り出されない)ことに注意してください。

```
>>> drink[1:3]
['tea', 'milk']
```

スライスを使って要素を変更することも可能です。以下のように書くと、スライスで指定した範囲の要素に、イテラブルから取得した値を書き込むことができます。イテラブルとしては、例えばリスト、文字列、rangeオブジェクトなどが使えます。

指定した範囲の要素に値を書き込む

```
リスト[開始インデックス:終了インデックス] = イテラブル
リスト[開始インデックス:終了インデックス:ストライド] = イテラブル
```

drinkのリストについて、**'tea'と'milk'を、'juice'と'cocoa'に置き換え**てみてください。最初にdrinkの値を表示してから、スライスを使って要素を変更し、再びdrinkを表示して結果を確認します。

```
>>> drink
['coffee', 'tea', 'milk', 'soda']          ← 元は'tea'と'milk'
>>> drink[1:3] = ['juice', 'cocoa']
>>> drink
['coffee', 'juice', 'cocoa', 'soda']  ← 'juice'と'cocoa'に変更された
```

## ❖リストの代入にはご注意を

ある変数に代入されたリストを別の変数に代入したときには、動作に注意する必要があります。代入の方法に応じて、複数の変数が同一のリストを参照する場合と、リストのコピーが作成される場合があるためです。

こんな例を考えてみましょう。**'coffee'、'tea'、'milk'、'water'を格納したリストを作成し、変数aに代入してから、aの値を表示**してみてください。このaを店Aのドリンク一覧とします。

```
>>> a = ['coffee', 'tea', 'milk', 'water']
>>> a
['coffee', 'tea', 'milk', 'water']
```

次に、店Aのドリンク一覧を流用して、別の店Bのドリンク一覧を作ることにします。**変数bにaを代入してから、bの値を表示**してみてください。このbが店Bのドリンク一覧です。

```
>>> b = a
>>> b
['coffee', 'tea', 'milk', 'water']
```

店Bでは、水(water)ではなく炭酸水(soda)を提供することにします。**変数bについて、'water'を'soda'に変更**してください。インデックスを使います。変更後にbの値も確認してください。

```
>>> b[-1] = 'soda'
>>> b
['coffee', 'tea', 'milk', 'soda']
```

ここで再び、店Aのドリンク一覧を確認してみてください。店Bにおいて'water'を'soda'に変更したのですが、店Aでも'water'が'soda'に変更されています。

```
>>> a
['coffee', 'tea', 'milk', 'soda']
```

これは変数aと変数bが、同じリストを参照しているからです。参照先のリストを変更すると、どちらの変数から参照したときにも、変更後の状態になります。

▼複数の変数が同じリストを参照している

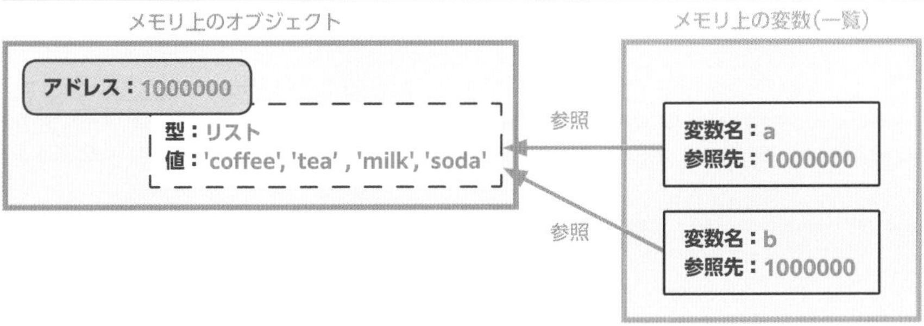

id関数(Chapter3)を使うと、変数がどのオブジェクトを参照しているのかがわかります。「**id(a)**」と「**id(b)**」を実行して、同じ値が表示されることを確認してください(表示されるアドレスは環境によって異なります)。

```
>>> id(a)
54450024
>>> id(b)
54450024
```

複数の変数から同じリストを参照したい場合には、上記の方法を使えばよいでしょう。一方で、各変数から別のリストを参照したい場合には、リストのコピーを作成する必要があります。リストのコピーを作成して変数に代入するには、以下の方法を使います。[:]というスライスを使う方法と、copyメソッドを使う方法があります。

リストのコピー(スライス)

```
変数 = リスト[:]
```

リストのコピー(copyメソッド)

```
変数 = リスト.copy()
```

リストのコピーを使って、再び店Aと店Bのドリンク一覧を作ってみましょう。まずは店Aです。**'coffee'、'tea'、'milk'、'water'を格納したリストを作成し、変数aに代入してから、aの値を表示**してみてください。

```
>>> a = ['coffee', 'tea', 'milk', 'water']
>>> a
['coffee', 'tea', 'milk', 'water']
```

次に、店Aのドリンク一覧をコピーして、店Bのドリンク一覧を作ります。スライスを使ってみましょう。**変数bにa[:]を代入してから、bの値を表示**してみてください。

```
>>> b = a[:]
>>> b
```

```
['coffee', 'tea', 'milk', 'water']
```

店Bのドリンク一覧を変更します。**変数bについて'water'を'soda'に変更してから、bの値を表示**してください。

```
>>> b[-1] = 'soda'
>>> b
['coffee', 'tea', 'milk', 'soda']
```

店Aのドリンク一覧はどうなったでしょうか。**変数aの値を表示**してみてください。

```
>>> a
['coffee', 'tea', 'milk', 'water']
```

店Aについては'water'のままです。これは変数aと変数bが、別のリストを参照しているためです。

▼各変数が別のリストを参照している

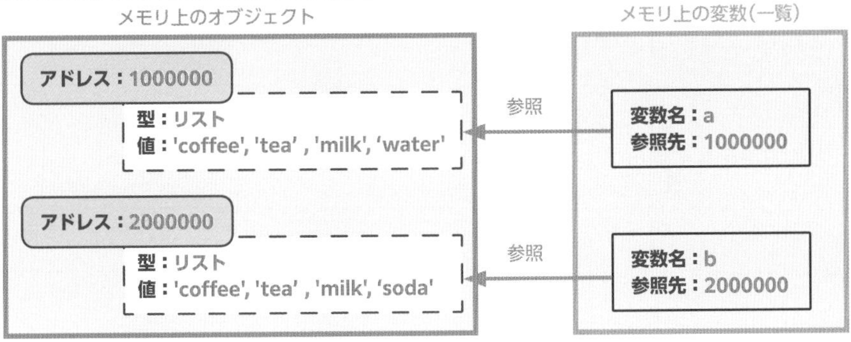


id関数で確認してみてください。「**id(a)**」と「**id(b)**」を実行すると、異なる値が表示されるはずです。

```
>>> id(a)
54450024
>>> id(b)
54449960
```

## ❖リストの要素を追加したり削除したり

リストに要素を追加してみましょう。リストの末尾に要素を追加するには、次のようにいくつかの方法があります。上から、appendメソッド、累算代入文、extendメソッド、スライスを使っています。好きな方法を使って構いません。

リストに要素を追加(appendメソッド)

```
リスト.append(値)
```

リストに要素を追加(累算代入文)

```
リスト += イテラブル
```

リストに要素を追加(extendメソッド)

```
リスト.extend(イテラブル)
```

リストに要素を追加(スライス)

```
リスト[len(リスト):] = イテラブル
```

実際に使ってみましょう。**変数drinkに空のリストを代入**してください。次に、**上記の方法を順に使って'coffee'、'tea'、'milk', 'water'を追加**してみてください。イテラブルの部分には、値をそのまま書くのではなく、[値] のようなリストを書きます。

```
>>> drink = []                        ← 追加前のリスト(空のリスト)
>>> drink.append('coffee')            ← appendメソッド
>>> drink += ['tea']                  ← 累算代入文
>>> drink.extend(['milk'])            ← extendメソッド
>>> drink[len(drink):] = ['water']    ← スライス
>>> drink
['coffee', 'tea', 'milk', 'water']    ← 追加後のリスト
```

appendメソッドは要素を1個だけ追加する場合に便利です。一度に複数の要素を追加する場合には、イテラブルを指定できる他の3種類の方法が便利でしょう。

要素の追加に関連して、リストを連結(結合)する方法も知っておきましょう。リストAとリストBを連結して変数に代入するには、+演算子と代入文を使って、次のように書きます。

リストの連結

```
変数 = リストA+リストB
```

変数にリストAが代入されている場合には、次のように累算代入文を使うとよいでしょう。

リストの連結(累算代入文)

```
変数 += リストB
```

'soda'と'juice'を格納したリストと、'cocoa'と'cola'を格納したリストを連結し、変数new_drinkに代入してみてください。さらに、前述の変数drinkに対して、new_drinkを連結してください。

```
>>> drink
['coffee', 'tea', 'milk', 'water']
>>> new_drink = ['soda', 'juice'] + ['cocoa', 'cola']
>>> new_drink
['soda', 'juice', 'cocoa', 'cola']
>>> drink += new_drink
>>> drink
['coffee', 'tea', 'milk', 'water', 'soda', 'juice', 'cocoa', 'cola']
```

今度は要素を削除してみましょう。指定した位置の要素を削除するには、次のように、del文を使う方法と、popメソッドを使う方法があります。

リストの要素を削除(del文)

```
del リスト[インデックス]
```

リストの要素を削除(popメソッド)

```
リスト.pop(インデックス)
```

上記の方法を順に使って、**変数drinkのリストから'cocoa'と'milk'を削除**してみてください。最後にdrinkの値を表示して、正しく削除できたことを確認してください。

```
>>> drink
['coffee', 'tea', 'milk', 'water', 'soda', 'juice', 'cocoa', 'cola']
>>> del drink[-2]
>>> drink.pop(2)
'milk'
>>> drink
['coffee', 'tea', 'water', 'soda', 'juice', 'cola']
```

上記でpopメソッドを呼び出した後に'milk'と表示されているのは、popメソッドが'milk'を返したことを示しています。このようにpopメソッドは、削除した要素を戻り値として返します。

指定した位置の要素ではなく、指定した値の要素を削除するには、removeメソッドを使います。removeメソッドはリストの先頭から、指定した値の要素を探し、見つかったら削除します。見つからない場合は、ValueErrorという例外(Chapter8)を発生させます。

値を指定して要素を削除(removeメソッド)

```
リスト.remove(値)
```

removeメソッドを使ってみましょう。**変数drinkのリストから'juice'を削除**し、結果を確認してください。次に**drinkからリストに元々含まれていない'wine'を削除**してみてください。

```
>>> drink
['coffee', 'tea', 'water', 'soda', 'juice', 'cola']    ← 元のリスト
>>> drink.remove('juice')
>>> drink
['coffee', 'tea', 'water', 'soda', 'cola']             ← 'juice'が削除された
>>> drink.remove('wine')
Traceback (most recent call last):
  File "<stdin>", line 1, in <module>
ValueError: list.remove(x): x not in list              ← 例外が発生
```

```
>>> drink
['coffee', 'tea', 'water', 'soda', 'cola']          ← リストは変化しない
```

例外の内容は「値エラー:list.remove(x)において、xがリストに含まれていない」です。例外が発生した場合、drinkのリストは変化しません。

指定した範囲の要素を削除することもできます。del文を使う方法と、空のリストを代入する方法があります。

指定した範囲の要素を削除(del文)

```
del リスト[開始インデックス:終了インデックス]
```

指定した範囲の要素を削除(空のリストを代入)

```
リスト[開始インデックス:終了インデックス] = []
```

スライスとdel文を使って、**変数drinkのリストから'water'と'soda'を削除**してみてください。結果を確認してから、今度は**空のリストを使って'coffee'以外を削除**してください。

```
>>> drink
['coffee', 'tea', 'water', 'soda', 'cola']
>>> del drink[2:4]                          ← del文
>>> drink
['coffee', 'tea', 'cola']
>>> drink[1:] = []                          ← 空のリストを代入
>>> drink
['coffee']
```

これでリストの要素を追加および削除する方法がわかりました。あとは要素をリストの末尾に追加するだけはなく、リストの途中に挿入する方法も知っておくと便利です。要素の挿入は、次のようにinsertメソッドやスライスを使って行えます。

リストに要素を挿入(insertメソッド)

```
リスト.insert(インデックス, 値)
```

リストに要素を挿入(スライス)

```
リスト[開始インデックス:終了インデックス] = イテラブル
```

変数drinkのリストに対して、要素を挿入してみましょう。まずは**insertメソッドを使ってリストの先頭に'tea'を挿入**してください。結果を確認してから、次は**スライスを使って'tea'と'coffee'の間に'milk'と'water'を挿入**してください。

```
>>> drink
['coffee']
>>> drink.insert(0, 'tea')              ← insertメソッド
>>> drink
['tea', 'coffee']
>>> drink[1:1] = ['milk', 'water']     ← スライス
>>> drink
['tea', 'milk', 'water', 'coffee']
```

この例のように、insertメソッドは1個の要素を追加するときに使います。スライスはイテラブルが指定できるので、一度に複数の要素を追加することが可能です。

最後に、リストから全ての要素を削除して、空にしてみましょう。clearメソッドを使います。

リストの全ての要素を削除(clearメソッド)

```
リスト.clear()
```

リストが変数に代入されているときには、空のリストを代入する方法もあります。

リストの全ての要素を削除

```
変数 = []
```

変数drinkのリストを空にしてみましょう。**clearメソッドを呼び出した後に、リストが空になったことを確認**してください。

```
>>> drink
['tea', 'milk', 'water', 'coffee']  ← 元のリスト
>>> drink.clear()
>>> drink
[]                                  ← リストが空になった
```

## ❖文字列とリストを自由に行き来する

文字列とリストの間を簡単に行き来するためのメソッドを紹介しましょう。文字列をリストに変換したり、逆にリストを文字列に変換したりできます。例えばCSV(Comma-Separated Value)形式のデータを扱うときに、ファイルから読み込んだ文字列をリストに変換してプログラムで処理し、処理後のリストを文字列に変換してファイルに書き込む、といったことが可能です。なおCSVを扱う方法としては、csvモジュール(Chapter11)やPandas(Chapter13)もあります。

文字列をリストに変換するには、文字列(strクラス)のsplitメソッドを使います。指定したデリミタ(区切り文字)で文字列を分割し、結果をリストで返します。デリミタは文字列で指定します。デリミタは','のように1文字でも、'::'のように2文字以上でも大丈夫です。

文字列をリストに変換(splitメソッド)

```
文字列.split(デリミタ)
```

例えば、**'burger,potato,shake'のような文字列を、','をデリミタとして分割してリストに変換**してみましょう。これはCSVにおける1行のデータをリストに変換することに相当します。結果のリストは変数menuに代入し、menuの値を表示してみてください。

```
>>> menu = 'burger,potato,shake'.split(',')
>>> menu
['burger', 'potato', 'shake']
```

リストを文字列に変換するには、文字列(strクラス)のjoinメソッドを使います。イテラブルから取得した値を、指定したデリミタを使って連結し、結果を文字列で返します。splitメソッドと同様に、デリミタは文字列で指定します。

リストを文字列に変換(joinメソッド)

```
デリミタ.join(イテラブル)
```

**変数menuのリストを','をデリミタとして連結して文字列に変換**してみてください。これはリストをCSVにおける1行のデータに変換することに相当します。続いて、**'::'をデリミタとして連結**してください。このように2文字以上のデリミタも使うことができます。

```
>>> ','.join(menu)
'burger,potato,shake'
>>> '::'.join(menu)
'burger::potato::shake'
```

joinメソッドは戻り値として変換後の文字列を返します。上記の例では、joinメソッドの戻り値が表示されています。

## ❖まだまだある便利なリストの操作

リストに適用できる便利な操作は他にもあります。代表的な関数、演算子、メソッドを紹介しましょう。

文字列の文字数を返すlen関数(Chapter2)は、リストに適用すると、リストの要素数を返します。実はlen関数は、リスト以外のデータ構造(タプル、集合、辞書)にも適用できます。

リストの要素数を取得(len関数)

```
len(リスト)
```

len関数を使ってみましょう。**'burger'、'potato', 'shake'を格納したリストを作成して変数menuに代入し、len関数を適用**してください。

```
>>> menu = ['burger', 'potato', 'shake']
>>> menu
['burger', 'potato', 'shake']          ← リスト
>>> len(menu)
3                                       ← 要素は3個
```

*演算子を使うと、リストの要素を複製することができます。リストの要素を整数の回数だけ複製した、新しいリストを作成します。0以下の整数を指定すると、結果は空のリストになります。

リストの要素を複製

```
リスト*整数
```

リストの要素を複製(整数を左に書いた場合)

```
整数*リスト
```

**変数menuのリストに対して2を乗算し、続けて0および-1を乗算**してみてください。

```
>>> menu = ['burger', 'potato', 'shake']
>>> menu
['burger', 'potato', 'shake']                                 ← 元のリスト
>>> menu*2
['burger', 'potato', 'shake', 'burger', 'potato', 'shake']   ← 2回複製
>>> menu*0
[]                                                            ← 空のリスト
>>> menu*-1
[]                                                            ← 空のリスト
```

リストが変数に代入されているときには、*=による累算代入文も使えます。リストの要素を整数の回数だけ複製します。

リストの要素を複製(累算代入文)

```
変数 *= 整数
```

*=による累算代入文を使って、**変数menuに対して2を乗算**してみてください。そしてmenuを表示し、結果を確認してください。

```
>>> menu = ['burger', 'potato', 'shake']
>>> menu
['burger', 'potato', 'shake']                                 ← 元のリスト
>>> menu *= 2
>>> menu
['burger', 'potato', 'shake', 'burger', 'potato', 'shake']   ← 2回複製
```

countメソッドを使うと、指定した値に一致する要素の個数がわかります。一致する要素がない場合には「0」が返ります。

指定した値に一致する要素の個数を取得(countメソッド)

```
リスト.count(値)
```

countメソッドを使って、**変数menuのリストに含まれている'potato'の個数**を調べてみてください。同様に、**'nugget'の個数**も調べてください。

```
>>> menu = ['burger', 'potato', 'shake', 'burger', 'potato', 'shake']
>>> menu
['burger', 'potato', 'shake', 'burger', 'potato', 'shake']
>>> menu.count('potato')
2
>>> menu.count('nugget')
0
```

indexメソッドを使うと、指定した値に一致する要素のうち、最も先頭に近い要素のインデックスがわかります。一致する要素がない場合には、ValueErrorという例外(Chapter8)が発生します。開始インデックスや終了インデックスを指定すると、検索範囲を指定することができます。終了インデックスの要素は検索範囲に含まれません。

要素のインデックスを取得(indexメソッド)

```
リスト.index(値)
```

要素のインデックスを取得(開始位置を指定)

```
リスト.index(値, 開始インデックス)
```

要素のインデックスを取得(開始位置と終了位置を指定)

```
リスト.index(値, 開始インデックス, 終了インデックス)
```

**変数menuのリストにindexメソッドを適用して、最も先頭に近い'shake'のインデックス**を調べてみてください。続いて、**開始インデックスを指定することにより、次に先頭に近い'shake'のインデックス**を調べてください。

```
>>> menu = ['burger', 'potato', 'shake', 'burger', 'potato', 'shake']
>>> menu
['burger', 'potato', 'shake', 'burger', 'potato', 'shake']
```

```
>>> menu.index('shake')
2
>>> menu.index('shake', 3)
5
```

1回目に調べたインデックスが「2」だったので、このインデックスに「1」を加算した「3」を2回目の開始インデックスに指定しました。同じ手順を繰り返せば、値に一致する要素のインデックスを先頭から順に調べていくことができます。

リストをソートする(要素を一定の順序に並べ替える)には、sortメソッドを使います。逆順にソートするには、キーワード引数のreverseにTrueを指定します。

リストの並べ替え(sortメソッド)

```
リスト.sort()
```

リストの並べ替え(逆順)

```
リスト.sort(reverse=True)
```

sortメソッドを使って、**変数menuのリストをソート**してください。menuを表示して結果を確認してから、今度は**逆順にソート**してみてください。

```
>>> menu = ['burger', 'potato', 'shake', 'burger', 'potato', 'shake']
>>> menu
['burger', 'potato', 'shake', 'burger', 'potato', 'shake'] ← 元のリスト
>>> menu.sort()
>>> menu
['burger', 'burger', 'potato', 'potato', 'shake', 'shake'] ← ソート
>>> menu.sort(reverse=True)
>>> menu
['shake', 'shake', 'potato', 'potato', 'burger', 'burger'] ← 逆順にソート
```

sortメソッドはリストの内容を変更します。一方sorted関数を使うと、リストの内容は変更せずに、ソートされた新しいリストを作成することができます。sorted関数はリスト以外のイテラブルにも適用可能です。逆順にソートするには、キーワード引数のreverseにTrueを指定します。

ソートされたリストの作成(sorted関数)

```
sorted(イテラブル)
```

ソートされたリストの作成(逆順)

```
sorted(イテラブル, reverse=True)
```

sorted関数を使って、**変数menuをソートしたリストを作成**してください。またソート後にmenuの値を表示し、ソート前から変化していないことを確認してください。

```
>>> menu =['shake', 'shake', 'potato', 'potato', 'burger', 'burger']
>>> menu
['shake', 'shake', 'potato', 'potato', 'burger', 'burger'] ← 元のリスト
>>> sorted(menu)
['burger', 'burger', 'potato', 'potato', 'shake', 'shake'] ← 新しいリスト
>>> menu
['shake', 'shake', 'potato', 'potato', 'burger', 'burger'] ← 変化しない
```

sorted関数は戻りとして、作成したソート済みのリストを返します。上記の例では、sorted関数の戻り値が表示されています。

最後にmin関数とmax関数を紹介しましょう。イテラブルに含まれる要素の中から、min関数は最小値を、max関数は最大値を返します。これらの関数はリスト以外のイテラブル(文字列、タプル、rangeオブジェクトなど)にも適用可能です。

最小の要素を取得(min関数)

```
min(イテラブル)
```

最大の要素を取得(max関数)

```
max(イテラブル)
```

**min関数とmax関数を変数menuのリストに適用**してみてください。文字列の大小を辞書順で比較したときに、最小になる'burger'と最大になる'shake'が表示されます。

```
>>> menu
['shake', 'shake', 'potato', 'potato', 'burger', 'burger']
>>> min(menu)                                        ← 最小値
'burger'
>>> max(menu)                                        ← 最大値
'shake'
```

なお、sortメソッド、sorted関数、min関数、max関数には、ラムダ式(Chapter8)を組み合わせることができます。ラムダ式を使うと、要素の大小を比較する方法を細かく指定することが可能です。

section 02

# データをタプルで手軽にまとめる

タプルは複数のデータを格納したり、取り出したりするのに向いたデータ構造です。タプルには次のような特徴があります。

・シーケンスなので、インデックスやスライスが使える
・イミュータブルなので、要素の変更・追加・削除はできない

タプルはリストに似ていますが、イミュータブルである点が大きな違いです。タプルの内容を変更したいときには、変更するのではなく、新しいタプルを丸ごと作り直します。そのため、比較的少数のデータを管理するのに向いています。例えば商品の名前、価格、カロリーをタプルにまとめたり、顧客のユーザ名とパスワードをタプルにまとめたり、といった使い方ができます。

イミュータブルであることには利点もあります。集合(162ページを参照)に格納する値や、辞書に格納するキーは、イミュータブルである必要があります。タプルはイミュータブルなので、これらの用途に使うことができます。

## ❖タプルは丸括弧で作成する

タプルを作成するには、()(丸括弧)の間に、値をカンマ(,)で区切って並べます。値のところに、変数や式を書くこともできます。

タプルの作成(値が2個以上の場合)

```
(値, …)
```

タプルの作成(値が1個の場合)

```
(値,)
```

タプルの作成(値が0個の場合(空のタプル))

```
()
```

値が2個以上の場合、値の型は同じでも、異なっていても構いません。リストの場合は同じ型の値を格納することが多いですが、タプルの場合は異なる型の値を格

納することもよくあります。

値が1個の場合には、値の後にカンマが必要なことに注意してください。カンマがないと、タプルではない普通の値を丸括弧で囲んだ式と区別がつかないためです。

実際にタプルを作成してみましょう。商品の名前と価格を、タプルを使って管理する例を考えます。**文字列'burger'と整数110を格納したタプルを作成**してください。

```
>>> ('burger', 110)
('burger', 110)
```

Pythonインタプリタの対話モードでタプルを作成すると、上記のようにタプルの内容が表示されます。作成したタプルを後で利用したい場合には、後述するように変数に代入します。

タプルを作成する際の丸括弧は、実は省略することができます。タプルを作成する際に重要な役割を果たしているのは、丸括弧ではなく、むしろカンマなのです。なお、空のタプルを作成する際には、丸括弧を省略すると何もなくなってしまうので、丸括弧が必要です。

丸括弧を省略したタプルの作成(値が2個以上の場合)

```
値, …
```

丸括弧を省略したタプルの作成(値が1個の場合)

```
値,
```

**文字列'potato'と整数150を格納したタプルを丸括弧を省略して作成**してみてください。結果に丸括弧が付いているので、タプルが作成されたことがわかります。

```
>>> 'potato', 150
('potato', 150)
```

丸括弧がないと他の記法と区別できない場合には、タプルを丸括弧で囲む必要があります。例えば、**文字列'shake'と整数120を格納したタプルをprint関数を使って表示**してみましょう。丸括弧で囲む場合と、丸括弧で囲まない場合の、両方を試してみてください。

```
>>> print(('shake', 120))      ← 丸括弧で囲む
('shake', 120)                 ← タプルになる
>>> print('shake', 120)        ← 丸括弧で囲まない
shake 120                      ← タプルにならない
```

前者はタプルになりますが､後者はタプルになりません。前者はタプル「('shake', 120)」を、後者は「文字列'shake'と整数120」をprint関数の引数に指定したことになります。

さて、作成したタプルを後で利用したい場合には、次のように変数に代入するとよいでしょう。丸括弧は省略しても書いても構いません。

タプルを変数に代入

```
変数 = 値, …
変数 = (値, …)
```

**文字列'nugget'と整数200を格納したタプルを作成し、変数foodに代入**してください。次にfoodの値を表示して、タプルが正しく作成されたことを確認してください。

```
>>> food = 'nugget', 200
>>> food
('nugget', 200)
```

**tuple**(タプル)関数を使うと、イテラブルから**タプルを作成**することができます。厳密には、tupleは関数ではなくクラス(Chapter7)です。tuple関数は作成したタプル(のオブジェクト)を戻り値として返します。

タプルの作成(tuple関数)

```
tuple(イテラブル)
```

例えば、**0から9までの整数を格納したタプルを作成**してみましょう。range関数を組み合わせると簡潔に書けます。

```
>>> tuple(range(10))
(0, 1, 2, 3, 4, 5, 6, 7, 8, 9)
```

## ❖インデックスとスライスはタプルにも使える

タプルはシーケンスの一種なので、文字列やリストと同様に、インデックスやスライスを適用できます(Chapter3)。以下のタプルの部分には、値がタプルになる式を書きます。

タプルの要素を取り出す(インデックス)

```
タプル[インデックス]
```

タプルの要素を取り出す(スライス)

```
タプル[開始インデックス:終了インデックス]
タプル[開始インデックス:終了インデックス:ストライド]
```

タプルに対してインデックスやスライスを使ってみましょう。商品の名前、価格、カロリーをタプルに格納する例を考えます。まずは、**'burger'、110、234.5を格納したタプルを作成し、変数foodに代入**してください。

```
>>> food = 'burger', 110, 234.5
>>> food
('burger', 110, 234.5)
```

**インデックスを使って商品の名前、価格、カロリーを取り出し**てみてください。文字列やリストと同様に、負数のインデックスも使えます。

```
>>> food[0]
'burger'          ← 名前
>>> food[1]
110               ← 価格
>>> food[2]
234.5             ← カロリー
>>> food[-1]
234.5             ← カロリー(負数のインデックス)
>>> food[-2]
110               ← 価格(負数のインデックス)
>>> food[-3]
'burger'          ← 名前(負数のインデックス)
```

次は**スライスを使って商品の名前と価格、および価格とカロリーを取り出し**てみてください。文字列やリストと同様に、開始インデックスや終了インデックスを省略することもできます。

```
>>> food[:2]
('burger', 110)      ← 名前と価格
>>> food[1:]
(110, 234.5)         ← 価格とカロリー
```

タプルはイミュータブルなので、インデックスやスライスを使って要素を変更することはできません。例えば、商品の価格を変更してみましょう。food[1]に100を代入してみてください。

```
>>> food[1] = 100
Traceback (most recent call last):
  File "<stdin>", line 1, in <module>
TypeError: 'tuple' object does not support item assignment
```

上記のようにエラーが発生します。エラーの内容は「タプルのオブジェクトは要素の代入に対応していない」です。

このように要素を変更したい場合には、タプルではなくリストを使います(130ページ参照)。タプルでは、一部の要素を変更するのではなく、変更後のタプルを新たに作成します。例えば、**'burger'と100と234.5を格納したタプルを作成し、変数foodに代入**してみてください。そしてfoodの値を表示し、結果を確認してください。

```
>>> food = 'burger', 110, 234.5
>>> food
('burger', 110, 234.5)              ← 元のタプル
>>> food = 'burger', 100, 234.5
>>> food
('burger', 100, 234.5)              ← 新しいタプル
```

さて、インデックスやスライスを使うと、タプルの要素を取り出すことができますが、実はもっとおすすめの方法があります。次に紹介するアンパッキングを使うと、タプルの要素を複数の変数に対して簡単に代入することが可能です。

## ❖パッキングとアンパッキングでタプルを作ったり壊したり

複数の値をタプルにまとめる操作のことを、パッキング(またはパック)と呼ぶことがあります。複数の値をカンマ(,)で区切って並べるだけでパッキングができることは、すでに学びました。

逆に、タプルにまとめた複数の値を分解する操作のことを、アンパッキング(またはアンパック)と呼ぶことがあります。アンパッキングは次のように書きます。タプルの各要素を、複数の変数に対して代入することができます。

アンパッキング

```
変数, … = タプル
```

実はアンパッキングは、イテラブルに対して適用できます。したがってタプルの他に、文字列、リスト、rangeオブジェクトなどにも適用可能です。

イテラブルのアンパッキング

```
変数, … = イテラブル
```

'burger'、100、234.5を格納したタプルが、変数foodに代入されているとします。このfoodにアンパッキングを適用して、**name、price、calorieという3個の変数にタプルの要素を取り出し**てみてください。そして各変数の値を表示して、結果を確認してください。

```
>>> food = 'burger', 100, 234.5        ← パッキング
>>> food
('burger', 100, 234.5)
>>> name, price, calorie = food        ← アンパッキング
>>> name
'burger'                               ← 名前
>>> price
100                                    ← 価格
>>> calorie
234.5                                  ← カロリー
```

タプルの要素を取り出す方法としては、先に説明したインデックスやスライスを使う方法と、上記のようにアンパッキングを使う方法があります。アンパッキング

では、取り出し先の変数にわかりやすい名前(例えばname、price、calorieなど)を付けることができるので、プログラムが読みやすくなるという利点があります。

要素の個数が多い場合には、先頭や末尾の要素だけを取り出したいことがあります。そんなときは次の記法を使います。代入先の中に*(アスタリスク)が付いた変数を含めることがポイントです。

先頭の要素を取得

```
変数, *変数 = イテラブル
```

末尾の要素を取得

```
*変数, 変数 = イテラブル
```

先頭と末尾の要素を取得

```
変数, *変数, 変数 = イテラブル
```

*付きの変数(「星付きの変数」とも呼ばれます)は1個だけ含めることができます。その前後に、任意個の*が付かない変数を並べます(省略することも可能です)。まず、*が付かない変数に対して、イテラブルの先頭や末尾の要素が代入されます。そして残りの要素が、*付きの変数に代入されます。

*付きの変数を実際に使ってみましょう。最初に、**'A'から'G'までの7文字を格納したタプルを作成し、変数alphabetに代入**してください。tuple関数を使うと簡単です。次にアンパッキングを使って、**変数firstに先頭の要素を、変数secondに先頭から2番目の要素を、変数lastに末尾の要素を、変数restに残りの要素を代入**してください。

```
>>> alphabet = tuple('ABCDEFG')               ← タプルの作成
>>> first, second, *rest, last = alphabet     ← アンパッキング
>>> first
'A'                                           ← 先頭の要素
>>> second
'B'                                           ← 先頭から2番目の要素
>>> rest
['C', 'D', 'E', 'F']                          ← 残りの要素
>>> last
'G'                                           ← 末尾の要素
```

残りの要素が角括弧で囲まれていることに注目してください。これらの要素はリストにまとめられていることがわかります。

## まだまだある便利なタプルの操作

タプルに適用できる代表的な演算子、関数、メソッドを紹介しましょう。これらは他のシーケンス(文字列、リスト)と共通の操作です。ミュータブルなリストとは違い、タプルはイミュータブルなので、要素の変更・追加・削除を伴う操作はありません。

▼タプルに適用できる代表的な演算子、関数、メソッド

| 使い方 | 結果 |
|---|---|
| **タプルA+タプルB** | タプルAとタプルBを連結したタプル |
| **タプル*整数** | 要素を複製したタプル |
| **整数*タプル** | 要素を複製したタプル |
| **len(タプル)** | 要素の個数 |
| **min(タプル)** | 要素の最小値 |
| **max(タプル)** | 要素の最大値 |
| **タプル.count(値)** | 指定した値に一致する要素の個数 |
| **タプル.index(値)** | 指定した値に一致する先頭に最も近い要素のインデックス |

リストと同様に、indexメソッドには開始インデックスや終了インデックスを指定することもできます(132ページを参照)。一致する要素がない場合には、ValueErrorという例外(Chapter8)が発生します。

## データ構造を組み合わせて複雑な構造を作る

あるデータ構造の中に別のデータ構造を入れて、階層的な構造を作ることにより、複雑な構造のデータを管理することができます。例えば、リストの中にタプルを入れた構造などをよく使います。リストの中にリストを入れたり、タプルの中にタプルを入れたり、といった使い方も可能です。任意のデータ構造を、何階層でも必要なだけ組み合わせることができます。

例えばレストランのメニューを、データ構造を組み合わせて表現してみましょう。個々の商品はタプルで表します。商品の名前、価格、カロリーを格納した、以下のような2個のタプルを作成してください。

'burger', 110, 234.5
'potato', 150, 226.7

メニュー全体はリストで表します。**上記のタプルを格納したリストを作成し、変数menuに代入**してください。タプルとリストはまとめて作成することができるので、個々のタプルをいったん変数に代入する必要はありません。最後にmenuの値を表示して、結果を確認してください。

```
>>> menu = [('burger', 110, 234.5), ('potato', 150, 226.7)]
>>> menu
[('burger', 110, 234.5), ('potato', 150, 226.7)]
```

タプルを作成する際には、一般に丸括弧を省略できますが、上記の場合は丸括弧が必要です。丸括弧がないと、上記のように2個のタプルを格納したリストではなく、下記のように6個の値を格納したリストになってしまうためです。

```
>>> ['burger', 110, 234.5, 'potato', 150, 226.7]
['burger', 110, 234.5, 'potato', 150, 226.7]
```

メニュー全体はリストで表しているので、要素の変更・追加・削除ができます。実際のレストランでもメニューを修正することがあるので、この方が便利ですね。個々の商品はタプルなので、修正する場合には新しいタプルに入れ替えます。

メニューに商品を追加してみましょう。**'shake'、120、218.9を格納したタプルを作成し、変数menuのリストに追加**してみてください。リストに要素を追加する方法はいくつかありますが、例えばappendメソッドを使えばよいでしょう。追加後にmenuの値を表示して、結果を確認してください。

```
>>> menu.append(('shake', 120, 218.9))
>>> menu
[('burger', 110, 234.5), ('potato', 150, 226.7), ('shake', 120, 218.9)]
```

上記でappendメソッドの引数にタプルを渡すときに、丸括弧で囲んでいることに注意してください。丸括弧で囲まないと、以下のようなエラーになります。

```
>>> menu.append('shake', 120, 218.9)
Traceback (most recent call last):
  File "<stdin>", line 1, in <module>
TypeError: append() takes exactly one argument (3 given)
```

エラーの内容は「append()は1個の引数だけを受け取る(3個与えられている)」です。丸括弧がないと、1個のタプルを渡したのではなく、3個の引数を渡したと解釈されてしまうのです。

さて、このように複数のデータ構造を組み合わせたときに、必要な要素はどのように取り出せばよいのでしょうか。実は今までに学んだ、インデックスやスライス、あるいはアンパッキングを使って取り出すことができます。今までとの違いは、深い階層にある要素を取り出すときには、インデックス・スライス・アンパッキングを複数回使う必要があることだけです。

例えば上記のメニューから、ポテトのカロリーを取得してみましょう。まず**インデックスを使って'potato'が含まれるタプルを取得**してみてください。

```
>>> menu
[('burger', 110, 234.5), ('potato', 150, 226.7), ('shake', 120, 218.9)]
>>> menu[1]
('potato', 150, 226.7)
```

次に**アンパッキングを使って、取得したタプルをname、price、calorieという3個の変数に代入**してください。最後にcalorieの値を表示して、ポテトのカロリー(226.7)が取得できたことを確認してください。

```
>>> name, price, calorie = menu[1]
>>> calorie
226.7
```

このように複数のデータ構造を組み合わせることで、複雑な構造を表現することができます。各データ構造の特徴を活かすことを意識して、どこにどのデータ構造を使えばよいのかを決めてください。例えば上記の場合は、メニューには変更・追加・削除が可能なリストを採用し、個々の商品にはタプルを採用しています。

## ❖タプルは高速な処理が期待できる

商品のように、比較的少数の決まった個数の要素(例えば名前、価格、カロリー)から構成されているデータには、タプルを使うのがおすすめです。うっかり要素を追加・削除してしまう危険性を防げますし、リストに比べて高速だと期待できるからです。

リストに比べてタプルが本当に高速なのかどうかは、実行時間を計測するtimeitモジュールを使って確かめることができます。timeitモジュールは、指定されたプログラムを自動的に何度も実行し、経過時間を実行回数で割ることで実行時間を計算します。実行時間がとても短い処理についても、実行時間を計測できることが利点です。

プログラムの実行時間を計測(timeitモジュール)

```
python -m timeit "プログラム"
```

レストランのメニューを作成するプログラムの実行時間を計測してみましょう。以下のように、**商品をタプルで表現した場合と商品をリストで表現した場合について、timeitで実行時間を計測**して比較してください。

・商品をタプルで表現

`[('burger', 110, 234.5), ('potato', 150, 226.7)]`

・商品をリストで表現

`[['burger', 110, 234.5], ['potato', 150, 226.7]]`

timeitモジュールは、Pythonインタプリタの対話モードからではなく、コマンドライン(コマンドプロンプト、Anacondaプロンプト、ターミナル)から使います。Pythonインタプリタの対話モードに入っている場合は、Ctrl+Zキー(macOSやLinuxではCtrl+Dキー)を押して、コマンドラインに移動してから使ってください。

```
>python -m timeit "[('burger', 110, 234.5), ('potato', 150, 226.7)]"
5000000 loops, best of 5: 38.2 nsec per loop
>python -m timeit "[['burger', 110, 234.5], ['potato', 150, 226.7]]"
2000000 loops, best of 5: 100 nsec per loop
```

筆者の環境では、タプルの場合は38.2nsec(ナノ秒)、リストの場合は100nsecとなり、タプルの方が2.6倍ほど高速という結果になりました。皆さんの環境でも試してみてください。timeitモジュールが表示するメッセージの意味は、例えば「5000000 loops, best of 5: 38.2 nsec per loop」ならば、「5000000回の繰り返しを5セット実行したうちの最速記録：1回の繰り返しあたり38.2ナノ秒」という意味です。

# section 03 値の有無を瞬時に判定するには集合を利用する

集合は指定した値が含まれているかどうかを瞬時に判定できるデータ構造です。集合には次のような特徴があります。

・ミュータブルなので、要素の追加や削除ができる
・同じ値を重複して格納することはできない
・値を取り出すときの順序は保証されていない
・イミュータブルな値だけを格納することができる

リストやタプルに比べると制約が多く感じるかもしれませんが、ある値が含まれているかどうかを高速に判定したいときには、ぜひ集合を使ってみてください。何度も判定を行うプログラムでは、リストやタプルの代わりに集合を使うことで、実行速度の向上が体感できるほどの差が出ます。例えば、商品の色の一覧(赤、緑、青、黄、黒、白…)や、サイズ(S、M、L、XL…)などの、重複しない値を格納するのに向いています。

## ❖集合は波括弧で作成する

集合を作成するには、{}(波括弧)の間に、値をカンマ(,)で区切って並べます。値のところに、変数や式を書くこともできます。

集合の作成(値が2個以上の場合)

```
{値, …}
```

値が1個の場合

```
{値}
```

値が0個の場合(空の集合)

```
set()
```

値が2個以上の場合、値の型は同じでも、異なっていても構いません。実際のプログラムでは、同じ型の値を格納することが多いでしょう。

値が0個の場合には、{} ではなく、「**set()**」と書くことに注意してください。set(セット、集合)は集合の機能を提供する関数(厳密にはクラス)で、set()はsetクラスのオブジェクトを生成します。なお {} と書くと、空の集合ではなく、空の辞書になります。辞書については後述します。

それでは実際に集合を作成してみましょう。商品などの色を、集合を使って管理する例を考えます。**文字列'blue'、'red'、'green'を格納した集合を作成**してください。

```
>>> {'blue', 'red', 'green'}
{'green', 'blue', 'red'}
```

Pythonインタプリタの対話モードで集合を作成すると、上記のように集合の内容が表示されます。

「'blue'、'red'、'green'」の順序で値を並べて集合を作成したのに、作成した集合では「'green'、'blue'、'red'」のように、要素が異なる順序になっていることに注目してください。この順序は、Pythonのバージョンなどの環境の違いによって変動する可能性がありますし、同じ環境でもプログラムを実行するたびに(あるいはPythonインタプリタを再起動するたびに)変動する可能性があります。このように集合では、格納される値の順序は保証されないので、値の順序に依存するようなプログラムを書いてはいけません。

作成した集合を後で利用したい場合には、後述するように変数に代入します。

集合を値に代入

```
変数 = {値, …}
```

先ほどと同じように、**文字列'blue'、'red'、'green'を格納した集合を作成し、変数colorに代入**してください。次にcolorの値を表示して、集合が正しく作られたことを確認してください。

```
>>> color = {'blue', 'red', 'green'}
>>> color
{'green', 'blue', 'red'}
```

set関数(厳密にはsetクラス)を使うと、イテラブルから集合を作成することができます。

イテラブルから集合を作成

```
set(イテラブル)
```

例えば、**0から15までの整数を格納した集合を作成**してみてください。set関数にrange関数を組み合わせます。

```
>>> set(range(16))
{0, 1, 2, 3, 4, 5, 6, 7, 8, 9, 10, 11, 12, 13, 14, 15}
```

文字列もイテラブルなので、set関数に渡すことができます。この場合は文字列に含まれる文字が集合の要素として格納されます。例えば、**set関数に文字列'abcde'を渡して集合を作成**してみてください。

```
>>> set('abcde')
{'b', 'e', 'd', 'a', 'c'}
```

集合には同じ値を重複して格納できないので、文字列内に同じ文字が複数ある場合には、1個だけが格納されます。例えば、**set関数に文字列'anaconda'を渡して集合を作成**してみてください。'anaconda'には「a」や「n」が複数ありますが、集合にはそれぞれ1個ずつだけが格納されます。

```
>>> set('anaconda')
{'o', 'd', 'a', 'n', 'c'}
```

## inとnot inで値の有無を調べる

前述のように、集合は指定した値が含まれているかどうかを瞬時に判定できることが特徴です。この判定を行う演算のことを所属検査演算(メンバーシップテスト演算)と呼びます。所属検査演算にはinおよびnot inという演算子を使います。inは値が集合に含まれているときにTrueとなり、not inは値が集合に含まれていないときにTrueとなります。

値が含まれていることを判定(in演算子)

```
値 in 集合
```

値が含まれていないことを判定(not in演算子)

```
値 not in 集合
```

実はinとnot inは、集合以外のデータ構造(リスト、タプル、辞書)や文字列に対しても使えます。使い方は集合の場合と同じです。上記の集合の部分には、リスト、タプル、辞書、文字列などを指定できます。

このようにinとnot inは色々なデータ構造や文字列に対して使えますが、特にinとnot inを高速に実行できるのは集合と辞書です。集合と辞書はいずれも、ハッシュ(hash)法と呼ばれる手法を使って要素を管理しています。ハッシュ法は指定した値の要素を素早く見つけることに向いた手法です。

後ほどハッシュ法の仕組みを学びますが、まずはinやnot inを使ってみましょう。変数colorに代入した集合を使います。**inを使って、colorの集合に'red'および'white'が含まれているかどうか**を調べてみてください。

```
>>> color = {'blue', 'red', 'green'}
>>> color
{'green', 'blue', 'red'}     ← colorに代入した集合
>>> 'red' in color
True                         ← 'red'は含まれている
>>> 'white' in color
False                        ← 'white'は含まれていない
```

今度はnot inを使って、**'green'および'black'が含まれていないかどうか**を調べてみましょう。not inは「値が含まれていない」ときにTrue、「値が含まれている」ときにFalseになることに注意してください。

```
>>> color = {'blue', 'red', 'green'}
>>> color
{'green', 'blue', 'red'}     ← colorに代入した集合
>>> 'green' not in color
False                        ← 'green'は含まれている(含まれていなくない)
```

```
>>> 'black' not in color
True                          ← 'black'は含まれていない
```

inやnot inを別の用途にも使ってみましょう。例えば、「入力されたユーザ名とパスワードに対してログインの可否を判定する処理」を実現してみます。最初に、以下のような**ユーザ名とパスワードをそれぞれタプルにまとめて、集合に格納**してください。

ユーザ名「admin」、パスワード「abc123」
ユーザ名「guest」、パスワード「ghi456」

作成した集合は、変数loginに代入します。loginの値を表示して、集合が正しく作られたことを確認してください。

```
>>> login = {('admin', 'abc123'), ('guest', 'ghi456')}
>>> login
{('guest', 'ghi456'), ('admin', 'abc123')}
```

**ユーザ名に'guest'、パスワードに'ghi456'を指定して、ログインの可否を判定**してみましょう。このユーザ名とパスワードをタプルにまとめたうえでinを使って、変数loginの集合にこのタプルが含まれているかどうかを調べます。含まれていればログインは可能、含まれていなければログインは不可能と判定できます。

```
>>> ('guest', 'ghi456') in login
True
```

結果はTrue(含まれている)なので、ログインは可能と判定できます。

以下のように「ユーザ名やパスワードが誤っている場合」も試してみましょう。なお、root(ルート)はLinuxなどのUNIX系OSにおける管理者です。

正しいユーザ名「guest」と誤ったパスワード「xyz789」
存在しないユーザ名「root」と存在するパスワード「abc123」
存在しないユーザ名「root」と存在しないパスワード「xyz789」

**上記のユーザ名とパスワードの組み合わせが、変数loginの集合に含まれているかどうか**を調べてください。

```
>>> login = {('admin', 'abc123'), ('guest', 'ghi456')}
>>> login
{('guest', 'ghi456'), ('admin', 'abc123')}
>>> ('guest', 'xyz789') in login
False                          ← 含まれていない(ログイン不可能)
>>> ('root', 'abc123') in login
False                          ← 含まれていない(ログイン不可能)
>>> ('root', 'xyz789') in login
False                          ← 含まれていない(ログイン不可能)
```

結果はいずれもFalse(含まれていない)なので、ログインは不可能と判定できます。このようにin(またはnot in)は、ログイン機能を実現するためにも使うことができます。

最後に、inやnot inを集合以外にも使ってみましょう。例えば、**文字列'python'について、文字't'および's'が含まれているかどうか**を、inやnot inを使って調べてみてください。

```
>>> 't' in 'python'
True                     ← 't'は含まれている
>>> 's' in 'python'
False                    ← 's'は含まれていない
>>> 't' not in 'python'
False                    ← 't'は含まれていなくない(含まれている)
>>> 's' not in 'python'
True                     ← 's'は含まれていない
```

## inやnot inの実行速度を比べてみる

集合(および辞書)は他のデータ構造や文字列に比べて、inやnot inを高速に実行できると紹介しました。実際に高速なのかどうか、実行時間を計測してみましょう。リストとタプルの速度を比較するときにも使った、timeitモジュールを使います(160ページを参照)。ここでは集合とリストについて、inの実行時間を比較してみましょう。

inの実行時間を比較するには、先に集合やリストを作成しておく必要があります。集合やリストを作成するための時間は計測に含めません。このように計測に含めたくない準備の処理がある場合には、timeitモジュールを次のように使います。

実行時間の計測(不要な処理を省く)

```
python -m timeit -s "準備の処理" "プログラム"
```

上記のコマンドは、Pythonインタプリタの対話モードからではなく、コマンドライン(コマンドプロンプト、Anacondaプロンプト、ターミナル)から実行してください。Pythonインタプリタの対話モードに入っている場合は、Ctrl + Zキー(macOSやLinuxではCtrl + Dキー)を押して、コマンドラインに出てから使ってください。

それでは、inの実行時間を計測してみましょう。ここでは**「0」から「99」までの整数の中に「50」が含まれているかどうかを調べるために要する時間**を、集合とリストについて計測してみます。

まずは集合から計測します。準備の処理では、0から99までの整数を含む集合を作成し、変数xに代入してください。set関数とrange関数を使います。次に、inを使って50が含まれているかどうかを調べる処理の、実行時間を計測してください。

```
>python -m timeit -s "x = set(range(100))" "50 in x"
10000000 loops, best of 5: 26.8 nsec per loop          ← 26.8ナノ秒
```

次はリストについて計測します。準備の処理では、0から99までの整数を含むリストを作成し、変数xに代入してください。list関数とrange関数を使います。次に、inを使って50が含まれているかどうかを調べる処理の、実行時間を計測します。

```
>python -m timeit -s "x = list(range(100))" "50 in x"
500000 loops, best of 5: 584 nsec per loop          ← 584ナノ秒
```

筆者の環境では、集合は26.8ナノ秒、リストは584ナノ秒でした。ここでは集合に対するinの方が、リストに対するinよりも、20倍以上(21.8倍)も高速だったことになります。

集合や辞書に使われているハッシュ法では、要素の総数にかかわらず、1個から数個程度の要素を調べるだけで指定された値を見つけることができます。それに対してリストなどに対する検索では、全ての要素を調べる必要があるので、平均して総数の半分程度の要素を調べなければなりません。これが先ほどのような実行時間の差を生んでいます。

## ❖集合に対する要素の追加と削除

集合はミュータブルなので、要素の追加や削除が可能です。集合に要素を追加するには、次のような方法があります。どちらの方法を使っても構いません。addメソッドは1個の値を追加するときに、累算代入文は複数の値を同時に追加するときに便利です。値の部分には式を指定することも可能です。

集合に値を追加(addメソッド)

```
集合.add(値)
```

集合に値を追加(累算代入文)

```
集合 |= {値, …}
```

実際に使ってみましょう。変数colorに空の集合を代入してください。このcolorに対して、**addメソッドを使って'blue'を追加し、累算代入文を使って'red'と'green'を追加**してみましょう。最後にcolorの値を表示して、結果を確認してください。

```
>>> color = set()                    ← 追加前の集合(空の集合)
>>> color.add('blue')                ← addメソッド
>>> color |= {'red', 'green'}        ← 累算代入文
>>> color
{'green', 'red', 'blue'}             ← 追加後の集合
```

すでに集合に含まれている値を追加しようとした場合には、何も起きません。重複した値を追加することはできませんが、エラーにもなりません。試しに上記のcolorに対して、**addメソッドを使って'blue'を追加**してみてください。

```
>>> color
{'green', 'red', 'blue'}      ← 追加前の集合
>>> color.add('blue')
>>> color
{'green', 'red', 'blue'}      ← 追加後の集合(変化していない)
```

累算代入文を使って複数の値を追加しようとした場合に、一部の値がすでに集合に含まれている場合には、集合に含まれていない値だけが追加されます。例えば上記のcolorに対して、**累算代入文を使って'green'と'yellow'を追加**してみてください。

```
>>> color
{'green', 'red', 'blue'}                  ← 追加前の集合
>>> color |= {'green', 'yellow'}
>>> color
{'green', 'yellow', 'red', 'blue'}        ← 追加後の集合('yellow'が追加された)
```

今度は要素を削除してみましょう。指定した値を集合から削除するには、次のような方法があります。removeとdiscardは、指定した値が集合に含まれていないときの動作が違います。removeはKeyError(キーエラー)という例外(Chapter8)を発生させますが、discardは何もしません。

集合から要素を削除(removeメソッド)

```
集合.remove(値)
```

集合から要素を削除(discardメソッド)

```
集合.discard(値)
```

集合から要素を削除(累算代入文)

```
集合 -= {値, …}
```

前述のcolorに対して、**removeメソッドを使って'blue'を、discardメソッドを使って'red'を削除**してみてください。最後にcolorの値を表示して、正しく削除できたことを確認します。

```
>>> color
{'green', 'yellow', 'red', 'blue'}          ← 削除前の集合
>>> color.remove('blue')                    ← removeメソッド
>>> color.discard('red')                    ← discardメソッド
>>> color
{'green', 'yellow'}                         ← 削除後の集合
```

removeメソッドとdiscardメソッドの挙動の違いを確認してみましょう。上記のcolorに対して、**removeメソッドを使って'blue'を、discardメソッドを使って'red'を削除**してみてください。いずれも集合に含まれていない値を削除しようとしていますが、removeメソッドは例外を発生させ、discardメソッドは何もしません。

```
>>> color
{'green', 'yellow'}                         ← 削除前の集合
>>> color.remove('blue')                    ← removeメソッド(例外を発生させる)
Traceback (most recent call last):
  File "<stdin>", line 1, in <module>
KeyError: 'blue'
>>> color.discard('red')                    ← discardメソッド(何もしない)
>>> color
{'green', 'yellow'}                         ← 削除後の集合(変化していない)
```

累算代入文を使うと、複数の値を同時に削除することができます。一部の値が集合に含まれていない場合には、集合に含まれている値だけが削除されます。例えば上記のcolorに対して、**累算代入文を使って'yellow'と'white'を削除**してみてください。

```
>>> color
{'green', 'yellow'}                         ← 削除前の集合
>>> color -= {'yellow', 'white'}
>>> color
{'green'}                                   ← 削除後の集合('yellow'が削除された)
```

要素の削除については、次のような方法もあります。任意の要素1個を削除するpopメソッドと、全ての要素を削除するclearメソッドです。

集合の任意の要素を削除(popメソッド)

```
集合.pop()
```

集合の全ての要素を削除(clearメソッド)

```
集合.clear()
```

popメソッドとclearメソッドを使ってみましょう。最初にset関数を使って、**'a'から'g'までの文字を含む集合を作成し、変数alphabetに代入**してください。次に**popメソッドを2回呼び出して、2個の要素を削除**します。最後に**clearメソッドを呼び出して、全ての要素を削除**してください。

```
>>> alphabet = set('abcdefg')
>>> alphabet
{'c', 'd', 'a', 'b', 'e', 'f', 'g'}     ← 削除前の集合
>>> alphabet.pop()                      ← popメソッド(1回目)
'c'
>>> alphabet.pop()                      ← popメソッド(2回目)
'd'
>>> alphabet
{'a', 'b', 'e', 'f', 'g'}               ← 2個の要素が削除された
>>> alphabet.clear()                    ← clearメソッド
>>> alphabet
set()                                   ← 全要素が削除された(空の集合)
```

popメソッドを実行すると、削除した要素を戻り値として返します。1回目のpopメソッドでは'c'が、2回目のpopメソッドでは'd'が削除されています。上記の場合は、いずれも集合の先頭にある要素が削除されていますが、popメソッドは「任意の要素を削除する」という仕様なので、先頭の要素が削除されるという前提でプログラムを書いてはいけません。

## ❖集合に特有の演算を知る

集合に特有の演算を使って、複数の集合から新しい集合を作り出すことができます。以下のような演算があります。

▼複数の集合から新しい集合を作成する演算

| 使い方 | 結果 |
|---|---|
| **集合A\| 集合B** | 集合Aまたは集合Bに含まれる要素の集合（和集合） |
| **集合A& 集合B** | 集合Aかつ集合Bに含まれる要素の集合（積集合） |
| **集合A- 集合B** | 集合Aから集合Bに含まれる要素を削除した集合（差集合） |
| **集合A^ 集合B** | 集合Aまたは集合Bの片方だけに含まれる要素の集合（対称差） |

上記の演算に対応する、以下のような累算代入文もあります。演算によって新しい集合を作るのではなく、演算の結果を集合Aに反映したいときには、これらを使うとよいでしょう。

▼演算によって集合Aを変化させる

| 使い方 | 結果 |
|---|---|
| **集合A\|= 集合B** | 集合Aに集合Bの要素を追加 |
| **集合A&= 集合B** | 集合Aから集合Bに含まれない要素を削除 |
| **集合A-= 集合B** | 集合Aから集合Bに含まれる要素を削除 |
| **集合A^= 集合B** | 集合Aに集合Bの要素を追加し、両者に共通する要素を削除 |

上記の演算を使ってみましょう。最初に以下のような値を含む集合Aと集合Bを作成し、それぞれ変数aと変数bに代入してください。

集合A（変数a）：'blue'、'red'、'green'、'white'
集合B（変数b）：'blue'、'red'、'yellow'、'black'

```
>>> a = {'blue', 'red', 'green', 'white'}
>>> a
{'red', 'green', 'blue', 'white'}          ← 集合A
>>> b = {'blue', 'red', 'yellow', 'black'}
>>> b
{'red', 'yellow', 'blue', 'black'}         ← 集合B
```

上記の集合Aと集合Bに対して、**演算（和集合、積集合、差集合、対称差）を適用**してみてください。差集合については、「集合A-集合B」と「集合B-集合A」の両方を求めてください。

```
>>> a|b
{'red', 'green', 'yellow', 'white', 'blue', 'black'}    ← 和集合
>>> a&b
{'red', 'blue'}                                          ← 積集合
>>> a-b
{'green', 'white'}                                       ← 差集合
>>> b-a
{'yellow', 'black'}                                      ← 差集合
>>> a^b
{'green', 'yellow', 'white', 'black'}                    ← 対称差
```

最後に、他のデータ構造に適用できる操作で、集合にも適用できる操作をいくつか紹介しましょう。まずは要素数を返すlen関数です。len関数を使うと、集合に含まれる要素の個数が得られます。

集合の要素数を取得(len関数)

```
len(集合)
```

前述の集合Aと集合Bについて、**集合Aの要素数と、集合Aと集合Bの和集合の要素数**を、それぞれlen関数を使って求めてみてください。

```
>>> a
{'red', 'green', 'blue', 'white'}                        ← 集合A
>>> len(a)
4                                                        ← 集合Aの要素数は4
>>> a|b
{'green', 'yellow', 'white', 'black', 'blue', 'red'}     ← AとBの和集合
>>> len(a|b)
6                                                        ← 和集合の要素数は6
```

もう1つ紹介しておきたいのは、集合もイテラブルであるということです。したがって、イテラブルを指定できる場面(文字列のjoinメソッドや、リストを作成するlist関数など)において、集合を指定することができます。

例えば、上記の**集合Aを文字列のjoinメソッドに渡して、'/'をデリミタとして連結し、文字列に**してみてください。次に、この**集合Aをlist関数に渡してリストに**してみましょう。

```
>>> a
{'red', 'green', 'blue', 'white'}        ← 集合A
>>> '/'.join(a)
'red/green/blue/white'                   ← 文字列
>>> list(a)
['red', 'green', 'blue', 'white']        ← リスト
```

このように集合をイテラブルとして扱うと、集合を文字列や他のデータ構造に変換することができます。またfor文(Chapter5)と組み合わせれば、集合の要素を1個ずつ取り出して処理することも可能です。

## ❖集合を実現するハッシュ法の仕組み

集合や辞書では、ハッシュ法を使って要素を管理することで、指定した値の要素を素早く見つけることを可能にしています。ここではリストと集合における要素の管理方法を比較しながら、ハッシュ法の仕組みについて学んでみましょう。ハッシュ法はPythonに限らず、多くのプログラミング言語で使われているので、仕組みを知っておけば色々な言語に対する理解を深めることができます。

例えば、「'blue', 'red', 'green', 'yellow'」という4個の値を、リストおよび集合に追加することを考えてみます。まずリストの場合には、値を追加した順番の通りに、先頭から末尾に向かって並べます。

▼リストに値を格納する

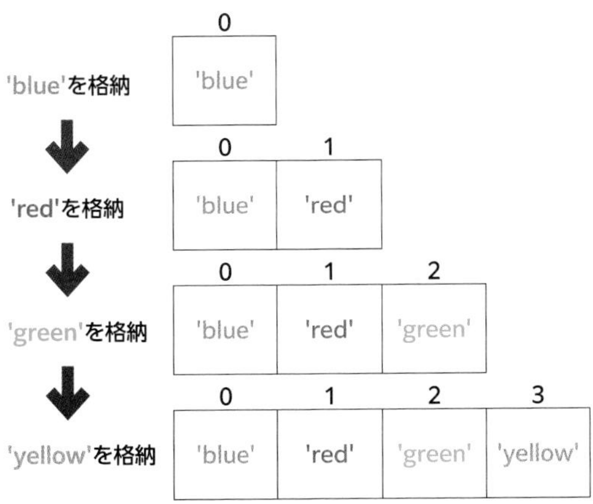

集合の場合には、ハッシュ関数と呼ばれる関数を使って、格納する値からハッシュ(またはハッシュ値)と呼ばれる値を計算し、このハッシュを使って値を格納する場所を決めます。値の格納先はハッシュテーブル(またはハッシュ表)と呼ばれます。一般にハッシュテーブルには、格納する値の個数よりも多い個数の領域を用意しておきます。

ここでは**ハッシュテーブルの領域を8個とし、各領域を0から7までの番号で表す**ことにします。ここでは、ハッシュ関数は「格納する文字列の文字数をハッシュとする」という、非常に簡単な関数とします。例えば'blue'は4文字なので、ハッシュは4となり、格納先は領域4です。次の'red'は3文字なので、ハッシュは3で格納先は領域3となります。同様に'green'は領域5、'yellow'は領域6に格納します。

ハッシュが領域数を超えた場合には、ハッシュを領域数で割った余り(剰余)を、格納先の番号にします。例えばハッシュが9のときには、9を領域数の8で割った余りは1なので、格納先は領域1です。

▼集合に値を格納する

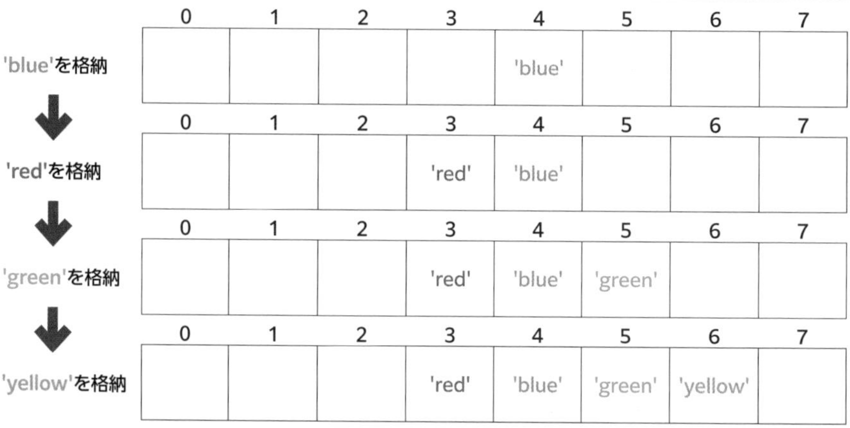


これでリストと集合の両方について、4個の値を追加することができました。実際のPythonにおける集合では、もっと領域の数が多いハッシュテーブルと、もっと複雑なハッシュ関数を使いますが、基本的な仕組みは同じです。

### ●ハッシュで値を調べる

次はinやnot inのように、指定した値が含まれているかどうかを調べる方法について考えてみましょう。例えば、**'green'という値が含まれているかどうか**を調べます。リストの場合には、先頭から順に値を探していきます。ここでは'blue'、'red'と探して、3番目に'green'が見つかります。

▼リストに指定した値が含まれているかどうかを調べる

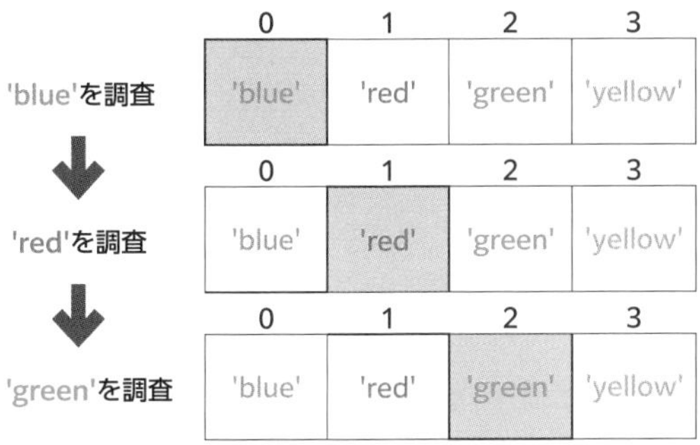


集合の場合には、ハッシュ関数を使って指定した値のハッシュを計算し、対応する格納先を調べます。ここでは'green'のハッシュが5なので、格納先である領域5を探すと'green'が見つかります。

▼集合に指定した値が含まれているかどうかを調べる

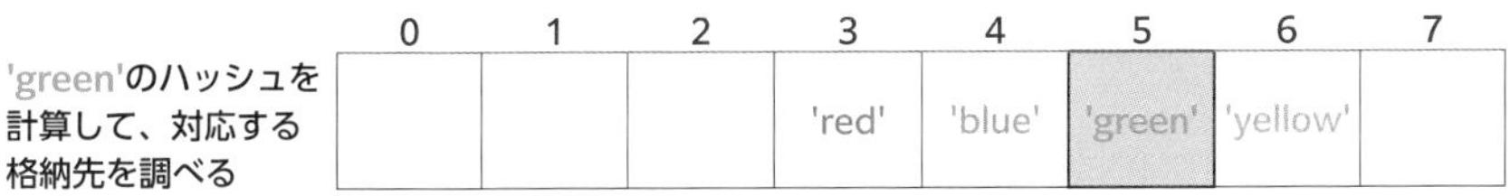


リストの場合は指定した値を3番目に見つけましたが、集合の場合は1番目に見つけました。このようにハッシュ法では、格納する要素数に対するハッシュテーブルの領域数が十分ならば、ほとんどの場合に指定した値を1番目に見つけることができます。これがリストに比べて集合のinやnot inが高速な理由です。

### ●ハッシュの衝突

それでは、**先ほどのリストと集合に'black'を追加**するとどうなるでしょうか。まずリストの場合には、末尾に'black'を追加するだけです。

▼リストに値を追加する

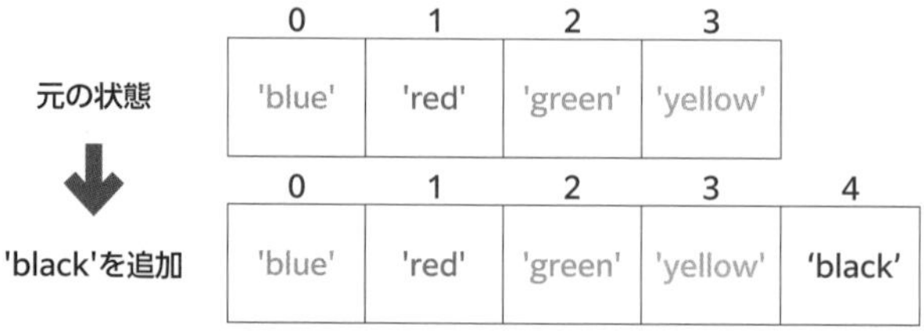


集合の場合には、'black'のハッシュが5なので、格納先は領域5です。しかし領域5には、すでに'green'が格納されています。このように複数の値に対してハッシュ関数を適用したときに、ハッシュが同じ値になってしまうことを衝突と呼びます。実際のハッシュ関数は、衝突ができるだけ起きないように設計されますが、それでも完全に衝突を防げるわけではありません。

▼ハッシュの衝突

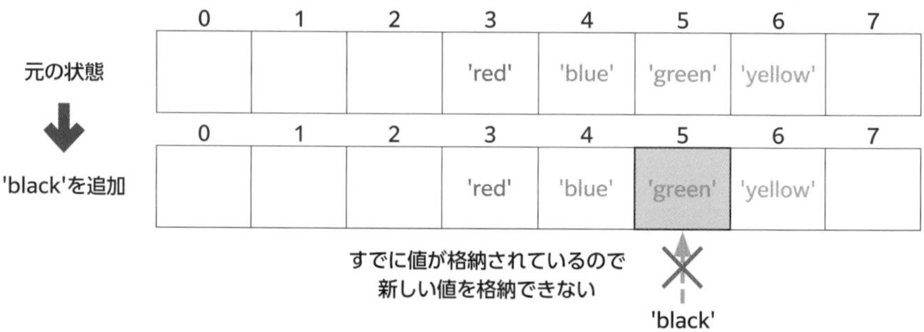


ハッシュが衝突した場合の対処法としては、開番地法(オープンアドレス法)や連鎖法(チェイン法)などが知られています。現状のCPythonが採用しているのは開番地法です。開番地法では、何らかの方法で新しい格納先の番号を計算して、そこに値を格納します。新しい格納先にもすでに値が格納されていた場合には、空いている領域が見つかるまで、新しい格納先の番号を計算し続けます。

ここでは単純に、**ハッシュが衝突したら5個先の領域を新しい格納先にする**ことにしましょう。'green'が格納されていた領域5の5個先は領域10ですが、領域は8個しかないので、10を8で割った余りの2を使って、領域2を新しい格納先にします。領域2は空いているので、ここに'black'を格納します。

▼集合に値を追加する（開番地法）

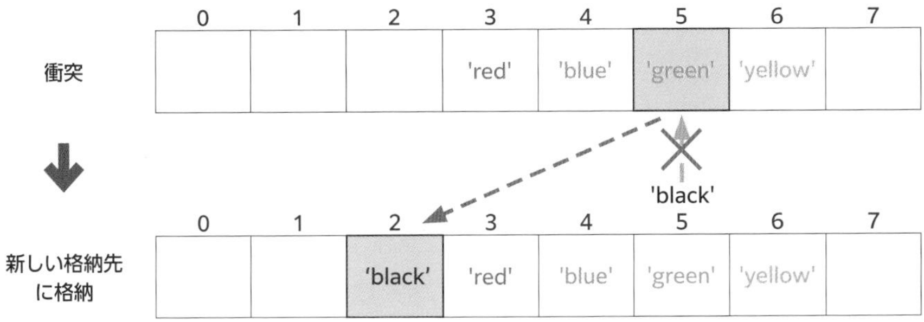


プログラミング言語によっては連鎖法を採用しています。連鎖法でハッシュが衝突した場合には、同じ領域に複数の値を格納します。連結リストと呼ばれる手法を使って、複数の値を鎖状に連結して格納することが一般的です。

▼集合に値を追加する（連鎖法）

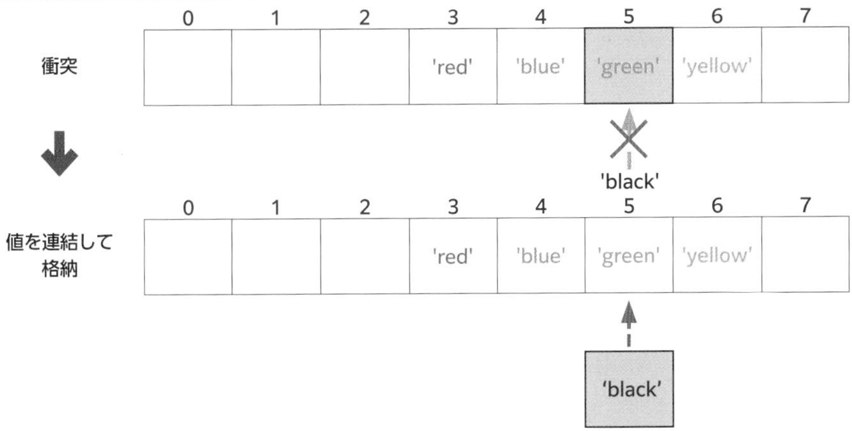

ハッシュの衝突が起きると、開番地法と連鎖法のいずれを使っても、指定した値を見つけるために複数の値を調べる必要が生じてしまいます。あまり多数の値を調べると、ハッシュ法の高速性が失われてしまうので、十分な広さのハッシュテーブルを用意したり、衝突が少ないハッシュ関数を使ったりといった工夫が行われます。

さらにPythonにおいては、ハッシュを計算する際に乱数(らんすう)も使います。これはWeb上で動作するプログラムに対して、ハッシュを故意に衝突させて性能を低下させる攻撃が存在するので、乱数を使うことで攻撃者がハッシュを推測しにくくするためです。これはhash flooding(ハッシュの氾濫)と呼ばれる攻撃で、Pythonを含む複数のプログラミング言語に脆弱性が存在したため、対策が行われました。

### ●ハッシュの計算

さて、集合には「イミュータブルな値」だけを格納できると説明しましたが、厳密には「ハッシュが計算できる値」だけを格納できます。通常、ハッシュは自動的に計算されますが、以下のhash関数を使って明示的に計算することもできます。hash関数には、数値、文字列、データ構造など、あらゆる型の値を渡すことが可能です(式を書くこともできます)。

ハッシュの計算

```
hash(値)
```

例えば、**文字列'green'のハッシュを計算**してみてください。hash関数が返す整数がハッシュです。ハッシュはプログラムを実行するたびに(あるいはPythonインタプリタを再起動するたびに)変化するので、おそらく以下の実行例とは異なる値が表示されるでしょう。

```
>>> hash('green')
454342017332305413
```

今度は**タプル(1, 2, 3)とリスト[1, 2, 3]についてハッシュを計算**してみてください。タプルのハッシュは計算できますが、リストのハッシュは計算できず、エラーになります。エラーの内容は「タイプエラー：ハッシュできない型：リスト」です。

```
>>> hash((1, 2, 3))
529344067295497451                          ← タプルのハッシュは計算できる
>>> hash([1, 2, 3])
Traceback (most recent call last):
  File "<stdin>", line 1, in <module>
TypeError: unhashable type: 'list'          ← リストのハッシュは計算できない
```

集合に格納する値は、ハッシュが計算できなくてはなりません。集合はハッシュ法を使うので、格納する値のハッシュが必要だからです。そのため集合にタプルは格納できますが、リストは格納できません。例えば、**タプル(1, 2, 3)とリスト[1, 2, 3]を、それぞれ集合に格納**してみてください。タプルは格納できますが、リストは格納できず、hash関数の場合と同じ例外(TypeError)が発生します。

```
>>> {(1, 2, 3)}
{(1, 2, 3)}
>>> {[1, 2, 3]}
Traceback (most recent call last):
  File "<stdin>", line 1, in <module>
TypeError: unhashable type: 'list'
```

集合と同様に、次に学ぶ辞書もハッシュ法を採用しています。そのため辞書に格納できる(辞書のキーとして使える)のは、ハッシュが計算できる値だけです。

# section 04 キーに対する値を素早く引きたいなら辞書を使う

辞書はキーと値の組を格納できるデータ構造です。マッピング型とも呼ばれます。辞書のキーは集合の値と同様にハッシュ法を使って管理されているため、指定したキーを瞬時に見つけることができ、そのキーに対応する値を取得することが可能です。辞書には次のような特徴があります。

・ミュータブルなので、要素の追加や削除ができる
・同じキーを重複して格納することはできない(値は重複してもよい)
・イミュータブルなキーだけを格納することができる(値はミュータブルでもよい)
・キーを取り出すときの順序はキーを格納した順序に一致する

Pythonの辞書はその名の通り、実世界の辞書に似た使い方ができます。辞書のキーは実世界の辞書の見出し語に相当し、辞書の値は見出し語に対する解説に相当します。実世界の辞書を使って見出し語に対する解説を調べるのと同じ要領で、Pythonの辞書を使ってキーに対する値を取得することができます。

辞書はリストやタプルに比べて検索が高速なので、検索を多用する場合には辞書を使ってみてください。また、集合には値だけを格納しますが、辞書にはキーと値の組を格納します。値の有無を高速に調べたいときには集合を使い、キーを高速に見つけたうえで対応する値を取得したいときには辞書を使うのがおすすめです。

例えば、商品名をキーに、商品コードを値として辞書に格納すれば、商品名から商品コードを素早く調べられます。逆に、商品コードから商品情報を素早く調べたいときには、商品コードをキーに、商品情報(名前や価格など)をまとめたタプルなどを値にして、辞書に格納すればよいでしょう。

## ❖辞書も集合と同じく波括弧で作成する

辞書を作成するには、{}(波括弧)の間に「キー:値」という組をカンマ(,)で区切って並べます。キーや値のところに、変数や式を書くこともできます。波括弧を使うのは集合と同じですが、値だけを書くと集合になり、キーと値の組を書くと辞書になります。

辞書の作成(キーと値が2組上の場合)

```
{キー: 値, …}
```

辞書の作成(キーと値が1組の場合)

```
{キー: 値}
```

辞書の作成(空の辞書)

```
{}
```

標準コーディングスタイルのPEP8では、上記のコロン(:)の後とカンマ(,)の後に、それぞれ空白を入れることを推奨しています。入れなくても正しく動作はしますが、特別な理由がなければ入れておくことをおすすめします。

キーと値が2組以上の場合、キーの型は全て同じでも、組ごとに異なっていても構いません。実際のプログラムでは、同じ型のキーにすることが多いでしょう。値の型についても同様に、全て同じでも、組ごとに異なっていても構いませんが、こちらも同じ型にすることが多いでしょう。なお、キーと値の型は同じでも、異なっていても構いません。

実際に辞書を作成してみましょう。ここでは**ISO 639-1という規格で決められている「ja」や「en」のような言語名コードと、「Japanese」や「English」のような実際の言語名を対応づける辞書**を作ってみます。これらの言語名コードはプログラミングでも使うことがあります。

言語名コードをキーに、実際の言語名を値にすることで、指定したコードに対応する言語名を取得できるようにしましょう。以下の要素(キーと値の組)を格納した辞書を作成してください。

キー「ja」、値「Japanese」
キー「en」、値「English」
キー「fr」、値「French」

```
>>> {'ja': 'Japanese', 'en': 'English', 'fr': 'French'}
{'ja': 'Japanese', 'en': 'English', 'fr': 'French'}
```

Pythonインタプリタの対話モードで辞書を作成すると、上記のように辞書の内容が表示されます。作成した辞書を後で利用したい場合には、後述するように変数に代入します。

上記では辞書を作成したときのキーの順序と、作成した辞書を表示したときのキーの順序が一致しています。このように辞書では、キーを追加したときの順序と、キーを取り出すときの順序が一致します。これらの順序が一致するように辞書が実装されたのはCPython(CPython) 3.6で、言語の仕様として順序の一致が保証されるようになったのはPython 3.7です。古いバージョンのPythonでは、追加と取得の順序が一致しないのでご注意ください。

作成した辞書を後で利用したい場合には、次のように変数に代入するとよいでしょう。

変数に辞書を代入

```
変数 = {キー : 値, …}
```

**先ほどと同じ辞書を作成し、変数langに代入**してください。次にlangの値を表示して、辞書が正しく作られたことを確認してください。

```
>>> lang = {'ja': 'Japanese', 'en': 'English', 'fr': 'French'}
>>> lang
{'ja': 'Japanese', 'en': 'English', 'fr': 'French'}
```

dict関数(厳密にはdictクラス)を使うと、イテラブルから辞書を作成することができます。イテラブルの要素は、キーと値の組である必要があります。

イテラブルから辞書を作成(dict関数)

```
dict(イテラブル)
```

例えば、**上記と同じ辞書をdict関数とイテラブルを使って作成**してみてください。キーと値の組をタプルにして、3個のタプルをリストにまとめてから、dict関数に渡します。

```
>>> dict([('ja', 'Japanese'), ('en', 'English'), ('fr', 'French')])
{'ja': 'Japanese', 'en': 'English', 'fr': 'French'}
```

dict関数は作成した辞書(のオブジェクト)を戻り値として返します。

dict関数とキーワード引数を使って、辞書を作成することもできます。キーワード引数の名前がキーになります。

dict関数とキーワード引数で辞書を作成

```
dict(キー=値, …)
```

上記と同じ辞書をdict関数とキーワード引数を使って作成してみてください。例えばキー'ja'は、キーワード引数jaとして記述します。

```
>>> dict(ja='Japanese', en='English', fr='French')
{'ja': 'Japanese', 'en': 'English', 'fr': 'French'}
```

辞書には同じキーを重複して格納することはできません。同じキーを複数回使った場合には、先に書いた値が、後に書いた値で上書きされます。例えば、以下のキーと値を格納した辞書を作成してみてください。ここでは、キー'ja'を複数回使っています。

キー「ja」、値「Japanese」
キー「en」、値「English」
キー「ja」、値「日本語」
キー「fr」、値「French」

```
>>> {'ja': 'Japanese', 'en': 'English', 'ja': '日本語', 'fr': 'French'}
{'ja': '日本語', 'en': 'English', 'fr': 'French'}
```

キー'ja'の値については、先に書いた'Japanese'ではなく、後に書いた'日本語'が格納されます。またキーの順序については、最初にキーを追加したときの順序になっており、後で値を上書きした場合でも、キーの順序は変化しません。

## 辞書に格納した値の取得

辞書に格納した値を取得するには次のようにします。以下の辞書の部分には、辞書を代入した変数や、値が辞書になる式を書くことができます。

辞書の値を取得

```
辞書[キー]
```

実際に使ってみましょう。まず**以下の要素を格納した辞書を作成し、変数langに代入**してください。次に、**キー'en'に対する値を取得**してみてください。

キー「ja」、値「Japanese」
キー「en」、値「English」
キー「fr」、値「French」

```
>>> lang = {'ja': 'Japanese', 'en': 'English', 'fr': 'French'}
>>> lang['en']
'English'
```

辞書に含まれていないキーを指定すると、KeyError(キーエラー)という例外(Chapter8)が発生します。上記の**変数langを使って、キー'de'の値を取得**してみてください。deはドイツ語の言語名コードです。

```
>>> lang['de']
Traceback (most recent call last):
  File "<stdin>", line 1, in <module>
KeyError: 'de'
```

getメソッドを使うと、指定したキーに対応する値を取得できます。辞書に含まれていないキーを指定したときにも例外は発生しません。getメソッドは、辞書に含まれないキーを指定した場合、デフォルト値が指定されていないときにはNoneを返し、指定されているときにはデフォルト値を返します。

辞書の値を取得(getメソッド)

```
辞書.get(キー)
辞書.get(キー, デフォルト値)
```

前述の**変数langに対してgetメソッドを使用して、キー'de'に関して、デフォルト値を指定しない場合と、デフォルト値に'German'を指定する場合**の、両方を試してください。

```
>>> lang.get('de')                ← デフォルト値を指定しない場合
>>> lang.get('de', 'German')      ← デフォルト値を指定する場合
'German'
```

上記の実行例において、デフォルト値を指定しない場合に何も表示されないのは、Pythonインタプリタの対話モードがNoneを表示しないためです。

## 辞書に対する要素の追加と削除

辞書はミュータブルなので、要素の追加や削除が可能です。辞書に要素を追加するには、次のようにします。以下の辞書の部分には、値が辞書になる式を書きます。

辞書に要素を追加

```
辞書[キー] = 値
```

指定したキーが辞書に含まれていない場合には、キーと値の組が辞書に追加されます。指定したキーが辞書に含まれている場合には、そのキーに対応する値を、指定した値に変更します。

実際に使ってみましょう。変数langに空の辞書を代入してください。この**変数langに対して、キー'de'と値'German'の組を追加**し、langの値を表示してみてください。

```
>>> lang = {}                ← 空の辞書
>>> lang['de'] = 'German'    ← キー'de'と値'German'を追加
>>> lang
{'de': 'German'}             ← 追加後の辞書
```

上記の**変数langに対して、キー'de'の値を'Deutsch'に変更**し、再びlangの値を表示してください。Deutschはドイツ語で「ドイツ語」を表味する言葉です。

```
>>> lang['de'] = 'Deutsch'   ← キー'de'の値を'Deutsch'に変更
>>> lang
{'de': 'Deutsch'}            ← 変更後の辞書
```

今度は要素を削除してみましょう。辞書の要素を削除するには、次のようにdel文を使います。指定したキーが辞書に含まれていない場合には、例外(KeyError)が発生します。

辞書の要素を削除

```
del 辞書[キー]
```

上記の**変数langに対して、キー'fr'の要素を削除**してみてください。キー'fr'は辞書に含まれていないのでKeyErrorが発生します。次に、**辞書に含まれているキー'de'の要素を削除**し、langを表示して結果を確認してください。

```
>>> lang
{'de': 'Deutsch'}                          ← 削除前の辞書
>>> del lang['fr']                         ← 辞書に含まれていないキーの削除
Traceback (most recent call last):
  File "<stdin>", line 1, in <module>
KeyError: 'fr'
>>> del lang['de']                         ← 辞書に含まれているキーの削除
>>> lang
{}                                         ← 削除後の辞書(空の辞書)
```

popメソッドを使って要素を削除する方法もあります。popメソッドは指定したキーの要素を削除し、対応する値を返します。キーが辞書に含まれていない場合、デフォルト値が指定されていないときには例外(KeyError)を発生させ、指定されているときにはデフォルト値を返します。

辞書の要素を削除(popメソッド)

```
辞書.pop(キー)
辞書.pop(キー, デフォルト値)
```

popメソッドを使ってみましょう。以下の要素を格納した辞書を作成し、変数langに代入してください。

キー「ja」、値「Japanese」
キー「en」、値「English」

この**変数langに対してpopメソッドを使い、キー'fr'を削除**します。デフォルト値を指定しない場合と、デフォルト値に'French'を指定する場合の両方を試してください。キー'fr'は辞書に含まれていないので、削除後の辞書は削除前の辞書から変化していません。

```
>>> lang = {'ja': 'Japanese', 'en': 'English'}
>>> lang
{'ja': 'Japanese', 'en': 'English'}          ← 削除前の辞書
>>> lang.pop('fr')                           ← popメソッド(デフォルト値なし)
Traceback (most recent call last):
  File "<stdin>", line 1, in <module>
KeyError: 'fr'
>>> lang.pop('fr', 'French')                 ← popメソッド(デフォルト値あり)
'French'
>>> lang
{'ja': 'Japanese', 'en': 'English'}          ← 削除後の辞書(変化していない)
```

辞書が含む全ての要素を削除するには、clearメソッドを使います。

辞書の全ての要素を削除(clearメソッド)

```
辞書.clear()
```

上記の**変数langに対してclearメソッドを使い、全ての要素を削除**してみてください。

```
>>> lang
{'ja': 'Japanese', 'en': 'English'}        ← 削除前の辞書
>>> lang.clear()                           ← clearメソッド
>>> lang
{}                                         ← 削除後の辞書(空の辞書)
```

## まだまだある便利な辞書の操作

辞書に適用できる便利な操作を紹介しましょう。まず、辞書に含まれる要素の個数を調べるには、おなじみのlen関数を使います。

辞書の要素数を調べる(len関数)

```
len(辞書)
```

実際に使ってみましょう。**以下の要素を格納した辞書を作成して変数langに代入**してください。次に**len関数を使って辞書の要素数**を調べてみましょう。

キー「ja」、値「Japanese」
キー「en」、値「English」
キー「fr」、値「French」

```
>>> lang = {'ja': 'Japanese', 'en': 'English', 'fr': 'French'}
>>> lang
{'ja': 'Japanese', 'en': 'English', 'fr': 'French'}      ← 作成した辞書
>>> len(lang)
3                                                        ← 要素の個数
```

辞書が指定したキーを含むかどうかは、inやnot inで調べることができます。集合と同様に辞書も、inやnot inを高速に実行することが可能です。

辞書がキーを含むかどうかを調べる(in演算子)

```
キー in 辞書
```

辞書がキーを含まないかどうかを調べる(not in演算子)

```
キー not in 辞書
```

前述の変数langについて、**辞書がキー'fr'を含むかどうかと、キー'de'を含むかどうかを、inおよびnot inを使って**調べてみてください。

```
>>> lang = {'ja': 'Japanese', 'en': 'English', 'fr': 'French'}
>>> lang
{'ja': 'Japanese', 'en': 'English', 'fr': 'French'}
>>> 'fr' in lang
```

```
True                    ← 'fr'は含む
>>> 'de' in lang
False                   ← 'de'は含まない
>>> 'fr' not in lang
False                   ← 'fr'は含まなくない(含む)
>>> 'de' not in lang
True                    ← 'de'は含まない
```

以下のメソッドを使うと、辞書に含まれる「キー」「値」「キーと値の組」の一覧を取得することができます。これらのメソッドは辞書ビューオブジェクトと呼ばれる、辞書を閲覧するためのオブジェクトを返します。

キーの一覧を取得(keysメソッド)

```
辞書.keys()
```

値の一覧を取得(valuesメソッド)

```
辞書.values()
```

キーと値の組の一覧を取得(itemsメソッド)

```
辞書.items()
```

辞書ビューオブジェクトはイテラブルなので、イテラブルを引数にとる関数や、for文(Chapter5)などに渡すことができます。例えば**前述の変数langに対して上記の3種類のメソッドを適用したうえで、リストを作成するlist関数に**渡してみてください。

```
>>> lang
{'ja': 'Japanese', 'en': 'English', 'fr': 'French'}          ← 辞書
>>> list(lang.keys())
['ja', 'en', 'fr']                                            ← キー
>>> list(lang.values())
['Japanese', 'English', 'French']                             ← 値
>>> list(lang.items())
[('ja', 'Japanese'), ('en', 'English'), ('fr', 'French')]     ← キーと値の組
```

上記の例では「キー」「値」「キーと値の組」の一覧を、それぞれリストにすることができました。itemsメソッドは、キーと値の組をタプルとして返します。

なお､辞書自体もイテラブルとして使えます。この場合はkeysメソッドと同様に、キーの一覧が得られます。例えば前述の**変数langを、そのままlist関数に**渡してみてください。

```
>>> lang
{'ja': 'Japanese', 'en': 'English', 'fr': 'French'}     ← 辞書
>>> list(lang)
['ja', 'en', 'fr']                                        ← キー
```

# 基礎編 Chapter5

# プログラムの流れを変える制御構造

制御構造というのは、プログラムの文を特定の順序で実行することを表現する形式のことです。プログラムは通常、並んだ複数の文を上から下へ順に実行します。これを「順次」と呼びます。一方で「選択」という制御構造を使うと、複数の文の中からいずれかを選んで実行することができます。また「繰り返し」という制御構造を使うと、指定した文を繰り返して実行することが可能です。

ここではPythonの制御構造を学びます。選択としては、条件分岐を行うif文と、式の中で条件分岐ができる条件式があります。繰り返しについては、イテラブルに対して繰り返すfor文と、条件に応じて繰り返すwhile文があります。また少し変わった機能として、何もしないpass文についても学びましょう。

本章の学習内容

①if文による条件分岐
②for文による繰り返し
③while文による繰り返し
④何もしないpass文の用途

# section 01 条件分岐にはif文を使う

if(イフ)文は条件分岐を行うための構文です。指定された式を評価し、値がTrue(真)かFalse(偽)かに応じて、実行する文を選択します。Pythonで条件分岐を行う方法はいくつかありますが、おそらくif文は最もよく知られている方法です。何らかの条件に応じて処理を分岐したいときには、とりあえずif文を使ってみるとよいでしょう。

if文は多くのプログラミング言語が備えています。Pythonのif文は他の言語のif文に似ていますが、注意しなければいけないのはインデントです。多くの言語ではプログラムを見やすくするためにインデントを使いますが、Pythonではインデントがプログラムの動作を変化させます(Chapter2)。言葉を換えれば、Pythonではインデントの見た目とプログラムの動作が一致しているので、少し慣れれば非常に使いやすく感じるようになるでしょう。

## ❖「もしも」のif文

if文は、式の値がTrueならば、指定した文を実行します。if文は次のように書きます。文…の部分には、文を複数行に渡って書くことができます。

if文

```
if 式:
    文…
```

式の後にコロン(:)を書いて改行し、次の行からはインデントして書きます。インデントしている限り、if文の内側として扱われます。インデントをやめると、if文の外側として扱われます。

▼if文の処理の流れ

```
if 式:
    文…   ●── if文の内側(式がTrueの場合に実行)
文…       ●── if文の外側
```

コロンの後に文を続けて書くこともできます。セミコロン(;)で区切れば、2個以上の文を書くことも可能です。これらの書き方はプログラムの行数を少なくする効用がありますが、標準コーディングスタイル(PEP8)では推奨されていません。

if文(コロンに続けて文を書く)

```
if 式: 文
if 式: 文; 文
```

if文を使って、お年玉付年賀はがきのようなクジの当選番号を判定し、賞品を表示するプログラムを書いてみましょう。最初にクジの番号として、変数numberに'123456'を代入してください。次に**if文を使ってnumberが'123456'に等しいかどうかを判定し、等しい場合には'1st Prize:Money'(一等賞：現金)と表示**してください。判定には比較演算子(Chapter3)の==を使います。

このプログラムはPythonインタプリタでも書けますが、インデントの入力方法に注意してください(Chapter2)。Jupyter Notebookやテキストエディタを使うのもおすすめです。また、PEP8では空白4個のインデントを推奨していますが、入力が簡単なタブを使ってインデントしても構いません。

▼if1.py

```
number = '123456'
if number == '123456':
    print('1st Prize:Money')
```

プログラムを実行して「1st Prize:Money」と表示されれば成功です。

```
>python if1.py
1st Prize:Money
```

これはクジが当たる場合ですが、クジが外れる場合も試してみましょう。上記のプログラムにおいて、**変数numberに代入する値を'654321'に変更**してから、実行してください。

▼if2.py

```
number = '654321'
if number == '123456':
```

```
    print('1st Prize:Money')
```

今度は何も表示されません。if文は式の値がFalseのときには、内側にある文を実行しません。上記のプログラムでは、式「number == '123456'」の値がFalseなので、print文が実行されず、何も表示されないという結果になります。

### ●番号をキーボードから入力する

クジの番号を変えるときに、プログラムを変更するのは少し面倒です。プログラムを実行したときに、クジの番号をキーボードから入力できるようにしてみましょう。キーボードからの入力を取得するには、次のような**input**関数が使えます。input関数の引数に文字列を指定すると、**プロンプト**(入力を促す文字列)を表示することができます。

キーボードからの入力を取得する(input関数)

```
input()
```

キーボードからの入力を取得する(プロンプトを表示)

```
input(文字列)
```

input関数は1行の入力を受け取り、文字列として返します。以下のように書くと、取得した文字列を変数に代入できます。もし入力を計算に使う場合は、int関数やfloat関数を使って(Chapter3)、文字列から数値に変換します。

入力内容を変数に代入

```
変数 = input()
変数 = input(文字列)
```

プログラムを書き換えて、クジの番号をキーボードから入力できるようにしてみましょう。**input関数の引数を指定して、「Number:」というプロンプトを表示**してください。input関数の戻り値は、変数numberに代入します。

▼if3.py

```
number = input('Number:')
if number == '123456':
    print('1st Prize:Money')
```

プログラムを実行して、当たりの番号(123456)を入力してみてください。賞品が表示されれば成功です。

```
>python if3.py
Number:123456         ← 当たりの番号を入力
1st Prize:Money       ← 一等賞が表示される
```

再びプログラムを実行して、外れの番号(123456以外、例えば654321)を入力してみてください。何も表示されなければ成功です。

```
>python if3.py
Number:654321         ← 外れの番号を入力
                      ← 何も表示されない
```

### ●複数の文を実行する

今度はif文の内側に複数の文を書いてみましょう。**「1st Prize:Money」と表示して改行した後に、「Congratulations!」と表示**するように、プログラムを書き換えてみてください。

▼if4.py

```
number = input('Number:')
if number == '123456':
    print('1st Prize:Money')
    print('Congratulations!')
```

実行して当たりの番号(123456)を入力すると、「1st Prize:Money」と表示した後に改行し、「Congratulations!」と表示します。

```
>python if4.py
Number:123456
1st Prize:Money
Congratulations!
```

上記のプログラムについても、外れの番号(123456以外)を入力してみてください。何も表示されなければ成功です。

## ❖「でなければ」のelse節

if文にelse(エルス)節を付けると、式の値がFalseだったときに、指定した文を実行させることができます。

else節を伴うif文は、次のように書きます。

else節を伴うif文

```
if 式:
    文…
else:
    文…
```

else節にもインデントが必要です。インデントしている限り、else節の内側として扱われます。

▼else節を伴うif文の処理の流れ

```
if 式:
    文…   ←── 式がTrueの場合に実行する文
else:
    文…   ←── 式がFalseの場合に実行する文
文…       ←── if文の外側
```

PEP8では推奨されていませんが、else節のコロン(:)に続けて文を書くこともできます。セミコロン(;)で区切れば、2個以上の文を書くことも可能です。

else節を伴うif文(コロンに続けて文を書く)

```
if 式: 文
else: 文
```

else節を使って、前述の当選番号を判定するプログラムを改造し、外れの場合に「Lose」(外れ)と表示してみましょう。**変数numberが'123456'に等しければ「1st Prize:Money」と表示し、等しくなければ「Lose」と表示**します。

▼else1.py

```
number = input('Number:')
if number == '123456':
    print('1st Prize:Money')
else:
    print('Lose')
```

プログラムを実行して、当たり番号(123456)を入力してみてください。「1st Prize:Money」と表示されれば成功です。

```
>python else1.py
Number:123456
1st Prize:Money
```

外れ番号(123456以外)を入力してください。「Lose」と表示されれば成功です。

```
>python else1.py
Number:654321
Lose
```

## ❖「ではなくてもしも」のelif節

if文にelif(エリフ、エルイフ、エルスイフ)節を付けると、式の値がFalseだったときに、別の式を評価することができます。elifはelse ifの略です。elif節を伴うif文は、次のように書きます。

elif節を伴うif文

```
if 式A:
    文…
elif 式B:
    文…
```

elif節にもインデントが必要です。else節と同様に、インデントしている限り、elif節の内側として扱われます。

▼elif節を伴うif文の処理の流れ

```
if 式A:
    文…        ←── ifの式AがTrueの場合に実行する文
elif 式B:      ←── ifの式AがFalseの場合に評価する式
    文…        ←── elifの式BがTrueの場合に実行する文
文…            ←── if文の外側
```

またPEP8では推奨されていませんが、elif節のコロン(:)に続けて文を書くこともできます。セミコロン(;)で区切れば、2個以上の文を書くことも可能です。

elif節を伴うif文(コロンに続けて文を書く)

```
if 式A: 文
elif 式B: 文
```

elif節は複数並べて書くこともできます。いくつでも必要なだけ並べることが可能です。

複数のelif節を伴うif文

```
if 式A:
    文…
elif 式B:
    文…
elif 式C:
    文…
…
```

▼複数のelif節を伴うif文の処理の流れ

```
if 式A:
    文…        ←── 式AがTrueの場合に実行する文
elif 式B:
    文…        ←── 式AがFalseで式BがTrueの場合に実行する文
elif 式C:
    文…        ←── 式Aと式BがFalseで式CがTrueの場合に実行する文
文…            ←── if文の外側
```

elif節の後にelse節を書くこともできます。以下ではelif節を1個だけ書きましたが、この場合もelif節を複数並べることが可能です。

elif節とelse節を伴うif文

```
if 式A:
    文…
elif 式B:
    文…
else:
    文…
```

▼elif節とelse節を伴うif文の処理の流れ

```
if 式A:
    文         ←── 式AがTrueの場合に実行する文
elif 式B:
    文…       ←── 式AがFalseで式BがTrueの場合に実行する文
else:
    文…       ←── 式Aと式BがFalseの場合に実行する文
文…           ←── if文の外側
```

elif節を使って、前述の当選番号を判定するプログラムを次のように改造してみてください。以下の❷と❸は、スライスを使って書きます。

❶変数numberが'123456'に等しければ、「1st Prize:Money」と表示します。

❷変数numberが'123456'ではない場合、numberの下4桁が'7890'に等しければ、「2nd Prize:Gift Box」(二等賞：ギフトボックス)と表示します。

❸変数numberが'123456'ではなく、下4桁が'7890'でもない場合、numberの下2桁が'05'に等しければ、「3nd Prize:Stamp Sheet」(三等賞：切手シート)と表示します。

❹変数numberが'123456'ではなく、下4桁が'7890'でもなく、下2桁が'05'でもない場合には、「Lose」と表示します。

▼elif1.py

```
number = input('Number:')
if number == '123456':
    print('1st Prize:Money')
elif number[-4:] == '7890':
    print('2nd Prize:Gift Box')
elif number[-2:] == '05':
    print('3nd Prize:Stamp Sheet')
else:
    print('Lose')
```

プログラムを実行して、「123456」「127890」「123405」「654321」を入力してみてください。それぞれ一等賞、二等賞、三等賞、外れが表示されれば成功です。

```
>python elif1.py
Number:123456
1st Prize:Money             ← 一等賞
```

```
>python elif1.py
Number:127890
2nd Prize:Gift Box          ← 二等賞
```

```
>python elif1.py
Number:123405
3nd Prize:Stamp Sheet       ← 三等賞
```

```
>python elif1.py
Number:654321
Lose                        ← 外れ
```

# section 02 式の中で条件分岐ができる条件式

条件式は、式の中で条件分岐を行うための構文です。指定された式を評価し、値がTrueかFalseかに応じて、異なる値を返します。同様の処理はif文を使って書くこともできますが、条件式を使った方がプログラムを短く簡潔に書けることがあります。

## ❖条件式の書き方

条件式は次のように書きます。条件の式を評価し、値がTrueのときは式Aの値を、値がFalseのときは式Bの値を返します。

条件式

```
式A if 条件の式 else 式B
```

▼条件式の処理の流れ

条件の式がTrueの場合は式Aの値を返す

```
式A if 条件の式 else 式B
```

条件の式がFalseの場合は式Bの値を返す

条件式は「条件の式」「式A」「式B」のように、計算の対象となる項が3つあるので、三項演算子(さんこうえんざんし)とも呼ばれます。一般にプログラミングでは、条件分岐において分岐の条件を表すために使う、比較演算子やブール演算子を組み合わせた式のことを「条件式」と呼ぶことがあります。そのため条件式という名称を使うと、Pythonにおける「… if … else …」という構文を指しているのか、プログラミングにおける一般的な条件式を指しているのかが曖昧になることがあります。三項演算子という名称を使えば、この曖昧さを回避して明確に「… if … else …」という構文を指すことができます。現状のPythonでは、計算の対象となる項が3つある演算は「… if … else …」だけなので、三項演算子と呼んでも他の演算と混同することはありません。

なおC/C++における三項演算子は「条件の式 ? 式A : 式B」のように書きます。この三項演算子を使い慣れている方は、C/C++とPythonでは式の順序が異なることにご注意ください。

さて、条件式を使ってみましょう。クジの当選番号を判定するプログラムを、条件式を使って書くことを考えます。例えば、**変数numberが'123456'のときに「1st Prize:Money」と表示し、'123456'以外のときに「Lose」と表示**するプログラムは、if文とelse節を使うと次のように書けます。

▼cond1.py

```
number = input('Number:')
if number == '123456':
    print('1st Prize:Money')
else:
    print('Lose')
```

上記のプログラムを、条件式を使って書き直してみてください。print関数の引数で条件式を使い、条件に応じてprint関数に異なる文字列を渡すようにします。

▼cond2.py

```
number = input('Number:')
print('1st Prize:Money' if number == '123456' else 'Lose')
```

このように条件式を使うと、if文を使った元のプログラムよりも、プログラムを短く書くことができます。上記のプログラムを実行して、当たり番号(123456)と外れ番号(123456以外)を入力してみてください。一等賞と外れが表示されれば成功です。

```
>python cond2.py
Number:123456          ← 当たり番号
1st Prize:Money        ← 一等賞
```

```
>python cond2.py
Number:654321          ← 外れ番号
Lose                   ← 外れ
```

## ❖複雑な条件式

条件式は条件に応じて2通りの値を返しますが、次のように書くと、3通りの値を返すこともできます。

3通りの値を返す条件式

```
式A if 条件の式X else 式B if 条件の式Y else 式C
```

上記の式が返す値は次の通りです。これはif文でelif節を使ったときの動作に似ています。

・条件の式XがTrueならば、式Aの値を返す
・条件の式XがFalseで、条件の式YがTrueならば、式Bの値を返す
・条件の式XがFalseで、条件の式YがFalseならば、式Cの値を返す

▼3通りの値を返す条件式の処理の流れ

```
式A if 条件の式X else 式B if 条件の式Y else 式C
```

- 式A：条件の式XがTrueの場合は式Aの値を返す
- 式C：条件の式Xと条件の式YがFalseの場合は式Cの値を返す
- 式B：条件の式XがFalseで条件の式YがTrueの場合は式Bの値を返す

if文においてelif節をいくつでも並べられるように、条件式もいくらでも並べて書くことができます。

例えば次のように書くと、条件(式X、式Y、式Z)に応じて、4通りの値(式A、式B、式C、式D)を返すことができます。5通り以上の値を返したいときにも同様です。

4通りの値を返す条件式

```
式A if 条件の式X else 式B if 条件の式Y else 式C if 条件の式Z else 式D
```

if文を使って当選番号を判定する以下のプログラム(再掲)を、条件式を使って書き直してみましょう。このプログラムは**変数numberの値に応じて、一等賞、二等賞、三等賞、外れを表示**します。

▼elif1.py(再掲)

```
number = input('Number:')
if number == '123456':
    print('1st Prize:Money')
elif number[-4:] == '7890':
    print('2nd Prize:Gift Box')
elif number[-2:] == '05':
    print('3nd Prize:Stamp Sheet')
else:
    print('Lose')
```

条件式を使って、上記のプログラムを書き直してみましょう。条件に応じて、4通りの値を返すように書きます。

▼cond3.py

```
number = input('Number:')
print('1st Prize:Money' if number == '123456' else
      '2nd Prize:Gift Box' if number[-4:] == '7890' else
      '3nd Prize:Stamp Sheet' if number[-2:] == '05' else 'Lose')
```

プログラムを実行して、「123456」「127890」「123405」「654321」を入力してみてください。それぞれ一等賞、二等賞、三等賞、外れが表示されれば成功です。実行結果はelif節を使ったプログラムと同様です(202ページを参照)。

上記のプログラムでは条件式が長いので、見やすさのために途中で改行しています。PEP8では、このように式の途中で改行する場合、各行で式の先頭が同じ桁になるようにインデントすることを推奨しています。上記のプログラムでも、'1st…'、'2nd…'、'3rd…'の先頭が同じ桁に揃っていることに注目してください。

条件式を使うと、if文よりもプログラムを短く書ける場合がありますが、上記のように式が長くなることもあります。もし式が長くなってしまい、プログラムの簡潔さや読みやすさが失われると感じたら、無理に条件式を使わずに、if文を使って書くとよいでしょう。

# section 03 大部分の繰り返しはfor文で書くことができる

for(フォー)文は繰り返しを行うための構文です。Pythonの繰り返し構文にはfor文とwhile文がありますが、おそらく大部分の繰り返しにはfor文が適しているでしょう。

for文はイテラブル(繰り返し可能なオブジェクト)に対して繰り返しを行います。イテラブルから要素を1個ずつ取り出し、指定した処理を実行します。この方式のfor文は、一般にforeach(フォーイーチ)文と呼ばれます。each(それぞれの)という名前の通り、それぞれの要素に対して処理を適用するイメージです。Pythonのfor文、C/C++の範囲ベースfor文、Javaの拡張for文は、いずれもforeach文の例です。

## for文の書き方

for文は次のように書きます。イテラブルの後にコロン(:)を書いて改行し、次の行からはインデントして書きます。

for文

```
for 変数 in イテラブル:
    文…
```

if文と同様に、インデントしている限りfor文の内側として扱われます。インデントをやめると、for文の外側として扱われます。

▼for文の処理の流れ

```
for 変数 in イテラブル:
    文… ――――― for文の内側
文…     ――――― for文の外側
```

コロンの後に文を続けて書くこともできます。セミコロン(;)で区切れば、2個以上の文を書くことも可能です。これらの書き方はプログラムの行数を少なくする効用がありますが、PEP8では推奨されていません。

for文（コロンに続けて文を書く）

```
for 変数 in イテラブル: 文
for 変数 in イテラブル: 文; 文
```

for文はイテラブルから要素を1個ずつ取り出し、変数に代入してから、for文の内側にある文を実行します。イテラブルから取り出せる要素がある限り、この手順を繰り返します。イテラブルから取り出せる要素がなくなったら、つまりイテラブル内の要素を全て処理したら繰り返しは終わりで、for文の外側にある文に実行が移ります。

for文を使ってみましょう。イテラブルの部分には色々なオブジェクトを書くことができますが、ここではリストを使ってみましょう。**'Morning'、'Afternoon'、'Evening'、'Night'という4個の要素を格納したリストに対してfor文を適用**します。そして、**文字列'Good'と取り出した要素を並べて表示**することにより、「Good Morning」「Good Afternoon」「Good Evening」「Good Night」というあいさつを表示してください。

▼for1.py

```
for x in ['Morning', 'Afternoon', 'Evening', 'Night']:
    print('Good', x)
```

上記のプログラムでは、リストの各要素を変数xに取り出します。変数名はx以外でも構いません。実行すると、次のように4個のあいさつが表示されます。

```
>python for1.py
Good Morning
Good Afternoon
Good Evening
Good Night
```

## ❖繰り返しの対象になるイテラブル

for文を使うと、色々なイテラブルから要素を取り出すことができます。ここでは今までに学んだイテラブル(文字列、リスト、タプル、集合、辞書)に対して、for文を適用してみましょう。なお、range関数が返すrangeオブジェクトもイテラブルですが、これに関しては後ほど詳しく説明します。

まずは文字列です。文字列に対してfor文を適用すると、文字を1文字ずつ取り出すことができます。例えば、**文字列'PYTHON'にfor文を適用し、1文字ずつ改行しながら表示**することで、'PYTHON'を縦書きで表示してみてください。

▼iterable1.py

```
for x in 'PYTHON':
    print(x)
```

実行結果は次のようになります。変数xには、1回目は「P」、2回目は「Y」というように、指定した文字列の内容が1文字ずつ順番に代入されていきます。文字列の末尾に達したら、繰り返しも終了になります。

```
>python iterable1.py
P
Y
T
H
O
N
```

次はリストです。リストに対してfor文を適用すると、要素を1個ずつ取り出すことができます。例えば、**'beef'、'pork'、'chicken'を格納したリストを作成し、変数meatに代入**してください。次に、**meatにfor文を適用して、取り出した要素を表示**してください。

▼iterable2.py

```
meat = ['beef', 'pork', 'chicken']
for x in meat:
    print(x)
```

実行結果は次のようになります。

```
>python iterable2.py
beef
pork
chicken
```

ここでリストがミュータブルである(変更できる)ことを思い出してください。ミュータブルなので、要素の変更、追加、削除が可能ですが、for文の適用中にこれらの操作を行うと想定外の動作をすることがあるので、注意が必要です。

上記のプログラムを書き換えて、実験してみましょう。for文の内側でif文を使って、**もし要素が'pork'だったら、リスト(meat)から'pork'を削除**してください。削除にはremoveメソッドを使います(Chapter4)。さらに、**もし要素が'pork'でなければ、その要素を表示**してください。

▼iterable3.py

```
meat = ['beef', 'pork', 'chicken']
for x in meat:
    if (x == 'pork'):
        meat.remove(x)
    else:
        print(x)
```

上記のif文では、取り出した要素が'pork'に等しいかどうかを調べるために、比較演算子の==を使っています(86ページを参照)。また、for文の内側にif文を書く際に、for文の内側でインデントし、if文の内側でさらにインデントしていることにも注目してください。

さて、ここでは'pork'以外の要素を表示するので、「beef」と「chicken」が表示されるように思います。しかし、実行してみると「beef」だけが表示され、「chicken」は表示されません。

```
>python iterable3.py
beef
```

for文は、イテラブルの要素を順番に取り出すために、どの位置までを取り出したのかを内部で記録しています。for文の実行中に、対象のイテラブル(ここではリスト)を変更すると、位置の記録と実際のリストの状態が食い違ってしまうので、上記のように想定外の動作をすることがあります。

イテラブルのコピーを作成し、このコピーに対してfor文を適用すれば、上記の問題を回避することができます。例えばリストの場合には、[:] というスライスを使うか、copyメソッドを使って、コピーを作成できます。コピーを作成するために処理時間とメモリを消費するという欠点はありますが、このコピーに対してfor文を適用すれば、for文の内側で元のリストを変更しても、繰り返しに影響を与えません。

上記のプログラムについて、**リスト(meat)のコピー(meat[:])に対してfor文を適用**し、動作の違いを確認してみてください。

▼iterable4.py

```
meat = ['beef', 'pork', 'chicken']
for x in meat[:]:                          ← リストのコピーにfor文を適用
    if (x == 'pork'):
        meat.remove(x)
    else:
        print(x)
```

「beef」と「chicken」が表示されれば成功です。

```
>iterable4.py
beef
chicken
```

リストと同様に、集合と辞書もミュータブルです。もしfor文の内側で変更する場合には、リストと同様にコピーを作成し、このコピーに対してfor文を適用するとよいでしょう。

さて、タプルにもfor文を適用できます。例えば、**'beef'、'pork'、'chicken'を格納したタプルに対してfor文を適用し、取り出した要素を表示**してみてください。

▼iterable5.py

```
meat = ('beef', 'pork', 'chicken')
for x in meat:
    print(x)
```

3個の要素が表示されれば成功です。

```
>python iterable5.py
beef
pork
chicken
```

集合についても同様に、for文を適用できます。ただし、集合に値を追加した順序と要素を取り出すときの順序は、必ずしも一致しません(Chapter4)。例えば、**'beef'、'pork'、'chicken'を格納した集合に対してfor文を適用し、取り出した要素を表示**してみてください。

▼iterable6.py

```
meat = {'beef', 'pork', 'chicken'}
for x in meat:
    print(x)
```

3個の要素が表示されますが、順序は環境によって異なり、同じ環境でも実行するたびに異なる可能性があります。

```
>iterable6.py
chicken
pork
beef
```

辞書にfor文を適用すると、辞書に格納されたキーを1個ずつ取り出すことができます。集合とは異なり、辞書にキーを追加した順序と、キーを取り出すときの順序は一致します(Chapter4)。

例えば、**以下のキーと値の組(品名と単価)を格納した辞書に対してfor文を適用し、取り出したキーを表示**してみてください。

キー「beef」、値「199」

キー「pork」、値「99」

キー「chicken」、値「49」

▼iterable7.py

```
meat = {'beef': 199, 'pork': 99, 'chicken': 49}
for x in meat:
    print(x)
```

3個のキーが表示されれば成功です。

```
>iterable7.py
beef
pork
chicken
```

取り出したキーを「辞書[キー]」のように使えば、対応する値を辞書から取得できます(Chapter4)。例えば上記のプログラムを書き換えて、**「beef is 199 yen」(牛肉は199円)のように、「品名 is 単価 yen」と表示**してみてください。

▼iterable8.py

```
meat = {'beef': 199, 'pork': 99, 'chicken': 49}
for x in meat:
    print(x, 'is', meat[x], 'yen')
```

実行結果は次のようになります。

```
>python iterable8.py
beef is 199 yen
pork is 99 yen
chicken is 49 yen
```

辞書からキーと値の組をまとめて取り出し、アンパッキングを使って別々の変数に代入する方法もあります。この方法は次に紹介します。

## ❖for文とアンパッキング

辞書にfor文を適用すると、辞書に格納されたキーを取り出せます。その際に、値も一緒に取り出したいことがあるでしょう。これは辞書のitemsメソッド(Chapter4)を使えば実現できます。例えば前述の辞書(肉の品名と単価)に対して、**for文とitemsメソッドを適用し、取り出した要素を表示**してみてください。

▼unpack1.py

```
meat = {'beef': 199, 'pork': 99, 'chicken': 49}
for x in meat.items():
    print(x)
```

実行結果は次のようになります。

```
>python unpack1.py
('beef', 199)
('pork', 99)
('chicken', 49)
```

上記のように、キーと値の組(ここでは品名と単価)をタプルとして取り出せます。ここでキーと値を別々の変数に代入したい場合には、次のようにfor文とアンパッキング(155ページを参照)を組み合わせるのがおすすめです。forの後に変数をカンマ(,)で区切って並べると、イテラブルから取り出した要素をアンパッキングして、複数の変数に代入することができます。

for文とアンパッキングの組み合わせ

```
for 変数, … in イテラブル:
    文…
```

例えば、**辞書(変数meat)に対して、for文とアンパッキングを適用し、キー(品名)を変数nameに、値(単価)を変数priceに代入**してください。そして**nameとpriceを使って「beef is 199 yen」のように、「品名 is 単価 yen」と表示**してみてください。

▼unpack2.py

```
meat = {'beef': 199, 'pork': 99, 'chicken': 49}
for name, price in meat.items():
    print(name, 'is', price, 'yen')
```

実行結果は次のようになります。

```
>python unpack2.py
beef is 199 yen
pork is 99 yen
chicken is 49 yen
```

上記のようにfor文とアンパッキングを組み合わせると、変数名を見れば辞書から何を取り出しているのかがわかるので、読みやすいプログラムを書くことができます。このように辞書からキーと値を取り出すには、以下のように複数の方法があります。

・for文でキーだけを取り出し、「辞書[キー]」のように値を取得する
・for文とitemsメソッドでキーと値の組を取り出し、アンパッキングする

上記の方法について、timeitモジュール(Chapter4)を使って実行時間を計測したところ、筆者の環境では、for文だけを取り出す方が高速(2割ほど短い実行時間)でした。「辞書[キー]」のように辞書を検索する処理があるので、for文とitemsメソッドを併用する方が高速と予想していたのですが、予想が外れました。どちらの処理が速いのかが気になったら、思い込みで判断するよりも、timeitモジュールを使って確かめるのがよさそうです。

さて、for文とアンパッキングの組み合わせは、辞書以外のデータ構造にも使えます。例えば次のような**タプルを格納したリストを作成し、このリストに対してfor文とアンパッキングを適用**してみてください。

('beef', 199)
('pork', 99)
('chicken', 49)

品名は変数name、単価は変数priceに代入します。これらの変数を使って、「品名 is 単価 yen」と表示してください。実行結果は、先ほどの辞書を使ったプログラムと同じです。

▼unpack3.py

```
meat = [('beef', 199), ('pork', 99), ('chicken', 49)]
for name, price in meat:
    print(name, 'is', price, 'yen')
```

## ❖何回繰り返すのかを決めるrange関数

Pythonのfor文はイテラブルから要素を取り出すのに向いています。実際にプログラムを開発していると、イテラブルから要素を取り出す機会が非常に多いので、このfor文は実に重宝します。

一方で、繰り返しの回数や範囲を数値(整数)で指定したいことも、ときどきあります。例えば「10回繰り返したい」とか「20から30まで繰り返したい」といった場合です。このときに役立つのが、for文と**range**関数の組み合わせです。

range(レンジ)というのは範囲のことです。rangeは厳密には関数ではなくクラスなのですが、range関数と呼ばれることもよくあるので、本書でもrange関数と呼ぶことにします。range関数は、範囲を表す**rangeオブジェクト**を返します。rangeオブジェクトはイテラブルなので、for文と組み合わせて使うことができます。

次のように、range関数の引数にはいくつかの書き方があります。開始値、終了値、ステップはいずれも整数です。これらはスライス(Chapter3)における、開始インデックス、終了インデックス、ストライドと同様の働きをします。開始値、終了値、ステップには、負の値を指定することもできます。

0から「終了値-1」まで1ずつ増加(range関数)

```
range(終了値)
```

開始値から「終了値-1」まで1ずつ増加(range関数)

```
range(開始値, 終了値)
```

開始値からステップずつ変化(range関数)

```
range(開始値, 終了値, ステップ)
```

上記のどの場合でも、終了値は範囲に含まれないことに注意してください。ステップを指定した場合には、終了値に等しくなる直前か、終了値を越える直前までが範囲になります。

for文とrange関数を組み合わせる場合には、次のように書きます。range関数で指定した範囲にある整数を、for文で1個ずつ取り出すことができます。

for文とrange関数の組み合わせ

```
for 変数 in range(…):
    文…
```

for文とrange関数を使ってみましょう。例えば**0から9までの整数を表示**してみてください。range関数には終了値だけを与えます。

▼range1.py

```
for x in range(10):
    print(x, end=' ')
```

実行結果は次のようになります。

```
>python range1.py
0 1 2 3 4 5 6 7 8 9
```

上記のプログラムでは、実行結果の行数を少なくするために、print関数のキーワード引数であるendを使いました(Chapter2)。通常、print関数は最後に改行を出力しますが、引数endを使うと任意の文字列を出力することができます(ここでは空白を出力しています)。

次は**10から20までの整数を表示**してみてください。range関数には開始値と終了値を与えます。

▼range2.py

```
for x in range(10, 21):
    print(x, end=' ')
```

実行結果は次のようになります。

```
>python range2.py
10 11 12 13 14 15 16 17 18 19 20
```

上記のプログラムにおいて、終了値は範囲に含まれないことに注意してください。10から20までを表すには、「**range(10, 20)**」ではなく、「**range(10, 21)**」とする必要があります。

今度はステップを使ってみましょう。**21から39までの整数のうち、3の倍数だけを表示**してください。

▼range3.py

```
for x in range(21, 40, 3):
    print(x, end=' ')
```

実行結果は次のようになります。

```
>python range3.py
21 24 27 30 33 36 39
```

ステップには負数も使えます。**10から0まで、1ずつカウントダウンしながら表示**してみてください。

▼range4.py

```
for x in range(10, -1, -1):
    print(x, end=' ')
```

実行結果は次のようになります。

```
>python range4.py
10 9 8 7 6 5 4 3 2 1 0
```

上記のプログラムにおいても、終了値は範囲に含まれないことに注意してください。0を範囲に含めるには、終了値を「0」ではなく「-1」にする必要があります。

もう少し複雑なプログラムを書いてみましょう。**for文とrange関数を使って九九の表を出力**してみてください。

```
>python range5.py
1 2 3 4 5 6 7 8 9
2 4 6 8 10 12 14 16 18
3 6 9 12 15 18 21 24 27
4 8 12 16 20 24 28 32 36
5 10 15 20 25 30 35 40 45
6 12 18 24 30 36 42 48 54
7 14 21 28 35 42 49 56 63
8 16 24 32 40 48 56 64 72
9 18 27 36 45 54 63 72 81
```

このプログラムを実現するには、for文の中に別のfor文を書く必要があります。このようにプログラムにおいて、ある構造の中に別の構造を入れ子状に記述することを、**ネスト**または**ネスティング**と呼びます。ネスト(nest)は巣のことで、ネスティング(nesting)は巣ごもりのことです。

for文の中にfor文があるネストは、次のように書きます。このように繰り返し(ループ)がネストしているものを**多重ループ**と呼ぶことがあります。以下の場合は**二重ループ**と呼ばれます。

for文のネスト

```
for 変数A in イテラブルA:
    文…
    for 変数B in イテラブルB:
        文…
    文…
```

九九の表を出力するには、例えば、**変数xに関する1から9までの繰り返しの中に、変数yに関する1から9までの繰り返しを書いて、x*yを出力**すればよいでしょう。上記のような二重ループを使って、プログラムを書いてみてください。

▼range5.py

```
for x in range(1, 10):
    for y in range(1, 10):
        print(x*y, end=' ')
    print()
```

上記のプログラムを実行すると、前述のような実行結果になります。なお、以下のようにフォーマット済み文字列リテラル(Chapter9)を使うと、桁数を揃えて表示することもできます。「:2」というのは、値を2桁で出力することを示します。

▼range6.py

```
for x in range(1, 10):
    for y in range(1, 10):
        print(f'{x*y:2}', end=' ')
    print()
```

実行結果は次のようになります。

```
>python range6.py
 1  2  3  4  5  6  7  8  9
 2  4  6  8 10 12 14 16 18
 3  6  9 12 15 18 21 24 27
 4  8 12 16 20 24 28 32 36
 5 10 15 20 25 30 35 40 45
 6 12 18 24 30 36 42 48 54
 7 14 21 28 35 42 49 56 63
 8 16 24 32 40 48 56 64 72
 9 18 27 36 45 54 63 72 81
```

## ❖繰り返しの回数がわかるenumerate関数

イテラブルから要素を取り出すときに、何番目に取り出した要素なのかを知りたければ、enumerate(イニュームレイト)関数を使うのが便利です。enumerateは「列挙する」や「数え上げる」という意味の言葉です。C/C++/Javaには列挙型という機能がありますが、列挙型のキーワードであるenumは、このenumerateを略したものです。

Pythonのenumerate関数には、取り出した要素を数え上げる働きがあります。for文と組み合わせる場合、enumerate関数は次のように使います。

for文とenumerate関数の組み合わせ

```
for 変数A, 変数B in enumerate(イテラブル):
    文…
```

enumerate関数はイテラブルの要素を取り出し、**カウント**と**要素の値**のタプルを返します。カウントは何番目に取り出した要素なのかを表す整数で、0から始まり、1ずつ増加します。上記のようにfor文とアンパッキングを適用した場合には、変数Aにカウントが、変数Bに要素の値が代入されます。

カウントの開始値を指定したいときには、次のように書きます。開始値は整数です。カウントは開始値から始まり、1ずつ増加します。

カウントの開始値を指定(enumerate関数)

```
for 変数A, 変数B in enumerate(イテラブル, 開始値):
    文…
```

例えば、ドリンク(飲み物)のメニューを番号付きで表示するプログラムを考えてみましょう。まずは、**'coffee'、'tea'、'juice'という3個の文字列をリストに格納して変数drinkに代入**してください。そしてfor文を使って、**drinkのリストから要素を取り出して表示**してみてください。まだ番号は付けずに、要素の値だけを表示するので構いません。

▼enumerate1.py

```
drink = ['coffee', 'tea', 'juice']
for x in drink:
    print(x)
```

実行結果は次のようになります。

```
>python enumerate1.py
coffee
tea
juice
```

次にenumerate関数を使って、**1から始まる番号とともに要素の値を表示**してください。例えば「1 coffee」のように表示します。

▼enumerate2.py

```
drink = ['coffee', 'tea', 'juice']
for i, x in enumerate(drink, 1):
    print(i, x)
```

実行結果は次のようになります。

```
>python enumerate2.py
1 coffee
2 tea
3 juice
```

enumerate関数ではなく、range関数を使って番号を表示することもできます。range関数を使って、上記と同じ結果を出力するプログラムを書いてみてください。range関数の終了値を決めるには、len関数(Chapter2)を使って、リストの要素数を取得するとよいでしょう。

▼enumerate3.py

```
drink = ['coffee', 'tea', 'juice']
for i in range(len(drink)):
    print(i+1, drink[i])
```

rangeがあればenumerateは不要なのかというと、そうではありません。上記のようにリスト(シーケンスの一種)の場合には、インデックスを使って要素を取得できるのでrange関数でも済みます。しかしシーケンス以外の場合には、インデックスを使って要素を取得できないので、range関数と組み合わせることが困難です。

こんなときに役立つのがenumerate関数です。例えば、**'coffee'、'tea'、'juice'を集合に格納して変数drinkに代入**してください。そして**for文を使ってdrinkのリストから要素を取り出し、「1」から始まる番号付きで表示**してみてください。

▼enumerate4.py

```
drink = {'coffee', 'tea', 'juice'}
for i, x in enumerate(drink, 1):
    print(i, x)
```

実行結果は次のようになります。

```
>python enumerate4.py
1 coffee
2 juice
3 tea
```

集合はシーケンスではありませんが、上記のようにenumerate関数を使えば、何番目に取り出した要素なのかを知ることができます。なお、集合から要素を取り出す順序は一定ではないため、上記の実行結果とは順序が異なる可能性があります。

ところでenumerate関数を使わずに、上記と同じ実行結果になるプログラムを書くこともできます。今までに本書で学んだ知識だけで書けるので、書いてみてください。

▼enumerate5.py

```
drink = {'coffee', 'tea', 'juice'}
i = 1
for x in drink:
    print(i, x)
    i += 1
```

上記のプログラムでは、変数iを使って要素をカウントしています。このプログラムの場合には、enumerate関数を使った方が簡潔に書けるといえます。

## 逆順に繰り返すreversed関数

reversed(リバースト)関数は、イテラブルの要素を逆順に取り出すために使います。for文と組み合わせる場合には、次のように書きます。

for文とreversed関数の組み合わせ

```
for 変数 in reversed(イテラブル):
    文…
```

例えば、**'coffee'、'tea'、'juice'をリストに格納して変数drinkに代入し、for文とreversed関数を適用して要素を逆順で表示**してみてください。

▼reversed1.py

```
drink = ['coffee', 'tea', 'juice']
for x in reversed(drink):
    print(x)
```

実行結果は次のようになります。

```
>python reversed1.py
juice
tea
coffee
```

reversed関数とrange関数を組み合わせることもできます。例えば、**10から0までカウントダウン**するプログラムを、reversed関数とrange関数を使って書いてみてください。

▼reversed2.py

```
for x in reversed(range(11)):
    print(x, end=' ')
```

実行結果は次のようになります。なお、このプログラムの場合は「**range(10, -1, -1)**」と書けば、reversed関数を使わなくても同じ結果が得られます。

```
>python reversed2.py
10 9 8 7 6 5 4 3 2 1 0
```

reversed関数とenumerate関数を組み合わせることもできますが、reversed関数の引数にenumerate関数をそのまま渡すことはできません。reversed関数の引数はイテラブルですが、要素を逆順に取り出せるイテラブルでなければならず、enumerate関数が返すイテラブルは逆順の取り出しに対応していないためです。例えば次のように、enumerate関数の戻り値をlist関数(Chapter4)に渡してリストを作成してから、このリストをreversed関数に渡すことはできます。

reversed関数とenumerate関数の組み合わせ

```
for 変数 in reversed(list(enumerate(イテラブル))):
    文…
```

例えば、**変数drinkに格納された'coffee'、'tea'、'juice'のリストに関して、要素に1から始まる番号を付けたうえで番号の大きい方から表示**してみてください。

▼reversed3.py

```
drink = ['coffee', 'tea', 'juice']
for i, x in reversed(list(enumerate(drink, 1))):
    print(i, x)
```

最初に「3 juice」を、最後に「1 coffee」を表示します。

```
>python reversed3.py
3 juice
2 tea
1 coffee
```

section 04
# for文で書きにくい繰り返しはwhile文で書く

while(ワイル)文は、for文と同様に繰り返しを行うための構文です。for文はイテラブルに対する繰り返しを行いますが、while文は式の値に基づいて繰り返しを行います。指定した式の値がTrueである限り、while文は繰り返しを続けます。

実際のプログラミングにおいて、多くの繰り返しはfor文を使って書くことができます。一方で、ときどきfor文では書きにくい繰り返しも生じます。そういった繰り返しに出会ったら、while文を使ってみてください。

C/C++/Javaなどにもwhile文があります。Pythonのwhile文は、これらの言語と同様の働きをします。一方でC/C++/Javaなどにあるdo-while文は、Pythonにはありません。Pythonは文法を簡潔にすることを優先している言語だと感じます。

## ❖while文の書き方

while文は次のように書きます。式の後にコロン(:)を書いて改行し、次の行からはインデントして書きます。

while文

```
while 式:
    文…
```

if文やfor文と同様に、インデントしている限りwhile文の内側として扱われます。インデントをやめると、while文の外側として扱われます。

▼while文の処理の流れ

```
while 式:
    文… •—— while文の内側(式がTrueの場合に実行)
文…     •—— while文の外側
```

PEP8では推奨されていませんが、コロン(:)の後に文を続けて書くこともできます。セミコロン(;)で区切れば、2個以上の文を書くことも可能です。

while文(コロンに続けて文を書く)

```
while 式: 文
while 式: 文; 文
```

while文は式の値がTrueである限り、内部の文を繰り返し実行します。式の値がFalseになったら繰り返しは終わりで、while文の外側にある文に実行が移ります。

while文を使ったプログラムを書いてみましょう。以下の例はfor文を使っても書けますが、後ほど紹介するcontinue(コンティニュー)文と組み合わせた例において、while文が真価を発揮します。**キーボードから入力した品目(item)を、カタログ(catalog)に登録**します。一定数(ここでは3個)の品目を登録したら、カタログを表示して終了します。具体的には、次のような手順で処理を行います。

1. 変数catalogに空のリストを代入します。
2. while文を使って、catalogの要素数が3よりも小さい限り、以下の3と4を繰り返します。
3. input関数を使って「item: 」と表示し、キーボードから入力された文字列を取得して、変数itemに代入します。
4. appendメソッドを使って、catalogのリストにitemを追加します。
5. print関数を使って、catalogを表示します。

▼while1.py

```
catalog = []
while len(catalog) < 3:
    item = input('item: ')
    catalog.append(item)
print('catalog:', catalog)
```

プログラムを実行して、apple、banana、coconutと入力してみてください。これらの品目が登録されたカタログが表示されれば成功です。

```
>python while1.py
item: apple                                  ← appleを入力
item: banana                                 ← bananaを入力
item: coconut                                ← coconutを入力
catalog: ['apple', 'banana', 'coconut']      ← カタログの表示
```

## 次の繰り返しに進むcontinue文

continue(コンティニュー)文は、while文またはfor文の内部で使います。continue文を使うと、ループの内部にある残りの文を実行せずに、次の繰り返しに移ることができます。continue文は次のように書きます。

continue文

```
continue
```

continue文は次のように、if文と組み合わせて使うことがよくあります。if文の式がTrueだった場合にはcontinue文を実行し、②の文は実行せずに①に戻ることによって、次の繰り返しに移ります。以下はwhile文の例ですが、for文の場合にも同様です。

▼continue文の処理の流れ

```
while 式:                ←①
    文…
    if 式:
        文…
        continue         ←continue文を実行すると、②は実行せずに①に戻る
    文…                  ←②
```

ループがネストになっている場合、continue文が属しているうちで最も内側にあるループについて、次の繰り返しに移ります。以下はwhile文による二重ループの例です。continue文を実行すると、continue文が属しているうちで最も内側にある①のwhile文に戻り、次の繰り返しに移ります。以下はwhile文によるネストですが、for文によるネストの場合にも同様です。

▼ループがネストしている場合のcontinue文の処理の流れ

```
while 式:
    文…
    while 式:                ←── ①
        文…
        if 式:
            文…
            continue         ←── continue文を実行すると、②は実行せずに①に戻る
        文…                  ←── ②
    文…
```

continue文を使ってみましょう。前述のカタログに品目を登録するプログラムを変更して、**すでにカタログに含まれている品目が入力されたら「○○ is on the catalog.」(○○はカタログに載っている)と表示し、continue文を実行して次の繰り返しに**移ってください。

▼continue1.py

```
catalog = []
while len(catalog) < 3:
    item = input('item: ')
    if item in catalog:
        print(item, 'is on the catalog.')
        continue
    catalog.append(item)
print('catalog:', catalog)
```

プログラムを実行して、apple、banana、banana、coconutと入力してみてください。2回目にbananaを入力したときに「banana is on the catalog.」と表示され、品目の入力に戻ります。最後に表示されるカタログで、bananaが重複して登録されることなく、3個の品目が1回ずつ登録されていれば成功です。

```
>python continue1.py
item: apple                                    ← appleを入力
item: banana                                   ← bananaを入力
item: banana                                   ← 再びbananaを入力
banana is on the catalog.                      ← bananaはカタログに登録済み
item: coconut                                  ← coconutを入力
catalog: ['apple', 'banana', 'coconut']        ← カタログの表示
```

上記のプログラムでは、再入力の回数に応じて繰り返しの回数が変動します。このようにユーザの入力によって繰り返しの回数が変化するプログラムについては、for文よりもwhile文の方が向いている場合があります。

## ❖繰り返しを途中で終了するbreak文

break(ブレイク)文もcontinue文と同様に、while文またはfor文の内部で使います。break文を使うと、ループの内部にある残りの文を実行せずに、繰り返しを終了することができます。break文は次のように書きます。

break文

```
break
```

break文もcontinue文と同様に、if文と組み合わせて使うことがよくあります。以下の例では、if文の式がTrueだった場合にはbreak文を実行し、ループの内側にある①は実行せずに繰り返しを終了して、ループの外側にある②に移ります。以下はwhile文の例ですが、for文の場合にも同様です。

▼break文の処理の流れ

```
while 式:
    文…
    if 式:
        文…
        break  ←── break文を実行すると、①は実行せずに②に移る
    文…        ←── ①
文…            ←── ②
```

ループがネストになっている場合、break文が属しているうちで最も内側にあるループについて、繰り返しを終了します。以下はwhile文による二重ループの例です。break文を実行すると、break文が属しているうちで最も内側にある①のループについて、ループの内側にある②は実行せずに繰り返しを終了して、③に移ります。以下はwhile文によるネストですが、for文によるネストの場合にも同様です。

▼ループがネストしている場合のbreak文の処理の流れ

```
while 式:
    文…
    while 式:          ←── ①
        文…
        if 式:
            文…
            break      ←── break文を実行すると、②は実行せずに③に移る
        文…            ←── ②
    文…                ←── ③
```

break文を使ってみましょう。前述のカタログに品目を登録するプログラムを変更して、**すでにカタログに含まれている品目が入力されたら「○○ is on the catalog.」(○○はカタログに載っている)と表示し、break文を実行して繰り返しを終了**してください。

▼break1.py

```
catalog = []
while len(catalog) < 3:
    item = input('item: ')
    if item in catalog:
        print(item, 'is on the catalog.')
        break
    catalog.append(item)
print('catalog:', catalog)
```

プログラムを実行して、apple、banana、bananaと入力してみてください。2回目にbananaを入力したときに「banana is on the catalog.」と表示され、3回目は実行されずに繰り返しを終了します。最後に表示されるカタログには、appleとbananaだけが登録されます。

```
>python break1.py
item: apple                     ← appleを入力
item: banana                    ← bananaを入力
item: banana                    ← 再びbananaを入力
banana is on the catalog.       ← bananaはカタログに登録済み
catalog: ['apple', 'banana']    ← カタログの表示
```

## ❖繰り返しを途中で終了しなかったときに実行するelse節

if文にはelse節を付けることができますが、実はwhile文やfor文にもelse節を付けることができます。if文の場合には、式の値がFalseだったときにelse節を実行します。while文やfor文の場合には、break文によって繰り返しを途中で終了しなかったときに限りelse節を実行します。break文によって繰り返しを終了した場合、else節は実行しません。

while文のelse節は次のように書きます。if文のelse節と同様に、else節についてもインデントが必要です。インデントしている限り、else節の内側になります。

while文のelse節

```
while 式:
    文…
else:
    文…
```

for文のelse節は次のように書きます。for文の場合には、break文によって繰り返しを途中で終了することなく、イテラブルの要素を最後まで処理した場合に、else節を実行します。

for文のelse節

```
for 変数 in イテラブル:
    文…
else:
    文…
```

while文のelse節を使ってみましょう。前述のカタログに品目を登録するプログラムを変更して、**break文を実行しなかったときに限りカタログを表示**してください。break文を実行したときには、カタログは表示しないようにしてください。

▼loop_else1.py

```
catalog = []
while len(catalog) < 3:
    item = input('item: ')
    if item in catalog:
        print(item, 'is on the catalog.')
        break
    catalog.append(item)
else:
    print('catalog:', catalog)
```

プログラムを実行して、apple、banana、bananaと入力してみてください。2回目にbananaを入力したときに「banana is on the catalog.」と表示され、繰り返しを終了します。else節がないときの実行結果とは異なり、最後にカタログが表示されないことに注目してください。

```
>python loop_else1.py
item: apple                    ← appleを入力
item: banana                   ← bananaを入力
item: banana                   ← 再びbananaを入力
banana is on the catalog.      ← bananaはカタログに登録済み
```

再びプログラムを実行して、apple、banana、coconutと入力してください。この場合はbreak文が実行されないので、最後にカタログが表示されます。

```
>python loop_else1.py
item: apple
item: banana
item: coconut
catalog: ['apple', 'banana', 'coconut']
```

for文のelse節も使ってみましょう。**3つの教科に関するテストの点数について、どの教科も70点以上ならば「pass」(合格)と表示**するプログラムを書いてください。1つでも70点未満の教科がある場合には何も表示しません。具体的には次のように処理します。

1. 3個の点数(70, 80, 90)をリストに格納し、変数scoreに代入します。
2. for文を使って、scoreのリストから点数を1個ずつ取り出します。
3. if文とbreak文を使って、点数が70未満の場合には繰り返しを終了します。
4. else節とprint関数を使って、「pass」と表示します。

▼loop_else2.py

```
score = [70, 80, 90]
for x in score:
    if x < 70:
        break
else:
    print('pass')
```

実行結果は次のようになります。

```
>python loop_else2.py
pass
```

上記の場合はどの教科も70点以上なので「pass」と表示されます。今度は点数を「60, 80, 100」に書き換えて、プログラムを実行してみてください。70点未満の教科があるので、何も表示されなければ成功です。

## 無限ループはbreak文で抜け出す

無限ループというのは、ループ(繰り返しの処理)が無限に繰り返されることです。次のようなwhile文を書くと、無限ループになります。式の部分にTrueと書いているため、式の値は常にTrueです。したがって、無限に繰り返しが続きます。

while文による無限ループ

```
while True:
    文…
```

無限ループを使ってみましょう。**無限ループを使って、繰り返し「Hello!」と表示するプログラムを書いてみてください。**

▼infinite1.py

```
while True:
    print('Hello!')
```

上記のプログラムを実行すると、「Hello!」と繰り返し表示され続けます。プログラムを強制的に終了するには、**Ctrl**+**C**キーを押してください。

```
>python infinite1.py
Hello!
Hello!
Hello!
…
```

無限ループは「途中で終了されない限り繰り返したい処理」を書くために役立ちます。例えばユーザが終了を指示しない限り、処理を繰り返すようなプログラムです。

無限ループを終了させるには、break文を使います。例えば次のように書くと、if文の式の値がTrueになったときにbreak文を実行して、無限ループを抜け出すことができます。

無限ループを終了させる

```
while True:
    文…
    if 式:
        文…
        break
    文…
```

無限ループを使って、先ほどよりも少し複雑なプログラムを書いてみましょう。**ユーザが入力した単語の中に何種類の文字が含まれているのかを表示**するプログラムです。例えば「apple」ならば、「a」「p」「l」「e」という4種類の文字が含まれているので「4」と表示します。また、例えば「banana」ならば、「b」「a」「n」という3種類の文字が含まれているので「3」と表示します。

具体的には次のように処理します。「何種類の文字が含まれているのかを数える」というと一見難しそうに思えますが、集合を利用すれば簡単に実現できます。なおユーザが空文字列を入力したら、つまり何も入力せずにEnterキーを押したら、プログラムを終了することにしましょう。

1. 無限ループを使って、以下の2～4を繰り返します。
2. input関数を使って「word: 」(単語)と表示し、入力した文字列を取得して、変数wordに代入します。
3. もしwordが空文字列ならば、break文を使って無限ループを終了します。
4. wordに含まれる文字の種類数を表示します。set関数とlen関数を使います。

▼infinite2.py

```
while True:
    word = input('word: ')
    if not word:                ← 空文字列を入力したら終了
        break
    print(len(set(word)))       ← 文字の種類数を表示
    print(set(word))            ← 文字の一覧を表示
```

文字の種類数は、変数wordの文字列をset関数に渡して集合を作成した後に、len関数を使って集合の要素数を調べればわかります。上記のプログラムでは、どの文字が含まれているのかがわかりやすいように、文字の一覧も表示しています。

文字列が空文字列かどうかの判定には、次のようにいくつかの方法があります。

どの方法を使っても構いませんが、上記のプログラムでは1つ目の方法を使っています。

if not word:　　　　空文字列がFalseと評価されることを利用
if word == '':　　　　空文字列''との比較を利用
if len(word) == 0:　文字列の長さを利用

なお、timeitモジュール(Chapter4)を使って実行時間を測定したところ、1つ目の方法は13.5nsec(ナノ秒)、2つ目は22.5nsec、3つ目は46.1nsecでした。つまり、著者の環境では1つ目が最も高速という結果になりました。

上記のプログラムを実行してみましょう。apple、banana、coconutと入力して、それぞれ4、3、5と表示されることを確認してください。最後に何も入力せずに Enter キーを押すことにより、空文字列を入力してください。プログラムが終了すれば成功です。

```
>python infinite2.py
word: apple                         ← appleを入力
4                                   ← 種類数は4
{'l', 'a', 'p', 'e'}
word: banana                        ← bananaを入力
3                                   ← 種類数は3
{'a', 'b', 'n'}
word: coconut                       ← coconutを入力
5                                   ← 種類数は5
{'t', 'o', 'u', 'c', 'n'}
word:                               ← 空文字列を入力
                                    ← 終了
```

# section 05 何もしないpass文

制御構造とは異なりますが、制御構造と組み合わせて使うこともあるので、pass(パス)文について紹介しておきましょう。pass文は何もしない構文です。トランプなどで自分の手番に何もしないことを「パス」といいますが、passには「通過する」という意味があります。Pythonのpass文も、何もせずに通過するだけです。pass文は次のように書きます。

psss文

```
pass
```

何もしないpass文の使いどころは、「何も処理をしたくないけれども、文法上はそこに文を書く必要がある」ときです。例えばfor文を使って、「何もせずに1億回繰り返すループ」を書いてみてください。for文の内側には何か文を書く必要があるので、pass文を使います。

▼pass1.py

```
for i in range(100000000):
    pass
```

上記のプログラムを実行すると、わずかな時間だけ停止した後に終了します。もし停止している時間がわからないくらい短いときには、繰り返しの回数を増やしてみてください。

上記のプログラムでは、for文の内側で何も処理はしたくなかったのですが、何か文を書く必要があったので、pass文を使いました。pass文はこういった状況で使います。この他にも、何もしない関数(Chapter6)を定義するときや、空のクラス(Chapter7)を定義するときにもpass文は役立ちます。また、「後で正式な処理を書くつもりだけれども、今はとりあえずpass文を書いておこう」という、プレースホルダー(代替物)としてpass文を使うこともできます。

# 基礎編 Chapter6

# よく使う処理を関数にまとめる

プログラミングにおける関数（かんすう）とは、何らかの機能を提供する処理を、再利用しやすい形にまとめたものです。今までもPythonが提供する色々な関数を使ってきましたが、今度は自分で関数を定義する方法を学びましょう。
プログラムを書いていて、似たような処理を何度も書いている感触があったら、ぜひ関数を定義してみてください。似たような処理を上手に関数にまとめることによって、プログラムを大幅に簡潔にできることがあります。
関数に関連して、スコープについても学びましょう。スコープというのは、識別子（変数名や関数名など）の有効範囲のことです。ここでは特に、グローバル変数やローカル変数など、スコープが異なる変数の使い方について学びます。

## 本章の学習内容

①関数の定義方法
②関数の引数の扱い方
③変数のスコープ

section 01

# 関数は引数の扱いがポイント

上手に関数を定義するためのポイントの1つは、引数の扱い方です。すでに学んだように、Pythonの引数には位置引数とキーワード引数があります(Chapter2)。例えば以下のprint関数を使ったプログラムにおいて、'Hello'と'Python'は位置引数で、end=''はキーワード引数です。

▼func1.py

```
print('Hello', 'Python', end='')
```

使用頻度が高い引数は位置引数として指定し、使用頻度が低い引数は必要なときだけキーワード引数として指定すると、プログラムを記述しやすい傾向があります。独自の関数を定義する場合には、使用頻度が低い引数に対して後述するデフォルト値を設定することにより、引数を省略可能にするとよいでしょう。

## ❖独自の関数を定義するには

関数は次のように定義します。define(定義する)やdefinition(定義)を意味すると思われる、def(デフ)というキーワードを使います。

独自の関数を定義

```
def 関数名(引数, …):
    文…
```

コロン(:)の後で改行し、次の行からはインデントして書きます。インデントしている限り、関数の内側として扱われます。インデントをやめると、関数の外側として扱われます。

▼関数定義の処理の流れ

```
def 関数名(引数, …):
    文…                    ←関数で行う処理
文…                        ←関数の外側
```

標準コーディングスタイル(PEP8)では推奨されていませんが、コロンの後に文を続けて書くこともできます。セミコロン(;)で区切れば、2個以上の文を書くことも可能です。

独自の関数を定義(コロンに続けて文を書く)

```
def 関数名(引数, …): 文
def 関数名(引数, …): 文; 文
```

なおPEP8では、次のように関数定義の前後に空行を2行ずつ入れることを推奨しています。本書では紙面の都合上、この推奨には沿っていないのですが、ご了承ください。

関数定義の前後に空行を2行ずつ入れる(PEP8の推奨)

```
文…
                                  ← 空行
                                  ← 空行
def 関数名(引数, …):
    文…
                                  ← 空行
                                  ← 空行
文…
```

引数がない場合、1個の場合、2個以上の場合の書き方は、それぞれ次の通りです。2個以上の場合にはカンマ(,)で区切って書きます。

関数の引数がない場合

```
def 関数名():
```

関数の引数が1個の場合

```
def 関数名(引数):
```

関数の複数が2個以上の場合

```
def 関数名(引数, …):
```

関数名は自由に付けることができますが、PEP8では変数名と同様に、関数名には英小文字を使うことを推奨しています(Chapter3)。名前が複数の単語から構成されている場合には、単語の間をアンダースコア(_)で区切ります。

さて、実際に関数を定義してみましょう。食事を注文するための、order(オーダー、注文)関数を定義します。main(メイン)、side(サイド)、drink(ドリンク)という3個の引数を受け取って、以下のように表示してください。

main：○○ ← 引数mainの値
side ：□□ ← 引数sideの値
drink：△△ ← 引数drinkの値

**order関数を定義したら、引数に'steak'、'salad'、'coffee'を指定して呼び出し**てみてください。

▼func2.py

```
def order(main, side, drink):          ← order関数の定義
    print('main :', main)
    print('side :', side)
    print('drink:', drink)

order('steak', 'salad', 'coffee')      ← order関数の呼び出し
```

main、side、drinkとして、それぞれsteak、salad、coffeeが表示されれば成功です。

```
>python func2.py
main : steak
side : salad
drink: coffee
```

関数の定義に記述する引数のことを仮引数(かりひきすう)と呼び、関数を呼び出すときに渡す引数のことを実引数(じつひきすう)と呼びます。普段はどちらも引数と呼びますが、特に区別したいときには仮引数または実引数という用語を使います。前述のプログラムにおいては、order関数の定義に記述したmain、side、drinkが仮引数です。一方、呼び出しの際に渡した'steak'、'salad'、'coffee'が実引数です。

なお英語では、仮引数はparameter(パラメータ)と呼び、実引数はargument(アーギュメント)と呼びます。日本語でもパラメータという言葉を使うことがありますが、これは英語では仮引数のことです。

## 戻り値を返すreturn文

関数には戻り値を返すものもあります。例えば、len関数は文字列の文字数やデータ構造の要素数を返し、input関数はキーボードから入力された文字列を返します。このように関数から戻り値を返すには、return(リターン)文を使います。return文を実行すると、式を評価した結果の値が、戻り値として関数の呼び出し元に返ります。以下の式の部分には、値(リテラル)、変数、関数呼び出しや、これらを演算子で組み合わせたものなどを書くことができます。

式の結果を戻り値で返す(return文)

```
return 式
```

次のようにreturn文は関数の末尾に書くことが多いです。関数が戻り値を返す必要がない場合には、return文を省略しても構いません。関数の末尾に達すると、return文がなくても呼び出し元に戻ります(この場合の戻り値は自動的にNoneとなります)。

return文を関数の末尾に記述

```
def 関数名(引数, …):
    文…
    return 式
```

return文を使って、戻り値を返す関数を定義してみましょう。**引数が奇数のときには「odd」(奇数)、偶数のときには「even」(偶数)という文字列を返すodd_even関数を定義**してください。奇数か偶数かの判定は、剰余を求める%演算子(Chapter3)を使った条件式(Chapter5)で可能です。2で割ったときの余りが0以外ならば奇数、0ならば偶数です。odd_even関数は、具体的には次のような処理を行います。

1. 引数nを受け取ります。
2. return文と条件式を使って、nを2で割った余りが0以外ならば'odd'を、0ならば'even'を返します。

odd_even関数を定義したら、引数に「5」を指定して呼び出し、結果をprint関数で表示してください。次は引数に「6」を指定して呼び出し、同様に結果を表示してください。

▼func3.py

```
def odd_even(n):                          ← odd_even関数の定義
    return 'odd' if n%2 else 'even'

print(odd_even(5))                        ← odd_even関数の呼び出し(引数は5)
print(odd_even(6))                        ← odd_even関数の呼び出し(引数は6)
```

それぞれ「odd」と「even」が表示されれば成功です。

```
>python func3.py
odd      ← 5は奇数
even     ← 6は偶数
```

上記のプログラムにおいて、ifの式は「n%2 != 0」ではなく「n%2」と書いています。0以外の数値はTrue、0はFalseの扱いになるので、「n%2 != 0」と書かなくても「n%2」と書くだけで済みます。

さて、return文は関数の末尾だけではなく、途中に書くこともできます。この場合はif文とreturn文を組み合わせて、次のように書くことが多いでしょう。

return文を関数の途中に記述

```
def 関数名(引数, …):
    文…
    if 式:
        文…
        return 式
    文…
```

if文の式の値がTrueのときにreturn文を実行し、関数の内側にある①の文は実行せずに、呼び出し元に戻ります。

▼return文の処理の流れ

```
def 関数名(引数, …):
    文…
    if 式:
        文…
        return 式 •—— return文を実行すると、①は実行せずに呼び出し元に戻る
    文…        •—— ①
```

呼び出し元に戻りたいだけで、戻り値を返す必要がないときには、次のようにreturn文の式を省略することができます(この場合の戻り値は自動的に「None」となります)。この記法は、上記のようにif文と組み合わせて、関数の途中で呼び出し元に戻りたいときに使うとよいでしょう。

戻り値を返さずに呼び出し元に戻る(return文)

```
return
```

関数の途中でreturn文を使ってみましょう。前述のodd_even関数を変更して、**引数が整数ではない(浮動小数点数である)場合には文字列'error'を返す**ようにしてください。具体的な処理の手順は次の通りです。

1. 引数nを受け取ります。
2. if文とreturn文を使って、nが整数でなければ'error'を返します。nが整数かどうかは、nとint(n)を比較すればわかります。
3. return文と条件式を使って、nを2で割った余りが0以外ならば'odd'を、0ならば'even'を返します。

odd_even関数を定義したら、引数に5、6、7.7を渡して呼び出し、それぞれの結果をprint関数で表示してください。

▼func4.py

```
def odd_even(n):
    if n != int(n):
        return 'error'                     ← 関数の途中にあるreturn文
    return 'odd' if n%2 else 'even'        ← 関数の末尾にあるreturn文

print(odd_even(5))
print(odd_even(6))
print(odd_even(7.7))
```

順番に「odd」「even」「error」が表示されれば成功です。

```
>python func4.py
odd      ← 5は奇数
even     ← 6は偶数
error    ← 7.7はエラー
```

上記のプログラムでは、「**n != int(n)**」のように、「nの元の値」と「nをint関数で整数にした値」を比較しています。両者が一致しない場合には、nは整数ではないので、return文を実行して'error'を返します。

## ❖引数の順序が大事な位置引数

位置引数を使うときには、関数を定義したときの仮引数の順序と、関数を呼び出すときの実引数の順序を一致させる必要があります。例えば次のように、仮引数が引数A、引数B、引数Cの順ならば、実引数も同じ引数A、引数B、引数Cの順に並べます。

▼仮引数と実引数の順序

```
def 関数名(引数A, 引数B, 引数C): ←── 関数の定義
    文…

関数名(引数A, 引数B, 引数C)        ←── 関数の呼び出し
```

前述のorder関数を使って、位置引数の働きを確認してみましょう。order関数の定義は次の通りです。**order関数を定義したうえで、引数に'pizza'、'soup'、'juice'を指定して呼び出し**てみてください。

▼pos1.py

```
def order(main, side, drink):
    print('main :', main)
    print('side :', side)
    print('drink:', drink)

order('pizza', 'soup', 'juice')
```

main、side、drinkに対して、それぞれpizza、soup、juiceが表示されれば、仮引数と実引数の順序が一致していることがわかります。

```
>python pos1.py
main : pizza
```

```
side : soup
drink: juice
```

アスタリスク(*)を使って、実引数に「*イテラブル」と記述すると、イテラブルから要素を取り出し、各要素を別々の引数として関数に渡すことができます。この機能はイテラブルアンパッキング(イテラブルアンパック)と呼ばれます。1回の関数呼び出しにおいて、「*イテラブル」は通常の引数と混ぜて使うことができ、また「*イテラブル」を複数回使うこともできます。

例えば、**'hotcake'、'fruit'、'tea'を格納したリストを作成し、変数snackに代入**してください。そして、**snackにイテラブルアンパッキングを適用したものを引数として、前述のorder関数を呼び出し**てみてください。

▼pos2.py

```
def order(main, side, drink):
    print('main :', main)
    print('side :', side)
    print('drink:', drink)

snack = ['hotcake', 'fruit', 'tea']
order(*snack)
```

「main」「side」「drink」として、「hotcake」「fruit」「tea」が表示されれば成功です。

```
>python pos2.py
main : hotcake
side : fruit
drink: tea
```

今度は、**'hotcake'と'fruit'だけを格納したリストを作成して変数snackに代入**してください。そして、**snackにイテラブルアンパックを適用したものと'tea'を引数としてorder関数を呼び出し**てみてください。上記と同じ実行結果になれば成功です。

▼pos3.py

```
def order(main, side, drink):
    print('main :', main)
    print('side :', side)
    print('drink:', drink)

snack = ['hotcake', 'fruit']
order(*snack, 'tea')
```

## ❖引数の順序が自由なキーワード引数

キーワード引数を使うと、関数を定義したときの仮引数の順序とは異なる順序で、関数を呼び出すときの実引数を指定することができます。キーワード引数は「引数名=値」の形式で書きます。例えば次のように、仮引数が引数A、引数B、引数Cならば、キーワード引数を使った実引数の並べ方は全部で6通りあります。

▼キーワード引数を使った実引数の並べ方

```
def 関数名(引数A, 引数B, 引数C):      ←関数の定義
    文…

関数名(引数A=値A, 引数B=値B, 引数C=値C)   ←関数の呼び出し①
関数名(引数A=値A, 引数C=値C, 引数B=値B)   ←関数の呼び出し②
関数名(引数B=値B, 引数C=値C, 引数A=値A)   ←関数の呼び出し③
関数名(引数B=値B, 引数A=値A, 引数C=値C)   ←関数の呼び出し④
関数名(引数C=値C, 引数A=値A, 引数B=値B)   ←関数の呼び出し⑤
関数名(引数C=値C, 引数B=値B, 引数A=値A)   ←関数の呼び出し⑥
```

前述のorder関数を使って、キーワード引数の働きを確認してみましょう。**order関数を定義したうえで、引数のmain、side、drinkに対して、それぞれ'steak'、'salad'、'coffee'を指定して呼び出し**てください。キーワード引数を使って、全部で6通りの並べ方を試してみてください。

▼keyword1.py

```
def order(main, side, drink):
    print('main :', main)
    print('side :', side)
    print('drink:', drink)

order(main='steak', side='salad', drink='coffee')
order(main='steak', drink='coffee', side='salad')
order(side='salad', drink='coffee', main='steak')
order(side='salad', main='steak', drink='coffee')
order(drink='coffee', main='steak', side='salad')
order(drink='coffee', side='salad', main='steak')
```

どの並べ方でも、実行結果がsteak、salad、drinkの順序になれば成功です。

```
>python keyword1.py
main : steak
side : salad
drink: coffee
...                    ← 以下繰り返し
```

なお、位置引数とキーワード引数を併用する場合には、位置引数を左に、キーワード引数を右に書きます(Chapter2)。例えば、**mainの'steak'を位置引数で指定し、drinkの'coffee'とsideの'salad'はキーワード引数で指定して、order関数を呼び出し**てみてください。

▼keyword2.py

```
def order(main, side, drink):
    print('main :', main)
    print('side :', side)
    print('drink:', drink)

order('steak', drink='coffee', side='salad')
```

実行結果は次のようになります。

```
>python keyword2.py
main : steak
side : salad
drink: coffee
```

位置引数をキーワード引数よりも右に書くと、エラー(SyntaxError、文法エラー)が発生します。例えば以下の呼び出しは、位置引数の'steak'がキーワード引数の「**drink='coffee'**」や「**side='salad'**」よりも右にあるので、いずれもエラーになります。

```
order(drink='coffee', side='salad', 'steak')
order(side='salad', drink='coffee', 'steak')
order(drink='coffee', 'steak', side='salad')
order(side='salad', 'steak', drink='coffee')
```

アスタリスク(*)を2個使って、実引数に「**辞書」と記述すると、辞書からキーと値の組を取り出し、「キー=値」というキーワード引数として関数に渡すことができます。この機能は辞書アンパッキング(辞書アンパック)と呼ばれます。1回の関数呼び出しにおいて、「**辞書」は通常の引数と混ぜて使うことができ、また「**辞書」を複数回使うこともできます。

例えば、**以下を格納した辞書を作成し、変数dessert(デザート)に代入**してください。そして、**dessertに辞書アンパッキングを適用したものを引数として、前述のorder関数を呼び出し**てみてください。

キー「main」、値「parfait」(パフェ)
キー「side」、値「cookie」(クッキー)
キー「drink」、値「cocoa」(ココア)

▼keyword3.py

```
def order(main, side, drink):
    print('main :', main)
    print('side :', side)
    print('drink:', drink)

dessert = {'main': 'parfait', 'side': 'cookie', 'drink': 'cocoa'}
order(**dessert)
```

「main」「side」「drink」として、「parfait」「cookie」「cocoa」が表示されれば成功です。

```
>python keyword3.py
main : parfait
side : cookie
drink: cocoa
```

イテラブルアンパッキングと辞書アンパッキングを混ぜて使うときには、イテラブルアンパッキングを左に、辞書アンパッキングを右に書きます。イテラブルアンパッキングは位置引数の一種であり、辞書アンパッキングはキーワード引数の一種であると考えるとわかりやすいでしょう。「位置引数またはイテラブルアンパッキングを左に、キーワード引数または辞書アンパッキングを右に書く」と覚えるとよいでしょう。

例えば、order関数を次のような引数で呼び出してみてください。これは位置引数、イテラブルアンパッキング、辞書アンパッキングの組み合わせです。

```
'hotcake', *['fruit'], **{'drink': 'tea'}
```

▼keyword4.py

```
def order(main, side, drink):
    print('main :', main)
    print('side :', side)
    print('drink:', drink)

order('hotcake', *['fruit'], **{'drink': 'tea'})
```

実行結果は次のようになります。

```
>python keyword4.py
main : hotcake
side : fruit
drink: tea
```

同様に、次のような呼び出しも試してみてください。これはイテラブルアンパッキング、辞書アンパッキング、キーワード引数の組み合わせです。

```
*['parfait'], **{'drink': 'cocoa'}, side='cookie'
```

▼keyword5.py

```
def order(main, side, drink):
    print('main :', main)
    print('side :', side)
    print('drink:', drink)

order(*['parfait'], **{'drink': 'cocoa'}, side='cookie')
```

実行結果は次のようになります。

```
>python keyword5.py
main : parfait
side : cookie
drink: cocoa
```

## ❖引数にはデフォルト値が設定できる

関数の引数にはデフォルト値を設定することができます。デフォルト値を設定した引数について、関数を呼び出す際に実引数を省略すると、代わりに設定したデフォルト値が使われます。デフォルト値を設定するには、関数の定義を次のように書きます。

引数のデフォルト値を設定

```
def 関数名(引数=デフォルト値, …):
```

一部の引数だけにデフォルト値を設定する場合には、デフォルト値がない引数を左に、デフォルト値がある引数を右に書きます。

引数のデフォルト値を設定(一部に設定)

```
def 関数名(引数, …, 引数=デフォルト値, …):
```

前述のorder関数に対して、デフォルト値を設定してみましょう。**mainに'steak'、sideに'salad'、drinkに'coffee'を、それぞれデフォルト値として設定**してください。そのうえで、order関数を次のような結果になるように呼び出してください。引数のデフォルト値を活用して、指定する引数をできるだけ少なくしてみてください。

・mainはsteak、sideはsalad、drinkはcoffee
・mainはpizza、sideはsalad、drinkはcoffee
・mainはsteak、sideはsoup、drinkはcoffee

▼default1.py

```
def order(main='steak', side='salad', drink='coffee'):
    print('main :', main)
    print('side :', side)
    print('drink:', drink)

order()                  ← steak, salad, coffee
order('pizza')           ← pizza, salad, coffee
order(side='soup')       ← steak, soup, coffee
```

実行結果は次のようになります。

```
>python default1.py
main : steak   ┐
side : salad   │← order()の結果
drink: coffee  ┘
main : pizza   ┐
side : salad   │← order('pizza')の結果
drink: coffee  ┘
main : steak   ┐
side : soup    │← order(sige='soup')の結果
drink: coffee  ┘
```

上記のプログラムでは、デフォルト値のままでよい引数は指定しないで、デフォルト値とは違う値にしたい引数だけを指定しています。これは現実のレストランにおいて、あらかじめ決められたセットの中で変更したい料理だけを差し替えるのに似ています。

## ❖可変長引数はタプルか辞書で受け取る

**可変長引数**とは、個数が任意の引数のことです。可変長引数を取る関数の例としては、print関数があります。例えば、**print関数を以下のような引数で呼び出し**てみてください。

①引数なし
②'hotcake'
③'hotcake'と'pizza'
④'hotcake'と'pizza'と'steak'

▼varargs1.py

```
print()                                   ← ①引数なし
print('hotcake')                          ← ②'hotcake'
print('hotcake', 'pizza')                 ← ③'hotcake'と'pizza'
print('hotcake', 'pizza', 'steak')        ← ④'hotcake'と'pizza'と'steak'
```

実行結果は次のようになります。このようにprint関数には、任意個の引数を渡すことができます。

```
>python varargs1.py
                            ← ①の出力(空行)
hotcake                     ← ②の出力
hotcake pizza               ← ③の出力
hotcake pizza steak         ← ④の出力
```

print関数のような可変長引数の関数を定義するには、アスタリスク(*)を使って、仮引数に「*引数」または「**引数」と書きます。*は任意個の位置引数をタプルとして受け取るために、**は任意個のキーワード引数を辞書として受け取るために使います。

可変長引数の定義(タプルとして受け取る)

```
def 関数名(*引数):
```

可変長引数の定義(辞書として受け取る)

```
def 関数名(**引数):
```

実際に使ってみましょう。**「*」(タプルとして受け取る)を使って任意個の位置引数をxとして受け取り、xを表示する関数f**を定義してください。そして、以下の4通りの引数で関数fを呼び出してみてください。

①引数なし

②'hotcake'

③'hotcake'と'pizza'

④'hotcake'と'pizza'と'steak'

▼varargs2.py

```
def f(*x):                              ← 関数の定義
    print(x)

f()                                     ← ①の呼び出し
f('hotcake')                            ← ②の呼び出し
f('hotcake', 'pizza')                   ← ③の呼び出し
f('hotcake', 'pizza', 'steak')          ← ④の呼び出し
```

実行結果は次のようになります。

```
>python varargs2.py
()                                      ← ①の出力(空のタプル)
('hotcake',)                            ← ②の出力
('hotcake', 'pizza')                    ← ③の出力
('hotcake', 'pizza', 'steak')           ← ④の出力
```

実行結果から、複数の位置引数をタプルとして受け取れていることが確認できます。なお要素が1個のタプルには、('hotcake',)のようにカンマ(,)が付くことに注意してください(Chapter4)。

次は**を使ってみましょう。**(辞書として受け取る)を使って任意個のキーワード引数をxとして受け取り、xを表示する関数f**を定義してください。そして、以下の4通りの引数で関数fを呼び出してみてください。引数名にはbreakfast(朝食)、lunch(昼食)、dinner(夕食)を使います。

①引数なし
②breakfast='hotcake'
③breakfast='hotcake'と、lunch='pizza'
④breakfast='hotcake'と、lunch='pizza'と、dinner='steak'

▼varargs3.py

```
def f(**x):                                                      ← 関数の定義
    print(x)


f()                                                              ← ①の呼び出し
f(breakfast='hotcake')                                           ← ②の呼び出し
f(breakfast='hotcake', lunch='pizza')                            ← ③の呼び出し
f(breakfast='hotcake', lunch='pizza', dinner='steak')            ← ④の呼び出し
```

実行結果は次のようになります。

```
>python varargs3.py
{}                                                               ← ①の出力
{'breakfast': 'hotcake'}                                         ← ②の出力
{'breakfast': 'hotcake', 'lunch': 'pizza'}                       ← ③の出力
{'breakfast': 'hotcake', 'lunch': 'pizza', 'dinner': 'steak'}    ← ④の出力
```

実行結果から、複数のキーワード引数を辞書として受け取れていることが確認できます。このように*や**を使うと、任意個の引数をタプルや辞書として受け取ることができます。

次のように、*と**を組み合わせることも可能です。この場合、位置引数はタプルとして「*引数」から、キーワード引数は辞書として「**引数」から取得できます。

可変長引数の定義(タプルと辞書の組み合わせ)

```
def 関数名(*引数, **引数):
```

実際に使ってみましょう。食事のメニューを番号付きで表示する、count関数を定義します。**count関数は任意個の位置引数と、任意個のキーワード引数を受け取る**とします。次のようにcount関数を呼び出したときに、以下のような実行結果になるように、count関数を定義してください。

```
count('hotcake', 'pizza', snack='parfait', dinner='steak')
```

```
>python varargs4.py
[ 1 ] hotcake              ← ホットケーキ
[ 2 ] pizza                ← ピザ
[ 3 ] snack : parfait      ← おやつ: パフェ
[ 4 ] dinner : steak       ← 夕食: ステーキ
```

番号は「1」から開始して、「1」ずつ増加します。位置引数とキーワード引数は、それぞれ以下の形式で表示します。

```
[ 番号 ] 値          ← 位置引数
[ 番号 ] キー : 値   ← キーワード引数
```

▼varargs4.py

```
def count(*t, **d):
    for i, x in enumerate(t, 1):                          ← タプルの表示
        print('[', i, ']', x)
    for i, (k, v) in enumerate(d.items(), len(t)+1):      ← 辞書の表示
        print('[', i, ']', k, ':', v)

count('hotcake', 'pizza', snack='parfait', dinner='steak')
```

上記の実装例では、番号を生成するためにenumerate関数を使ってみました(Chapter5)。位置引数が入ったタプルを表示する際には、番号を1から始めるために、enumerate関数の第2引数に「1」を指定します。また、キーワード引数が入った辞書を表示する際には、番号を続きから始めるために、enumetrate関数の第2引数に「タプルの要素数+1」を指定しています。

辞書に関してはitemsメソッドを使って、キーと値の組をタプルとして取り出します(Chapter4)。さらにenumerate関数を使うことによって、「(番号, (キー , 値))」

という形式のタプルを作ります。このタプルを変数i(番号)、k(キー)、v(値)にアンパッキングするのですが、「i, k, v」ではなく、「i, (k, v)」と書く必要があることに注意してください。このようにタプルが入れ子になっている(タプルの中にタプルが入っている)場合には、タプルの形式に合わせて、アンパッキングの際に丸括弧を記述する必要があります。

## ❖位置専用引数とキーワード専用引数

可変長引数を実現する*と**について、もう少し複雑な使い方を学んでみましょう。次のように、*や**が付いた引数を、*や**が付いていない引数と組み合わせることも可能です。引数、*引数、キーワード専用引数、**引数は、いずれも省略できますが、以下の順序で並べる必要があります。

さまざまな引数の組み合わせ

```
def 関数名(引数…, *引数, キーワード専用引数…, **引数):
```

上記において「*引数」よりも後の引数は、キーワード専用引数になります。キーワード専用引数には、実引数をキーワード引数としてのみ渡すことができます。「*引数」よりも前の引数は、位置引数とキーワード引数のどちらでも渡すことができます。

キーワード専用引数に対して、位置専用引数もあります(Python 3.8以降)。位置専用引数には、実引数を位置引数としてのみ渡すことができます。引数を位置専用引数にするには、次のように「/」(スラッシュ)で引数を区切ります。/よりも前の引数は位置専用引数になります。

/による位置専用引数の指定

```
def 関数名(位置専用引数…, /, 引数…, *引数, キーワード専用引数…, **引数):
```

可変長引数を使わずにキーワード専用引数を指定したい場合には、「*引数」ではなく「*」を使います。次のように書くと、/よりも前は位置専用引数に、*よりも後はキーワード専用引数に、/と*の間は位置引数とキーワード引数の両用になります。

*によるキーワード専用引数の指定

```
def 関数名(位置専用引数…, /, 引数…, *, キーワード専用引数…):
```

上記のように幅広い種類の引数がありますが、実際のプログラミングではこの中から必要な一部を選んで使うことが多いでしょう。ここでは各引数の動作を確認するために、以下のようなプログラムを用意してみました。**5種類の引数a ~ eを受け取り、値を表示する関数f**です。まずは各引数の種類を確認してください。

▼only1.py

```
def f(a, /, b, *c, d, **e):
    print('a:', a)           ← aは位置専用引数
    print('b:', b)           ← bは位置引数とキーワード引数の両用
    print('c:', c)           ← cは*引数
    print('d:', d)           ← dはキーワード専用引数
    print('e:', e)           ← eは**引数
```

上記の関数fをいくつかのパターンで呼び出してみましょう。それぞれの呼び出しの結果、a ~ eの各変数にどのような値が代入されるのか、予想してみてください。最初は次のプログラムです。

▼only2.py

```
def f(a, /, b, *c, d, **e):
    print('a:', a)
    print('b:', b)
    print('c:', c)
    print('d:', d)
    print('e:', e)

f(1, 2, 3, 4, d=5, x=6, y=7)
```

位置引数のaに1、bに2が入り、残りの位置引数である3と4はcに入ります。そしてキーワード引数のdに5が入り、残りのキーワード引数であるx=6とy=7はeに入ります。

```
>python only2.py
a: 1
b: 2
c: (3, 4)
d: 5
e: {'x': 6, 'y': 7}
```

bは位置引数とキーワード引数の両用です。そこで次のように、bをキーワード引数にしてみましょう。実行結果を予想してみてください。

▼only3.py

```
def f(a, /, b, *c, d, **e):
    print('a:', a)
    print('b:', b)
    print('c:', c)
    print('d:', d)
    print('e:', e)

f(1, b=2, 3, 4, d=5, x=6, y=7)
```

実は上記のプログラムはエラーになります。エラーの内容は「文法エラー：キーワード引数の後に位置引数がある」です。位置引数とキーワード引数を併用する場合、位置引数を左に、キーワード引数を右に配置する必要があることを思い出してください。

```
>python only3.py
  File "…". line 8
    f(1, b=2, 3, 4, d=5, x=6, y=7)
              ^
SyntaxError: positional argument follows keyword argument
```

次のようにキーワード引数の後に位置引数を書かなければ、エラーは発生しません。この場合、各引数には何が代入されるでしょうか。

▼only4.py

```
def f(a, /, b, *c, d, **e):
    print('a:', a)
    print('b:', b)
    print('c:', c)
    print('d:', d)
    print('e:', e)

f(1, b=2, d=5, x=6, y=7)
```

aとb以外の残った位置引数がcに入るのですが、この場合はbの後に位置引数がないので、cは空のタプルになります。

```
>python only4.py
a: 1
b: 2
c: ()
d: 5
e: {'x': 6, 'y': 7}
```

必須の引数だけを指定したのが次のプログラムです。各引数に代入される値を予想してください。

▼only5.py

```
def f(a, /, b, *c, d, **e):
    print('a:', a)
    print('b:', b)
    print('c:', c)
    print('d:', d)
    print('e:', e)

f(1, 2, d=5)
```

この場合はa、b、dに値が入ります。残りの位置引数がないのでcは空のタプルになり、残りのキーワード引数がないのでeは空の辞書になります。

```
>python only5.py
a: 1
b: 2
c: ()
d: 5
e: {}
```

aは位置専用引数です。次のようにaをキーワード引数として渡すと、何が起こるでしょうか。

▼only6.py

```
def f(a, /, b, *c, d, **e):
    print('a:', a)
    print('b:', b)
    print('c:', c)
    print('d:', d)
    print('e:', e)

f(a=1, b=2, d=5)
```

この場合は次のようなエラーが発生します。エラーの内容は「型エラー：f()に必要な位置引数が1個欠けている：a」です。この例から、位置専用引数はキーワード引数として渡せないことがわかります。

```
>python only6.py
Traceback (most recent call last):
  File "…", line 8, in <module>
    f(a=1, b=2, d=5)
TypeError: f() missing 1 required positional argument: 'a'
```

続いては、以下のようなプログラムを試してみましょう。「*引数」のcと、「**引数」のeを、キーワード引数として渡そうとしています。実行結果はどうなるでしょうか。

▼only7.py

```
def f(a, /, b, *c, d, **e):
    print('a:', a)
    print('b:', b)
    print('c:', c)
    print('d:', d)
    print('e:', e)

f(1, 2, c=3, d=4, e=5)
```

以下の実行結果のように、「*引数」や「**引数」をキーワード引数として渡すことはできません。「*c」や「**e」とは別に、キーワード引数のcとeを指定したことになり、これはeの辞書に格納されます。

```
>python only7.py
a: 1
b: 2
c: ()
d: 4
e: {'c': 3, 'e': 5}
```

さて、引数には多くの種類があることを学びましたが、ここで少し実用的なプログラムを書いてみましょう。先ほど作成した、**食事のメニューを番号付きで表示するcount関数(varargs4.py)を、番号を「1」以外からでも始められるように改造**してください。

▼varargs4.py(再掲)

```
def count(*t, **d):
    for i, x in enumerate(t, 1):
        print('[', i, ']', x)
    for i, (k, v) in enumerate(d.items(), len(t)+1):
        print('[', i, ']', k, ':', v)

count('hotcake', 'pizza', snack='parfait', dinner='steak')
```

開始番号はキーワード引数のstartで指定することにしましょう。例えば、以下はstartに100を指定した場合の、count関数の呼び出しです（以下は紙面の都合上、2行に折り返して表示しています）。

```
count('hotcake', 'pizza', snack='parfait', dinner='steak',
start=100)
```

上記の方法でcount関数を呼び出した場合、実行結果は次のようになります。

```
[ 100 ] hotcake
[ 101 ] pizza
[ 102 ] snack : parfait
[ 103 ] dinner : steak
```

startの指定を省略した場合は「1」から始めることにします。以下は、startを省略した呼び出しの例です。

```
count('hotcake', 'pizza', snack='parfait', dinner='steak')
```

これは改造前のcount関数と同じ動作をします。

```
[ 1 ] hotcake
[ 2 ] pizza
[ 3 ] snack : parfait
[ 4 ] dinner : steak
```

count関数の引数としては、「*引数」と「**引数」に加えて、キーワード引数のstartが必要です。またstartを省略可能にするために、デフォルト値も必要になります。

▼only8.py

```
def count(*t, start=1, **d):
    for i, x in enumerate(t, start):
        print('[', i, ']', x)
    for i, (k, v) in enumerate(d.items(), len(t)+start):
        print('[', i, ']', k, ':', v)
```

```
count('hotcake', 'pizza', snack='parfait', dinner='steak', start=100)
count('hotcake', 'pizza', snack='parfait', dinner='steak')
```

上記のプログラムでは、引数に「**start=1**」を追加しました。これはキーワード引数なので、「*引数」と「**引数」の間に書くことに注意してください。

引数のstartは、enumerate関数の第2引数で使っています。enumerate関数の1回目の呼び出しでは第2引数を「**start**」、2回目の呼び出しでは「**len(t)+start**」として、開始番号をメニューの番号に反映しています。

section 02

# 変数を作成する場所でスコープが変わる

変数のスコープ(有効範囲)は、変数を作成する(変数名をオブジェクトにバインドする)場所によって変わります。関数の外側で作成した変数は**グローバル変数**となり、関数の外側でも内側でも使えます。関数の内側で作成した変数は**ローカル変数**となり、その関数の内側だけで使えます。ここではグローバル変数とローカル変数を使い分ける方法と、どの変数にアクセスするのかを指定するglobal文およびnonlocal文について学びましょう。

## ❖どこでも有効なグローバル変数

関数の外側で変数に値を代入すると、**グローバル変数**を作成することができます。グローバル変数は関数の外側からはもちろん、どの関数の内側からでも参照することができます。

例えば、**変数textの内容を表示する関数fと関数gを定義**してください。次に、**関数の外側でtextに'Hello'を代入して、グローバル変数textを作成**します。続いて**関数fと関数gを呼び出し、最後に関数の外側でtextを表示**してください。

▼scope1.py

```
def f():
    print('f():', text)      ← 関数fの内側でtextを表示

def g():
    print('g():', text)      ← 関数gの内側でtextを表示

text = 'Hello'               ← グローバル変数textを作成
f()                          ← 関数fを呼び出し
g()                          ← 関数gを呼び出し
print(text)                  ← 関数の外側でtextを表示
```

上記のプログラムでは、関数fや関数gの内側で変数textを表示する処理の方が、グローバル変数textを作成する処理よりも前にあることに注意してください。このように関数を定義する際には、関数内で使用している変数がまだ作成されていなくても構いません。関数を呼び出したときに、必要な変数が作成されていれば大丈夫です。上記のプログラムを実行すると、以下のように「Hello」が3回表示されます。

```
>python scope1.py
f(): Hello      ← 関数fでグローバル変数textを表示
g(): Hello      ← 関数gでグローバル変数textを表示
Hello           ← 関数の外側でグローバル変数textを表示
```

## ❖関数の中だけで有効なローカル変数

関数の内側で変数に値を代入すると、**ローカル変数**になります。ローカル変数は、その変数を作成した関数の内側だけから参照でき、他の関数からは参照できません。逆にいえば、ある関数で作成したローカル変数と同じ名前の変数を、他の関数のローカル変数として作成しても構いません。また、グローバル変数と同じ名前のローカル変数も作成することができ、この変数を作成した関数の内側においては、ローカル変数が優先されます。

例えば、**関数fを定義し、変数textに対して'Good Morning'を代入してからtextを表示**してください。同様に**関数gを定義し、変数textに対して'Good Night'を代入してからtextを表示**します。次に、**関数の外側で変数textに対して'Hello'を代入して、グローバル変数textを作成**します。続いて**関数fと関数gを呼び出し、最後に関数の外側でtextを表示**してください。

▼scope2.py

```
def f():
    text = 'Good Morning'      ← 関数fのローカル変数textを作成
    print('f():', text)

def g():
    text = 'Good Night'        ← 関数gのローカル変数textを作成
    print('g():', text)
```

```
text = 'Hello'                ← グローバル変数textを作成
f()
g()
print(text)
```

実行結果は次のようになります。

```
>python scope2.py
f(): Good Morning      ← 関数fでローカル変数textを表示
g(): Good Night        ← 関数gでローカル変数textを表示
Hello                  ← 関数の外側でグローバル変数textを表示
```

関数fと関数gの内側で作成しているtextはローカル変数で、関数の外側で作成しているtextはグローバル変数です。関数fと関数gの内側ではローカル変数が優先されるので、関数fは「Good Morning」、関数gは「Good Night」を表示します。そして、グローバル変数textに'Hello'を代入した後に、関数fと関数gを呼び出したにもかかわらず、textの値が'Hello'のままであることから、ローカル変数への代入がグローバル変数に影響を与えていないことがわかります。

## ❖グローバル変数に代入するために必要なglobal文

関数の内側で変数に値を代入すると、ローカル変数が作成されます。そのため、関数の内側でグローバル変数に値を代入しようとしても、グローバル変数と同じ名前のローカル変数が作成されることになります。前述のプログラムにおいても、関数fや関数gで変数textに値を代入したときに、グローバル変数textへの代入にはならず、ローカル変数の作成になっていることに注目してください。

関数の内側でグローバル変数に値を代入するには、次のような**global**文を使います。関数の内側にglobal文を書いて、値を代入したいグローバル変数を指定します。

関数の内側で値を代入するグローバル変数を指定(global文)

```
global 変数
```

値を代入したいグローバル変数が複数ある場合には、以下のようにカンマ(,)で区切って記述できます。関数の内側に複数のglobal文を記述することも可能です。

global文（変数が2個以上の場合）

```
global 変数, …
```

例えば次のプログラムでは、**関数fの内側で変数textに'Good Bye'を代入し、関数の外側でグローバル変数textに'Hello'を代入**しています。

▼global1.py

```
def f():
    text = 'Good Bye'         ← 関数fのローカル変数textを作成
    print('f():', text)

text = 'Hello'                ← グローバル変数textを作成
f()
print(text)
```

この状態では、関数fにおける代入はローカル変数textの作成になり、グローバル変数textへの代入にはなりません。関数fを呼び出してもグローバル変数textの内容は変化しないので、最後に関数の外側でtextを表示すると「Hello」が表示されます。

```
>python global1.py
f(): Good Bye         ← 関数fでローカル変数textを表示
Hello                 ← 関数の外側でグローバル変数textを表示
```

上記のプログラムにおいて、**関数fの内側にglobal文を追加し、グローバル変数textに'Good Bye'を代入**してください。関数の外側でtextを表示したときに「Good Bye」と表示されれば成功です。

▼global2.py

```
def f():
    global text               ← global文でグローバル変数textを指定
    text = 'Good Bye'         ← グローバル変数textに代入
    print('f():', text)

text = 'Hello'                ← グローバル変数textを作成
f()
print(text)
```

実行結果は次のようになります。関数fによってグローバル変数textの値が変更されたことがわかります。

```
>python global2.py
f(): Good Bye          ← 関数fでグローバル変数textを表示
Good Bye               ← 関数の外側でグローバル変数textを表示
```

## ❖関数の内側の関数で役立つnonlocal文

実は関数の内側で、別の関数を定義することもできます。以下は外側の関数の中に内側の関数がある例ですが、内側の関数の中にさらに内側の関数を定義することも可能です。

▼関数内で関数を定義

```
def 関数名(引数, …):          ●── 外側の関数の定義
    文…                       ●── 外側の関数の処理
    def 関数名(引数, …):      ●── 内側の関数の定義
        文…                   ●── 内側の関数の処理
    文…                       ●── 外側の関数の処理
文…                           ●── 関数の外側の処理
```

例えば、**関数fを定義し、その内側に関数gを定義**してみてください。関数fは「f()」と表示し、関数gは「g()」と表示することにします。また、**関数fの内側で関数gを呼び出し、関数の外側で関数fを呼び出し**てください。

▼nonlocal1.py

```
def f():
    print('f()')
    def g():
        print('g()')
    g()
f()
```

「f()」と「g()」が表示されれば成功です。

```
>python nonlocal1.py
f()
g()
```

外側と内側のいずれの関数においても、関数の中で変数に値を代入すると、その関数のローカル変数が作成されます。しかし、次のようなnonlocal文を使用することによって、内側の関数から外側の関数のローカル変数に値を代入することができます。nonlocal文の使い方はglobal文と同様で、値を代入したい変数(外側の関数のローカル変数)を指定します。

内側の関数で値を代入する外側の関数のローカル変数を指定(nonlocal文)

```
nonlocal 変数
```

nonlocal文(変数が2個以上の場合)

```
nonlocal 変数, …
```

例えば次のプログラムでは、**外側の関数fの中でローカル変数textに'Good Morning'を代入し、内側の関数gの中で変数textに'Good Night'を代入**しています。この状態では、関数gにおける代入は関数gのローカル変数textの作成になり、関数fのローカル変数textへの代入にはなりません。

▼nonlocal2.py

```
def f():
    def g():
        text = 'Good Night'          ← 関数gのローカル変数textを作成
        print('g():', text)

    text = 'Good Morning'          ← 関数fのローカル変数textを作成
    g()
    print('f():', text)

f()
```

実行結果は次のようになります。

```
>python nonlocal2.py
g(): Good Night        ← 関数gのローカル変数textを表示
f(): Good Morning      ← 関数fのローカル変数textを表示
```

上記のプログラムにおいて、**関数gの内部にnonlocal文を追加し、関数fのローカル変数textに'Good Night'を代入**してください。

▼nonlocal3.py

```
def f():
    def g():
        nonlocal text            ← nonlocal文で関数fのローカル変数textを指定
        text = 'Good Night'      ← 関数fのローカル変数textに代入
        print('g():', text)

    text = 'Good Morning'        ← 関数fのローカル変数textを作成
    g()
    print('f():', text)

f()
```

関数fでtextを表示したときに、「Good Night」と表示されれば成功です。関数fのローカル変数textの値が変更されていることがわかります。

```
>python nonlocal3.py
g(): Good Night       ← 関数fのローカル変数textを表示
f(): Good Night       ← 関数fのローカル変数textを表示
```

# 基礎編 Chapter7

# Pythonのオブジェクト指向プログラミング

Pythonはオブジェクト指向プログラミング言語です。クラスを定義したり、クラスからオブジェクト(インスタンス)を生成したり、オブジェクトが持つデータ属性やメソッドを利用したり、といった機能を備えています。同様にオブジェクト指向プログラミング言語であるC++やJavaと比べると、Pythonはプログラミングをするうえで十分な機能を提供しながらも、必須ではない機能を省略することで、できるだけ文法を簡潔にしています。
ここではクラスとオブジェクトの関係、オブジェクトの生成、クラスの定義、データ属性やメソッドの追加、クラスの派生や継承といった、Pythonにおけるオブジェクト指向プログラミングの基本的な機能について学びます。クラスに関するさらに発展的な機能については、Chapter16で扱います。

本章の学習内容

①クラスやオブジェクトの基本
②独自のクラスの定義
③クラスの派生と継承

# section 01 まずは既存のオブジェクトを活用する

最初はPythonの組み込み型(Pythonに組み込まれている標準の型)を使って、クラスやオブジェクトの基本的な使い方を学びます。今までに、数値、文字列、真偽値、リスト、タプル、集合、辞書といった色々な型を学びましたが、実はこれらの型はいずれもクラスであり、これらの型の値はいずれもオブジェクトです。ここでは最初にクラスとオブジェクトの概念について学び、次にPythonが提供している型(クラス)を使って、オブジェクトの生成やメソッドの呼び出しを行います。

## クラスとオブジェクトの概念

クラスはオブジェクトの構造を定義するための仕組みです。クラスは設計図、オブジェクトは製品に例えることができます。1つのクラスから、同じ構造を持った多数のオブジェクトを生成することができます。これは例えば、1枚の設計図から、同じ型の自動車を何台も製造できることに似ています。

▼クラスとオブジェクトの関係

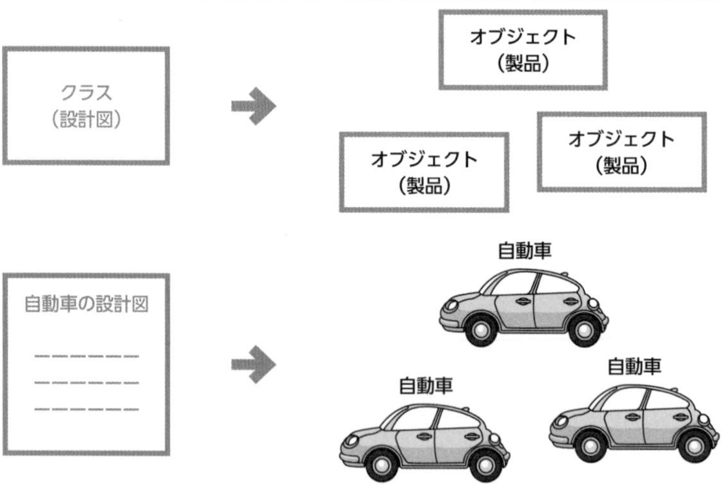

オブジェクトはデータと処理から構成されています。何らかの機能を実現するために必要なデータと処理をまとめたものがオブジェクトだといえます。このようなオブジェクトを部品として使い、色々なオブジェクトを組み合わせてプログラムを構築するのが、オブジェクト指向プログラミングです。

オブジェクトがどのようなデータと処理から構成されているのかは、クラスを使って定義します。どのオブジェクトも同じデータと処理を持ちますが、データの内容については、オブジェクトごとに異なる値にすることができます。これは例えば、同じ型の自動車は同じ構造を持ちますが、現在の速度や燃料残量は異なることに似ています。

Pythonでは、オブジェクトを構成するデータや処理のことを属性と呼びます。データに相当する属性はデータ属性、処理に相当する属性はメソッドです。

▼オブジェクトの構成

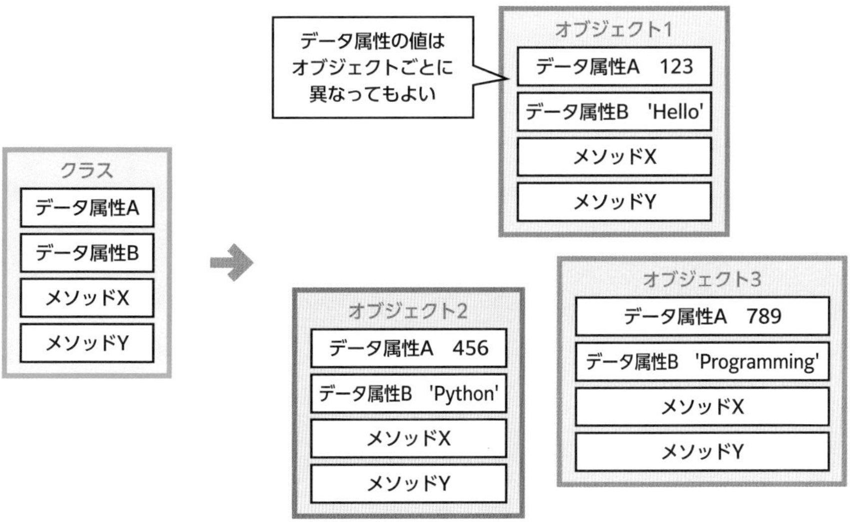


なお、クラスから生成したオブジェクトのことを、インスタンスと呼ぶことがあります。オブジェクトという用語の使い方には少し幅があって、インスタンスのことを指す場合もあれば、クラスとインスタンスのことをまとめて指す場合もあります。クラスとの対比を明確にしたい場合には、インスタンスという用語を使うと便利です。

特にPythonの場合には、クラス自体もオブジェクトです。そのため「クラスのオブジェクト」というと、「クラス自体のオブジェクト」を指すのか「クラスから生成したインスタンスのオブジェクト」を指すのかが紛らわしくなることがあります。そこで両者を明確に区別したい場合には、前者を**クラスオブジェクト**、後者を**インスタンスオブジェクト**と呼んでいます。

一般にオブジェクトというと、インスタンスオブジェクトを指すことが多いので、本書でもインスタンスオブジェクトを**オブジェクト**と呼ぶことにします。特に区別を強調したい場合には、クラスオブジェクトやインスタンスオブジェクトという用語を使います。

## ❖オブジェクトを生成する

オブジェクト(インスタンスオブジェクト)を生成するには、次のように書きます。見た目は関数の呼び出しと同じです。

オブジェクト(インスタンスオブジェクト)の生成

```
クラス名(引数, …)
```

生成したオブジェクトは、式の中で使ったり、関数の引数として使うこともあります。また、生成しておいたオブジェクトを、後から使用したい場合もあるでしょう。その場合は、オブジェクトを保存しておくこともできます。オブジェクトを保存するには、次のように変数に代入します。以後はこの変数を使って、オブジェクトの機能を利用することができます。

オブジェクトの保存

```
変数 = クラス名(引数, …)
```

Pythonの組み込み型(Pythonに標準で用意されている型)を使って、オブジェクトを生成してみましょう。今までに本書で学んだ組み込み型には、次のように対応するクラスがあります。

▼組み込み型に対応するクラス

| 型 | クラス名 |
|---|---|
| 整数 | int |
| 浮動小数点数 | float |
| 文字列 | str |
| 真偽値 | bool |
| リスト | list |
| タプル | tuple |
| 集合 | set |
| 辞書 | dict |



Pythonインタプリタの対話モードを使って、**strクラス(文字列)のオブジェクトを生成**してみてください。引数に何も指定しないと、以下のように空文字列が生成されます。

```
>>> str()
''
```

今度は**引数に整数123を指定**してみてください。文字列「123」が生成されます。

```
>>> str(123)
'123'
```

このようにオブジェクトの生成は、見た目が関数の呼び出しと同じです。そのため、上記は厳密には「strオブジェクトの生成」ですが、「str関数の呼び出し」と表現することもあります。他の組み込み型のクラス、例えばintクラスやlistクラスについても、int関数やlist関数と呼ぶことがあります。なお、繰り返しに使うrange関数も、実際にはrangeクラスです。

組み込み型については、上記のようにクラス名を使ってオブジェクトを生成することもできますが、より簡単な記法が提供されています。例えば空文字列を生成する際には、上記のようにクラス名(str)を使わなくても、シングルクォート(')を使って''と書けば済みます。

```
>>> str()      ← クラス名を使う場合
''
>>> ''         ← リテラルを使う場合
''
```

このように組み込み型の値をプログラム内に書くための記法をリテラルと呼びます。上記は文字列リテラルの例で、他にも整数リテラルや浮動小数点数リテラルなどがあります。

データ構造(リスト、タプル、集合、辞書)のオブジェクトについても、クラス名を使って生成する方法の他に、より簡単な記法が提供されています。例えば**空のリストをクラス名を使う方法と角括弧を使う記法で生成**してみてください。

```
>>> list()     ← クラス名を使う場合
[]
>>> []         ← 角括弧を使う場合
[]
```

角括弧を使う場合は、リテラルではなく表示(display、ディスプレイ)と呼ばれます。上記はリスト表示の例です。波括弧を使って集合を生成する記法は集合表示、辞書を生成する記法は辞書表示と呼ばれます。

## ❖メソッドを呼び出す

メソッドを呼び出すには次のように書きます。メソッドは関数に似ていますが、「オブジェクト.」のように、処理の対象にするオブジェクトを指定して呼び出す点が異なります。

メソッドの呼び出し

```
オブジェクト.メソッド名(引数, …)
```

変数にオブジェクトを代入した場合には、次のように変数を使ってメソッドを呼び出すことができます。同じオブジェクトに対して何度もメソッドを呼び出す場合には、このように変数を使うことが多いでしょう。

変数を使ったメソッドの呼び出し

```
変数.メソッド名(引数, …)
```

例えば、**setクラス(集合)のオブジェクトを生成し、変数xに代入**してください。次に**addメソッドを3回呼び出して、整数の1、2、3を集合に追加**します。最後に**xを表示**して、集合の内容を確認してください。

```
>>> x = set()      ← 空の集合を生成
>>> x.add(1)       ← 1を追加
>>> x.add(2)       ← 2を追加
>>> x.add(3)       ← 3を追加
>>> x
{1, 2, 3}          ← 集合の内容
```

# section 02 独自のクラスを定義する

組み込み型のクラスを使うだけでも、非常に幅広いプログラムの開発に対応できますが、既存のクラスだけでは不十分な場合には、独自のクラスを定義することもできます。ここでは独自のクラスを定義する方法や、データ属性やメソッドを追加する方法を学びます。

独自のクラスが必要になるのは、開発しているプログラムに特有の情報をオブジェクトにまとめたい場合です。例えば、ショッピングサイトのプログラムを開発する際には、商品や顧客に関する情報をオブジェクトにまとめたくなることがあるでしょう。また、ゲームのプログラムを開発する際には、キャラクターやアイテムの情報をオブジェクトにまとめると、開発の効率が向上する可能性があります。ここで題材にするのは、こういったプログラムに特有のオブジェクトを定義するクラスです。

一方で、既存のライブラリにはない機能を持った新しいライブラリを実現する際に、機能をオブジェクトにまとめたい場合もあります。こういったオブジェクトを定義するクラスについては、Chapter16で題材にします。

## ❖クラスを定義する

クラスは次のように定義します。関数の定義(Chapter6)と同様に、コロン(:)の後で改行し、次の行からはインデントして書きます。インデントしている限り、クラスの内側として扱われます。インデントをやめると、クラスの外側として扱われます。

クラスの定義

```
class クラス名:
    文…
```

標準コーディングスタイル(PEP8)では推奨されていませんが、コロンの後に文を続けて書くこともできます。セミコロン(;)で区切れば、2個以上の文を書くことも可能です。

クラスの定義(コロンに続けて文を書く)

```
class クラス名: 文
class クラス名: 文; 文
```

最も簡単なクラスは、データ属性やメソッドを持たない空のクラスです。空のクラスを定義するには、次のようにpass文(Chapter5)を書きます。pass文が必要なのは、制御構文や関数などと同様に、クラスの内側には必ず文を書かなければならないためです。

空のクラスの定義

```
class クラス名:
    pass
```

PEP8では関数定義と同様に、クラス定義の前後に空行を2行ずつ入れることを推奨しています。本書では紙面の都合上、この推奨には沿っていません。

またクラス名は自由に付けることができますが、PEP8ではクラス名の1文字目には英大文字を使い、2文字目以降には英小文字または数字を使うことを推奨しています。名前が複数の単語から構成されている場合には、各単語の先頭を英大文字にすることによって、単語の切れ目を示します。

変数名(Chapter3)や関数名(Chapter6)とクラス名では、命名規則が異なることに注意してください。例えば「hello python」(こんにちはパイソン)を変数名や関数名にする場合は「hello_python」になりますが、クラス名にする場合は「HelloPython」になります。

それでは、実際にクラスを定義してみましょう。商品に関する情報をオブジェクトにまとめることを想定して、**Foodクラスを定義**してください。ここでは簡単のため、Foodは空のクラスとします。

続いて**Foodクラスのオブジェクト(インスタンスオブジェクト)を生成し、変数xに代入**します。最後にxを表示してください。

▼class1.py

```
class Food:         ← クラスの定義
    pass

x = Food()          ← オブジェクトの生成
print(x)
```

実行結果は次のようになります。

```
>Python class1.py
<__main__.Food object at 0x…>
```

上記の「__main__.Food」というのは、「__main__モジュールのFoodクラス」を表しています。モジュールというのは、Pythonのプログラムを構成する単位です(詳しくはChapter10で解説します)。「__main__」は特別なモジュール名で、プログラム(.pyファイル)をPythonコマンドで実行した場合や、Pythonインタプリタの対話モードでプログラムを実行した場合などに使われます。

## ❖データ属性を使ってオブジェクトに値を保存する

**データ属性**はオブジェクト(インスタンスオブジェクト)に値を保存する仕組みです。次のように書くと、オブジェクトのデータ属性を参照することができます。

データ属性の参照

```
オブジェクト.データ属性名
```

次のようにデータ属性に値を代入すると、オブジェクトに新たなデータ属性を追加したり、既存のデータ属性の値を変更したりすることが可能です。値の部分には式を書いても構いません。なおデータ属性名の命名規則は、変数名や関数名と同様です。

データ属性の追加または値の変更

```
オブジェクト.データ属性名 = 値
```

前述のFoodクラスのような空のクラスに対しても、データ属性を追加したり、データ属性の値を参照したりすることが可能です。例えば、次のような**Foodクラスのデータ属性を表示**するプログラムを書き、実行してみてください。商品の名前(milk)と価格(150)が表示されれば成功です。

1 空のFoodクラスを定義します。
2 Foodオブジェクトを生成し、変数xに代入します。
3 変数xを使って、データ属性name(名前)に'milk'(牛乳)を代入します。
4 変数xを使って、データ属性price(価格)に150を代入します。
5 print関数と変数xを使って、nameとpriceを表示します。

▼class2.py

```
class Food:                 ← クラスの定義(空のクラス)
    pass

x = Food()                  ← オブジェクトの生成
x.name = 'milk'             ← データ属性nameへの代入
x.price = 150               ← データ属性priceへの代入
print(x.name, x.price)      ← データ属性の表示
```

実行結果は次のようになります。

```
>python class2.py
milk 150
```

データ属性の値は、オブジェクトごとに異なる値にすることができます。例えば上記のプログラムに続けて、次のようなプログラムを書き、実行してみてください。上記の実行結果に続いて、商品の名前(egg)と価格(200)が表示されれば成功です。

1 Foodオブジェクトを生成し、変数yに代入します。
2 変数yを使って、データ属性nameに'egg'(玉子)を代入します。
3 変数yを使って、データ属性priceに200を代入します。
4 print関数と変数yを使って、nameとpriceを表示します。

▼class3.py

```
class Food:
    pass

x = Food()
x.name = 'milk'
```

```
x.price = 150
print(x.name, x.price)

y = Food()                    ← オブジェクトの生成
y.name = 'egg'                ← データ属性nameへの代入
y.price = 200                 ← データ属性priceへの代入
print(y.name, y.price)        ← データ属性の表示
```

実行結果は次のようになります。

```
>python class3.py
milk 150     ← 変数xの出力
egg 200      ← 変数yの出力
```

## ❖__init__メソッドでオブジェクトを初期化する

__init__メソッドは、オブジェクトを生成する際に自動的に呼び出される特別なメソッドです。init(イニット)はinitialize(イニシャライズ、初期化する)やinitialization(イニシャライゼーション、初期化)の略語で、プログラミングではよく使われる言葉です。__init__メソッドは、C++やJavaにおけるコンストラクタのような役割をするメソッドです。

__init__メソッドは、オブジェクトのデータ属性を初期化するために使うことができます。__init__メソッドを使うと、必要なデータ属性を確実に(忘れずに)初期化することや、複数のオブジェクト間でデータ属性の構成を揃えることが可能です。__init__メソッドは次のように書きます。

__init__メソッドの定義

```
class クラス名:
    def __init__(self, 引数, …):
        文…
```

__init__メソッドの最初の引数であるself(セルフ、自分自身)には、処理の対象になるオブジェクトが格納されています。このselfを使って、__init__メソッドの内側に次のような代入文を書くと、データ属性を初期化することができます。selfはC++やJavaにおけるthisのような役割を果たします。

データ属性の初期化

```
self.データ属性名 = 値
```

前述のFoodクラスに**__init__メソッドを定義し、データ属性のnameとpriceを初期化**してください。__init__メソッドはselfの他に引数としてnameとpriceを受け取り、これらの引数をself.nameとself.priceに代入することにします。

▼init1.py

```
class Food:
    def __init__(self, name, price):
        self.name = name            ← データ属性nameへの代入
        self.price = price          ← データ属性priceへの代入
```

なお、__init__メソッドの引数名とデータ属性名は、一致させなくても構いません。例えば次のように、**引数名を「n」と「p」とし、データ属性名は「name」と「price」とする**こともできます。しかし特別な理由がなければ、上記のプログラムのように引数名とデータ属性名を揃えた方がわかりやすいでしょう。

▼init2.py

```
class Food:
    def __init__(self, n, p):
        self.name = n         ← データ属性nameへの代入
        self.price = p        ← データ属性priceへの代入
```

__init__メソッドは、オブジェクトを生成する際に自動的に呼び出されます。また、__init__メソッドの引数と、オブジェクトを生成する際に指定する引数との間には、次の図のような関係があります。selfに相当する引数は指定しないことに注意してください。

▼__init__メソッドの定義とオブジェクトの生成における対応関係

```
def __init__(self, 引数A, 引数B, …):  ←── __init__メソッドの定義
クラス名(引数A, 引数B, …)             ←── オブジェクトの生成
```

前述のプログラム(Foodクラスの定義)に続けて、Foodオブジェクトを生成するプログラムを記述してみてください。**2個のFoodオブジェクトを生成し、データ属**

**性(nameとprice)を表示**します。各オブジェクトのデータ属性は、'milk'と150、'egg'と200で初期化してください。

▼init3.py

```
class Food:
    def __init__(self, name, price):
        self.name = name
        self.price = price

x = Food('milk', 150)        ← 'milk'と150で初期化
print(x.name, x.price)       ← データ属性を表示

y = Food('egg', 200)         ← 'egg'と200で初期化
print(y.name, y.price)       ← データ属性を表示
```

実行結果は次のようになります。

```
>python init3.py
milk 150
egg 200
```

このように__init__メソッドを使うと、オブジェクトを生成する際に、必要なデータ属性を確実に初期化することができます。また、同じクラスに基づくオブジェクト間で、データ属性の構成(上記ではnameとprice)を統一することが可能です。

なお__init__メソッドの第1引数(最初の引数)であるselfは、self以外の名前にしても動作しますが、特別な理由がない限りはselfにすることがおすすめです。PEP8も引数名をselfにすることを推奨しています。

## ❖メソッドを定義する

クラスの内側では、独自の**メソッドを定義**することもできます。メソッドは次のように定義します。同じクラスの内側で、いくつでもメソッドを定義することが可能です。なおメソッド名の命名規則は、関数名と同様です。

メソッドの定義

```
class クラス名:
    def メソッド名(self, 引数, …):
        文…
```

上記のメソッドは、処理の対象となるオブジェクト(インスタンス)を指定して呼び出すメソッドなので、インスタンスメソッドと呼ばれます。一方で、インスタンスではなくクラスを指定して呼び出すメソッドもあり、これらは静的メソッドやクラスメソッドと呼ばれます(Chapter16)。

定義したメソッドを呼び出すには、次のように書きます。「オブジェクト.」という記法は、データ属性を読み書きするときの記法と共通です。

メソッドの呼び出し

```
オブジェクト.メソッド名 (引数, …)
```

メソッドの定義と呼び出しにおける引数の対応関係は、次の図のようになります。メソッドの引数selfには「オブジェクト.」で指定したオブジェクトが自動的に格納されるので、前述の__init__メソッドと同様に、呼び出し時にはselfに相当する引数を指定しないことに注意してください。

▼メソッドの定義と呼び出しにおける引数の対応関係

```
def メソッド名(self, 引数A, 引数B, …):  ←― メソッドの定義
オブジェクト.メソッド名(引数A, 引数B, …)  ←― メソッドの呼び出し
```

前述のFoodクラスについて、**データ属性のnameとpriceを表示するshowメソッド**を定義してみてください。showメソッドの引数はselfのみとします。続いて2個のFoodオブジェクトを生成し、前回と同様に'milk'と150、'egg'と200で初期化します。最後にshowメソッドを呼び出して、各オブジェクトのデータ属性を表示してください。

▼method1.py

```
class Food:
    def __init__(self, name, price):    ← __init__メソッドの定義
        self.name = name
        self.price = price
```

```
    def show(self):                          ← showメソッドの定義
        print(self.name, self.price)

x = Food('milk', 150)
x.show()                                     ← showメソッドの呼び出し

y = Food('egg', 200)
y.show()                                     ← showメソッドの呼び出し
```

実行結果は次のようになります。

```
>python method1.py
milk 150
egg 200
```

## ❖マングリングで属性を外部から隠蔽する

オブジェクト指向プログラミングには、オブジェクトが持つデータや処理の一部を外部から隠蔽することで、オブジェクトが不用意に操作されることを防止するという考え方があります。例えばC++やJavaでは、public(パブリック、公開された)、protected(プロテクテッド、保護された)、private(プライベート、私有の)といったキーワードを使って、データや処理へのアクセスを制限します。

Pythonのオブジェクトが持つ属性は、全て外部に公開されており、外部から自由に操作(読み書き)することができます。C++やJavaの用語で表現するならば、全ての属性がpublicになっています。

例えば次のプログラムは、**Foodクラスを定義し、'milk'と150を指定してオブジェクトを生成**します。そして、**データ属性のpriceを操作して価格を半額にしたうえで、オブジェクトの内容を表示**します。

▼mangling1.py

```
class Food:                                  ← クラスの定義
    def __init__(self, name, price):
        self.name = name
```

```
        self.price = price

    def show(self):
        print(self.name, self.price)

x = Food('milk', 150)                    ← オブジェクトの生成
x.price //= 2                            ← データ属性の操作
x.show()
```

実行結果は次のようになります。

```
>python mangling1.py
milk 75
```

上記のプログラムでは、Foodクラスの外部からデータ属性のpriceを操作しています。このように外部から属性を操作されることが好ましくない場合には、属性名の先頭にアンダースコア(_)を付けます。

例えば次のプログラムのように、_nameや_priceのような属性名を使います。これはデータ属性名の例ですが、メソッドについても同様に、メソッド名の先頭にアンダースコアを付けることができます。

▼mangling2.py

```
class Food:
    def __init__(self, name, price):
        self._name = name                  ← 属性名を_nameとする
        self._price = price                ← 属性名を_priceとする

    def show(self):
        print(self._name, self._price)     ← 属性名の利用

x = Food('milk', 150)
x.price //= 2                  ← 属性名priceを指定するとエラーが発生する
x.show()
```

データ属性名を「price」から「_price」に変更したので、データ属性を操作する部分でエラーが発生します。エラーの内容は「属性エラー：Foodオブジェクトに

はpriceという属性がない」です。

```
>python mangling2.py
Traceback (most recent call last):
  File "…", line 10, in <module>
    x.price //= 2
AttributeError: 'Food' object has no attribute 'price'
```

しかし、以下のようにプログラムを変更すれば、エラーは発生しなくなります。実は属性名の先頭にアンダースコアを付けるのは、プログラマに対して「この属性は外部から操作して欲しくない」ことを伝えるための慣習に過ぎないので、あえて操作しようとすれば操作できるのです。とはいえ、不用意に属性を操作することは防止できます。

▼mangling3.py

```
class Food:
    def __init__(self, name, price):
        self._name = name
        self._price = price

    def show(self):
        print(self._name, self._price)

x = Food('milk', 150)
x._price //= 2             ← 属性名「_price」を指定すればエラーは発生しない
x.show()
```

実行結果は次のようになります。

```
>python mangling3.py
milk 75
```

より念入りに属性への操作を制限したい場合には、属性名の先頭に2個のアンダースコア(__)を付けます。このような属性名には、マングリング(mangling、わからなくすること)という機能が適用されて、自動的に「_クラス名__属性名」のような属性名に変換されます。

例えば次のプログラムのように、__nameや__priceのような属性名を使います。データ属性名だけではなく、メソッド名についても同様の機能が使えます。

▼mangling4.py

```
class Food:
    def __init__(self, name, price):
        self.__name = name              ← 属性名を__nameとする
        self.__price = price            ← 属性名を__priceとする

    def show(self):
        print(self.__name, self.__price)    ← 属性名の利用
```

上記のプログラムに続けて、次のようなプログラムを書き、実行してみてください。データ属性名にpriceを使った場合はもちろん、__priceを使った場合にもエラー（属性エラー）になります。

▼mangling4.py

```
※Foodクラスの定義は省略

x = Food('milk', 150)
x.price //= 2              ←「price」を指定するとエラーが発生する
x.show()
```

▼mangling5.py

```
※Foodクラスの定義は省略

x = Food('milk', 150)
x.__price //= 2            ←「__price」を指定してもエラーが発生する
x.show()
```

しかし、あえて「_クラス名__属性名」のような属性名を使えば、エラーは発生しなくなります。マングリングに関しても、プログラマが不用意に属性を操作することを防止する機能であり、属性を操作することを禁止する機能ではないのです。

▼mangling6.py

```
※Foodクラスの定義は省略

x = Food('milk', 150)
x._Food__price //= 2        ←「_Food__price」を指定すればエラーは発生しない
x.show()
```

なお、Pythonにおいて特別な意味を持つ属性には、__init__メソッドのように、前後に2個のアンダースコア(__)が付いています。このように前後に2個のアンダースコアが付いた属性名については、マングリングの対象になりません。したがって、__init__のような属性名を使って、これらの属性に外部からアクセスすることができます。

## クラス属性を使ってクラスに値を保存する

データ属性はオブジェクト(インスタンスオブジェクト)に値を保存するための仕組みで、オブジェクトごとに異なる値を保存することができます。一方で、クラス属性はクラス(クラスオブジェクト)に値を保存するための仕組みで、そのクラスのオブジェクトに共通する値を保存するために使うことが可能です。

▼データ属性とクラス属性

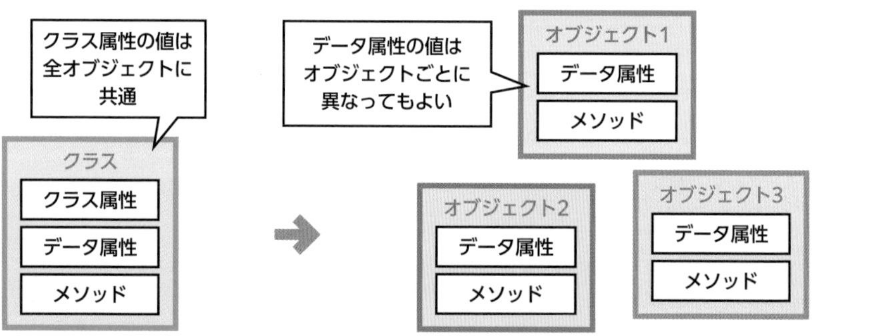


クラスの内側かつメソッドの外側に、次のような代入文を書くと、クラス属性を作成することができます。値の部分には式を書いても構いません。クラス属性名の命名規則は、変数名、関数名、データ属性名と同様です。

クラス属性の作成

```
class クラス名:
    クラス属性名 = 値
```

クラス属性を操作(読み書き)するには、次のように書きます。クラス名を使う方法と、データ属性と同様の方法があります。クラス名を使う方法では、オブジェクトを指定しないことに注目してください。つまりオブジェクトを生成しなくても、クラス属性を操作することが可能です。

クラス属性の操作(クラス名を使う方法)

```
クラス名.クラス属性名
```

クラス属性の操作(データ属性と同様の方法)

```
オブジェクト.クラス属性名
```

クラス属性はデータ属性に比べると使用頻度は低いのですが、そのクラスのオブジェクト間で共有する情報を管理するために役立ちます。例えば、オブジェクト全体に関する情報を管理したり、オブジェクト間で共通する定数を管理したりといった目的に使います。

例えば前述のFoodクラスについて、生成したオブジェクトの個数を数えるためにクラス属性を利用してみましょう。具体的には次のような処理を行います。

1. クラスの内側かつメソッドの外側で、クラス属性count(カウント)に0を代入します。
2. __init__メソッドにおいて、Food.countに1を加算することにより、生成したオブジェクトの個数を数えます。
3. showメソッドにおいて、クラス属性のcount、データ属性のnameとpriceを表示します。

2個のFoodオブジェクトを作成し、'milk'と150、'egg'と200で初期化してください。最後にshowメソッドを呼び出して、各オブジェクトの内容を表示します。

▼class_attr1.py

```
class Food:
    count = 0                                          ← クラス属性の作成

    def __init__(self, name, price):
        self.name = name
        self.price = price
        Food.count += 1                                ← クラス属性の変更

    def show(self):
        print(Food.count, self.name, self.price)      ← クラス属性の参照

x = Food('milk', 150)
x.show()

y = Food('egg', 200)
y.show()
```

実行結果は次のようになります。

```
>python class_attr1.py
1 milk 150
2 egg 200
```

これまでに生成したオブジェクトの個数は、個々のオブジェクトに関する情報ではなく、オブジェクト全体に関する情報なので、上記のプログラムではクラス属性として管理します。なお「**Food.count**」の部分は、「オブジェクト.クラス属性名」の記法を使って、「**self.count**」と書くこともできます。

厳密には、メソッドもクラス属性に含まれます。クラスでメソッドを定義した場合、クラス属性としてクラス(クラスオブジェクト)に登録されます。

section 03
# 派生と継承を活用するとオブジェクト指向らしくなる



いくつかのクラスを定義していくと、似た機能を持ったクラスができあがることがよくあります。クラスの派生や継承といった機能を使うと、似た機能を持った複数のクラスから、共通の機能を抜き出すことが可能です。各クラスに関しては、共通する機能との差分だけを定義すれば済むようになるので、クラス間で重複する処理を一本化し、プログラムを簡潔にすることができます。

## 派生と継承を使ってクラスを定義する

派生(はせい)とは、あるクラスをベースにして、別のクラスを定義することです。ベースになるクラスを基底(きてい)クラスと呼び、基底クラスから派生したクラスを派生クラスと呼びます。なお、PythonとC++では基底クラスおよび派生クラスという用語を使いますが、Javaではスーパークラスとサブクラスという用語を使います。

派生クラスは、基底クラスが持つ機能(データ属性とメソッド)を受け継ぎます。これを継承(けいしょう)と呼びます。継承を利用すると、派生クラスでは基底クラスとの差分を定義すれば済むので、プログラムが簡潔になります。

なお、派生の関係を図示するときには、先端が白抜きの矢印で表すことが一般的です。これはオブジェクト指向に基づく分析や設計によく使われるUML(Unified Modeling Language)の記法で、汎化(はんか)と呼ばれています。

▼基底クラスと派生クラス

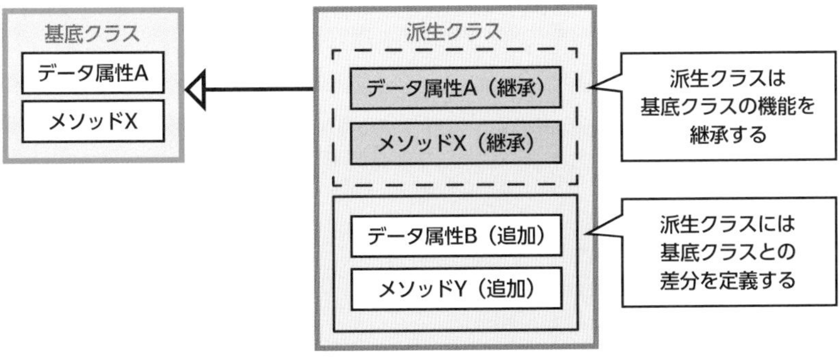

派生と継承を効果的に利用できるのは、似た機能を持った複数のクラスがある場合です。共通の機能を基底クラスに抜き出し、各クラスを派生クラスにすることによって、重複する処理を基底クラスに一本化することができます。このような例として、次のようなクラスを考えてみましょう。

▼例とするクラス

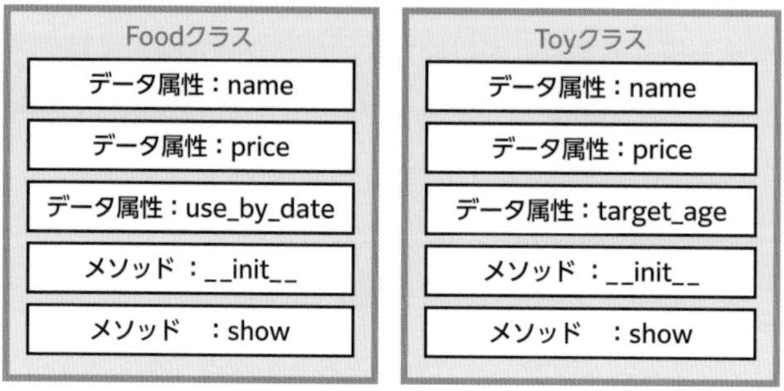


Food（食品）クラスとToy（玩具）クラスでは多くの機能が共通していますが、データ属性のuse_by_date（消費期限）とtarget_age（対象年齢）が異なります。またshowメソッドについては、nameとpriceを表示することは共通ですが、これに加えてFoodクラスはuse_by_dateを表示し、Toyクラスはtarget_ageを表示することにします。

まずは派生や継承を使わずに、上記のクラスを定義してみましょう。そして、**Foodオブジェクトを生成して'chocolate'（チョコレート）と100と180（賞味期限180日）で初期化**し、**Toyオブジェクトを生成して'figure'（フィギュア）と350と3（対象年齢3歳以上）で初期化**してみてください。最後にshowメソッドを呼び出し、オブジェクトの内容を表示します。

▼derived1.py

```
class Food:                                             ← Foodクラスの定義
    def __init__(self, name, price, use_by_date):
        self.name = name
        self.price = price
        self.use_by_date = use_by_date                  ← 賞味期限の初期化

    def show(self):
        print('name:', self.name)
        print('price:', self.price)
```

```
        print('use-by date:', self.use_by_date)    ← 賞味期限の表示

class Toy:                                         ← Toyクラスの定義
    def __init__(self, name, price, target_age):
        self.name = name
        self.price = price
        self.target_age = target_age               ← 対象年齢の初期化

    def show(self):
        print('name:', self.name)
        print('price:', self.price)
        print('target age:', self.target_age)      ← 対象年齢の表示

x = Food('chocolate', 100, 180)                    ← Foodオブジェクトの生成
x.show()

print()                                            ← 改行

y = Toy('figure', 350, 3)                          ← Toyオブジェクトの生成
y.show()
```

実行結果は次のようになります。

```
>python derived1.py
name: chocolate     ← Foodオブジェクトの表示
price: 100
use-by date: 180

name: figure        ← Toyオブジェクトの表示
price: 350
target age: 3
```

上記のFoodクラスとToyクラスを見比べると、共通する処理が多いことがわかります。派生や継承を利用すると、こういった共通する処理を基底クラスに抜き出し、プログラムを簡潔にすることができます。

派生クラスを定義するには、次のように書きます。クラス名の後に丸括弧で囲んで、基底クラスを指定します。複数の基底クラスを指定する場合には、カンマ(,)で区切ります。

派生クラスの定義

```
class クラス名(基底クラス名, …):
    文…
```

派生クラスを定義する際に、1個の基底クラスを指定した場合を**単一継承**(たんいつけいしょう)と呼び、2個以上の基底クラスを指定した場合を**多重継承**(たじゅうけいしょう)と呼びます。PythonやC++は単一継承と多重継承の両方に対応しますが、Javaは単一継承にだけ対応しています。多重継承の詳細については後述します。

さて、前述のFoodクラスやToyクラスについては、新たに基底クラスとしてItem(商品)クラスを定義することにしましょう。FoodクラスとToyクラスは、Itemクラスの基底クラスとします。この設計に基づいて3個のクラスを定義すると、次のような構造のプログラムになります。

▼作成するプログラムの構造

```
class Item:            ←Itemクラス(基底クラス)の定義
    …

class Food(Item):      ←Foodクラス(派生クラス)の定義
    …

class Toy(Item):       ←Toyクラス(派生クラス)の定義
    …
```

メソッドはどのように定義したらよいでしょうか。両クラスの共通機能はItemクラスに、各クラスの独自機能はFoodクラスやToyクラスに記述したいのですが、そのためには次に学ぶオーバーライドを活用する必要があります。

## 既存のメソッドをオーバーライドして変更する

**オーバーライド**とは、基底クラスから継承したメソッドを、派生クラスで再定義することです。オーバーライドを行うには、次のように派生クラスにおいて、基底クラスから継承したメソッドと同じ名前のメソッドを定義します。

オーバーライド

```
class 基底クラス名:
    def メソッド名(引数, …):            ← (A)基底クラスのメソッド
        文…

class 派生クラス名(基底クラス名):
    def メソッド名(引数, …):            ← (B)基底クラスのものと同名のメソッド
        文…
```

派生クラスのオブジェクトからオーバーライドしたメソッドを呼び出すと、基底クラスから継承したメソッド(上記の(A))ではなく、派生クラスで再定義したメソッド(上記の(B))が呼び出されます。この性質を利用すると、基底クラスにおけるメソッドの動作を、派生クラスにおいて変更することができます。

ここでは前述のItemクラス、Foodクラス、Toyクラスにおいて、__init__メソッドやshowメソッドにどのような動作をさせるのかを考えてみましょう。Itemクラスを導入する前は、FoodクラスとToyクラスにおける各メソッドは、次のような動作をしていました。初期化は__init__メソッド、表示はshowメソッドが行います。

Foodクラス：name、price、use_by_dateの初期化と表示
Toyクラス　：name、price、target_ageの初期化と表示

Itemクラスを導入した後は、Itemクラスで__init__メソッドとshowメソッドを定義したうえで、派生するFoodクラスとToyクラスでこれらのメソッドをオーバーライドすることにします。各メソッドには次のような動作をさせることにしましょう。nameとpriceに関する処理はItemクラスに任せて、FoodクラスやToyクラスは各々の独自部分を処理します。

Itemクラス　：name、priceの初期化と表示
Foodクラス：use_by_dateの初期化と表示
Toyクラス　：target_ageの初期化と表示

FoodオブジェクトやToyオブジェクトから、オーバーライドした__init__メソッドやshowメソッドを呼び出すと、派生クラス(FoodやToy)で再定義したメソッドだけが実行されます。基底クラス(Item)から継承したメソッドは実行されないので、このままではnameやpriceの初期化と表示が行われません。

そこで、派生クラスで再定義したメソッドの中で、基底クラスから継承したメソッドを呼び出します。これは組み込みのsuper(スーパー)関数を使って、次のように書きます。

super関数を使ったメソッドの呼び出し

```
super().メソッド名(引数, …)
```

単一継承を使ったクラスのメソッドにおいて上記のようにsuper関数を使うと、基底クラスのメソッドを呼び出すことができます。以下のように、普通にメソッドを呼び出すのでは問題が起こることに注意してください。あるメソッドの中で同じ名前のメソッドを呼び出すと、そのメソッド自身を繰り返し呼び出してしまう結果になって、最終的にはRecursionError(再帰エラー)という例外が発生します。

なお、再帰(さいき)というのは関数やメソッドが自分自身を呼び出すことです。Pythonでは再帰を行うたびにメモリを消費するので、再帰の回数に上限を設けています。再帰を積極的に使ったプログラミングの手法もありますが、以下の場合は再帰を活用することが目的ではなく、誤って再帰になってしまった例です。

▼再帰の例

```
def メソッド名(引数, …):    ←── あるメソッドの内部で
    文…
    メソッド名(引数, …)     ←── 同じ名前のメソッドを呼び出す
    文…
```

さて、前述の**Itemクラス、Foodクラス、Toyクラスに対して、オーバーライドとsuper関数を適用**してみましょう。前回と同じ実行結果になるように、基底クラス(Item)と派生クラス(FoodとToy)を定義してください。

▼override1.py

```
class Item:                                  ← 基底クラスの定義
    def __init__(self, name, price):
        self.name = name
        self.price = price

    def show(self):
        print('name:', self.name)
        print('price:', self.price)
```

```
class Food(Item):                                          ← 派生クラスの定義
    def __init__(self, name, price, use_by_date):          ← オーバーライド
        super().__init__(name, price)                      ← super関数の利用
        self.use_by_date = use_by_date

    def show(self):                                        ← オーバーライド
        super().show()                                     ← super関数の利用
        print('use-by date:', self.use_by_date)

class Toy(Item):                                           ← 派生クラスの定義
    def __init__(self, name, price, target_age):           ← オーバーライド
        super().__init__(name, price)                      ← super関数の利用
        self.target_age = target_age

    def show(self):                                        ← オーバーライド
        super().show()                                     ← super関数の利用
        print('target age:', self.target_age)

x = Food('chocolate', 100, 180)                            ← オブジェクトの生成
x.show()

print()

y = Toy('figure', 350, 3)                                  ← オブジェクトの生成
y.show()
```

実行結果は次のようになります。

```
>python override1.py
name: chocolate        ← Foodオブジェクトの表示
price: 100
use-by date: 180

name: figure           ← Toyオブジェクトの表示
price: 350
target age: 3
```

上記のプログラムでは、派生クラス(FoodとToy)でオーバーライドしたメソッド(__init__とshow)において、super関数を利用して基底クラス(Item)のメソッドを呼び出しているところに注目してください。基底クラスから継承したメソッドを呼び出すことで、派生クラスでは基底クラスとの差分だけを処理しています。

なお基底クラスのメソッドは、次のようにクラス名を使って呼び出すこともできます。クラス名には基底クラスの名前を指定します。

クラス名を使ったメソッドの呼び出し

```
クラス名.メソッド名(オブジェクト, 引数, …)
```

例えば、前述のプログラムにおける以下のような呼び出しを、クラス名を使った呼び出し方法に書き換えてみてください。

▼override1.py(再掲)

```
※プログラムの一部のみを掲載

super().__init__(name, price)      ← 基底クラスの__init__メソッドを呼び出す

super().show()                     ← 基底クラスのshowメソッドを呼び出す
```

以下が書き換えたプログラムです。この方法による呼び出しでは、第1引数にオブジェクト(self)を指定することが必要になります。前述のプログラムにおいて、該当部分を以下のように書き換えて、書き換え前と同様に動作することを確認してみてください。

▼override2.py

```
※プログラムの一部のみを掲載

Item.__init__(self, name, price)      ← Itemクラスの__init__メソッドを呼び出す

Item.show(self)                       ← Itemクラスのshowメソッドを呼び出す
```

このように基底クラスのメソッドを呼び出すには、super関数を使う方法と、クラス名を使う方法があります。おすすめなのはsuper関数を使う方法です。super関数を使えば、もし基底クラスの名前が変更された場合でも、派生クラスのプログラムを修正する必要がないという利点があるからです。

例えば前述のプログラムで、Itemクラスの名前がProduct(製品)クラスに変更された際に、基底クラスのメソッドを呼び出すプログラムがどのように変化するのかを考えてみてください。super関数を使ったプログラムは修正が不要ですが、クラス名を使ったプログラムは基底クラス名を修正する必要があります。

## ❖クラスに新しいメソッドを追加する

派生クラスでは基底クラスのメソッドをオーバーライドするだけではなく、基底クラスにはなかった新しいメソッドを追加することもできます。この新しいメソッドは、その派生クラスのオブジェクトから利用できます。

前述の派生クラス(FoodとToy)に、次のような新しいメソッドを追加してみましょう。以下の…には、商品の名前(name)を表示することにします。

Foodクラス：「eating …」(…を食べている)と表示する、eatメソッド
Toyクラス　：「playing with …」(…で遊んでいる)と表示する、playメソッド

**Foodクラスと Toyクラスに上記のようなメソッドを追加**してください。そして、**Foodオブジェクトに対してはeatメソッド、Toyオブジェクトに対してはplayメソッドを呼び出し**てみてください。

▼add_method1.py

```
class Item:                                        ← Itemクラス(変更なし)
    def __init__(self, name, price):
        self.name = name
        self.price = price

    def show(self):
        print('name:', self.name)
        print('price:', self.price)

class Food(Item):                                  ← Foodクラス
    def __init__(self, name, price, use_by_date):
        super().__init__(name, price)
        self.use_by_date = use_by_date
```

```
    def show(self):
        super().show()
        print('use-by date:', self.use_by_date)

    def eat(self):                                  ← eatメソッドを追加
        print('eating', self.name)

class Toy(Item):                                    ← Toyクラス
    def __init__(self, name, price, target_age):
        super().__init__(name, price)
        self.target_age = target_age

    def show(self):
        super().show()
        print('target age:', self.target_age)

    def play(self):                                 ← playメソッドを追加
        print('playing with', self.name)

x = Food('chocolate', 100, 180)                     ← Foodオブジェクト
x.show()
x.eat()                                             ← eatメソッドの呼び出し

print()

y = Toy('figure', 350, 3)                           ← Toyオブジェクト
y.show()
y.play()                                            ← playメソッドの呼び出し
```

実行結果は次のようになります。

```
>python add_method1.py
name: chocolate          ← Foodオブジェクト
price: 100
use-by date: 180
eating chocolate         ← eatメソッドの出力

name: figure             ← Toyオブジェクト
```

```
price: 350
target age: 3
playing with figure        ← playメソッドの出力
```

上記のプログラムにおいて、eatメソッドはFoodオブジェクトだけが、playメソッドはToyオブジェクトだけが利用できます。試しに、互いのメソッドを呼び出してみてください。該当する属性(ここではメソッド)がないので、いずれもAttributeError(アトリビュートエラー、属性エラー)という例外が発生します。

▼add_method2.py

```
※プログラムの一部のみを掲載

x = Food('chocolate', 100, 180)      ← Foodオブジェクト

x.play()                             ← playメソッドの呼び出し(エラー)
```

▼add_method3.py

```
※プログラムの一部のみを掲載

y = Toy('figure', 350, 3)            ← Toyオブジェクト

y.eat()                              ← eatメソッドの呼び出し(エラー)
```

## ❖複数のクラスから継承する多重継承

派生クラスを定義する際に、複数の基底クラスを指定すると、多重継承になります。多重継承を使うと、複数の基底クラスが持つ機能を派生クラスに継承させることができます。

例えば、前述のFoodクラスとToyクラスを基底クラスにして、食品と玩具の機能を持ったShokugan(食玩、食品玩具)クラスを派生させてみましょう。既存のItemクラス、Foodクラス、Toyクラスについては、プログラムをそのまま流用します。

これらのクラスにおける継承の関係は次の通りです。ItemクラスからFoodクラスとToyクラスが派生し、FoodクラスとToyクラスからShokuganクラスが派生するので、全体が菱形になります。このような継承の関係のことを、菱形継承(ひしがたけいしょう)またはダイヤモンド継承と呼びます。

▼菱形継承

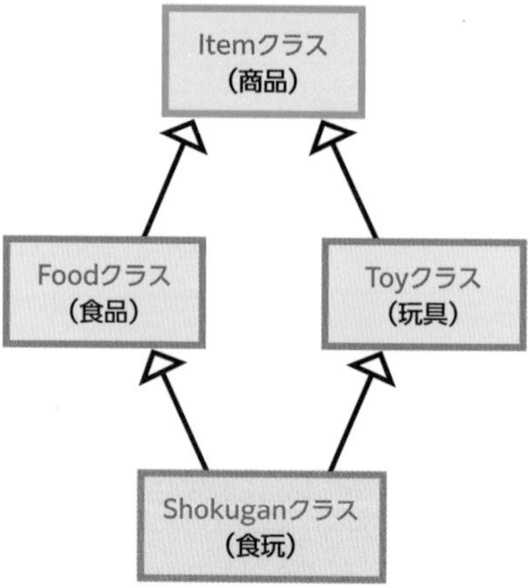


多重継承を行うと、菱形継承になることが少なくありません。菱形継承においては、中間の派生クラス(ここではFoodクラスとToyクラス)の両方から、末端の派生クラス(ここではShokuganクラス)が機能(メソッドなど)を継承している場合に、どちらの機能を優先して利用すればよいのか、といった問題が起こることがあります。これを菱形継承問題と呼びます。Pythonではメソッドに関する菱形継承問題について、MRO(Method Resolution Order、メソッド解決順序)という手法を使って対処します。MROについては後述します。

さて、Shokuganクラスでは__init__メソッドとshowメソッドをオーバーライドすることにしましょう。__init__メソッドでは引数を使って、データ属性のname、price、use_by_date、target_ageを初期化します。ここでは継承した__init__メソッドは利用せずに、データ属性に対して引数を直接代入してください。継承した__init__メソッドを使う方法は後述します。一方、showメソッドではsuper関数を使って、継承したshowメソッドを呼び出してください。

クラスを定義したら、名前はchocolate+figure(チョコレート+フィギュア)、価格は450円、賞味期限は180日、対象年齢は3歳以上として、Shokuganオブジェクトを生成してください。そして、showメソッド、eatメソッド、playメソッドを呼び出します。FoodクラスとToyクラスの両方の機能を継承しているので、eatメソッドとplayメソッドの両方を呼び出すことができます。

▼multiple1.py

```
class Item:                                            ← Itemクラス(変更なし)
    def __init__(self, name, price):
        self.name = name
        self.price = price

    def show(self):                                    ← showメソッド
        print('name:', self.name)
        print('price:', self.price)

class Food(Item):                                      ← Foodクラス(変更なし)
    def __init__(self, name, price, use_by_date):
        super().__init__(name, price)
        self.use_by_date = use_by_date

    def show(self):                                    ← showメソッド
        super().show()                                 ← super関数の利用
        print('use-by date:', self.use_by_date)

    def eat(self):
        print('eating', self.name)

class Toy(Item):                                       ← Toyクラス(変更なし)
    def __init__(self, name, price, target_age):
        super().__init__(name, price)
        self.target_age = target_age

    def show(self):                                    ← showメソッド
        super().show()                                 ← super関数の利用
        print('target age:', self.target_age)

    def play(self):
        print('playing with', self.name)

class Shokugan(Food, Toy):                             ← Shokuganクラス
    def __init__(self, name, price,                    ← __init__メソッド
                 use_by_date, target_age):
        self.name = name                               ← データ属性の初期化
        self.price = price
        self.use_by_date = use_by_date
```

```
        self.target_age = target_age

    def show(self):                                  ← showメソッド
        super().show()                               ← super関数の利用

x = Shokugan('chocolate+figure', 450, 180, 3)        ← オブジェクトの生成
x.show()                                             ← メソッドの呼び出し
x.eat()
x.play()
```

実行結果は次のようになります。

```
>python multiple1.py
name: chocolate+figure              ← Item.showメソッドの出力
price: 450                          ← Item.showメソッドの出力
target age: 3                       ← Toy.showメソッドの出力
use-by date: 180                    ← Food.showメソッドの出力
eating chocolate+figure             ← Food.eatメソッドの出力
playing with chocolate+figure       ← Toy.playメソッドの出力
```

上記の実行結果には、どの行をどのメソッドが出力したのかを示しました。showメソッドの出力に注目してください。super関数を使って呼び出したshowメソッドについては、全ての基底クラス(Item、Food、Toy)のshowメソッドが実行されていることがわかります。

上記のプログラムと実行結果を見比べて、showメソッドがどのような順序で実行されているのかを追いかけてみてください。多重継承とsuper関数をこのように組み合わせると、全ての基底クラスにおけるメソッドを順に呼び出すことができます。Pythonの場合、この呼び出しの順序は前述のMRO(メソッド解決順序)で決まります。MROはPython処理系が自動的に作成しますが、その内容は以下のように、クラスの特殊な属性である__mro__で確認することができます。

MROの確認

```
クラス名.__mro__
```

前述のShokuganクラスについて、__mro__属性を表示してみてください。

▼multiple2.py

```
※クラスの定義を省略して掲載

class Item:
    ...


class Food(Item):
    ...


class Toy(Item):
    ...


class Shokugan(Food, Toy):
    ...


print(Shokugan.__mro__)
```

以下の実行結果は、読みやすくするために改行してあります。

```
>python multiple2.py
(<class '__main__.Shokugan'>,      ← Shokuganクラス
 <class '__main__.Food'>,          ← Foodクラス
 <class '__main__.Toy'>,           ← Toyクラス
 <class '__main__.Item'>,          ← Itemクラス
 <class 'object'>)                 ← objectクラス
```

一番下にあるobjectクラスは、Pythonにおける全てのクラスの基底クラスです。このクラスは全てのオブジェクト(インスタンス)に共通するメソッドを定義しています。Javaにおけるjava.lang.Objectクラスに似ています。

super関数を使ってメソッドを呼び出すと、上記の__mro__属性が示すクラスを上から下に調べて、呼び出すべきメソッドを探します。例えばShokuganクラスで「**super().show()**」を実行すると、Foodクラスのshowメソッドを呼び出します。またFoodクラスで「**super().show()**」を実行すると、Toyクラスのshowメソッドを呼び出します。

もし呼び出されたメソッドが見つからない場合には、さらに下にあるクラスを調べます。例えばShokuganクラスで「**super().show()**」を実行したときに、Food

クラスにshowメソッドがない場合にはToyクラスを調べて、Toyクラスにもshowメソッドがない場合にはItemクラスを調べます。

super関数(厳密にはsuper関数が返すオブジェクト)は、MROに沿ってメソッドを探します。MROはクラスによって異なるため、super関数をどのクラスで実行したかによって、結果が異なることに注意してください。例えば前述のFoodクラスについて、__mro__属性を表示してみてください。

▼multiple3.py

```
※クラスの定義を省略して掲載

class Item:
    ...


class Food(Item):
    ...


class Toy(Item):
    ...


class Shokugan(Food, Toy):
    ...


print(Food.__mro__)
```

実行結果は次のようになります。

```
>python multiple3.py
(<class '__main__.Food'>,      ← Foodクラス
 <class '__main__.Item'>,      ← Itemクラス
 <class 'object'>)             ← objectクラス
```

Shokuganクラスの__mro__属性と、Foodクラスの__mro__属性を比べてみてください。Foodクラスの下にあるクラスは、前者はToyクラスですが、後者はItemクラスです。そのため、Foodクラスのメソッドでsuper関数を呼び出したときに、現在のオブジェクトがShokuganオブジェクトならばToyクラスを調べ、FoodオブジェクトならばItemクラスを調べるという動作の違いが生じます。つまり、プログ

ラムの同じ箇所でsuper関数を呼び出す場合でも、文脈(現在のオブジェクト)に応じて動作が異なるということです。

さて前述のShokuganクラスは、基底クラスの__init__メソッドを利用していませんでしたが、次のようなプログラムにすれば活用することができます。またShokuganクラスのshowメソッドは、継承したshowメソッドを呼び出すだけなので、実は省略することが可能です。結果としてShokuganクラスは、__init__メソッドもshowメソッドも不要になり、pass文だけを書いた空のクラスで済みます。

▼multiple4.py

```
class Item:                                          ← Itemクラスの定義
    def __init__(self, name, price):
        self.name = name
        self.price = price

    def show(self):
        print('name:', self.name)
        print('price:', self.price)

class Food(Item):                                    ← Foodクラスの定義
    def __init__(self, use_by_date, **rest):
        super().__init__(**rest)                     ← super関数の利用
        self.use_by_date = use_by_date               ← use_by_dateの初期化

    def show(self):
        super().show()
        print('use-by date:', self.use_by_date)

    def eat(self):
        print('eating', self.name)

class Toy(Item):                                     ← Toyクラスの定義
    def __init__(self, target_age, **rest):
        super().__init__(**rest)                     ← super関数の利用
        self.target_age = target_age                 ← target_ageの初期化

    def show(self):
        super().show()
        print('target age:', self.target_age)
```

```
    def play(self):
        print('playing with', self.name)

class Shokugan(Food, Toy):                                  ← Shokuganクラスの定義
    pass                                                    ← pass文

x = Shokugan(name='chocolate+figure', price=450,            ← オブジェクトの生成
             use_by_date=180, target_age=3)
x.show()                                                    ← メソッドの呼び出し
x.eat()
x.play()
```

実行結果は前回と同じです。

```
>python multiple4.py
name: chocolate+figure                ← Item.showメソッドの出力
price: 450                            ← Item.showメソッドの出力
target age: 3                         ← Toy.showメソッドの出力
use-by date: 180                      ← Food.showメソッドの出力
eating chocolate+figure               ← Food.eatメソッドの出力
playing with chocolate+figure         ← Toy.playメソッドの出力
```

上記のプログラムでは、各クラスの__init__メソッドにおいて、super関数を使って他のクラスの__init__メソッドを呼び出すとともに、各クラスに特有のデータ属性を初期化しています。Foodクラスはuse_by_dateを、Toyクラスはtarget_ageを、そしてItemクラスはnameとpriceを初期化します。

プログラミング上のポイントは、キーワード引数を辞書にまとめる「**引数」と、辞書をキーワード引数に展開する「**辞書」(辞書アンパッキング)を活用していることです(Chapter6)。FoodクラスとToyクラスの__init__メソッドでは、ここで初期化するデータ属性(use_by_dateおよびtarget_age)だけを引数で取得し、残りの引数は**rest(レスト、残り)を使って、他のクラスの__init__メソッドに渡しています。キーワード引数の中から自分(メソッド)が処理できるものだけを取り出して処理し、残りは他のクラスに渡して処理を任せるというイメージです。

多重継承は使い方が難しいといわれることがよくありますが、上記のように多くのクラスを連携させて目的を達成することも可能です。引数がどのように渡されるのかに注目して、上記のプログラムを読み解いてみてください。

# 基礎編 Chapter8

# もっと上手にプログラムを書くための応用文法

これまでに学んだ文法だけでも幅広いプログラミングに対応できますが、もっと上手にプログラムを書くための文法を学ぶと、効率よく開発を進めることができます。本章ではプログラムを簡潔に書いたり、複雑な処理を実現したりするための文法を学びましょう。
ここで学ぶのは、例外処理、内包表記、ジェネレータ式、ラムダ式、代入文、assert文です。

本章の学習内容

①例外処理
②内包表記
③ジェネレータ式
④ラムダ式
⑤代入式
⑥assert文

# section 01 失敗からリカバリする 例外処理

例外というのは、プログラムを実行している間に起こる、望ましくない事態のことです。Pythonを含む色々なプログラミング言語には、このような事態が起きたことを**例外**としてプログラムに通知する機能があります。プログラムが例外に対処をしない場合には異常終了しますが、プログラムに適切な**例外処理**を記述しておけば、指定した処理を行ったうえで通常の処理に復帰することができます。

例外処理は書いても書かなくても構いません。ただし、例外が発生した後もプログラムの実行を続けたいときには、適切な例外処理を書く必要があります。

## ❖簡単なプログラムでも色々な例外が発生する

例外処理の効用を知るために、最初は例外処理を使わないでプログラムを書き、後ほど同じプログラムに例外処理を記述してみましょう。ここでは簡単な割り勘を行うプログラムを書きます。プログラムを実行し、**価格(price)と人数(count)を入力すると、価格を人数で割った値を整数で表示**してくれます。その後は再び価格の入力になり、割り勘の計算を繰り返すことができます。プログラムを終了するには Ctrl + C キーを押します。

```
price: 1230                ← 価格を入力
count: 2                   ← 人数を入力
price//count = 615         ← 価格を人数で割った値を整数で表示
------------------------
price:                     ← 再び価格を入力
```

上記のような実行結果になるプログラムを書いてみてください。具体的な処理の手順は次の通りです。

1. while文(Chapter5)の無限ループを使って、以下の処理を繰り返します。
2. input関数(Chapter5)で「price: 」と表示し、入力した文字列をint関数(Chapter3)で整数に変換して、変数priceに代入します。

③input関数で「count: 」と表示し、入力した文字列をint関数で整数に変換して、変数countに代入します。

④//演算子(Chapter3)を使って、priceをcountで割った値を整数で求め、print関数で表示します。

⑤次の計算との間に仕切りを設けるために、マイナス(-)を25個表示します。文字列に対する*演算子(Chapter3)を使うとよいでしょう。

▼error1.py

```
while True:
    price = int(input('price: '))
    count = int(input('count: '))
    print('price//count =', price//count)
    print('-'*25)
```

プログラムを実行して、例えばpriceに1230、countに2を入力してみてください。結果の615と仕切りが表示された後に、再びpriceの入力に移れば成功です。

```
>python error1.py
price: 1230
count: 2
price//count = 615
-------------------------
price:
```

さて、それでは例外を発生させてみましょう。まずは数値以外の文字列を入力した場合です。例えばpriceに対して「abc」と入力してみてください。次のようにValueError(バリューエラー、値エラー)というエラーが表示されます。このValueErrorというのは例外の一種で、演算子や関数が不適切な値を受け取ったときに発生します。以下のエラーメッセージは「値エラー：10進数のint()に対して不適切なリテラル：'abc'」という意味です。int関数は文字列を整数に変換しますが、'abc'は整数に変換できないので、例外を発生します。

```
>python error1.py
price: abc
Traceback (most recent call last):
```

```
  File "…", line 2, in <module>
    price = int(input('price: '))
ValueError: invalid literal for int() with base 10: 'abc'
```

今度は浮動小数点数を入力してみましょう。例えばpriceに対して3.14と入力してみてください。先ほどと同様にValueErrorが発生します。以下のエラーメッセージは「値エラー：10進数のint()に対して不適切なリテラル：'3.14'」です。int関数は'3.14'を整数に変換できないため、例外を発生します。

```
>python error1.py
price: 3.14
Traceback (most recent call last):
  File "…", line 2, in <module>
    price = int(input('price: '))
ValueError: invalid literal for int() with base 10: '3.14'
```

別の例外も発生させてみましょう。例えばpriceに対して1230を、countに対して0を入力してみてください。今度はZeroDivisionError(ゼロディビジョンエラー、ゼロ除算エラー)という例外が発生します。これは除算(割り算)を行う際に、除数(割る数)が0の場合に発生する例外です。以下のエラーメッセージは「ゼロ除算エラー：ゼロによる整数の除算または剰余」です。

```
>python error1.py
price: 1230
count: 0
Traceback (most recent call last):
  File "…", line 4, in <module>
    print('price//count =', price//count)
ZeroDivisionError: integer division or modulo by zero
```

上記のように比較的単純なプログラムにおいても、ユーザの入力によっては色々な例外が発生することがわかりました。次はこれらの例外が発生しないように、まずは例外処理を使わないで、エラー処理(エラーに対処するための処理)を書いてみましょう。

## ❖ 例外処理を使わないエラー処理は煩雑になりがち

これまでに発生した例外から、前述のプログラムには例えば次のようなエラー処理が必要そうです。例外が発生する事態を検出したら、エラーメッセージを表示し、最初(priceの入力)に戻るようにします。

1. 入力したpriceやcountに数字以外の文字が混ざっている場合には、「Input an integer.」(整数を入力してください)と表示し、最初に戻ります。
2. 入力したcountが0の場合には、「The count must be != 0.」(countは0以外にしてください)と表示し、最初に戻ります。

前述のプログラムに対して、if文とcontinue文を使って(Chapter5)、上記のエラー処理を追加してみてください。なお、文字列が数字だけで構成されているかどうかは、以下のようにisnumericメソッドを使って調べることができます。文字列が数字だけを含む場合、isnumericメソッドはTrueを返します。

文字列が数字だけで構成されているかどうかを調べる(isnumericメソッド)

```
文字列.isnumeric()
```

プログラムは以下のようになります。エラー処理を追加すると、前述のプログラムに比べてかなり長くなってしまいます。**入力された内容を確認し、エラーメッセージを表示した後には、仕切り(25個のマイナス)を表示**してから、次の計算に移ります。

▼error2.py

```
while True:
    price = input('price: ')              ← priceの入力
    if not price.isnumeric():             ← priceが数字以外を含む場合
        print('Input an integer.')
        print('-'*25)
        continue
    count = input('count: ')              ← countの入力
    if not count.isnumeric():             ← countが数字以外を含む場合
        print('Input an integer.')
        print('-'*25)
        continue
    price = int(price)                    ← priceを整数に変換
```

```
    count = int(count)                       ← countを整数に変換
    if count == 0:                           ← countが0の場合
        print('The count must be != 0.')
        print('-'*25)
        continue
    print('price//count =', price//count)    ← 除算の結果を表示
    print('-'*25)
```

上記のプログラムを実行して、次のように入力してみてください。①は計算の結果が表示され、②〜⑥はエラーメッセージを表示した後に、最初に戻ります。

①priceに「1230」、countに「3」を入力
②priceに「abc」を入力
③priceに「3.14」を入力
④priceに「1230」、countに「abc」を入力
⑤priceに「1230」、countに「3.14」を入力
⑥priceに「1230」、countに「0」を入力

実行結果は次のようになります。

```
>python error2.py
price: 1230
count: 3
price//count = 410             ← ①の結果
-------------------------
price: abc
Input an integer.              ← ②の結果
-------------------------
price: 3.14
Input an integer.              ← ③の結果
-------------------------
price: 1230
count: abc
Input an integer.              ← ④の結果
-------------------------
price: 1230
count: 3.14
Input an integer.              ← ⑤の結果
```

```
-------------------------
price: 1230
count: 0
The count must be != 0.          ← ⑥の結果
-------------------------
price:
```

これで前述のプログラムに対するエラー処理が書けましたが、元の簡潔なプログラムに比べると、かなり煩雑なプログラムになってしまいました。そして、本来の処理(エラーが発生しない場合の処理)が、さまざまなエラー処理で分断されるため、本来の処理の流れが見づらくなっています。

## ❖try文とexcept節の書き方

Pythonで例外処理を記述するには、try(トライ)文を使います。try文を使うと、プログラムにおける本来の処理の流れを分断せずに、簡潔にエラー処理を書くことができます。try文には色々な記法がありますが、典型的な使い方は次の通りです。

例外処理(try文)

```
try:
    文…                    ← 例外が発生する可能性のある処理
except 例外:
    文…                    ← 例外が発生した場合に実行する処理
```

「**try:**」(tryとコロン)以降をtry節と呼びます。try節には、例外が発生する可能性のある処理を、複数の文に渡って書くことができます。インデントしている限り、try節の内側として扱われます。

except(エクセプト)の後には、例外処理の対象にしたい例外(例外クラス)を指定します。先ほど発生したValueErrorやZeroDivisionErrorは例外の例です。Pythonがどんな例外を提供しているのかは、公式のライブラリリファレンスなどに記載されていますが、先ほどのように実際に例外を発生させて調べるのもよいでしょう。なおexceptの後には、値が例外(例外クラス)になる式を書くこともできます。

「**except 例外:**」以降をexcept節と呼びます。except節には、指定した例外が発生した場合に実行する処理を書きます。try節と同様にexcept節にも、インデントした上で複数の文を書くことが可能です。

なお、標準コーディングスタイルのPEP8では推奨されていませんが、「try:」と「except 例外:」の後に、改行せずに文を書くことも可能です。セミコロン(;)で区切れば、複数の文を書くこともできます。

例外処理(コロンに続けて文を書く)

```
try: 文…
except 例外: 文…
```

複数の例外を処理したい場合には、複数のexcept節を並べます。except節は上から処理され、発生した例外が指定した例外に一致した場合、そのexcept節が実行されます。

例外処理(複数の例外を処理)

```
try:
    文…                    ← 例外が発生する可能性のある処理
except 例外A:
    文…                    ← 例外Aが発生した場合に実行する処理
except 例外B:
    文…                    ← 例外Bが発生した場合に実行する処理
…
```

try文は次のように動作します。try節の中で例外が発生した場合、try節の中にある以後の文は実行せずに、except節に移ります。そして、発生した例外に一致するexcept節の文を実行した後に、try文の外側に移ります。

▼try文の仕組み

```
try:
    文…
    文          ●── 例外が発生したら①は実行せずにexcept節へ
    文…         ●── ①
except 例外A:   ●── 発生したのが例外Aならば②を実行して④へ
    文…         ●── ②
except 例外B:   ●── 発生したのが例外Bならば③を実行して④へ
    文…         ●── ③
文…             ●── ④
```

try節の中で例外が発生しなかった場合には、try節の中にある文を最後まで実行します。そしてexcept節は実行せずに、try文の外側に移ります。

▼try文の仕組み(例外が発生しない場合)

```
try:
    文…
    文             ←── 例外が発生しない場合は①を実行して②へ
    文…            ←── ①
except 例外A:
    文…
except 例外B:
    文…
文…                ←── ②
```

前述の割り勘を行うプログラムに、**try文を使った例外処理を追加**してみましょう。元のプログラムと同じものを以下に再掲します。

▼error1.py(再掲)

```
while True:
    price = int(input('price: '))
    count = int(input('count: '))
    print('price//count =', price//count)
    print('-'*25)
```

2個のexcept節を伴うtry文を書きます。1個目のexcept節ではValueErrorを指定し、「Input an integer.」と表示してください。2個目のexcept節ではZeroDivisionErrorを指定し、「The count must be != 0.」と表示してください。

▼try1.py

```
while True:
    try:                                          ← try節
        price = int(input('price: '))
        count = int(input('count: '))
        print('price//count =', price//count)
    except ValueError:                            ← 1個目のexcept節
        print('Input an integer.')
```

```
    except ZeroDivisionError:                    ← 2個目のexcept節
        print('The count must be != 0.')
    print('-'*25)                                ← try文の外側
```

例外処理を使わずにエラー処理を書いたときに比べて、かなり簡潔なプログラムになっていることがわかります。例外処理が優れている点は、本来の処理(エラーが発生しない場合の処理)を、try節の中に元のプログラム(エラー処理がないプログラム)とほぼ同じ形で書くことができるので、本来の処理の流れがわかりやすいことです。

上記のプログラムを実行して、以下の実行結果のように操作してみてください。入力する値は、前回のプログラム(例外処理を使わないerror2.py)と同様です。前回と同じ結果が、より簡潔なプログラムで得られていることに注目してください。

```
>python try1.py
price: 1230                    ← 1230を入力
count: 3                       ← 3を入力
price//count = 410
-------------------------
price: abc                     ← abcを入力
Input an integer.
-------------------------
price: 3.14                    ← 3.14を入力
Input an integer.
-------------------------
price: 1230                    ← 1230を入力
count: abc                     ← abcを入力
Input an integer.
-------------------------
price: 1230                    ← 1230を入力
count: 3.14                    ← 3.14を入力
Input an integer.
-------------------------
price: 1230                    ← 1230を入力
count: 0                       ← 0を入力
The count must be != 0.
-------------------------
price:
```

## ❖except節の色々な書き方

except節にはいくつかの書き方があります。まず、複数の例外を1個のexcept節でまとめて処理したいときには、次のように書きます。exceptの後に、丸括弧で囲んで、複数の例外(例外クラス)をカンマ(,)で区切って並べます。つまり、複数の例外をタプル(Chapter4)に格納して指定します。

複数の例外を1個のexcept節で処理

```
except (例外, …):
    文…
```

前述のプログラムを変更し、**ValueErrorとZeroDivisionErrorを1個のexcept節でまとめて処理し、例外が発生したときは単に「Error.」(エラー)と表示**してください。

▼except1.py

```
while True:
    try:
        price = int(input('price: '))
        count = int(input('count: '))
        print('price//count =', price//count)
    except (ValueError, ZeroDivisionError):      ← 複数の例外をまとめて処理
        print('Error.')
    print('-'*25)
```

上記のプログラムを実行し、以下の実行結果のように操作してみてください。ValueErrorとZeroDivisionErrorが、同じexcept節で処理されていることがわかります。

```
>python except1.py
price: 1230                ← 1230を入力
count: 3                   ← 3を入力
price//count = 410
-------------------------
price: abc                 ← abcを入力
Error.
-------------------------
```

```
price: 1230                    ← 1230を入力
count: 0                       ← 0を入力
Error.
-------------------------
price:
```

次のように例外の指定を省略すると、あらゆる例外を処理するexcept節になります。なお、この書き方はPEP8では推奨されていません。

あらゆる例外を処理するexcept節

```
except:
    文…
```

前述のプログラムを変更し、**あらゆる例外を処理するexcept節**を書いてみてください。例外が発生したときには「Error.」と表示します。

下記のプログラムを実行すると、プログラムをCtrl+Cキーで終了できなくなる可能性があるので、注意してください(心配ならば実行しないでください)。プログラムを終了できなくなった場合には、コマンドライン(コマンドプロンプト、Anacondaプロンプト、ターミナル)ごと終了してください。

▼except2.py

```
while True:
    try:
        price = int(input('price: '))
        count = int(input('count: '))
        print('price//count =', price//count)
    except:                                         ← あらゆる例外を処理
        print('Error.')
    print('-'*25)
```

プログラムを実行した場合には、以下の実行結果のように操作してみてください。全ての例外が同じexcept節で処理されていることがわかります。なお、Ctrl+Cキーを押すと、KeyboardInterrupt(キーボード割り込み)という例外が発生しますが、上記のプログラムではこの例外もexcept節で処理してしまうため、プログラムが終了できなくなります。

```
>python except2.py
price: 1230                         ← 1230を入力
count: 3                            ← 3を入力
price//count = 410
------------------------
price: abc                          ← abcを入力
Error.
------------------------
price: 1230                         ← 1230を入力
count: 0                            ← 0を入力
Error.
------------------------
price: Error.                       ← Ctrl+Cを入力
------------------------
price:                              ← プログラムは終了せずに実行を続ける
```

あらゆる例外を処理したいが、プログラムを終了できなくなるのは困るという場合には、Exception(エクセプション)という例外(例外クラス)を指定するとよいでしょう。実はexcept節は、例外で指定した例外を処理するだけではなく、指定した例外を基底クラス(Chapter7)とする例外も処理します。Exceptionは大部分の例外の基底クラスなので、except節にExceptionを指定すれば、ほぼ全ての例外を処理できるというわけです。なお、次の書き方はPEP8にも沿っています。

Exceptionを処理するexcept節

```
except Exception:
    文…
```

前述のプログラムを変更し、**Exceptionを処理するexcept節**を書いてみてください。例外が発生したときには「Error.」と表示します。

▼except3.py

```
while True:
    try:
        price = int(input('price: '))
        count = int(input('count: '))
        print('price//count =', price//count)
    except Exception:                          ← Exceptionを処理
        print('Error.')
```

```
    print('-'*25)
```

上記のプログラムを実行し、以下の実行結果のように操作してみてください。前述のKeyboardInterruptはExceptionを基底クラスとしていないので、上記のexcept節では処理されず、したがってCtrl＋Cキーでプログラムを終了することができます。

```
>python except3.py
price: 1230                                      ← 1230を入力
count: 3                                         ← 3を入力
price//count = 410
-------------------------
price: abc                                       ← abcを入力
Error.
-------------------------
price: 1230                                      ← 1230を入力
count: 0                                         ← 0を入力
Error.
-------------------------
price: Traceback (most recent call last):        ← Ctrl＋CやCtrl＋Dを入力
  File "…", line 3, in <module>
    price = int(input('price: '))
KeyboardInterrupt                                ← 例外によりプログラムが終了
```

例外が発生したときには、例外クラスのオブジェクト(Chapter7)が生成されています。このオブジェクトをexcept節で受け取ることによって、例外に関する情報を得ることができます。except節で例外オブジェクトを取得するには、次のように書きます。指定した変数に例外オブジェクトが代入されます。

例外オブジェクトの取得

```
except 例外 as 変数:
    文…
```

前述のプログラムを変更し、**Exceptionを処理するexcept節において、例外オブジェクトを変数eで受け取る**ようにしてください。そして例外が発生したときには、print関数を使ってeの値を表示してみてください。

▼except4.py

```
while True:
    try:
        price = int(input('price: '))
        count = int(input('count: '))
        print('price//count =', price//count)
    except Exception as e:
        print(e)
    print('-'*25)
```

上記のプログラムを実行し、以下の実行結果のように操作してみてください。例外が発生したときに、例外の内容が表示されます。内容は「値エラー：10進数のint()に対して不適切なリテラル：'abc'」と「ゼロ除算エラー：ゼロによる整数の除算または剰余」で、例外処理をしていなかった最初のプログラムにおいて、プログラムの終了時に表示されていたエラーメッセージと同じです。

```
>python except4.py
price: 1230                                        ← 1230を入力
count: 3                                           ← 3を入力
price//count = 410
-------------------------
price: abc                                         ← abcを入力
invalid literal for int() with base 10: 'abc'      ← 例外の内容
-------------------------
price: 1230                                        ← 1230を入力
count: 0                                           ← 0を入力
integer division or modulo by zero                 ← 例外の内容
-------------------------
price:
```

なお、次のようにexcept節の中にpass(パス)文を書くと、例外が発生したときに何も行わないことができます。これは発生した例外を「もみ消す」ことに相当するので注意してください。特に「**except:**」や「**except Exception:**」とpass文を組み合わせると、あらゆる例外を隠蔽してしまうので危険です。不用意に例外を隠蔽すると、プログラムの問題を発見したり修正したりするための重要な情報を見逃してしまう可能性があります。

例外発生時に何も行わない(pass文)

```
except 例外:
    pass
```

## ❖例外が発生してもしなくても実行するfinally節

finally(ファイナリー)節には、例外が発生したかどうかにかかわらず最後に実行したい処理を書きます。finally節は次のように、except節よりも後に書きます。「**finally:**」以降がfinally節です。try節やexcept節と同様に、インデントしている限り、finally節の内側として扱われます。なお「finally:」の後に改行せずに文を書くこともできますが、PEP8では推奨されていません。

例外処理(finally節)

```
try:
    文…                          ← 例外が発生する可能性のある処理
except 例外:
    文…                          ← 例外が発生した場合に実行する処理
finally:
    文…                          ← 例外が発生してもしなくても実行する処理
```

例外が発生してもしなくても最後に実行したい処理、いわば「後片付けの処理」は、finally節に書くのがおすすめです。次のようにtry文の外側に後片付けの処理を書くこともできますが、finally節に書いた方が、try文に囲まれた一連の処理であることが明示できるので、プログラムが読みやすくなります。またプログラムを変更しているうちに、うっかり後片付けの処理を削除してしまう危険性も減らせます。さらに重要なのはtry文をネスト(入れ子)にした場合で、finally節に後片付けの処理を書いておくことで、例外の発生箇所にかかわらず確実に後片付けをすることができます。try文をネストにした例は後ほど紹介します。

後片付けの処理をtry文の外で行う

```
try:
    文…                          ← 例外が発生する可能性のある処理
except 例外:
    文…                          ← 例外が発生した場合に実行する処理
文…                              ← try文の外側に後片付けの処理を書くこともできるが…
```

前述の割り勘プログラムでfinally節を使ってみましょう。**繰り返しの最後で仕切り(25個のマイナス)を表示する処理をfinally節の中に入れて**みてください。なお以下のプログラム例では、ValueErrorとZeroDivisionErrorは別々のexcept節で処理しています。

▼finally1.py

```
while True:
    try:                                            ← try節
        price = int(input('price: '))
        count = int(input('count: '))
        print('price//count =', price//count)
    except ValueError:                              ← 1個目のexcept節
        print('Input an integer.')
    except ZeroDivisionError:                       ← 2個目のexcept節
        print('The count must be != 0.')
    finally:                                        ← finally節
        print('-'*25)
```

上記のプログラムを実行し、以下の実行結果のように操作してみてください。例外が発生したかどうかにかかわらずfinally節が実行されて、仕切りが表示されます。

```
>python finally1.py
price: 1230                  ← 1230を入力
count: 3                     ← 3を入力
price//count = 410
-------------------------    ← finally節を実行(例外発生なし)
price: abc                   ← abcを入力
Input an integer.
-------------------------    ← finally節を実行(例外発生あり)
price: 1230                  ← 1230を入力
count: 0                     ← 0を入力
The count must be != 0.
-------------------------    ← finally節を実行(例外発生あり)
price:
```

ここで、except節で処理されなかった例外があるときにプログラムがどんな動作をするのかを学んでおきましょう。例外が発生したときには、その例外を処理する

except節に出会うまでfinally節以外の実行は全て省略します。この規則に基づいて、次のプログラムがどのような実行結果になるのか読み解いてみてください。try文の内側に別のtry文があり、ネストになっていることに注意してください。

▼finally2.py

```
try:                            ← 外側のtry文
    print(1)
    try:                        ← 内側のtry文
        print(2)
        1/0                     ← 例外(ZeroDivisionError)が発生
        print(3)
    except ValueError:          ← 内側のexcept節(ValueErrorを処理)
        print(4)
    finally:
        print(5)                ← 内側のfinally節
    print(6)
except ZeroDivisionError:       ← 外側のexcept節(ZeroDivisionErrorを処理)
    print(7)
finally:                        ← 外側のfinally節
    print(8)
print(9)                        ← try文の外側
```

どのprint関数が実行されるのか、読み解けましたか。実行結果は次の通りです。内側のtry節においてZeroDivisionErrorが発生しますが、内側のtry文には該当するexcept節がないので、finally節のみ実行します。その後、外側のtry文の該当するexcept節を実行し、finally節を実行します。

```
>python finally2.py
1
2
5
7
8
9
```

## ❖例外が発生しなかった場合に実行するelse節

else(エルス)節には、例外が発生しなかった場合にだけ実行したい処理を書きます。else節は次のように、except節よりも後に、finally節よりも前に書きます。「**else:**」以降がelse節です。try節、except節、finally節と同様に、インデントしている限り、else節の内側として扱われます。else節の後に、改行せずに文を書くこともできますが、やはりPEP8では推奨されていません。

例外が発生しない場合に実行(else節)

```
try:
    文…                    ← 例外が発生する可能性のある処理
except 例外:
    文…                    ← 例外が発生した場合に実行する処理
else:
    文…                    ← 例外が発生しなかった場合に実行する処理
finally:
    文…                    ← 例外が発生してもしなくても実行する処理
```

例外が発生しなかった場合に実行する処理は、else節を使わずに、以下のようにtry節の中に書くこともできます。しかし、例外が発生する可能性がある処理と、例外が発生する可能性がない処理を明確に区別したいときには、else節を使うとよいでしょう。例外の可能性がある処理をtry節の中に、例外の可能性がない処理をelse節の中に書くことにより、例外が発生するのがどの処理なのかを明示できるとともに、意図していなかった例外を処理してしまう危険性を減らせます。

例外が発生しなかった場合の処理をtry節で行う

```
try:
    文…                    ← 例外が発生する可能性のある処理
    文…                    ← 例外が発生しなかった場合に実行する処理
except 例外:
    文…                    ← 例外が発生した場合に実行する処理
finally:
    文…                    ← 例外が発生してもしなくても実行する処理
```

ifとelseを組み合わせるのは他のプログラミング言語においても一般的ですが、Pythonではif文、while文、for文、そしてtry文にもelse節を書けるのが面白いところです。これらのelse節を上手に活用すると、プログラムを短く書いたり、わかりやすく書いたりできるので、ぜひ使い慣れてみてください。

なお、except節、else節、finally節はいずれも省略できます。ただし、try節のみにすることはできず、else節を使う場合にはexcept節が必要です。まとめると、記述が可能なのは以下のような組み合わせです。

・try節とexcept節
・try節とexcept節とelse節
・try節とexcept節とelse節とfinally節
・try節とexcept節とfinally節
・try節とfinally節

try節とfinally節の組み合わせはexcept節がないので少し不思議な感じがしますが、使いどころはあります。この形式は、try節で例外が発生したときにfinally節で後片付けのみ行い、例外の処理についてはより外側にあるexcept節に任せるために使います。

さて、前述の割り勘プログラムでelse節を使ってみましょう。else節を使って**「Thank you.」(ありがとうございます)と表示**する処理を書いてみてください。

▼else1.py

```
while True:
    try:                                          ← try節
        price = int(input('price: '))
        count = int(input('count: '))
        print('price//count =', price//count)
    except ValueError:                            ← 1個目のexcept節
        print('Input an integer.')
    except ZeroDivisionError:                     ← 2個目のexcept節
        print('The count must be != 0.')
    else:                                         ← else節
        print('Thank you.')
    finally:                                      ← finally節
        print('-'*25)
```

上記のプログラムを実行し、以下の実行結果のように操作してみてください。例外が発生しなかったときだけelse節が実行されて、「Thank you.」と表示されます。

```
>python else1.py
price: 1230                    ← 1230を入力
count: 3                       ← 3を入力
price//count = 410
Thank you.                     ← else節を実行(例外発生なし)
-------------------------
price: abc                     ← abcを入力
Input an integer.
-------------------------
price: 1230                    ← 1230を入力
count: 0                       ← 0を入力
The count must be != 0.
-------------------------
price:
```



## 例外を発生させるraise文

今までは発生した例外を処理する方法を学んできましたが、意図的に例外を発生させることもできます。例外を発生させるには、次のようなraise(レイズ)文を使います。例外の部分には、発生させたい例外(例外クラスまたは例外オブジェクト)を指定します。値が例外になる式を書くこともできます。

例外を発生させる(raise文)

```
raise 例外
```

例えばExceptionを発生させる場合には、次のように書きます。

Exceptionを発生させる

```
raise Exception
```

以下のように書くと、例外の内容を表すオブジェクトを格納したうえで、Exceptionを発生させることができます。

例外の内容を格納してExceptionを発生させる

```
raise Exception(オブジェクト)
```

前述の割り勘プログラムでraise文を使ってみましょう。**priceが負の値だったときにraise文で例外を発生させ、「The price must be >= 0.」(価格は0以上にしてください)と表示**してください。具体的には次のように処理します。

1 if文とraise文を使って、priceが負の値のときにExceptionを発生させます。Exceptionには、例外の内容として「'The price must be >= 0.'」を格納します。
2 Exceptionを処理するためのexcept節を追加します。例外オブジェクトを変数eに代入し、print関数でeを表示します。

▼raise1.py

```
while True:
    try:
        price = int(input('price: '))
        if price < 0:
            raise Exception('The price must be >= 0.') ← raise文
        count = int(input('count: '))
        print('price//count =', price//count)
    except ValueError:
        print('Input an integer.')
    except ZeroDivisionError:
        print('The count must be != 0.')
    except Exception as e:                          ← 追加したexcept節
        print(e)
    else:
        print('Thank you.')
    finally:
        print('-'*25)
```

上記のプログラムにおいて、except節の順序に注目してください。ValueErrorやZeroDivisionErrorよりも、Exceptionを下に配置しています。except節は上から下に処理するので、Exceptionを上に書くと、Exceptionを基底クラスとするValueErrorやZeroDivisionErrorも処理されてしまうからです。一般にexcept節を書くときには、派生クラスを上に、基底クラスを下に書きます。

プログラムを実行し、以下の実行結果のように操作してみてください。priceに負の値を入力したときに、「The price must be >= 0.」と表示されれば成功です。

```
>python raise1.py
price: 1230                    ← 1230を入力
count: 3                       ← 3を入力
price//count = 410
Thank you.
-------------------------
price: -1230                   ← -1230を入力
The price must be >= 0.        ← raise文で発生させた例外の処理
-------------------------
price:
```

raise文には次のような使い方もあります。except節の中でこれらの記法を使うと、処理中の例外を再送出したり、処理中の例外を原因とする別の例外を発生させたりすることができます。これらの記法は、あるexcept節において例外の処理を完結せず、他のexcept節に残りの処理を委ねたいときに使えます。

例外の再送出

```
raise
```

例外Aを原因とする例外Bを発生させる

```
raise 例外B from 例外A
```

簡単なプログラムで上記の使い方を試してみましょう。以下のプログラムを実行すると何が起こるか、予想してください。

▼raise2.py

```
try:
    1/0                ← 例外(ZeroDivisionError)が発生
except Exception:
    raise              ← 例外を再送出
```

実行結果は次の通りです。except節で例外の処理が完結せず、発生した例外(ZeroDivisionError)を表示してプログラムが終了していることがわかります。

```
>python raise2.py
Traceback (most recent call last):
  File "…", line 2, in <module>
    1/0
ZeroDivisionError: division by zero
```

今度は以下のプログラムを実行すると何が起こるか、予想してください。

▼raise3.py

```
try:
    1/0                             ← 例外(ZeroDivisionError)が発生
except Exception as e:
    raise Exception from e          ← 発生した例外を原因とする別の例外を発生
```

実行結果は次の通りです。最初に発生したZeroDivisionErrorと、次に発生したExceptionが表示されます。これらに関して、「上の例外(ZeroDivisionError)が原因で、下の例外(Exception)が発生しました」というエラーメッセージが表示されています。

```
>python raise3.py
Traceback (most recent call last):
  File "…", line 2, in <module>
    1/0
ZeroDivisionError: division by zero

The above exception was the direct cause of the following exception:

Traceback (most recent call last):
  File "…", line 4, in <module>
    raise Exception from e
Exception
```

# section 02 簡潔なプログラムでデータ構造が作れる内包表記

内包表記(ないほうひょうき)はデータ構造(Chapter4)を作成するときに役立つ構文です。for文やif文に似た記法を使い、非常に簡潔なプログラムでリスト、集合、辞書に格納する値を生成することができます。英語ではcomprehension(コンプリヘンション、内包)と呼ばれています。

内包表記を使わなくてもプログラミングはできますが、上手に活用するとプログラムの見通しがよくなり、開発効率が向上します。また内包表記を使ってプログラムを短く書くことには、パズルに似た刺激もあります。

## リストの内包表記を書いてみる

まずはリストの内包表記を書いてみましょう。リストの内包表記が書けるようになれば、後述する集合や辞書の内包表記も、ほとんど同じ要領で書くことができます。

最初は内包表記を使わないで、次のようなプログラムを書いてみてください。**0から9までの整数を2乗した値を格納したリスト**を作成するプログラムです。具体的な処理の手順は次の通りです。

1. 空のリストを作成し、変数aに代入します。
2. for文とrange関数を使って、0から9までの整数に対する繰り返しを行います。
3. 繰り返しの中で整数の2乗を計算し、appendメソッドを使って変数aのリストに追加します。
4. 作成したリストを表示します。

▼comp1.py

```
a = []                    ← 空のリストを作成
for x in range(10):       ← 0から9まで繰り返す
    a.append(x*x)         ← リストに値を追加
print(a)                  ← リストを表示
```

上記のプログラムを実行すると、次のような結果になります。0(0の2乗)から81(9の2乗)まで、10個の値が格納されたリストが作成できました。

```
>python comp1.py
[0, 1, 4, 9, 16, 25, 36, 49, 64, 81]
```

さて、リストの内包表記は次のように書きます。内包表記には色々な記法がありますが、以下は非常に基本的な書き方です。

リストの内包表記

```
[式 for 変数 in イテラブル]
```

内包表記の見た目はfor文に似ていますが、動きもfor文に似ています。イテラブルから要素を1個ずつ取り出し、変数に代入した後に、式を評価した値をリストに追加します。式の内容は任意ですが、変数を使った式を書くことが一般的です。以上の処理を、イテラブルから全ての要素を取り出すまで繰り返します。

なお以下のように書くと、イテラブルから取り出した値をアンパッキングして、複数の変数に代入することができます。for文でタプルなどをアンパッキングする機能と同様です。

内包表記におけるアンパッキング

```
[式 for 変数, … in イテラブル]
```

前述のプログラムを、内包表記を使って書いてみましょう。**0から9までの整数を2乗した値を格納したリストを内包表記を使って作成して表示**してください。

▼comp2.py

```
print([x*x for x in range(10)])
```

先ほどは4行あったプログラムを、1行に縮めることができました。実行結果は前述のプログラムと同じです。

## ❖集合の内包表記を書いてみる

次は集合の内包表記を書いてみましょう。これは実に簡単で、リストの内包表記における角括弧を、以下のように波括弧に置き換えるだけです。アンパッキングを使う場合には、変数の部分を「変数, …」のように書きます。

集合の内包表記

```
{式 for 変数 in イテラブル}
```

前述のリストの内包表記を参考に、集合の内包表記を書いてみましょう。**0から9までの整数を2乗した値を格納した集合を内包表記を使って作成して表示**してください。

▼comp3.py

```
print({x*x for x in range(10)})
```

リストの内包表記を使った前述のプログラムの、角括弧を波括弧に置き換えただけです。実行結果は次の通りです。集合なので、要素を取り出すときの順序は保証されていません。値を追加したときの順序と、実行結果で表示される要素の順序が一致していないのは、このためです。また、集合には同じ値を重複して格納することはできないので、同じ値を2個以上追加した場合には1個だけが格納されます。

```
>python comp3.py
{0, 1, 64, 4, 36, 9, 16, 49, 81, 25}
```

## ❖辞書の内包表記を書いてみる

辞書の内包表記もリストや集合と同じ要領で書けますが、辞書にはキーと値があることに注意が必要です。以下のように波括弧を使ったうえで、それぞれキーと値を生成する2個の式をコロン(:)で区切って並べます。アンパッキングを使う場合には、変数の部分を「変数, …」のように書きます。

辞書の内包表記

```
{キーの式: 値の式 for 変数 in イテラブル}
```

辞書の内包表記を書いてみましょう。**0から9までの整数について、整数を2乗した値をキーとし、元の整数を値として格納した辞書を、内包表記を使って作成して表示**してください。

▼comp4.py

```
print({x*x: x for x in range(10)})
```

コロンの前には整数の2乗を表す式(x*x)を、コロンの後には元の整数を表す式(x)を書きます。実行結果は次の通りです。整数の2乗に対して、元の整数を対応づける辞書ができています。整数に対して、その平方根を対応づける辞書ともいえます。

```
>python comp4.py
{0: 0, 1: 1, 4: 2, 9: 3, 16: 4, 25: 5, 36: 6, 49: 7, 64: 8, 81: 9}
```

## ❖内包表記で多重ループを表現する

ループ(繰り返し)の中に別のループがネストしたものを、多重ループと呼ぶことがあります(Chapter5)。例えば、for文の中に別のfor文が入れ子になっているような構造です。

実は内包表記にも、多重ループを表現するための記法があります。その記法を紹介する前に、内包表記を使わずに次のようなプログラムを書いてみてください。**掛け算の九九を格納したリストを作成して表示**するプログラムです。リストには1(1×1)、2(1×2)、…、72(9×8)、81(9×9)が格納されます。以下の実行結果では、見やすくするために改行し、途中の値を省略しました。

```
>python comp_nest1.py
[1, 2, 3, 4, 5, 6, 7, 8, 9,
2, 4, 6, 8, 10, 12, 14, 16, 18,
…
9, 18, 27, 36, 45, 54, 63, 72, 81]
```

このプログラムは多重ループ(二重ループ)を使います。具体的な処理の手順は次の通りです。

1 空のリストを作成し、変数aに代入します。
2 for文とrange関数を使って、1から9までの整数に対する繰り返しを行います(外側のループ)。
3 for文とrange関数を使って、1から9までの整数に対する繰り返しを行います(内側のループ)。
4 2と3の整数を乗算した値をリストに格納します。
5 作成したリストを表示します。

▼comp_nest1.py

```
a = []                          ← 空のリストを作成
for x in range(1, 10):          ← 外側のループ
    for y in range(1, 10):      ← 内側のループ
        a.append(x*y)           ← リストに値を追加
print(a)                        ← リストを表示
```

さて、内包表記で多重ループを表現するには、次のように書きます。以下は二重ループの場合ですが、末尾に「for 変数 in イテラブル」という表記を追加することで、三重ループ以上も表現することができます。左に書いたループ(以下では変数Aのループ)が外側のループ、右に書いたループ(以下では変数Bのループ)が内側のループになります。なお、以下の記法は集合や辞書の内包表記でも同様に使えます。

内包表記による多重ループ

```
[式 for 変数A in イテラブルA for 変数B in イテラブルB]
```

前述のプログラムを、上記の内包表記を使って書いてみましょう。**九九を格納したリストを作成して表示**してください。

▼comp_nest2.py

```
print([x*y for x in range(1, 10) for y in range(1, 10)])
```

元のプログラムは5行でしたが、内包表記を使うと1行になりました。このようにプログラムを非常に短く書けることが、内包表記の魅力です。

最後に、上記のプログラムとは少し違った結果になるプログラムを書いてみましょう。以下のように、**九九の各段(1の段、2の段、…、9の段)を内側のリストに格納し、これらの9個のリストを外側のリストに格納**します。

```
>python comp_nest3.py
[[1, 2, 3, 4, 5, 6, 7, 8, 9],
[2, 4, 6, 8, 10, 12, 14, 16, 18],
…
[9, 18, 27, 36, 45, 54, 63, 72, 81]]
```

内包表記を使って、上記の実行結果になるプログラムを書いてみてください。今回は先ほど紹介した多重ループは使いませんが、かわりに内包表記のネスト(内包表記の中に別の内包表記を書いた構造)を使います。

▼comp_nest3.py

```
print([[x*y for y in range(1, 10)] for x in range(1, 10)])
```

上記のプログラムは、外側の内包表記(for x…)の中に、内側の内包表記(for y…)を入れた構造になっています。このように内包表記を入れ子にすると、リストの中にリストが入ったような、階層的なデータ構造を作成することができます。

## ❖内包表記とifを組み合わせる

内包表記には、以下のようにifを組み合わせることもできます。イテラブルから要素を1個取り出し、変数に代入するところまでは先ほどまでと同じですが、次にifの後にある式Bを評価します。式Bの値がTrueのときには、式Aを評価した値をリストに追加します。式Bの値がFalseのときには、式Aは評価せず、値をリストに追加することもしません。

ifを伴う内包表記

```
[式A for 変数 in イテラブル if 式B]
```

今までの内包表記と同様に、変数の部分を「変数, …」のように書けば、アンパッキングも可能です。また、上記はリストの場合ですが、集合や辞書の内包表記にも、同じようにifを付加することができます。

ifを伴う内包表記を使ってみましょう。**0から19までの整数の中で、2の倍数でも3の倍数でもない値だけを格納したリストを作成して表示**してください。「2の倍数でない」ことは、「整数を2で割った余りが0ではない」ことから確かめられます。%演算子を使ってみてください。

▼comp_if1.py

```
print([x for x in range(20) if x%2 and x%3])
```

上記のプログラムでは、変数xに0から19までの整数が1個ずつ代入されます。「x%2」は「xを2で割った余り」を表します。この式が0以外のときにはTrueの扱いになるので、「x%2」と「x%3」をandで組み合わせることによって、「2の倍数でもなく、3の倍数でもない」ことを表現しています。

「x%2」や「x%3」の部分は、「x%2 != 0」や「x%3 != 0」のように書いても構いません。上記のプログラムでは短さを優先して、「!= 0」は省略しました。このプログラムを実行すると、以下のように表示されます。

```
>python comp_if1.py
[1, 5, 7, 11, 13, 17, 19]
```

## ❖内包表記と条件式を組み合わせる

条件式(三項演算子)は、内包表記と組み合わせて使うと非常に便利な機能です(Chapter5)。内包表記では、リストなどに格納する値を式で表現しますが、この式の中で条件式を使うことによって、条件に応じて格納する値を切り替えることができます。

ここではプログラミングの問題としても使われることが多い、「Fizz Buzz」(フィズバズ)というゲーム(言葉遊び)のプログラムを書いてみましょう。このゲームは複数の参加者で遊びます。各参加者が順番に、1から始まって1ずつ増加する整数を、1個ずつ言っていきます。ただし、3の倍数のときにはFizz(フィズ)、5の倍数のときにはBuzz(バズ)、15の倍数のときにはFizz Buzz(フィズバズ)といいます。言い間違ったり、言いよどんだりすると負けになります。

以下は、**Fizz Buzzで1から15(Fizz Buzz)まで数えたところ**です。この内容のリストを作成するプログラムを書いてみてください。

1, 2, Fizz, 4, Buzz, Fizz, 7, 8, Fizz, Buzz, 11, Fizz, 13, 14, Fizz Buzz

まずは内包表記も条件式も使わないでプログラムを書いてみましょう。for文とif文を使います。具体的な処理の手順は次の通りです。

1. 空のリストを作成し、変数aに代入します。
2. for文とrange関数を使って、1から15までの整数に対し、以下の3～6を繰り返します。
3. 整数が15で割り切れる場合、リストに「'Fizz Buzz'」を追加します。
4. 整数が15では割り切れないが、5で割り切れる場合、リストに「'Buzz'」を追加します。
5. 整数が15や5では割り切れないが、3で割り切れる場合、リストに「'Fizz'」を追加します。
6. 整数が15でも5でも3でも割り切れない場合、リストに整数自体を追加します。
7. 作成したリストを表示します。

▼comp_cond1.py

```
a = []                              ← 空のリストを作成
for x in range(1, 16):              ← 1から15まで繰り返し
    if x%15 == 0:
        a.append('Fizz Buzz')       ← 15で割り切れる場合
    elif x%5 == 0:
        a.append('Buzz')            ← 5で割り切れる場合
    elif x%3 == 0:
        a.append('Fizz')            ← 3で割り切れる場合
    else:
        a.append(x)                 ← 15, 5, 3のいずれでも割り切れない場合
print(a)                            ← リストの表示
```

上記のプログラムを実行すると、次のような結果になります。Pythonのデータ構造(ここではリスト)に、型が異なる値(ここでは整数と文字列)を混在させられることは、今回のようなプログラムを実現するときに便利です。

```
>python comp_cond1.py
[1, 2, 'Fizz', 4, 'Buzz', 'Fizz', 7, 8, 'Fizz', 'Buzz', 11, 'Fizz',
13, 14, 'Fizz Buzz']
```

さて、今度は内包表記と条件式を使って、上記と結果を出力するプログラムを書いてみてください。内包表記の式において条件式を使うことと、複数の条件式を並べることがポイントです。もしプログラムを書くのが難しく感じたら、次のように段階的にプログラムを開発してみてください。このように段階的にプログラムを改良しながら、最終的なプログラムを完成させる手法は、プログラミングにおいてとても有効です。

1 1から16までの整数を格納したリストを作成し、表示します。
2 1において3の倍数を'Fizz'とします。
3 2において5の倍数を'Buzz'とします。
4 3において15の倍数を'Fizz Buzz'とします。

以下は1のプログラムと実行結果です。内包表記とrange関数を使います。

▼comp_cond2.py

```
print([x for x in range(1, 16)])
```

```
>python comp_cond2.py
[1, 2, 3, 4, 5, 6, 7, 8, 9, 10, 11, 12, 13, 14, 15]
```

以下は2のプログラムと実行結果です。条件式を使って、3の倍数をFizzにします。

▼comp_cond3.py

```
print(['Fizz' if x%3 == 0 else x for x in range(1, 16)])
```

```
>python comp_cond3.py
[1, 2, 'Fizz', 4, 5, 'Fizz', 7, 8, 'Fizz', 10, 11, 'Fizz', 13, 14,
'Fizz']
```

以下は3のプログラムと実行結果です。複数の条件式を並べて、5の倍数をBuzzに、3の倍数をFizzにします。長くなったので途中で改行しましたが、プログラムの内容としては1行で済んでいます。

▼comp_cond4.py

```
print(['Buzz' if x%5 == 0 else 'Fizz' if x%3 == 0 else
       x for x in range(1, 16)])
```

```
>python comp_cond4.py
[1, 2, 'Fizz', 4, 'Buzz', 'Fizz', 7, 8, 'Fizz', 'Buzz', 11, 'Fizz',
13, 14, 'Buzz']
```

以下は最終的な4のプログラムと実行結果です。15の倍数に関する条件式は、5や3の倍数に関する条件式よりも前に書く必要があることに注意してください(15の倍数は5や3の倍数でもあるためです)。途中で改行していますが、プログラムの内容としては1行です。

▼comp_cond5.py

```
print(['Fizz Buzz' if x%15 == 0 else 'Buzz' if x%5 == 0 else
       'Fizz' if x%3 == 0 else x for x in range(1, 16)])
```

```
>python comp_cond5.py
[1, 2, 'Fizz', 4, 'Buzz', 'Fizz', 7, 8, 'Fizz', 'Buzz', 11, 'Fizz',
13, 14, 'Fizz Buzz']
```

このように内包表記や条件式を活用すると、プログラムをとても短く書くことができます。上記の例でも、元のプログラムは11行でしたが、1行に短縮することができました。短いプログラムがいつでも読みやすいとは限りませんが、プログラムが簡潔になることで開発効率が上がる場合も多くあるので、ぜひお試しください。

# section 03 求められてから値を作る ジェネレータ式

ジェネレータはイテラブルなオブジェクトの一種です。文字列やリストなどと同様に、for文などを使って値を1個ずつ取り出すことができますが、あらかじめ複数の値を格納しておくのではなく、値を要求されるたびに1個ずつ生成することが特徴です。多数の値を格納しておく必要がないので、メモリの消費を抑えることができたり、無限個の値を生成することができたり、といった利点があります。

ジェネレータを作成する方法としては、ジェネレータ式とジェネレータ関数があります。まずは内包表記によく似ていて、内包表記と同じ要領で使えるジェネレータ式から学びます。次に学ぶジェネレータ関数は、ジェネレータ式では書きにくい複雑な処理を記述したいときに役立ちます。

## ❖内包表記とジェネレータ式の違い

ジェネレータ式は次のように書きます。リストの内包表記と比べると、角括弧が丸括弧に変わっただけです。丸括弧を使いますが、これはタプルの内包表記ではなく、ジェネレータ式になります。

ジェネレータ式

```
(式 for 変数 in イテラブル)
```

内包表記と同様に、変数の部分を「変数, …」のように書けばアンパッキングができます。また、複数のforを並べて多重ループを表現したり、ifと組み合わせたりすることも、内包表記と同じように可能です。

内包表記とジェネレータ式の違いを確認するために、まずは次のプログラムを実行してみてください。**0から9までの整数を2乗した値を格納したリスト**を作成する内包表記と、同じ内容の値を生成するジェネレータ式の比較です。

▼gen1.py

```
print([x**x for x in range(10)])    ← リストの内包表記
print((x**x for x in range(10)))    ← ジェネレータ式
```

上記のプログラムを実行すると、次のような結果になります。リストの内包表記についてはリストが表示されますが、ジェネレータ式に関しては「<ジェネレータオブジェクト <ジェネレータ式>…>」のように表示されます。このようにジェネレータ式は、ジェネレータ(ジェネレータオブジェクト)を返します。

```
>python gen1.py
[0, 1, 4, 9, 16, 25, 36, 49, 64, 81]      ← リストの内包表記を表示
<generator object <genexpr> at 0x…>        ← ジェネレータ式を表示
```

上記の**内包表記とジェネレータ式にfor文を適用して、値を1個ずつ取り出して表示**してみてください。以下は内包表記のプログラムです。

▼gen2.py

```
for y in [x*x for x in range(10)]:
    print(y, end=' ')
```

以下はジェネレータ式のプログラムです。上記のプログラムとの違いは、内包表記の角括弧が丸括弧に変わっただけです。

▼gen3.py

```
for y in (x*x for x in range(10)):
    print(y, end=' ')
```

上記の2種類のプログラムを実行してみてください。以下は内包表記(gen2.py)の結果ですが、ジェネレータ式(gen3.py)も同じ結果になります。

```
>python gen2.py
0 1 4 9 16 25 36 49 64 81
```

上記の例においては、内包表記とジェネレータ式のどちらを使っても違いは出ませんでした。しかし次のような例では、両者の動作に大きな違いが生じます。上記の2種類のプログラムにおいて、繰り返しの回数を1億回にしてみてください。以下の1個目のプログラムが内包表記、2個目のプログラムがジェネレータ式です。

▼gen4.py

```
for y in [x*x for x in range(100000000)]:
    print(y, end=' ')
```

▼gen5.py

```
for y in (x*x for x in range(100000000)):
    print(y, end=' ')
```

いずれのプログラムも実行結果は同じで、以下のようになります(ここでは結果の表示を省略しています)。ただし、内包表記の方はなかなか表示が始まりません。環境によりますが、数秒から数十秒だけ停止した後に、結果の表示が始まります。このように表示が始まらないのは、1億個の値を生成してリストに格納する処理に、時間がかかっているためです。

一方、ジェネレータ式の方は即座に表示が始まります。これはfor文が値を取り出すたびに、1個ずつ値を生成しているためです。1個の値を生成するだけなので、時間はかかりません。なお、全ての値を表示し終わるまでには時間がかかります。途中で終了するには、Ctrl＋Cキーを押してください。

```
>python gen4.py
0 1 4 9 16 25 36 49 64 81 100 121 144 169 196 225 256 289 324 361 400…
```

このようにジェネレータ式を使うと、要求されるたびに値を1個ずつ生成する、ジェネレータを作ることができます。上記のように、あらかじめ値を生成しておくと時間がかかる場合や、値が無限個なので前もって生成できない場合などには、ジェネレータが役立ちます。

## より複雑な処理が書けるジェネレータ関数とyield文

ジェネレータ関数を使うと、関数の定義(Chapter6)に似た記法でジェネレータを作ることができます。表記はジェネレータ式の方が簡潔ですが、ジェネレータ式では書きにくい複雑な処理を表現したいときには、ジェネレータ関数が役立ちます。

ジェネレータ関数は通常の関数と同様に定義します。ただし、通常の関数が

return文を使って戻り値を返すのに対して、ジェネレータ関数はyield文を使って値を返します。yield文は次のように書きます。

yield文

```
yield 式
```

ジェネレータ関数を書いてみましょう。ジェネレータ式の例と同様に、**0から9までの整数を2乗した値を生成するジェネレータ**を、今度はジェネレータ関数を使って記述してください。具体的な処理の手順は次の通りです。

1 ジェネレータ関数gを定義し、関数の内側で以下の2～3を行います。
2 for文とrange関数を使って、0から9まで繰り返します。
3 yield文を使って、2の整数を2乗した値を返します。

▼yield1.py

```
def g():
    for x in range(10):
        yield x*x

print(g())
```

4行目のprint文は、関数gを呼び出して戻り値を表示します。

上記を実行すると、次のような結果になります。ジェネレータ式を表示したときと同様に、ジェネレータ(ジェネレータオブジェクト)が表示されます。つまり、ジェネレータ関数はジェネレータを返すことがわかります。

```
>python yield1.py
<generator object g at 0x…>
```

ジェネレータ式のときと同様に、**for文を使ってジェネレータから値を取り出して表示**してみてください。以下のようなプログラムを書きます。

▼yield2.py

```
def g():
    for x in range(10):
        yield x*x

for y in g():
    print(y, end=' ')
```

実行結果は次の通りです。ジェネレータ式のときと同様に、整数を2乗した値が生成されていることがわかります。

```
>python yield2.py
0 1 4 9 16 25 36 49 64 81
```

以上がジェネレータ関数の定義と使用の方法です。次はもう少し複雑なジェネレータを、ジェネレータ関数を使って記述してみましょう。range関数と似た働きをする、my_range(マイレンジ)関数を定義します。

my_range関数は、開始値と終了値を引数として受け取ることにしましょう。range関数(rangeオブジェクト)と同様に、**開始値から始めて値を1ずつ増加させながら、「終了値-1」までの整数を生成**することにします。例えば、次のようにmy_range関数を使用すると、100から109までの整数が表示されます。

▼my_range関数の呼び出し

```
for y in my_range(100, 110):
    print(y, end=' ')
```

実行結果は次のようになります。

```
>python yield3.py
100 101 102 103 104 105 106 107 108 109
```

上記のような実行結果になるように、my_range関数(ジェネレータ関数)を定義してください。具体的な処理の手順は次の通りです。

1 my_range関数を定義します。引数はstart(開始値)とstop(終了値)とします。
2 変数xにstartを代入します。
3 while文を使って、xがstopよりも小さい限り、以下の4～5を繰り返します。
4 yield文を使って、xを返します。
5 xに1を加算します。

my_range関数を定義した後に、前述のfor文を使ってmy_range関数を使用し、先ほどのような実行結果が得られることを確認してください。このようにジェネレータ関数では、ジェネレータ式とは違い、受け取った引数に応じてジェネレータの動作を変化させることができます。

▼yield3.py

```
def my_range(start, stop):
    x = start
    while x < stop:
        yield x
        x += 1

for y in my_range(100, 110):
    print(y, end=' ')
```

最後にyield from文について紹介しましょう。この構文は、yield文を使って値を返す代わりに、指定したジェネレータに値を返させるために使います。

yield from文

```
yield from ジェネレータ
```

yield from文を使ってみましょう。開始値、終了値、回数という3個の引数を取るmy_range2関数を定義してください。my_range2関数は、**開始値から「終了値-1」までの整数を生成する動作を指定した回数だけ繰り返す**ことにします。例えば、次のようにmy_range2関数を使用すると、1から9までの整数が3回表示されます。

▼my_range2関数の呼び出し

```
for y in my_range2(1, 10, 3):
    print(y, end=' ')
```

実行結果は次のようになります。

```
>python yield4.py
1 2 3 4 5 6 7 8 9 1 2 3 4 5 6 7 8 9 1 2 3 4 5 6 7 8 9
```

上記のような実行結果になるように、my_range2関数(ジェネレータ関数)を定義してください。my_range2関数では、yield from文を使って、my_range関数を利用します。具体的な処理の手順は次の通りです。

1 my_range2関数を定義します。引数はstart(開始値)、stop(終了値)、count(回数)とします。
2 for文を使って、countの回数だけ以下の3を繰り返します。
3 yield from文を使って、my_range関数のジェネレータに値を返させます。

▼yield4.py

```
def my_range(start, stop):
    x = start
    while x < stop:
        yield x
        x += 1

def my_range2(start, stop, count):
    for i in range(count):
        yield from my_range(start, stop)

for y in my_range2(1, 10, 3):
    print(y, end=' ')
```

上記のプログラムを実行して、先ほどのような実行結果が得られることを確認してください。このようにyield from文を使うと、既存のジェネレータ(ジェネレータ関数やジェネレータ式)を利用して、別のジェネレータ(ジェネレータ関数)を定義することができます。

# section 04 ラムダ式で関数型プログラミングを味わう

プログラミング言語には、関数型言語と呼ばれるジャンルがあり、根強い人気があります。PythonやC/C++/Javaなどは関数型言語ではなく、手続き型言語またはオブジェクト指向言語に分類されますが、近年は関数型言語の機能を取り入れることによって、関数型プログラミング(関数型言語によるプログラミング)の強力で便利な手法の一部を利用できるようにしています。

関数型言語には色々な機能がありますが、ラムダ式は代表的な機能の1つです。ラムダ式は、関数型言語の基盤になっている、ラムダ計算という理論に由来しています。この理論において、関数を表現する式にギリシア文字のラムダ(λ)を使うことから、ラムダ計算やラムダ式という名前が付きました。

ギリシア文字のラムダには、小文字のλと大文字のΛがありますが、ラムダ計算では小文字のλを使います。ギリシア文字のラムダは、英文字ではエル(lおよびL)に相当します。また、英語でラムダはlambdaと書き、これはPythonにおいてラムダ式を記述するためのキーワードにもなっています。lambdaの「b」を発音せずにラムダと読むのは、lamb(ラム、子羊)と同様です。

## ❖ラムダ式を表すlambdaキーワード

Pythonのラムダ式は、lambdaというキーワードを使って次のように書きます。引数が1個だけの場合には、「引数, …」の部分を「引数」のように書きます。

ラムダ式

```
lambda 引数, …: 式
```

ラムダ式は無名関数(名前がない関数)を作成するための文法です。上記のラムダ式は、下記の関数と同じ働きをします。

ラムダ式と同じ働きの関数

```
def 関数名(引数, …):
    return 式
```

　このように、簡単な関数を定義する場合には、通常の記法で関数を定義するよりもラムダ式の方が短く書けます。特に関数(関数オブジェクト)を別の関数の引数として渡す場合には、通常の関数を定義して渡すのに比べて、ラムダ式を渡す方が大幅にプログラムが簡潔になります。

　実際に両者を比べてみましょう。以下のようなloop関数を考えます。loop関数は、**引数fとして受け取った関数を0から9までの整数に対して呼び出し、戻り値を表示**します。

▼loop関数

```
def loop(f):
    for i in range(10):
        print(f(i), end=' ')
```

　**引数xを受け取り、xの2乗（x*x）を返すsquare関数**を定義してください。そして、**squareを引数としてloop関数を呼び出し**てみてください。

▼lambda1.py

```
def loop(f):                    ← loop関数の定義
    for i in range(10):         ← 0から9まで繰り返す
        print(f(i), end=' ')    ← 関数fを呼び出して戻り値を表示する

def square(x):                  ← square関数の定義
    return x*x                  ← 引数xの2乗を返す

loop(square)                    ← squareを引数としてloop関数を呼び出す
```

　0(0の2乗)から81(9の2乗)までの値が表示されれば成功です。

```
>python lambda1.py
0 1 4 9 16 25 36 49 64 81
```

　次はラムダ式を使ってみましょう。**引数xを受け取り、xの2乗を返すラムダ式を記述し、loop関数の引数に指定**してみてください。

▼lambda2.py

```
def loop(f):
    for i in range(10):
        print(f(i), end=' ')

loop(lambda x: x*x)        ← ラムダ式を引数としてloop関数を呼び出す
```

上記のプログラムを実行すると、先ほどと同様に0から81までの値が表示されます。通常の記法で関数を定義するよりも、ラムダ式を使った方が大幅にプログラムが短くなっています。何度も使う関数は通常の記法で定義するのがおすすめですが、一度だけ使うような関数については、ラムダ式を使った方が簡潔です。

上記のプログラムにおいて、loop関数の引数に別の関数を指定したくなったときにも、ラムダ式ならば簡単に対応できます。例えば、**引数xを受け取り、xの3乗を返すラムダ式を記述し、loop関数の引数に指定**してみてください。

▼lambda3.py

```
def loop(f):
    for i in range(10):
        print(f(i), end=' ')

loop(lambda x: x**3)
```

0(0の3乗)から729(9の3乗)までの値が表示されれば成功です。

```
>python lambda3.py
0 1 8 27 64 125 216 343 512 729
```

loop関数のように関数を引数として受け取る関数に対して、色々な関数を渡したいときに、ラムダ式は役立ちます。次はPythonの組み込み関数の中から、ラムダ式が役立つ関数の例として、ソートを行うsorted関数を紹介します。

## ❖ソートのキーをラムダ式で指定する

ソート(整列、並べ替え)は、プログラムが行う代表的な処理の1つです。ソートを行うと、複数のデータを一定の規則に基づいた順序に並べ替えることができます。

実際にソートを使ってみましょう。ここではPythonインタプリタの対話モードを使います。ソートの対象として、次のような**3個のタプルを格納したリストを作成し、変数menuに代入**してみてください。タプルの各要素は、品名、価格、カロリーを表しています。

'burger'(バーガー)、110、234
'potato'(ポテト)、150、226
'shake'(シェイク)、120、218

リストを作成したら、変数menuを表示してみてください。リストの内容が表示されれば成功です(紙面の都合上、1行目を折り返して掲載しています)。

```
>>> menu = [('burger', 110, 234), ('potato', 150, 226), ('shake', 120, 
218)]
>>> menu
[('burger', 110, 234), ('potato', 150, 226), ('shake', 120, 218)]
```

さて、上記のリストをソートしてみましょう。以下のsorted関数は、イテラブルをソートし、結果のリストを新しく作成して返します。引数はイテラブルなので、リスト以外(文字列、タプル、集合、辞書など)も指定できます。

ソート(sorted関数)

```
sorted(イテラブル)
```

逆順(通常とは逆の順序)にソートしたい場合には、次のようにキーワード引数のreverse(リバース、逆)にTrueを指定します。

逆順のソート(sorted関数)

```
sorted(イテラブル, reverse=True)
```

sorted関数を使って、前述のリストを逆順にソートし、結果を表示してみてください(紙面の都合上、1行目を折り返して掲載しています)。shake、potato、burgerの順に表示されれば成功です。

```
>>> menu = [('burger', 110, 234), ('potato', 150, 226), ('shake', 120,
218)]
>>> sorted(menu, reverse=True)
[('shake', 120, 218), ('potato', 150, 226), ('burger', 110, 234)]
```

リストをソートする場合には、次のようなsortメソッドを使う方法もあります。使い方はsorted関数と同様ですが、sorted関数が結果のリストを新しく作成して返すのに対して、sortメソッドは元のリストを並べ替えます。また、sorted関数は色々なイテラブルに対して使えますが、sortメソッドはリスト専用です。

ソート(sortメソッド)

```
リスト.sort()
```

逆順のソート(sortメソッド)

```
リスト.sort(reverse=True)
```

さて、ソートの際には「どの値を基準にしてソートするのか」を考える必要があります。このようにソートの基準になる値のことを、ソートのキーと呼びます。

前述のプログラムでは、キーを指定せずにソートしました。この場合は、リストの要素であるタプル同士が既定の方法で比較されます。既定の方法とは、シーケンス(ここではタプル)間で対応する要素同士を前から順に比較する、という方法です。例えば、以下の2個のタプルを比較する例を考えてみましょう。

('burger', 110, 234)
('potato', 150, 226)

まずは最初の要素である「'burger'」と「'potato'」を比較します。これはburgerの方が小さい（辞書順で前方にある）ので、1つ目のタプルの方が2つ目のタプルよりも小さいという結果になります。

最初の要素が同じ場合には、次の要素を比較します。例えば、以下の2個のタプルを比較してみましょう。

('burger', 110, 234)
('burger', 100, 234)

最初の要素である「'burger'」は同じなので、次の要素である「110」と「100」を比較します。これは100の方が小さいので、2つ目タプルの方が1つ目のタプルよりも小さいという結果になります。

このように、既定の方法でソートする(既定の方法で要素を比較してソートする)場合には、キーを意識しなくても構いません。しかし、例えば「価格が安い順にソートしたい」とか「カロリーが高い順にソートしたい」のように、既定の方法以外でソートしたい場合には、ソートのキーを指定する必要があります。

sorted関数でキーを指定するには、次のように書きます。キーワード引数のkeyに関数を指定します。sorted関数は、イテラブルの要素を引数として、指定した関数を呼び出し、戻り値をソートのキーとして使います。

キーを指定したソート(sorted関数)

```
sorted(イテラブル, key=関数)
```

キーを指定した逆順のソート(sorted関数)

```
sorted(イテラブル, key=関数, reverse=True)
```

リストのsortメソッドでも、同様にキーワード引数のkeyを指定することができます。なお、sorted関数とsortメソッドのいずれに関しても、keyとreverseはキーワード引数なので、どちらの引数を先に書いても構いません。

キーを指定したソート(sortメソッド)

```
リスト.sort(key=関数)
```

キーを指定した逆順のソート(sortメソッド)

```
リスト.sort(key=関数, reverse=True)
```

keyに指定する関数には、通常の記法で定義した関数を使うこともできますが、ラムダ式を使う方が簡単なのでおすすめです。例えば前述のリストを、**価格の安い順にソート**するプログラムを書いてみてください。引数として受け取ったタプルの1番目の要素(価格)を返すラムダ式を、sorted関数のキーワード引数keyに指定します(紙面の都合上、1行目を折り返して掲載しています)。

```
>>> menu = [('burger', 110, 234), ('potato', 150, 226), ('shake', 120,
218)]
>>> sorted(menu, key=lambda x: x[1])
[('burger', 110, 234), ('shake', 120, 218), ('potato', 150, 226)]
```

上記のラムダ式は、引数xとしてタプルを受け取り、タプルの1番目の要素(x[1])を戻り値として返します。sorted関数は、この戻り値(価格)をキーとしてソートを行うので、価格の安い順(小さい順)にソートすることができます。

同様の方法で、前述のリストを**カロリーの高い順にソート**するプログラムを書いてみてください。タプルの2番目の要素(カロリー)を返すラムダ式を書くとともに、キーワード引数のreverseにTrueを指定します。実行結果は元のリストと同じ順序ですが、確かにカロリーが高い順に並んでいます。

```
>>> menu = [('burger', 110, 234), ('potato', 150, 226), ('shake', 120,
218)]
>>> sorted(menu, key=lambda x: x[2], reverse=True)
[('burger', 110, 234), ('potato', 150, 226), ('shake', 120, 218)]
```

最後は**価格あたりのカロリーが高い順**に前述のリストをソートしてみてください。ラムダ式を使って、タプルの1番目(価格)と2番目(カロリー)の要素を取り出し、「価格あたりのカロリー」を計算して返します。

```
>>> menu = [('burger', 110, 234), ('potato', 150, 226), ('shake', 120,
218)]
>>> sorted(menu, key=lambda x: x[2]/x[1], reverse=True)
[('burger', 110, 234), ('shake', 120, 218), ('potato', 150, 226)]
```

上記のラムダ式は、カロリー(x[2])を価格(x[1])で割った値、つまり「価格あたりのカロリー」を返します。234/110、218/120、226/150を計算してみると、確かに「価格あたりのカロリーが高い順」(安くカロリーが摂取できる順)にソートされていることがわかります。

このようにラムダ式を活用すると、ソートのキーを自由に指定することができます。データをソートしたくなったときには、sorted関数やsortメソッドとあわせて、ぜひラムダ式を使ってみてください。

section 05 
# 式の中で変数に値を代入できる代入式

代入式(だいにゅうしき)はPython 3.8で導入された機能です。代入式を使うと、式の中で変数に値を代入することができます。代入文は=を使って書きますが、代入式は:=演算子を使って、次のように書きます。この代入式は、式を評価した値を変数に代入するとともに、その値を代入式の結果として返します。

代入式

```
変数 := 式
```

:=は、walrus(ウォルラスまたはウォーラス、セイウチ)演算子と呼ばれることがあります。セイウチは北極海などに生息する哺乳類で、大型の個体は1トンを超えることもあります。見た目はアシカやトドなどに似ていますが、雄雌ともに長い牙があることが特徴です。このセイウチの目と牙を90度回転させて「顔文字」にすると、:=すなわちセイウチ演算子になります。

▼「:=」とセイウチの関係

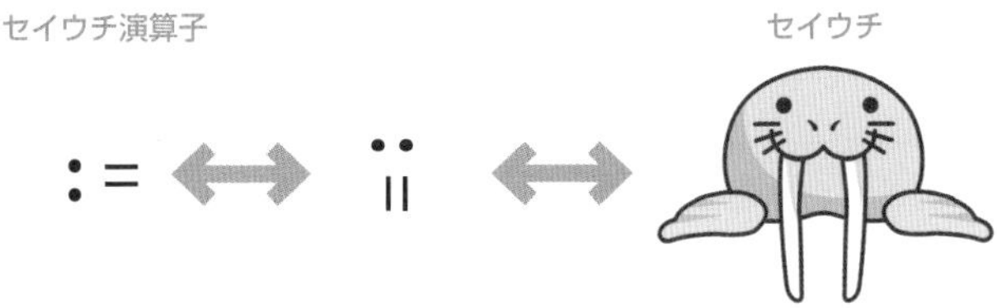


プログラミング言語によっては、:=を代入に使う場合もあります。例えば、有名な構造化プログラミング言語であるPascal(パスカル)では、代入には:=を、比較には=を使います。C/C++/Javaでは、代入には=、比較には==を使います。Pythonは、基本的にはC/C++/Javaと同じ流儀ですが、セイウチ演算子についてはPascalと同じ流儀だといえます。

なお、Pythonでは使わないのですが、?:はエルビス(エルヴィス)演算子と呼ばれることがあります。名前の由来はセイウチ演算子と同様で、?:がエルビス・プレスリーの顔文字に似ていることから、この名前が付いています。?:演算子はKotlin(コトリン)などのプログラミング言語で使われています。

▼「?:」演算子とエルビスの関係

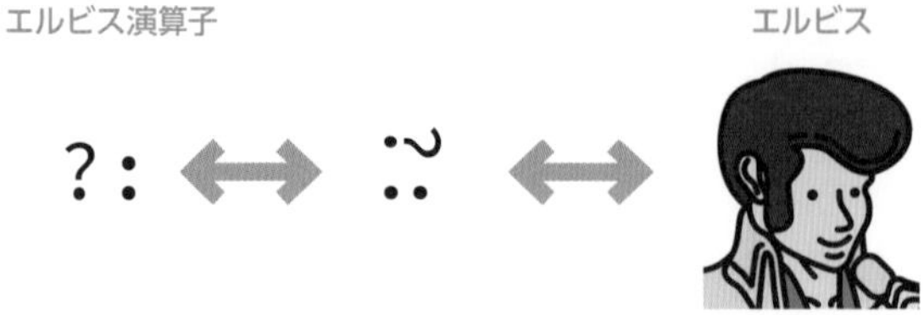


さて、代入文があるのに、なぜ代入式が必要なのかといえば、ある種のプログラムを簡潔に書けるようになるからです。一方で、代入式を使うとプログラムが短くなるものの、わかりにくくなってしまうので、代入文を使った方がよい場合もあります。どちらを使うとよいのかは状況や好みによって変わりますが、代入式を使うとプログラムを短く書ける場合があるのは確かです。

例えば、**while文とinput関数を使ってキーボードからの入力を繰り返し取得するプログラム**を作成してみましょう。quit(やめる)を表す「q」が入力されたら終了し、「q」以外の場合は文字列を表示します。以下の実行結果では、burger、potato、shakeと入力した後に、qを入力して終了しています。

```
>python assign1.py
burger
bueger
potato
potato
shake
shake
q          ← qを入力して終了
```

最初は代入式を使わずに、プログラムを書いてみてください。以下の例では、while文による無限ループを使い、qが入力されたことをif文で判定して、break文を実行しています。

▼assign1.py

```
while True:          ← 無限ループ
    x = input()      ← 入力
    if x == 'q':     ← qが入力されたら…
        break        ← 繰り返しを終了
    print(x)
```

今度は代入式を使ってみましょう。while文の式にTrueを書いて無限ループにする代わりに、以下のような内容の式を書きます。

1 代入式を使って、xにinput関数の戻り値を代入します。
2 1 の結果を「q」と比較します。

▼assign2.py

```
while (x := input()) != 'q':
    print(x)
```

代入式を使うことで、プログラムが5行から2行に短くなりました。またif文とbreak文が不要になり、while文だけになったので、処理の流れを追いやすくなっています。

上記のプログラムを応用して、もう少し複雑なプログラムを書いてみましょう。**入力した価格の合計を求めるプログラム**です。最初に「price: 」(価格)と表示して、ユーザに価格を入力させます。次に「total: 」(合計)と表示して、今までに入力した価格の合計を表示します。ユーザが「q」を入力するまで、入力と表示を繰り返します。以下の実行結果では、110、150、120と入力した後に、qを入力して終了しています。

```
>python assign3.py
price: 110      ←110を入力
total: 110
price: 150      ←150を入力
total: 260
price: 120      ←120を入力
total: 380
price: q        ←qを入力して終了
```

最初は代入式を使わないで、プログラムを書いてみてください。先ほどの入力を繰り返すプログラム(assign1.py)において、入力した文字列を表示する処理を、合計の計算と表示を行う処理に置き換えるとよいでしょう。

▼assign3.py

```
t = 0                         ← 合計を0にしておく
while True:
    x = input('price: ')
    if x == 'q':
        break
    t += int(x)               ← 合計の計算
    print('total:', t)        ← 合計の表示
```

次は代入式を使って、プログラムを書いてみてください。合計の計算と表示も、代入式を使ってまとめることができます。なお、代入式には累算代入文に相当する機能(+=や-=など)はないので、「変数 += 式」は「変数 := 変数+式」のように書く必要があります。

▼assign4.py

```
t = 0                                    ← 合計を0にしておく
while (x := input('price: ')) != 'q':
    print('total:', t := t+int(x))       ← 合計の計算と表示
```

代入式を使うことで、7行のプログラムが3行に縮まりました。このように代入式を使うと、プログラムがかなり短くなることがあります。一方で、代入式を使うとプログラムが読みにくくなる場合もあるので、単に短くなるだけではなく、簡潔さや読みやすさが得られる場面を選んで使うとよいでしょう。

# section 06 デバッグやテストに役立つ assert文

assert(アサート)文はプログラムを短くするための機能ではなく、プログラムのデバッグやテストに役立つ機能です。assertは「断言する」という意味の言葉です。assert文は、プログラマが「この式の値はTrueである」と断言するために使います。

assert文は次のように書きます。式の部分を「式, …」のように書くと、一度に複数の式を指定することもできます。式の値がTrueだった場合には何も起きません。式の値がFalseだった場合、assert文はAssertionError(アサーションエラー)という例外を発生させます。

「である」ことを断定(assert文)

```
assert 式
```

assert文とnot演算子(Chapter3)を組み合わせると、「ではない」ことを断定することも可能です。この場合、式の値がFalseのときは何も起こらず、式の値がTrueのときにAssertionErrorが発生します。

「ではない」ことを断定(assert文とnot演算子)

```
assert not 式
```

例外が発生しなかった場合、プログラマとしては、自分の想定が正しかったということが確認できます。例外が発生した場合、プログラマは自分の想定が誤っていたということに気づくので、プログラムの間違いを修正することができます。

簡単な例でassert文を使ってみましょう。**引数としてxとyを受け取り、x%y(xをyで割った余り)を返す関数fを定義**してください。この関数fでは、y(割る数)は0ではないと想定します。そこで関数fの中に、**yが0ではないことを確かめるassert文**を書いてください。

▼assert1.py

```
def f(x, y):
    assert y != 0
    return x%y
```

```
print(f(10, 3))
```

上記のassert文では、「**y != 0**」と書く代わりに「**y**」と書くこともできます。0以外の数値はTrueと見なされるためです。ここではわかりやすさのために、あえて「y != 0」と書いています。

5行目のprint文で、作成した関数fを呼び出しています。まずは「yは0ではない」という想定通り、xに10、yに3を指定して関数fを呼び出し、戻り値を表示してみます。

```
>python assert1.py
1
```

今度は想定に反して、xに10、yに0を指定して関数fを呼び出し、戻り値を表示してみてください。assert文に書かれた「y != 0」がFalseになるので、AssertionErrorという例外が発生します。

▼assert2.py

```
def f(x, y):
    assert y != 0
    return x%y

print(f(10, 0))
```

実行結果は次の通りです。例外を発生させたassert文が「**assert y != 0**」のように表示されるので、プログラマは自分の想定がどこで間違っていたのかを知り、デバッグに役立てることができます。この場合は「yは0ではない」という想定が間違っていたので、yが0でも問題ないように関数fを修正するか、yに0を指定しないように関数fの呼び出しを修正するか、いずれかの修正を行うことになるでしょう。

```
>python assert2.py
Traceback (most recent call last):
  File "…", line …, in <module>
    print(f(10, 0))
  File "…", line …, in f
```

```
    assert y != 0
AssertionError
```

もう少し実用的な例で、assert文をプログラムのテストに使ってみましょう。テストというのは、プログラムが正しく動くことを確認する作業のことです。assert文を使うと、プログラムのテストを自動で行うためのテストプログラムを書くことができるので、テストの作業を効率化することができます。

**ある年が閏年（うるう年）かどうかを判定するleap_year関数**を作成してみましょう。閏年の場合はTrue、閏年でない場合はFalseを返してください。ある年が閏年かどうかは、以下の方法で判定できます。

①年が400で割り切れる場合は閏年
②年が100で割り切れず、4で割り切れる場合も閏年

▼leap_year関数

```
def leap_year(y):
    return y%400 == 0 or y%100 != 0 and y%4 == 0
```

leap_year関数は引数yで年を受け取り、閏年かどうかの判定結果を戻り値として返します。or演算子よりもand演算子の方が、演算子の優先順位が高いことに注意してください(Chapter3)。

さて、このleap_year関数が正しく書けているかどうかを確かめるために、assert文を使ってテストプログラムを作成してみましょう。次のような場合についてテストを行います。

1900年（閏年ではない）
2000年（閏年である）
2019年（閏年ではない）
2020年（閏年である）

「ではない」ことの断定には、assert文とnot演算子を使用します。

▼assert3.py

```
def leap_year(y):
    return y%400 == 0 or y%100 != 0 and y%4 == 0

assert not leap_year(1900)
assert leap_year(2000)
assert not leap_year(2019)
assert leap_year(2020)
```

上記のプログラムを実行して、何も表示されなければ成功です。もしAssertion Errorが発生したら、leap_year関数のプログラムか、テストプログラムに間違いがあるということがわかります。

プログラムのテストを行うには、本格的なテストツールやテストフレームワークを使う方法もありますが、assert文でも十分な場合が多々あります。assert文の魅力はシンプルなことと、Python処理系の本体に組み込まれているので、ツールやライブラリなどを別途インストールする必要がなく、すぐに使えることです。

# 基礎編 Chapter9

# 有用で奥が深い組み込み関数

Pythonには数多くの組み込み関数、つまりPython処理系に標準で組み込まれている関数があります。これらの関数は実に奥が深く、工夫次第で色々な場面で使える、とても有用な道具です。Pythonでプログラムを書くときには、目的に合ったライブラリを探し回りがちですが、実は手元にある組み込み関数を上手に組み合わせれば済むことも少なくありません。ここではPythonの組み込み関数を一通り学んでみましょう。

## 本章の学習内容

①入出力に使う関数
②オブジェクトの生成や変換に使う関数
③計算に使う関数
④イテラブルに対して適用する関数
⑤文字列に変換する関数
⑥オブジェクトやクラスについて調べる関数
⑦プログラムの実行にかかわる関数

section

# 01 入出力に使う関数

画面に値を出力したり、キーボードから値を入力する関数です。ここでは最初に、本書で以前に学んだ関数について簡単な使い方をまとめます。一部の関数については、新しい便利な使い方も紹介します。続いて、初出の関数について学んでいきます。

数多くの関数があるので、各関数の詳細は忘れてしまっても構いません。一度理解しておけば、「そういえばこんな関数があった」と思い出すことができるはずです。その際には、本書を組み込み関数の簡単なリファレンスとしてもお使いください。

なお、関数の名前を覚えるうえで役立つように、各関数について読み方(発音)の例を紹介していますが、プログラマによって読み方が異なる関数もあります。本書で紹介する読み方にはこだわらずに、発音しやすく誤解しにくい読み方をお使いください。

## ❖既出の関数(print、input)

print(プリント)関数(Chapter2)は、全ての値を空白で区切りながら表示し、最後に改行を出力します。キーワード引数のsepで引数間を区切る文字列を、endで最後に出力する文字列を指定できます。

値の表示(print関数)

```
print(値, …, sep=区切り文字列, end=終端文字列)
```

input(インプット)関数(Chapter5)は、引数の文字列をプロンプトとして表示した後に、キーボードからの入力を文字列として返します。プロンプト文字列は省略可能です。

キーボードから入力(input関数)

```
input(プロンプト文字列)
```

## ❖値を整形するformat関数

format(フォーマット)関数は、指定された書式指定に従って値を整形し、結果の文字列を返します。書式指定には数多くの機能がありますが、本書ではその中の一部を紹介します。詳しい仕様はPython公式ドキュメントの「書式指定ミニ言語仕様」に記載されています。

**書式指定ミニ言語仕様**

URL https://docs.python.org/ja/3/library/string.html#formatspec

書式に従って値を整形(format関数)

```
format(値, 書式指定)
```

値を左寄せ、中央寄せ、右寄せするには、書式指定に次のような文字列を書きます。桁数には整数を指定します。この機能は、表のように値の桁を揃えて出力したいときに便利です。桁数は空白を使って調整されます。

▼左寄せ、中央寄せ、右寄せの指定

| 書式 | 寄せ方 |
|---|---|
| '桁数' | 数値などは右寄せ、文字列などは左寄せ |
| '<桁数' | 左寄せ |
| '>桁数' | 右寄せ |
| '^桁数' | 中央寄せ |

例えば、**整数123に対し、桁数は10として上記の書式指定を適用**してみてください。以下の実行例のように、Pythonインタプリタを使うと簡単に試すことができます。

```
>>> format(123, '10')
'       123'                ← 数値のデフォルトは右寄せ
>>> format(123, '<10')
'123       '                ← 左寄せ
>>> format(123, '>10')
'       123'                ← 右寄せ
>>> format(123, '^10')
'   123    '                ← 中央寄せ
```

今度は、**文字列'python'に対し、桁数は10として、同様の書式指定を適用**してみてください。

```
>>> format('python', '10')
'python    '                    ← 文字列のデフォルトは左寄せ
>>> format('python', '<10')
'python    '                    ← 左寄せ
>>> format('python', '>10')
'    python'                    ← 右寄せ
>>> format('python', '^10')
'  python  '                    ← 中央寄せ
```

次のような書式指定を使うと、浮動小数点数を小数点以下何桁まで表示するのかを調整することができます。最後にfを付けることに注意してください。このfはfixed-point notation(固定小数点数表記)を表します。

小数点以下の桁数のみ指定

```
'.小数点以下桁数f'
```

全体と小数点以下の桁数を指定

```
'全体桁数.小数点以下桁数f'
```

**式「1/3」の値(浮動小数点数)に対して上記の書式指定を適用**してみてください。以下の3通りについて試してください。

①書式指定なし
②小数点以下桁数に2を指定
③全体桁数に10、小数点以下桁数に2を指定

```
>>> format(1/3)
'0.3333333333333333'            ← ①書式指定なし
>>> format(1/3, '.2f')
'0.33'                          ← ②小数点以下2桁
>>> format(1/3, '10.2f')
'      0.33'                    ← ③全体10桁、小数点以下2桁
```

次のような書式指定を使うと、桁数の多い数値を読みやすくするために、千の位ごとに区切り文字を入れることができます。

千の位ごとにカンマ(,)を入れる

```
','
```

千の位ごとにアンダースコア(_)を入れる

```
'_'
```

**整数1234567890に対して上記の書式指定を適用**してみてください。書式指定なし、カンマ、アンダースコアの3通りについて試してください。

```
>>> format(1234567890)
'1234567890'                    ← 書式指定なし
>>> format(1234567890, ',')
'1,234,567,890'                 ← カンマで区切る
>>> format(1234567890, '_')
'1_234_567_890'                 ← アンダースコアで区切る
```

## ❖文字列に値を埋め込むformatメソッド

format関数に類似する機能として、文字列(strクラス)のformatメソッドがあります。複数の値をまとめて整形するのに便利なので、ぜひ使ってみてください。次のようにformatメソッドには、任意個の位置引数とキーワード引数を渡すことができます。

文字列に値を埋め込む(formatメソッド)

```
書式指定文字列.format(値, …, 引数名=値, …)
```

formatメソッドは、指定した引数を整形して文字列に埋め込み、結果の文字列を返します。埋め込む引数を指定するには、書式指定文字列の中に、次のような波括弧を使った記述を含めます。なお、波括弧自体を出力したい場合には、{{や}} のように、波括弧を2個続けて書きます。

▼formatメソッドの書式指定文字列

| 書式指定文字列 | 埋め込む引数 |
|---|---|
| {} | 位置引数を左から順番に指定 |
| {整数} | 位置引数を番号で指定（左端の引数が0、以後1ずつ増加） |
| {引数名} | キーワード引数を名前で指定 |

formatメソッドを使ってみましょう。上記の最初にある {} という記法を利用します。**変数nameに'coffee'、変数priceに100を代入**してください。次に以下の2種類の方法を使って、**'coffee is 100 yen'（コーヒーは100円）という文字列を作成**してみてください。

・文字列の連結
・formatメソッド

```
>>> name = 'coffee'                              ← 変数に値を代入
>>> price = 100
>>> name+' is '+str(price)+' yen'                ← 文字列の連結
'coffee is 100 yen'
>>> '{} is {} yen'.format(name, price)           ← formatメソッド
'coffee is 100 yen'
```

文字列の連結を使う場合には、文字列が細かく分断されているため、結果を想像しにくいことがあります。それに対してformatメソッドを使った場合には、'… is … yen'のように結果に近い文字列が示されているため、わかりやすいのが利点です。

次は {整数} や {引数名} という記法を利用してみましょう。**前述のnameとpriceを使って、'both hot coffee and ice coffee are 100 yen'（ホットコーヒーとアイスコーヒーはどちらも100円）という文字列**を作成します。位置引数を使う方法と、キーワード引数を使う方法の両方を試してください。

```
>>> name = 'coffee'
>>> price = 100
>>> 'both hot {0} and ice {0} are {1} yen'.format(name, price)
'both hot coffee and ice coffee are 100 yen'          └ 位置引数
>>> 'both hot {n} and ice {n} are {p} yen'.format(n=name, p=price)
'both hot coffee and ice coffee are 100 yen'          └ キーワード引数
```

{整数} や {引数名} という記法は、上記のように同じ引数を複数回埋め込む場合や、引数の順序と埋め込む順序が異なる場合に役立ちます。なお {整数} と {引数名} や、{} と {引数名} は併用できます。{} と {整数} は併用できません。

引数がオブジェクトの場合に、書式指定文字列に以下を記述すると、オブジェクトの属性を参照することができます。

▼オブジェクトの属性を参照

| 書式指定文字列 | 参照する属性 |
|---|---|
| **{. 属性名}** | 位置引数を左から指定し、属性を参照 |
| **{整数 . 属性名}** | 位置引数を番号で指定し、属性を参照 |
| **{引数名 . 属性名}** | キーワード引数を名前で指定し、属性を参照 |

引数がシーケンスの場合に、書式指定文字列に以下を記述すると、要素を参照することができます。

▼シーケンスの要素を参照

| 書式指定文字列 | 参照する要素 |
|---|---|
| **{[インデックス]}** | 位置引数を左から指定し、要素を参照 |
| **{整数 [インデックス]}** | 位置引数を番号で指定し、要素を参照 |
| **{引数名 [インデックス]}** | キーワード引数を名前で指定し、要素を参照 |

また、引数を指定するための各記法の右に、コロン(:)に続けて書式指定を記述することができます。書式指定は前述のformat関数と共通で、桁数などを指定することが可能です。

桁数などを指定して参照

```
{引数指定:書式指定}
```

## ❖formatメソッドより簡潔に値を埋め込めるf文字列

Python 3.6以降で利用できるf文字列(フォーマット済み文字列リテラル)は、前述のformatメソッドと同様に、値を文字列に埋め込むための機能です。f文字列は次のように書きます。文字列の先頭にfまたはFを付けると、f文字列になります。

f文字列

```
f'…'
```

通常の文字列(シングルクォート)の他に、三重クォート文字列を指定することもできます。

▼f文字列の種類

| f文字列 | 対象の文字列 |
|---|---|
| f'…' | 通常の文字列 |
| f"…" | 通常の文字列(ダブルクォート) |
| f'''…''' | 三重クォート文字列(シングルクォート) |
| f"""…""" | 三重クォート文字列(ダブルクォート) |

f文字列の内部には、次のような記法を使って式を書くことができます。この式は通常の式と同じく、変数を参照したり、演算子を使って計算したりすることが可能です。また、前述のformatメソッドと同様に、コロン(:)に続けて書式指定を書くこともできます。書式指定はformat関数と共通です。

f文字列の式(書式指定がない場合)

```
{式}
```

f文字列の式(書式指定がある場合)

```
{式:書式指定}
```

f文字列を使ってみましょう。formatメソッドの例と同様に、変数nameに'coffee'、変数priceに100を代入してください。そしてf文字列を使って、'coffee is 100 yen'という文字列と、'both hot coffee and ice coffee are 100 yen'という文字列を作成してみてください。

```
>>> name = 'coffee'
>>> price = 100
>>> f'{name} is {price} yen'                         ← f文字列
'coffee is 100 yen'
>>> f'both hot {name} and ice {name} are {price} yen'    ← f文字列
'both hot coffee and ice coffee are 100 yen'
```

formatメソッドと比べると、文字列の中に埋め込む変数名を直接書けるので、とても簡潔でわかりやすくなっています。また、自由に式を書くことができるので、属性や要素を参照することはもちろん、計算をしたり、関数やメソッドを呼び出したりすることも可能です。

今度は計算と書式指定を使ってみましょう。**f文字列を使って1/3を計算し、小数点以下2桁までを出力**してみてください。

```
>>> f'{1/3:.2f}'
'0.33'
```

このようにf文字列は非常に便利な機能です。値を整形して文字列に埋め込みたいときには、ぜひ使ってみてください。

section 02

# オブジェクトの生成や変換に使う関数

ここで解説するのは、指定した型のオブジェクトを生成したり、値を指定した型に変換したりするための関数です。なお、これらは厳密には関数ではなくクラスであり、オブジェクトを生成して返しています。

## ❖既出の関数(int、float、str、bool、list、tuple、set、dict)

以下はChapter3で学んだ関数(クラス)です。引数の値を各々の型に変換して返します。厳密には、引数の値から各々のオブジェクト(インスタンスオブジェクト)を生成して返しています。例えば、int関数はintオブジェクトを返します。なお、値の部分には式を書くこともできます。

▼値の型を変換する関数

| 使い方 | 読み方(例) | 変換先の型 |
|---|---|---|
| **int(値)** | イント | 整数 |
| **float(値)** | フロート | 浮動小数点数 |
| **str(値)** | ストリング、ストラ | 文字列 |
| **bool(値)** | ブール | 真偽値 |

以下はChapter4で学んだ関数(クラス)です。引数のイテラブルから、各々のデータ構造(を表すオブジェクト)を作成して返します。これらの関数は、あるデータ構造を別のデータ構造に変換するときにも役立ちます。

▼データ構造を作成する関数

| 使い方 | 読み方(例) | 作成するデータ構造 |
|---|---|---|
| **list(イテラブル)** | リスト | リスト |
| **tuple(イテラブル)** | タプル | タプル |
| **set(イテラブル)** | セット | 集合 |
| **dict(イテラブル)** | ディクショナリ、ディクト | 辞書 |

## ❖バイト列やバイト配列を返すbytes関数とbytearray関数

bytes(バイツ)関数とbytearray(バイトアレイ)関数は、バイナリデータ(テキストではないデータ)を扱うための関数です。厳密にはこれらの関数は、bytesクラスとbytearrayクラスであり、各々のオブジェクトを生成して返します。

bytes関数はイミュータブルなバイト列を、bytearray関数はミュータブルなバイト配列を返します。バイト列とバイト配列はいずれも、0以上255未満の整数、つまり1バイト(8ビット)の符号なし整数を並べたものです。

bytes関数とbytearray関数は引数の型によって動作が変わります。次のように文字列を渡すと、文字列をバイト列やバイト配列に変換します。

文字列をバイト列に変換(bytes関数)

```
bytes(文字列, encoding=文字エンコーディング)
```

文字列をバイト配列に変換(bytearray関数)

```
bytearray(文字列, encoding=文字エンコーディング)
```

次のように整数を渡すと、整数が示すバイト数のバイト列やバイト配列を生成します。

バイト数を指定してバイト列を生成

```
bytes(整数)
```

バイト数を指定してバイト配列を生成

```
bytearray(整数)
```

次のようにイテラブルを渡すと、イテラブルの値を格納したバイト列やバイト配列を生成します。イテラブルの各要素は0以上255未満の整数である必要があります。

イテラブルの値を格納したバイト列を生成

```
bytes(イテラブル)
```

イテラブルの値を格納したバイト配列を生成

```
bytearray(イテラブル)
```

バイト列を生成してみましょう。**bytes関数に文字列'python'を渡して、イミュータブルなバイト列**を生成してください。encodingには'utf-8'(UTF-8)を指定します。さらに、このバイト列をlist関数に渡してリストに変換することにより、各バイトの値を確認してみましょう。

```
>>> list(bytes('python', encoding='utf-8'))
[112, 121, 116, 104, 111, 110]
```

文字列'python'は6バイトのバイト列に変換されます。各バイトは各文字の文字コードを表しています。例えば112はp、121はyの文字コードです。

今度は**bytes関数に文字列'パイソン'を渡してバイト列**を作成してみてください。encodingの指定やlist関数の利用は、上記と同様です。

```
>>> list(bytes('パイソン', encoding='utf-8'))
[227, 131, 145, 227, 130, 164, 227, 130, 189, 227, 131, 179]
```

UTF-8の場合、文字列'パイソン'は12バイト(1文字3バイト×4文字)のバイト列に変換されます。例えば「227, 131, 145」は「パ」、「227, 130, 164」は「イ」に対応します。

文字列を通常の方法で扱うときには、strクラスを使えば大丈夫です。文字コードを操作したい場合には、バイト列を使うとよいでしょう。

なお、次のように文字列の先頭にbまたはBを付けると、文字列からバイト列を直接作成することができます。これはバイト列リテラルと呼ばれます。

バイト列リテラル

```
b'…'
```

バイト列やバイト配列に関連する、memoryview(メモリビュー)関数も紹介しておきましょう。memoryview関数は、オブジェクトの内部にあるメモリを操作するための関数です。厳密にはmemoryviewはクラスで、メモリを操作するためのメモリビューと呼ばれるオブジェクトを生成して返します。

memoryview関数は次のように使います。引数のオブジェクトは、内部のメモリへのアクセス手段を提供するためのバッファプロトコルと呼ばれる方式に対応している必要があります。memoryview関数を使うと、メモリ(オブジェクト内部のメモリ)のコピーは作らずに、元のメモリを操作することができます。

オブジェクト内部のメモリを操作(memoryview関数)

```
memoryview(オブジェクト)
```

memoryview関数を使って、バイト配列の内容を変更するプログラムを書いてみてください。**「python」というバイト列をメモリビュー経由で操作して、内容を「Python」に変更**します。具体的には次のような処理を行います。

1. bytearray関数に文字列'python'を渡し、encodingに'utf-8'を指定して、バイト配列を生成します。戻り値は変数xに代入します。
2. memoryview関数に1の変数xを渡し、バイト配列に対するメモリビューを生成します。戻り値は変数yに代入します。
3. y[0]に80(Pの文字コード)を代入します。
4. 変数xを表示します。

```
>>> x = bytearray('python', encoding='utf-8')    ← バイト配列の生成
>>> y = memoryview(x)                            ← メモリビューの生成
>>> y[0] = 80                                    ← pをPに変更
>>> x                                            ← 結果の表示
bytearray(b'Python')
```

上記の例では、バイト配列を直接操作してもよいのですが、memoryview関数を試すために、あえてメモリビュー経由で操作してみました。メモリビュー(y)経由の操作が、元のバイト配列(x)にも反映されていることから、元のメモリ(バイト配列内部のメモリ)を操作できていることがわかります。

## 複素数を作るcomplex関数

complex(コンプレックス)関数(実際にはクラス)は、複素数のオブジェクトを生成します。実部は実数部分、虚部は虚数部分です。なお複素数は、虚数リテラル(Chapter3)を使って作成することもできます。

複素数のオブジェクトの作成(complex関数)

```
complex(実部, 虚部)
```

**「1+2j」という複素数**を作成してみてください。complex関数を使う方法と、虚数リテラルを使う方法を、両方試してください。

```
>>> complex(1, 2)
(1+2j)
>>> 1+2j
(1+2j)
```

## ❖イミュータブルな集合を作るfrozenset関数

frozenset(フローズンセット)関数(クラス)は、イミュータブルな集合のオブジェクトを生成します。これに対して、既出のset関数が生成する集合はミュータブルです。イミュータブルな集合が必要になるのは、例えば集合を集合に格納する場合や、集合を辞書のキーに使用する場合などです。

イミュータブルな集合の生成(frozenset関数)

```
frozenset(イテラブル)
```

frozenset関数を使ってみましょう。次のような**2組のキーと値を持つ辞書**を作成してみてください。キーにはfrozenset関数で作成した集合を使います。なおfrozenset関数に複数の値を渡す場合には、リストやタプルなどのイテラブルにしてください。

・キーは'blue'(青)と'red'(赤)を含む集合、値は'purple'(紫)
・キーは'red'(赤)と'green'(緑)を含む集合、値は'yellow'(黄)

以下のように辞書を作成できれば成功です。以下では行が長いので、見やすくするために改行していますが、実際には改行せずに入力してください。

```
>>> {frozenset(('blue', 'red')): 'purple',
     frozenset(('red', 'green')): 'yellow'}      ← 辞書の作成
```

```
{frozenset({'red', 'blue'}): 'purple',
 frozenset({'red', 'green'}): 'yellow'}          ← 作成された辞書
```

上記の例において、キーをfrozensetではなく通常の集合(set)にしてみてください。通常の集合はミュータブルなので「タイプエラー：setはハッシュできない型である」というエラーになります。

```
>>> {{'blue', 'red'}: 'purple', {'red', 'green'}: 'yellow'}
Traceback (most recent call last):
  File "<stdin>", line 1, in <module>
TypeError: unhashable type: 'set'
```

## ❖最も基本的なオブジェクトを作るobject関数

object(オブジェクト)関数(クラス)は、Pythonにおける全てのクラスの基底クラスである、objectクラスのオブジェクトを生成します。object関数には引数がありません。

objectクラスのオブジェクトを生成(object関数)

```
object()
```

object関数を使ってみましょう。**objectオブジェクトを生成して表示**してみてください。

```
>>> object()
<object object at 0x…>
```

objectオブジェクトを使う機会はそれほど多くないかもしれません。しかし、例えば自作の関数やメソッドなどが、オブジェクトに対してどのような振る舞いをするのかをテストしたい場合などには利用できそうです。

## ❖スライスの範囲を保持するオブジェクトを作るslice関数

slice(スライス)関数は、スライスの範囲を表すsliceオブジェクトを生成します。sliceオブジェクトは、開始値(start)、終了値(stop)、ステップ(step)という3個の属性を保持します。sliceオブジェクトを利用する機会は少ないかもしれませんが、このオブジェクトは一部のライブラリなどで利用されています。

sliceオブジェクトの生成(slice関数)

```
slice(終了値)
```

sliceオブジェクトの生成(3個の属性を指定)

```
slice(開始値, 終了値, ステップ)
```

slice関数を使ってみましょう。**終了値に10を指定してslice関数を呼び出し、戻り値を変数に代入**してください。そして、3個の属性を表示してみてください。

```
>>> x = slice(10)                          ← sliceオブジェクトの生成
>>> print(x.start, x.stop, x.step)         ← 属性の表示
None 10 None                               ← 未設定の属性はNoneになる
```

今度は**開始値に10、終了値に20、ステップに3を指定してslice関数を呼び出し**てください。そして上記と同様に、3個の属性を表示してください。

```
>>> y = slice(10, 20, 3)                   ← sliceオブジェクトの生成
>>> print(y.start, y.stop, y.step)         ← 属性の表示
10 20 3
```

# section 03 計算に使う関数

主に数値の計算に使う関数です。一部の関数は数値以外の型(文字列など)にも対応しています。



## 絶対値を求めるabs関数

abs(エービーエス)関数は、数値の絶対値を返す関数です。absはabsolute number(絶対値)を表します。引数の数値には、整数、浮動小数点数、複素数を指定できます。

絶対値を返す(abs関数)

```
abs(数値)
```

abs関数を使って、**123と-456の絶対値**を求めてみてください。

```
>>> abs(123)
123                ← 123の絶対値
>>> abs(-456)
456                ← -456の絶対値
```

## 除算の商と剰余をまとめて求めるdivmod関数

divmod(ディブモッド)関数は、除算(割り算)の商と剰余(余り)を求め、タプルにまとめて返す関数です。divはdivision(ディビジョン、除算)、modはmodulo(モジュロ、剰余)を表します。引数の数値には、整数と浮動小数点数を指定できます。数値Aを数値Bで除算したときの、商と剰余のタプルを返します。

商と剰余のタプルを返す(divmod関数)

```
divmod(数値A, 数値B)
```

divmod関数を使って、**7を3で除算したときの商と剰余**を求めてください。

```
>>> divmod(7, 3)
(2, 1)                    ← 7割る3は2、余り1
```

## べき乗を返すpow関数

pow(パウ)関数は、数値のべき乗(累乗)を計算する関数です。powはpower(パワー、べき乗)を表します。引数には2個または3個の数値を指定できます。

引数が2個の場合は、AのB乗を返します。これは算術演算子の**を使った、A**Bという計算と同じです。数値には整数、浮動小数点数、複素数を指定できます。

引数が3個の場合は、AのB乗をCで除算した剰余を返します。これは「(A**B)%C」でも計算できますが、pow関数の方が効率よく計算できます。数値には整数と浮動小数点数を指定できます。

数値のべき乗を返す(pow関数)

```
pow(数値A, 数値B)
```

数値のべき乗を指定した数値で割った余りを返す

```
pow(数値A, 数値B, 数値C)
```

pow関数を使って、**2の3乗と、2の3乗を5で割った余り**を求めてみてください。

```
>>> pow(2, 3)
8                         ← 2の3乗
>>> pow(2, 3, 5)
3                         ← 2の3乗を5で割った余り
```

## 数値の小数部分を丸めるround関数

round(ラウンド)関数は、数値の小数部分を指定した桁数に丸めて返します。桁数を省略した場合には、数値に最も近い整数を返します。引数には整数と浮動小数点数を指定できます。

数値を整数に丸める(round関数)

```
round(数値)
```

数値の小数部分を指定した桁数に丸める

```
round(数値, 桁数)
```

round関数を使って、**3.14159を整数に丸め**てみてください。また、**小数部分を2桁に丸め**てください。

```
>>> round(3.14159)
3                          ← 整数に丸める
>>> round(3.14159, 2)
3.14                       ← 小数部を2桁に丸める
```

数値に最も近い整数が2個ある場合、round関数は偶数を選びます。これを「偶数への丸め」あるいは「偶数丸め」と呼びます。例えば、round関数で**1.5を整数に丸め**てみてください。1と2のどちらが選ばれるでしょうか。

```
>>> round(1.5)
2                    ← 1と2のうち偶数の2を選ぶ
```

round関数に負の桁数を指定すると、整数部を丸めることができます。例えば**整数123に対して、桁数-1、-2、-3を適用**してみてください。

```
>>> round(123, -1)
120                     ← 下1桁を丸める
>>> round(123, -2)
100                     ← 下2桁を丸める
>>> round(123, -3)
0                       ← 下3桁を丸める
```

## ❖最小値を求めるmin関数と最大値を求めるmax関数

指定された複数の値の中から、min(ミン)関数は最小値を、max(マックス)関数は最大値を返します。minはminimum(ミニマム、最小)を、maxはmaximum(マキシマム、最大)を表します。min関数とmax関数には、複数の引数を渡す使い方と、イテラブルを渡す使い方があります。

引数の値の最小値を返す(min関数)

```
min(値, …)
```

引数の値の最大値を返す(max関数)

```
max(値, …)
```

イテラブルの要素の最小値・最大値を返す

```
min(イテラブル)
max(イテラブル)
```

min関数とmax関数を使って、**リスト［3, 5, 2, 4, 1］の要素の最小値と最大値**を求めてください。

```
>>> min([3, 5, 2, 4, 1])
1                                ← 最小値は1
>>> max([3, 5, 2, 4, 1])
5                                ← 最大値は5
```

min関数とmax関数は数値以外にも適用できます。例えば、**文字列の'blue'、'red'、'green'の最小値と最大値**を求めてみてください。この場合は文字列が文字コード(Unicodeのポイント)順に比較されて、最小値と最大値が決定されます。

```
>>> min('blue', 'red', 'green')
'blue'                           ← 最小値(文字コード順)は'blue'
>>> max('blue', 'red', 'green')
'red'                            ← 最大値(文字コード順)は'red'
```

## ❖合計を求めるsum関数

sum(サム)関数はイテラブルに含まれる要素の合計値を返します。繰り返し(for文など)を使って計算するよりも、ずっと簡単に合計値を求めることができます。

要素の合計値を返す(sum関数)

```
sum(イテラブル)
```

sum関数を使って、**得点のリスト[90, 75, 80, 100, 85]の合計値と平均値**を求めてみてください。

```
>>> sum([90, 75, 80, 100, 85])
430                                 ← 合計値
>>> sum([90, 75, 80, 100, 85])/5
86.0                                ← 平均値
```

section 04
# イテラブルに対して適用する関数

Pythonのイテラブルは非常に強力で便利な機能です。ここではイテラブルとの関係が深い関数や、イテラブルと組み合わせて使うことによって処理の幅が広がる関数を紹介します。

## ❖既出の関数(len、range、enumerate、reversed)

len(レン)関数(Chapter2)は、オブジェクトの長さ(要素数)を返します。lenはlength(レングス、長さ)を表します。引数のオブジェクトには、文字列、リスト、タプル、集合、辞書、rangeオブジェクトなどを指定できます。

要素数を返す(len関数)

```
len(オブジェクト)
```

range(レンジ)関数(Chapter5)は、実際には関数ではなくクラスであり、rangeオブジェクトを生成して返します。rangeオブジェクトはfor文と組み合わせて、指定した範囲の繰り返しを行うために使うことが多いです。

引数に終了値を指定すると、0から「終了値-1」まで1ずつ増加するrangeオブジェクトを返します。

rangeオブジェクトを返す(range関数)

```
range(終了値)
```

rangeオブジェクトの引数には、開始値、ステップを指定することもできます。

開始値から「終了値-1」まで1ずつ増加

```
range(開始値, 終了値)
```

開始値からステップずつ変化

```
range(開始値, 終了値, ステップ)
```

enumerate(イニュームレイト)関数(Chapter5)は、イテラブルから要素を取り出すときに、何番目に取り出した要素なのかを知るために使います。enumerate関数が返すオブジェクト(これもイテラブル)は、「何番目かを表す整数」と「取り出した要素の値」をタプルにして返します。

要素の順番を返す(enumerate関数)

```
enumerate(イテラブル)
```

引数に開始値を指定すると、指定した番号からカウントを始めることができます。開始値を省略した場合は0から始めます。

開始値を指定する

```
enumerate(イテラブル, 開始値)
```

reversed(リバースト)関数(Chapter5)は、イテラブルの要素を逆順に取り出すために使います。reversed関数が返すオブジェクト(これもイテラブル)は、要素を逆順に取り出して返します。

要素を逆順に取り出す(reversed関数)

```
reversed(イテラブル)
```

## ❖複数のイテラブルを組み合わせるzip関数

zip(ジップ)関数は、複数のイテラブルに対して同時に繰り返しを行いたいときに使います。zip関数が返すオブジェクト(これもイテラブル)は、引数に指定された複数のイテラブルから要素を集め、タプルにまとめて返します。

複数のイテラブルの要素を取得してタプルにまとめる(zip関数)

```
zip(イテラブル, …)
```

for文とzip関数を使って、**次の2種類のリストに対して同時に繰り返しを行い、名前と価格を「… is … yen」(…は…円)の形式で表示**してみてください。

・変数nameに代入された、'burger'、'potato'、'shake'を要素に持つリスト
・変数priceに代入された、110、150、120を要素に持つリスト

▼zip1.py

```
name = ['burger', 'potato', 'shake']      ← 名前のリスト
price = [110, 150, 120]                   ← 価格のリスト
for n, p in zip(name, price):             ← zip関数の利用
    print(n, 'is', p, 'yen')
```

実行結果は次のようになります。

```
>python zip1.py
burger is 110 yen
potato is 150 yen
shake is 120 yen
```

## ❖イテラブルの要素に関数を適用するmap関数

map(マップ)関数は、イテラブルが含む全ての要素に対して、指定した関数を適用するために使います。map関数が返すオブジェクト(これもイテラブル)は、関数を適用した結果の値を順に返します。

要素に対して関数を適用(map関数)

```
map(関数, イテラブル, …)
```

map関数の引数で指定した関数は、map関数に渡したイテラブルと同じ数の引数を受け取る必要があります。例えばイテラブルが1個ならば関数の引数も1個、イテラブルが2個ならば関数の引数も2個です。

map関数を使って、**リスト['apple', 'banana', 'coconut']の要素にlen関数を適用し、各要素の文字数を取得**してください。さらに、**map関数の戻り値(イテラブル)をlist関数に渡し、結果の文字数をリスト**にしてください。

```
>>> list(map(len, ['apple', 'banana', 'coconut']))      ← map関数の利用
[5, 6, 7]                                               ← 文字数のリスト
```

なお内包表記(Chapter8)を使っても、map関数と同様の処理を実現できます。上記のプログラムを、内包表記を使って書いてみてください。

```
>>> [len(x) for x in ['apple', 'banana', 'coconut']]     ← リストの内包表記
[5, 6, 7]                                                ← 文字数のリスト
```

## ❖イテラブルの要素を選別するfilter関数

filter(フィルタ)関数は、イテラブルが含む要素の中から、特定の条件を満たす要素だけを抽出するために使います。filter関数が返すオブジェクト(これもイテラブル)は、イテラブルが含む全ての要素に対し、指定した関数を適用したうえで、関数がTrueを返した要素だけを返します。

条件を満たす要素を抽出(filter関数)

```
filter(関数, イテラブル)
```

filter関数を使って、**リスト['', 'apple', 'banana', '', 'coconut', '']から、空文字列''以外の要素だけを抽出**してください。len関数を使います。さらに、**filter関数の戻り値(イテラブル)をlist関数に渡し、結果をリストを作成**してください。

```
>>> list(filter(len, ['', 'apple', 'banana', '', 'coconut', '']))
['apple', 'banana', 'coconut']
```

上記のプログラムにおいて、リストの要素(文字列)にlen関数を適用すると、空文字列については0が返り、空文字列以外については0以外が返ります。0はFalse、0以外はTrueの扱いなので、filter関数によって空文字列以外の要素が抽出されるという仕組みです。

なお内包表記を使っても、filter関数と同様の処理を実現できます。上記のプログラムを、内包表記を使って書いてみてください。

```
>>> [x for x in ['', 'apple', 'banana', '', 'coconut', ''] if len(x)]
['apple', 'banana', 'coconut']
```

## ❖全ての要素がTrueかどうかを調べるall関数

all(オール)関数は、イテラブルの要素が全てTrueならば、Trueを返します。内包表記と組み合わせて使うと便利な関数です。

全ての要素がTrueかどうかを調べる(all関数)

```
all(イテラブル)
```

all関数と内包表記を組み合わせて、テストの合否を判定をするプログラムを書いてみましょう。**複数の得点を格納したリストを調べて、全ての得点が80以上ならばTrueを返し**てください。以下の2種類のリストを使います。

・結果がTrueになるリスト[90, 95, 80, 100, 85]
・結果がFalseになるリスト[90, 75, 80, 100, 85]

```
>>> all(x >= 80 for x in [90, 95, 80, 100, 85])   ← 結果がTrueになるリスト
True
>>> all(x >= 80 for x in [90, 75, 80, 100, 85])   ← 結果がFalseになるリスト
False
```

## ❖いずれかの要素がTrueかどうかを調べるany関数

any(エニイ)関数は、イテラブルの要素にTrueが含まれているならば、Trueを返します。all関数と同様に、内包表記と組み合わせて使うと便利です。

Trueの要素が含まれるかどうかを調べる(any関数)

```
any(イテラブル)
```

any関数と内包表記を組み合わせて、追試の必要性を判定をするプログラムを書いてみましょう。**複数の得点を格納したリストを調べて、得点が1つでも50未満ならばTrueを返し**てください。以下の2種類のリストを使います。

・結果がTrueになるリスト[90, 45, 80, 100, 85]
・結果がFalseになるリスト[90, 75, 80, 100, 85]

```
>>> any(x < 50 for x in [90, 45, 80, 100, 85])
True
>>> any(x < 50 for x in [90, 75, 80, 100, 85])
False
```

## ❖イテレータを操作するiter関数とnext関数

**イテレータ**というのは、イテラブル(繰り返し可能)なオブジェクトから、要素を1個ずつ取り出すためのオブジェクトです。Pythonではイテラブルに対する繰り返しの処理を、イテレータを使って実現しています。

イテラブルに対する繰り返しの処理は、for文などを使って書くことが多いでしょう。一方、繰り返しに対するより細かな制御が必要な場合には、ここで紹介するiter関数とnext関数が役立ちます。

iter(イター)関数は、指定されたイテラブルに対するイテレータを返します。iterはiterator(イテレータ)を意味します。

イテラブルに対するイテレータを返す(iter関数)

```
iter(イテラブル)
```

next(ネクスト)関数は、指定されたイテレータから要素を1個取り出します。最後の要素を取り出した後に、さらにnext関数を呼び出すと、StopIteration(繰り返しの停止)という例外が発生します。iteration(イテレーション)というのは、繰り返しのことです。

イテレータから要素を1個取り出す(next関数)

```
next (イテレータ)
```

iter関数とnext関数を使って、リスト [1, 2, 3] から要素を1個ずつ取り出してみてください。具体的には以下の処理を行います。

1 iter関数をリストに適用し、イテレータを取得して、変数iに代入します。
2 1のイテレータを使ってnext関数を呼び出し、リストから要素を1個取り出します。
3 2を3回繰り返します。
4 さらに2を実行し、StopIterationが発生することを確認します。

```
>>> i = iter([1, 2, 3])                    ← イテレータの取得
>>> next(i)                                ← 要素を取り出す
1
>>> next(i)                                ← 次の要素を取り出す
2
>>> next(i)                                ← 次の次の要素を取り出す
3
>>> next(i)                                ← さらに要素を取り出す
Traceback (most recent call last):
  File "<stdin>", line 1, in <module>
StopIteration                              ← 例外が発生
```

# section 05 整数を文字列に変換する関数

整数を2、8、16進数の文字列に変換する関数です。文字コードと文字を相互に変換する関数も紹介します。

## ❖整数を文字列にするbin関数、oct関数、hex関数

bin(ビン)関数、oct(オクト)関数、hex(ヘックス)関数は、整数をそれぞれ2、8、16進数の文字列に変換します。binはbinary(バイナリ、2進法)、octはoctal(オクタル、8進法)、hexはhexadecimal(ヘクサデシマル、16進法)を表しています。

2進数の文字列を返す(bin関数)

```
bin(整数)
```

8進数の文字列を返す(oct関数)

```
oct(整数)
```

16進数の文字列を返す(hex関数)

```
hex(整数)
```

bin関数は、先頭に0b(ゼロとビー)が付いた2進数の文字列を返します。oct関数は、先頭に0o(ゼロとオー)が付いた8進数の文字列を返します。hex関数は、先頭に0x(ゼロとエックス)が付いた16進数の文字列を返します。

上記の関数を使って、**整数123を2、8、16進数の文字列に変換**してみてください。

```
>>> bin(123)
'0b1111011'        ← 2進数で123
>>> oct(123)
'0o173'            ← 8進数で123
>>> hex(123)
'0x7b'             ← 16進数で123
```

format関数、文字列のformatメソッド、f文字列において、書式指定の末尾にb(ビー)、o(オー)、x(エックス)を付けると、整数を2、8、16進数に変換することができます。例えば、**f文字列を使って整数123を2、8、16進数の文字列に変換**してみてください。

```
>>> f'{123:b}'
'1111011'           ← 2進数で123
>>> f'{123:o}'
'173'               ← 8進数で123
>>> f'{123:x}'
'7b'                ← 16進数で123
```

上記の例では先頭に0b、0o、0xが付いていませんが、書式指定にシャープ(#)を付けて#b、#o、#xのようにすると付きます。

## ❖コードを文字にするchr関数、文字をコードにするord関数

chr(シーエイチアール)関数は、文字コード(整数)を文字(文字列)に変換します。chrはcharacter(キャラクター、文字)を表します。

文字コードを文字列に変換(chr関数)

```
chr(整数)
```

ord(オード)関数は、文字(文字列)を文字コード(整数)に変換します。ordはordinal(オーディナル、順序)を表します。

文字列を文字コードに変換(ord関数)

```
ord(文字列)
```

chr関数とord関数は、ちょうど逆の働きをする関数です。いずれの関数も、文字コードにはUnicodeコードポイントを使います。

ord関数を使って、**'A'の文字コードを調べて**ください。次にchr関数を使って、**調べた文字コードを文字に変換**し、'A'になることを確かめてください。

```
>>> ord('A')
65                      ← Aの文字コードは65
>>> chr(65)
'A'                     ← 文字コード65の文字はA
```

# section 06 オブジェクトを文字列に変換する関数

オブジェクトの内容を文字列で表す関数です。オブジェクトに関する情報を画面に表示する場合などに使います。ここでは表示の形式が異なる2種類の関数を紹介します。

## ❖オブジェクトの内容を文字列で表すrepr関数

repr(レプル)関数はオブジェクトの内容を表す文字列を返します。reprはrepresentation(レプリゼンテーション、表現)を意味します。

オブジェクトの内容を表す文字列を返す(repr関数)

```
repr(オブジェクト)
```

例えば、文字列の'python'と'パイソン'に対して、それぞれrepr関数を適用してみてください。

```
>>> repr('python')
"'python'"
>>> repr('パイソン')
"'パイソン'"
```

repr関数の結果に、後述するeval関数を適用すると、Pythonのプログラムとして実行することができます。

## ❖オブジェクトの内容をASCIIだけの文字列で表すascii関数

ascii(アスキー)関数はrepr関数と同様に、オブジェクトの内容を表す文字列を返します。repr関数と異なるのは、ascii関数はASCII(アスキー)文字以外をエスケープシーケンスに変換する点です。このエスケープシーケンスは¥x、¥u、¥Uと文字コードの組み合わせです。結果として、ascii関数はASCII文字だけを含む文字列を返します。

オブジェクトの内容を表すASCIIだけの文字列を返す(ascii関数)

```
ascii(オブジェクト)
```

例えば、**文字列の'python'と'パイソン'に対して、それぞれascii関数を適用**してみてください。そして、repr関数の結果と比較してみてください。

```
>>> ascii('python')
"'python'"                                  ← ASCII文字だけならばrepr関数と同じ結果
>>> ascii('パイソン')
"'¥¥u30d1¥¥u30a4¥¥u30bd¥¥u30f3'"            ← ASCII文字以外はエスケープシーケンスになる
```

# section 07 オブジェクトやクラスについて調べる関数

オブジェクトやクラスに関する情報を取得するための関数です。あるオブジェクトが指定したクラスのインスタンスであるかどうかや、あるクラスが指定したクラスの派生クラスであるかどうかを調べる関数も紹介します。

## ❖既出の関数(id、hash、super)

id(アイディー)関数(Chapter3)は、オブジェクトの識別値(オブジェクトを一意に識別する整数)を返します。CPythonの場合、id関数はオブジェクトが配置されているメモリのアドレスを返します。

オブジェクトの識別値を返す(id関数)

```
id(オブジェクト)
```

hash(ハッシュ)関数(Chapter4)は、オブジェクトのハッシュ値(整数)を返します。このハッシュは集合や辞書などで利用されます。ハッシュが存在しないオブジェクトもあることに注意してください。

オブジェクトのハッシュを返す(hash関数)

```
hash(オブジェクト)
```

super(スーパー)関数(Chapter7)は、派生クラスから基底クラスのメソッドを呼び出すときに使います。特に、基底クラスから継承したメソッドを派生クラスでオーバーライドしているとき、super関数は継承したメソッドを呼び出すために役立ちます。

基底クラスのメソッドを呼び出す(super関数)

```
super().メソッド名(引数, …)
```

## ❖オブジェクトの型を調べるtype関数

type(タイプ)関数(実際にはクラス)は、オブジェクトの型を表すtypeオブジェクトを返します。

オブジェクトの型を返す(type関数)

```
type(オブジェクト)
```

**整数123、文字列'python'、リスト［4, 5, 6］に対し、それぞれtype関数を適用して戻り値を表示**してみてください。

```
>>> type(123)
<class 'int'>            ← int(整数)
>>> type('python')
<class 'str'>            ← str(文字列)
>>> type([4, 5, 6])
<class 'list'>           ← list(リスト)
```

あるオブジェクトの型が特定のクラスかどうかを調べるには、type関数ではなく、次に紹介するisinstance関数を使うことがおすすめです。

## ❖あるクラスのインスタンスかどうかを調べるisinstance関数

isinstance(イズ・インスタンス)関数は、指定したオブジェクトが指定したクラスのインスタンスであるとき、Trueを返します。オブジェクトが、指定したクラスの派生クラスのインスタンスであるときにも、Trueを返します。

指定したクラスのインスタンスかどうかを調べる(isinstance関数)

```
isinstance(オブジェクト, クラス)
```

isinstance関数を使って、**整数123がintの、文字列'python'がstrの、リスト［4, 5, 6］がlistのインスタンスであることを確認**してみてください。

```
>>> isinstance(123, int)             ← intクラスのインスタンスか
True
>>> isinstance('python', str)        ← strクラスのインスタンスか
True
>>> isinstance([4, 5, 6], list)      ← listクラスのインスタンスか
True
```

派生クラスのオブジェクトに、isinstance関数を適用してみましょう。次のようなプログラムを書いてみてください。

1. 空のクラスAを定義します。
2. クラスAから、空のクラスBを派生させます。
3. クラスAから、空のクラスCを派生させます。
4. クラスCのオブジェクトが、クラスAのインスタンスであることを確認してください。
5. クラスCのオブジェクトが、クラスBのインスタンスではないことを確認してください。
6. クラスCのオブジェクトが、クラスCのインスタンスであることを確認してください。

▼isinstance1.py

```
class A:                        ← クラスA(BとCの基底クラス)
    pass

class B(A):                     ← クラスB(Aの派生クラス)
    pass

class C(A):                     ← クラスC(Aの派生クラス)
    pass

print(isinstance(C(), A))       ← クラスCのオブジェクトはクラスAのインスタンスか
print(isinstance(C(), B))       ← クラスCのオブジェクトはクラスBのインスタンスか
print(isinstance(C(), C))       ← クラスCのオブジェクトはクラスCのインスタンスか
```

実行結果は次のようになります。

```
>python isinstance1.py
True      ← クラスCのオブジェクトはクラスAのインスタンスである
False     ← クラスCのオブジェクトはクラスBのインスタンスではない
True      ← クラスCのオブジェクトはクラスCのインスタンスである
```

## ❖ あるクラスの派生クラスかどうかを調べるissubclass関数

issubclass(イズ・サブクラス)関数は、指定したクラスAがクラスBの派生クラス(サブクラス)であるとき、Trueを返します。クラスAとクラスBが同一の場合にも、Trueを返します。

指定したクラスの派生クラスかどうかを調べる(issubclass関数)

```
issubclass(クラスA, クラスB)
```

派生クラスに対して、issubclass関数を適用してみましょう。次のようなプログラムを書いてみてください。

1 空のクラスAを定義します。
2 クラスAから、空のクラスBを派生させます。
3 クラスAから、空のクラスCを派生させます。
4 クラスCがクラスAの派生クラスであることを確認してください。
5 クラスCがクラスBの派生クラスではないことを確認してください。

▼issubclass1.py

```
class A:                    ← クラスA(BとCの基底クラス)
    pass

class B(A):                 ← クラスB(Aの派生クラス)
    pass

class C(A):                 ← クラスC(Aの派生クラス)
    pass

print(issubclass(C, A))     ← クラスCはクラスAの派生クラスか
print(issubclass(C, B))     ← クラスCはクラスBの派生クラスか
```

実行結果は次のようになります。

```
>python issubclass1.py
True      ← クラスCはクラスAの派生クラスである
False     ← クラスCはクラスBの派生クラスではない
```

# section 08 プログラムの実行にかかわる関数

Pythonのプログラムを実行したり、プログラムに関する情報を取得するための関数です。デバッガやヘルプと連携するための関数も紹介します。

## ❖式を評価するeval関数

eval(イーバル)関数は、指定された文字列をPythonの式として評価し、式の値を返します。evalはevaluate(イヴァリュエイト、評価する)を意味します。eval関数を使うと、例えばユーザが入力したPythonの式を評価し、結果の値を求めることができます。

文字列を式として評価する(eval関数)

```
eval(文字列)
```

**ユーザの入力をinput関数で取得し、eval関数で評価して、結果を「= 結果」のように表示**するプログラムを書いてみてください。これはPythonの文法に基づいて式の値を求める、一種の計算機プログラムだといえます。色々な式を入力して、値を求めてみてください。

▼eval1.py

```
while True:                          ← 無限ループ
    print('=', eval(input()))        ← 入力した式を評価して結果を表示
```

このプログラム例では、無限ループ(Chapter5)を利用して、式を繰り返し入力できるようにしています。プログラムを終了するにはCtrl＋Cキーを押してください。

```
>python eval1.py
1+2*3                                ← 整数を使った計算の例
= 7
list('python')                       ← 文字列と関数呼び出しの例
```

```
= ['p', 'y', 't', 'h', 'o', 'n']
[x*x for x in range(10)]                    ← 内包表記の例
= [0, 1, 4, 9, 16, 25, 36, 49, 64, 81]
```

## ❖プログラムを実行するexec関数

exec(エグゼック)関数は、指定された文字列をPythonのプログラムとして実行します。戻り値はありません(Noneです)。execはexecute(エクセキュート、実行する)を意味します。

プログラムを実行(exec関数)

```
exec(文字列)
```

後述するcompile関数を使うと、Pythonのプログラムをコンパイルして、**コードオブジェクト**と呼ばれるオブジェクトを作成することもできます。exec関数はコードオブジェクトを実行することも可能です。

コードオブジェクトを実行

```
exec(コードオブジェクト)
```

**ユーザの入力をinput関数で取得してexec関数で実行**するプログラムを書いてみてください。これはPythonのプログラムを実行する、一種のインタプリタだといえます。

▼exec1.py

```
while True:              ← 無限ループ
    exec(input())        ← 入力したプログラムを実行
```

色々なプログラムを入力して、動作を確認してください。なお、このプログラムは無限ループを利用しているので、終了するにはCtrl+Cキーを押してください。

```
>python exec1.py
x = 111               ← 代入
y = 222               ← 代入
```

```
print(x, y, x+y)        ← 関数呼び出し
111 222 333             ← print関数の出力
```

## ❖プログラムをコンパイルするcompile関数

compile(コンパイル)関数は、指定された文字列やファイルの内容をPythonのプログラムとしてコンパイルし、コードオブジェクトと呼ばれるオブジェクトを返します。コードオブジェクトは前述のexec関数に渡して実行することができます。compile関数で文字列をコンパイルするには、次のように書きます。

プログラムをコンパイルする(compile関数)

```
compile(文字列, '<string>', 'exec')
```

**ユーザの入力をinput関数で取得し、compile関数でコンパイルしてから、exec関数で実行**するプログラムを書いてみてください。

▼compile1.py

```
while True:                                          ← 無限ループ
    exec(compile(input(), '<string>', 'exec'))  ← 入力したプログラムをコンパイルして実行
```

色々なプログラムを入力して、動作を確認してください。なお、以下のプログラムは無限ループを利用しているので、終了するには Ctrl + C キーを押してください。

```
>python compile1.py
x = ['burger', 'potato', 'shake']                ← 代入
y = [110, 150, 120]                              ← 代入
z = list(zip(x, y))                              ← 関数呼び出しと代入
print(z)                                         ← 関数呼び出し
[('burger', 110), ('potato', 150), ('shake', 120)]  ← print関数の出力
```

## ❖名前の一覧を取得するglobals関数とlocals関数

Pythonは変数や関数などの名前の一覧を管理しています。グローバルな名前の一覧はglobals(グローバルズ)関数で、ローカルな名前の一覧はlocals(ローカルズ)関数で取得できます。どちらの関数も、名前と値の一覧を辞書として返します。

グローバルな名前の一覧を返す(globals関数)

```
globals()
```

ローカルな名前の一覧を返す(locals関数)

```
locals()
```

以下はglobals関数とlocals関数を使って、**グローバルな名前とローカルな名前の一覧を取得**するプログラムの例です。プログラムを実行して、各関数がどのような名前の一覧を出力するのか、確認してみてください。

▼globals_locals1.py

```
def f():                              ← 関数fの定義
    x = 123                           ← ローカル変数xの作成
    print('locals:', locals())        ← locals関数の呼び出し

f()                                   ← 関数fの呼び出し
y = 456                               ← グローバル変数yの作成
print('globals:', globals())          ← globals関数の呼び出し
```

以下の実行結果は見やすくするために改行・省略しています。ローカル変数x、関数f、グローバル変数yが含まれていることがわかります。

```
>python globals_locals1.py
locals: {'x': 123}                    ← ローカルな名前の一覧、ローカル変数x
globals: {                            ← グローバルな名前の一覧
    '__name__': '__main__',
    '__doc__': None,
    …
    'f': <function f at 0x…>,         ← 関数f
    'y': 456}                         ← グローバル変数y
```

## ❖呼び出し可能かどうかを調べるcallable関数

callable(コーラブル)関数は、指定したオブジェクトが呼び出し可能な場合にTrueを返します。

呼び出し可能かどうかを調べる(callable関数)

```
callable(オブジェクト)
```

callable関数を、**整数123、文字列'hello'、len関数、listクラスに適用**して、結果を確認してみてください。lenとlistは呼び出し可能であることがわかります。

```
>>> callable(123)
False                        ← 呼び出し不可能
>>> callable('hello')
False                        ← 呼び出し不可能
>>> callable(len)
True                         ← 呼び出し可能
>>> callable(list)
True                         ← 呼び出し可能
```

## ❖デバッガに移行するbreakpoint関数

breakpoint(ブレークポイント)関数を呼び出すと、プログラムの実行を一時停止してデバッガに制御を移します。ブレークポイントというのは、デバッグのためにプログラムの実行を意図的に一時停止する箇所のことです。

実行を一時停止してデバッガに移る(breakpoint関数)

```
breakpoint()
```

以下はbreakpoint関数を使ったプログラムの例です。**breakpoint関数の箇所で、pdb(Pythonデバッガ)に制御が移動**します。

▼breakpoint1.py

```
x = 123
breakpoint()       ← ブレークポイント
y = 456
z = 789
breakpoint()       ← ブレークポイント
print(x, y, z)
```

プログラムを実行して、実行結果のように操作してみてください。

```
>python breakpoint1.py
> ….py(3)<module>()          ← プログラムの3行目で一時停止中
-> y = 456                   ← 現在の行
(Pdb) l                      ← l(エル)を入力してプログラムを表示
  1      x = 123
  2      breakpoint()
  3  ->  y = 456
  4      z = 789
  5      breakpoint()
  6      print(x, y, z)
[EOF]
(Pdb) p x                    ←「p 式」を入力して式の値を表示
123
(Pdb) c                      ← cを入力して次のブレークポイントまで実行
> ….py(6)<module>()          ← プログラムの6行目で一時停止中
-> print(x, y, z)            ← 現在の行
(Pdb) p y                    ←「p 式」を入力して式の値を表示
456
(Pdb) p z                    ←「p 式」を入力して式の値を表示
789
(Pdb) c                      ← cを入力して次のブレークポイントまで実行
123 456 789
```

pdbの詳しい使い方については、以下のサイトをご確認ください。

**pdb --- Pythonデバッガ**

**URL https://docs.python.org/ja/3/library/pdb.html**

## ❖ヘルプを表示するhelp関数

help(ヘルプ)関数を呼び出すと、指定したオブジェクト(関数やクラスなど)の説明を表示します。

ヘルプの表示(help関数)

```
help(オブジェクト)
```

例えば、**組み込み関数のabsについてhelp関数を使って説明を表示**してみてください。なお、以下の実行結果には日本語訳を付記しました。

```
>>> help(abs)
Help on built-in function abs in module builtins:
(builtinsモジュールの組み込み関数であるabsについてのヘルプ：)

abs(x, /)
    Return the absolute value of the argument.
    (引数の絶対値を返す。)
```

自分で定義した関数にも、ドキュメンテーション文字列(説明)を加えることができます。説明を書くには、関数内部の最初の行に説明の文字列リテラルを配置します。標準コーディングスタイルのPEP8は、この文字列はダブルクォートによる三重クォート文字列にすることを推奨しています。この三重クォート文字列は、説明が短ければ1行でも構いませんし、説明が長ければ複数行にわたっても構いません。

関数の説明

```
def 関数名(引数, …):
    """説明"""
    …
```

ドキュメンテーション文字列を書いてみましょう。何らかの関数を定義して、ドキュメンテーション文字列を記述してください。次に、定義した関数に対してhelp関数を適用し、説明が表示されることを確認してください。

以下のプログラム例では、**引数が素数ならばTrueを返すprime関数**を定義しています。素数の判定にはジェネレータ式(Chapter8)とall関数を使っています。なお、実行結果には日本語訳を付記しました。

▼help1.py

```
def prime(n):                                        ← 関数の定義
    """引数が素数ならばTrueを返す。"""                ← 説明を記述
    return n > 1 and all((n%i for i in range(2, n)))

help(prime)                                          ← 説明を表示
```

実行結果は次のようになります。

```
>python help1.py
Help on function prime in module __main__:
(__main__モジュールの関数であるprimeについてのヘルプ)

prime(n)
    引数が素数ならばTrueを返す。
```

応用編 Chapter10

# ライブラリを使うための基礎知識

ライブラリとは、プログラミングでよく使う処理を、再利用しやすい形にまとめたものです。Pythonには使いやすいライブラリが豊富に揃っています。ライブラリを上手に活用すると、目的のプログラムを素早く開発したり、作れるプログラムの幅を広げたりすることができます。
ここではPythonでライブラリを使うための基本的な知識を学習しましょう。モジュールとパッケージの関係、プログラムにライブラリをインポートする方法、必要なライブラリをインストールする方法について学びます。

本章の学習内容

①ライブラリのインポート
②ライブラリの使用例
③ライブラリのインストール

# section 01 プログラムにライブラリをインポートする

Pythonのライブラリはモジュールとパッケージから構成されています。プログラムからライブラリを利用するには、このモジュールやパッケージをプログラムに取り込むための、インポートという処理が必要です。

## ❖モジュールとパッケージの関係

一般にプログラミングにおいて、モジュールというのはプログラムを構成する部品のことです。Pythonではプログラムのファイル(.pyファイル)がモジュールになります。自分で作成した.pyファイルについても、モジュールとして利用することができます。例えば「tool.py」を作成したら、toolモジュールとして利用できます。

一方、パッケージという言葉は「詰め合わせ」を意味しますが、Pythonにおけるパッケージもモジュールを詰め合わせたものです。多くのライブラリは、複数のモジュールを集めたパッケージになっています。パッケージは階層構造になっていて、大規模なライブラリでは、パッケージの内部がサブパッケージによって細分化されている場合もあります。

モジュール名には次のような書き方があります。モジュールがパッケージに含まれている場合には、先頭にパッケージ名とドット(.)を付けます。サブパッケージがある場合には、パッケージ名、サブパッケージ名、モジュール名をドットで区切って書きます。サブパッケージ名はドットで区切って、いくつでも並べることができます。

モジュール名の書き方(パッケージなし)

```
モジュール名
```

モジュール名の書き方(パッケージあり)

```
パッケージ名.モジュール名
```

モジュール名の書き方(サブパッケージあり)

```
パッケージ名.サブパッケージ名.….モジュール名
```

## ❖ライブラリを取り込むimport文

組み込みではない(Python処理系に内蔵されていない)機能を使うためには、import(インポート)文を使って、プログラムにライブラリを取り込む必要があります。import文には色々な記法がありますが、最も簡単なのは次の書き方です。モジュール名の部分には、前述のようにパッケージ名やサブパッケージ名を伴うモジュールを指定することもできます。なお、標準コーディングスタイルのPEP8では推奨されていませんが、カンマ(,)で区切って複数のモジュール名を並べることも可能です。

モジュールのインポート(import文)

```
import モジュール名
```

ここでは標準ライブラリのrandom(ランダム)モジュールを題材に、import文を使ってみましょう。randomモジュールは擬似乱数(ぎじらんすう)に関するモジュールです。擬似乱数は計算によって作成される、擬似的にランダムな数です。コンピュータにおいて乱数といえば、ほとんどの場合が擬似乱数です。

Pythonインタプリタの対話モードを使って、**randomモジュールをインポート**してみてください。エラーなどが何も表示されなければ成功です。

```
>>> import random
>>>                          ← 何も表示されずにプロンプトに戻れば成功
```

インポートしたモジュール内の機能を使うには、次のように書きます。変数名、関数名、クラス名などの先頭に、モジュール名とドット(.)を付けて使います。

モジュールの変数を使う

```
モジュール名.変数名
```

モジュールの関数を使う

```
モジュール名.関数名(引数, …)
```

モジュールのクラスを使う

```
モジュール名.クラス名(引数, …)
```

randomモジュールのrandint関数を使って、**サイコロのように1から6までのランダムな数を生成**してみてください。次のようにrandint関数を呼び出すと、整数A以上、整数B以下のランダムな整数を返します。何度か呼び出して、乱数が生成されることを確認してください。

ランダムな数の生成(randint関数)

```
randint(整数A, 整数B)
```

以下のプログラムを実行するには、前述のようにrandomモジュールをインポートしておく必要があります。対話モードの場合は、一度モジュールをインポートすれば、Pythonインタプリタを終了するまで引き続きそのモジュールを使うことができます。

```
>>> import random
>>> random.randint(1, 6)     ← 1から6までの乱数を生成
2
>>> random.randint(1, 6)     ← 1から6までの乱数を生成
5
```

モジュール名が長い場合には、次のようなimport文を書くと、任意の別名を付けることができます。

モジュールに任意の別名を付ける

```
import モジュール名 as 別名
```

上記の方法で**randomモジュールをインポートして、「r」という別名**を付けてみてください。さらに**randint関数を呼び出して1以上6以下の乱数を生成**してください。

```
>>> import random as r       ← インポートして別名を付ける
>>> r.randint(1, 6)          ← 乱数を生成
4
```

## モジュール名なしで機能を使えるようにするfrom節

次のようにfrom節を付けたimport文を使うと、モジュール内の指定した機能を、モジュール名なしで使えるようになります。

機能をモジュール名なしで使えるようにする

```
from モジュール名 import 機能名, …
```

以下のようにアスタリスク(*)を使うと、モジュール内の全ての機能を、モジュール名なしで使えるようになります。モジュール内の一部の機能だけを使う場合は上記の方法を、全機能または大部分の機能を使う場合には下記の方法を使うとよいでしょう。

全ての機能をモジュール名なしで使えるようにする

```
from モジュール名 import *
```

**from節を使ってrandomモジュール内のrandint関数をインポートし、1以上6以下の乱数を生成**してみてください。

```
>>> from random import randint        ← randint関数をインポート
>>> randint(1, 6)                     ← 乱数を生成
3
```

さらに次のように書くと、インポートした機能に別名を付けることができます。

インポートした機能に別名を付ける

```
from モジュール名 import 機能名 as 別名
```

上記の方法で**randomモジュール内のrandint関数をインポートして、「ri」という別名**を付けてください。そして、**別名を使ってrandint関数を呼び出し、1以上6以下の乱数を生成**してください。

```
>>> from random import randint as ri     ← randint関数に別名を付ける
>>> ri(1, 6)                             ← 乱数を生成
6
```

モジュールがパッケージ名を伴う場合には、from節付きのimport文を使って、パッケージ名だけを省略したり、パッケージ名とモジュール名の両方を省略したりできます。

パッケージ名を省略してモジュールを使えるようにする

```
from パッケージ名 import モジュール名
```

パッケージ名とモジュール名を省略して機能を使えるようにする

```
from パッケージ名.モジュール名 import 機能名
```

標準ライブラリのurllib.parseモジュール内にあるurlparse関数を、上記の2種類の方法で呼び出してみてください。この関数は**URLを解析して、各種の要素を抽出**します。引数は'https://www.python.org/'(Python公式ページのURL)にしましょう。まずは**パッケージ名(urllib)だけを省略する方法**を試してみてください。

```
>>> from urllib import parse
>>> print(parse.urlparse('https://www.python.org/'))
ParseResult(scheme='https', netloc='www.python.org', path='/', …)
```

次は**パッケージ名(urllib)とモジュール名(parse)の両方を省略する方法**を試してください。実行結果は上記と同じになります。

```
>>> from urllib.parse import urlparse
>>> print(urlparse('https://www.python.org/'))
ParseResult(scheme='https', netloc='www.python.org', path='/', …)
```

# section 02 簡単なライブラリを使ってみる

ライブラリをインポートする方法がわかったので、いくつかの標準ライブラリを実際に使ってみましょう。先ほど紹介した擬似乱数を生成するrandomモジュールと、時刻を取得するtimeモジュールを使ってみます。

## 擬似乱数の生成（randomモジュール）

擬似乱数の生成を行うrandom（ランダム）モジュールの中から、便利な機能をいくつか紹介します。機能の一覧は公式ドキュメントに記載されています。

**random - 擬似乱数を生成する**

URL https://docs.python.org/ja/3/library/random.html

最も基本的な機能はrandom関数です。random関数は0.0以上1.0未満の、ランダムな浮動小数点数を返します。

ランダムな浮動小数点数を返す（random関数）

```
random()
```

randomモジュールをインポートしてから、**random関数を何度か呼び出し**てみてください。

```
>>> import random          ← randomモジュールをインポート
>>> random.random()        ← random関数の呼び出し
0.0961762855261511
>>> random.random()        ← random関数の呼び出し
0.22843031401774572
```

choice（チョイス）関数は、シーケンス（文字列、リスト、タプルなど）から、ランダムに要素を選んで返します。

シーケンスからランダムに要素を選ぶ（choice関数）

```
choice(シーケンス)
```

**'vanilla'、'chocolate'、'strawberry'を格納したリストを作成し、変数flavor(フレーバー)に代入**してください。このflavorにchoice関数を適用して、**ランダムに要素を選んで**みてください。

```
>>> flavor = ['vanilla', 'chocolate', 'strawberry'] ← リストの作成
>>> random.choice(flavor)                           ← ランダムに要素を選ぶ
'strawberry'
>>> random.choice(flavor)                           ← ランダムに要素を選ぶ
'chocolate'
```

shuffle(シャッフル)関数は、ミュータブルなシーケンス(リストなど)について、要素の順序をランダムにかき混ぜます。

シーケンスの要素の順序をランダムに変更する(shuffle関数)

```
shuffle(シーケンス)
```

先ほど作成した変数flavorのリストにshuffle関数を適用して、**要素の順序をランダムにかき混ぜて**みてください。

```
>>> random.shuffle(flavor)                ← 要素の順序をかき混ぜる
>>> flavor                                ← リストの内容を表示
['strawberry', 'vanilla', 'chocolate']
>>> random.shuffle(flavor)                ← 要素の順序をかき混ぜる
>>> flavor                                ← リストの内容を表示
['chocolate', 'strawberry', 'vanilla']
```

## ❖時刻の取得(timeモジュール)

時刻の取得や変換を行うtime(タイム)モジュールの中から、便利な機能をいくつか紹介します。機能の一覧は公式ドキュメントに記載されています。

**time - 時刻データへのアクセスと変換**

**URL https://docs.python.org/ja/3/library/time.html**

time関数は、現在時刻(エポックからの経過秒数)を浮動小数点数で返します。エポックというのは紀元のことですが、コンピュータの時刻に関するエポックは、多くのシステムにおいて1970年1月1日0時0分0秒です。このエポックのことをUNIX(ユニックス)エポックと呼び、UNIXエポックからの経過時間をUNIX時間と呼びます。

現在時刻を取得(time関数)

```
time()
```

timeモジュールをインポートしてから、time関数を呼び出し、現在時刻を表示してみてください。

```
>>> import time          ← timeモジュールをインポート
>>> time.time()          ← 現在時刻(エポックからの経過秒数)を取得
1596891228.3259194
```

gmtime関数を使うと、UTC(Coordinated Universal Time、協定世界時)における現在時刻(年、月、日、時、分、秒など)を取得できます。一方localtime(ローカルタイム)関数は、使用している環境のロケール(地域)の設定に基づいた現在時刻を返します。

協定世界時の現在時刻を取得(gmtime関数)

```
gmtime()
```

使用している環境の現在時刻を取得(localtime関数)

```
localtime()
```

gmtime関数とlocaltime関数を使って現在時刻を表示してみてください(あらかじめtimeモジュールをインポートしておいてください)。以下の実行結果は、見やすくするために結果を改行しています。

```
>>> time.gmtime()                                        ← 協定世界時
time.struct_time(tm_year=2020, tm_mon=8, tm_mday=8,
                 tm_hour=13, tm_min=2, tm_sec=43,
                 tm_wday=5, tm_yday=221, tm_isdst=0)
```

```
>>> time.localtime()                                ← 使用環境の時刻
time.struct_time(tm_year=2020, tm_mon=8, tm_mday=8,
                 tm_hour=22, tm_min=2, tm_sec=43,
                 tm_wday=5, tm_yday=221, tm_isdst=0)
```

sleep(スリープ)関数は、指定された秒数(浮動小数点数)の間だけ、プログラム(厳密にはsleep関数を呼び出したスレッド)の実行を停止します。プログラムに時間待ちをさせたいときに使います。

指定した秒数だけ実行を停止する(sleep関数)

```
sleep(秒数)
```

sleep関数を使って、**3秒間の時間待ち**をしてみてください(あらかじめtimeモジュールをインポートしておいてください)。

```
>>> time.sleep(3)          ← 時間待ちの開始
>>>                        ← プロンプトが表示されるまで約3秒間かかる
```

最初に紹介したtime関数を使うと、**経過時間を計測**することができます。以下の処理を行うプログラムを書いてみてください。

❶ time関数を呼び出して、戻り値を変数xに代入します。
❷ sleep関数を使って、3秒間の時間待ちをします。
❸ 再びtime関数を呼び出し、戻り値から変数xを減算することで、❶からの経過時間を求めて表示します。

```
>>> x = time.time()        ← 現在時刻を記録
>>> time.sleep(3)          ← 時間待ち
>>> time.time()-x          ← 現在時刻と記録した時刻の差を求める
3.0151023864746094         ← 経過秒数は約3秒
```

実行時間が短いプログラムの速度を比較したいときには、timeモジュールで上記のように実行時間を計測するのではなく、timeitモジュール(Chapter4)を使うのがおすすめです。

# section 03 欲しいライブラリをインストールするには

標準以外のライブラリを使用するには、そのライブラリをインストールする必要があります。ここではライブラリをインストールする方法を学びます。CPythonとAnaconda/Minicondaの場合で、インストールに使うコマンドが異なります。またAnacondaの場合には、よく利用する多くのライブラリがあらかじめインストールされています。

## ❖CPythonで使えるpipコマンド

CPythonの場合、コマンドプロンプト上でpipコマンド(macOS/Linuxではターミナル上でpip3コマンド)を利用して、ライブラリを管理します。ライブラリをインストールするには、次のコマンドを実行します。

ライブラリのインストール

```
pip install ライブラリ名
```

例えばNumPy(ナムパイ)というライブラリをインストールしてみましょう。NumPyは数値計算でよく使われるライブラリです。コマンドプロンプトで「**pip install numpy**」を実行してください。最後に「Successfully installed numpy…」(numpyのインストールに成功しました)と表示されれば成功です。NumPyのバージョンは下記とは異なる可能性があります。

```
>pip install numpy
Collecting numpy
…
Installing collected packages: numpy
Successfully installed numpy-1.19.1
```

もし、すでにNumPyがインストールされている場合には、「Requirement already satisfied: numpy…」(要件はすでに満たされています：numpy…)と表示されます。この場合は、インストール済みのNumPyをそのまま使用して構いません。

インストールしたライブラリの情報(バージョンなど)を確認するには、次のコマンドを実行します。

ライブラリの情報を確認

```
pip show ライブラリ名
```

NumPyの情報を確認してみましょう。コマンドプロンプトで「**pip show numpy**」を実行してください。

```
>pip show numpy
Name: numpy              ← 名前
Version: 1.19.1          ← バージョン
…
```

インストールされているライブラリの一覧を確認するには、次のコマンドを使います。

ライブラリの一覧を表示

```
pip list
```

ライブラリをアンインストールするには、次のコマンドを使います。以下の「-y」は、アンインストール中の確認を省略するためのオプションです。

ライブラリのアンインストール

```
pip uninstall -y ライブラリ名
```

インストール済みのライブラリをアップグレードするには、次のコマンドを使います。「**--upgrade**」の代わりに「**-U**」と入力しても構いません。

ライブラリのアップグレード

```
pip install --upgrade ライブラリ名
```

pipコマンド自体をアップグレードするには、次のように入力します。macOS/Linuxの場合は、「python」の代わりに「python3」と入力してください。

pipコマンドのアップグレード

```
python -m pip install --upgrade pip
```

## ❖AnacondaやMinicondaで使えるcondaコマンド

Anaconda/Minicondaの場合、Anacondaプロンプト(macOS/Linuxではターミナル)上でcondaコマンドを利用して、ライブラリを管理します。ライブラリをインストールするには、次のコマンドを実行します。以下の「-y」は、確認を省略するためのオプションです。

ライブラリのインストール

```
conda install -y ライブラリ名
```

例えばNumPyをインストールしてみましょう。Anacondaプロンプトで「**conda install -y numpy**」を実行してください。以下の実行結果のように表示されれば成功です(NumPyのバージョンは下記とは異なる可能性があります)。

```
>conda install -y numpy
Collecting package metadata (current_repodata.json): done
Solving environment: done
…
Downloading and Extracting Packages
numpy-1.19.1          | 22 KB     | …
numpy-base-1.19.1     | 3.8 MB    | …
Preparing transaction: done
Verifying transaction: done
Executing transaction: done
```

もし、すでにNumPyがインストールされている場合には、「# All requested packages already installed.」(全ての要求されたパッケージはインストール済みです)と表示されます。この場合は、インストール済みのNumPyをそのまま使用して構いません。Anacondaの場合、おそらくNumPyはインストール済みです。

インストールされているライブラリの一覧の確認は、次のコマンドで行います。

ライブラリの一覧を表示

```
conda list
```

NumPyのバージョンを確認してみましょう。Anacondaプロンプトで「**conda list**」を実行して、numpyの行を見つけてください。

```
>conda list
…
numpy                          py38h5510c5b_0
numpy-base                     py38ha3acd2a_0
…
```

ライブラリをアップデートするには、次のコマンドを使います。

指定したライブラリをアップデート

```
conda update -y ライブラリ名
```

全てのライブラリをアップデート

```
conda update -y --all
```

ライブラリをアンインストールするには、次のコマンドを使います。「**uninstall**」の代わりに「**remove**」と入力しても構いません。

ライブラリのアンインストール

```
conda uninstall -y ライブラリ名
```

# 応用編 Chapter11

# ファイルの読み書き

ファイルの入出力は、実用的なプログラムで非常によく使う処理です。ここでは基本となるテキストファイルから始めて、データや設定などの保存に利用することが多いCSVファイルやJSONファイル、そしてテキスト以外のファイルの代表例として画像ファイルについて、入出力の方法を学びます。また、ファイルに関連する色々な操作についても紹介します。

本章の学習内容

①テキストファイルの読み書き
②画像ファイルの読み書き
③ファイルに関する操作

section 01

# 基本はテキストファイルの読み書き

ファイル入出力の基本はテキストファイルの読み書きです。ここではwith文という新しい構文が登場します。

## ❖テキストファイルの出力

まずはテキストファイルを書き込んでみましょう。テキストファイルを出力するには、with(ウィズ)文とopen(オープン)関数を使って、次のようなプログラムを書きます。

テキストファイルの書き込み(with文、open関数)

```
with open(ファイル名, 'w', encoding=文字エンコーディング) as 変数:
    文…
```

with文はコロン(:)の後で改行し、次の行からはインデントして書きます。インデントしている限り、with文の内側として扱われます。なお、コロンの後で改行せずに続けて文を書くこともできますが、標準コーディングスタイル(PEP8)では推奨されていません。

上記のwith文では、最初にopen関数を実行します。open関数はファイルを開く組み込み関数で、戻り値はファイルオブジェクト(ファイルを表すオブジェクト)です。上記の場合は、ファイルオブジェクトがas(アズ)の後に書かれた変数に代入されます。with文は内側の文を実行し終えると、開いたファイルを自動的に閉じてくれます。

▼with文とopen関数でファイルを開く

```
with open(ファイル名, 'w', encoding=文字エンコーディング) as 変数:
    文…
```

- open関数に指定したファイル開く
- 文…：ファイルを操作する処理
- 処理が終了するとファイルを閉じる

with文を使わずに、open関数だけを使ってファイルを入出力することもできますが、その場合はファイルオブジェクトのcloseメソッドを呼び出して、手動でファイルを閉じる必要があります。ファイルを閉じる処理は忘れがちなので、with文を使うことをおすすめします。

open関数の第2引数の'w'は、write(ライト、書き込み)を表します。他には'r'(read、リード、読み込み)、'a'(append、アペンド、追加書き込み)などがあります。第2引数を省略すると'r'(読み込み)になります。

キーワード引数のencoding(エンコーディング)は、ファイルを読み書きする文字エンコーディングを表します。多数の文字エンコーディングがサポートされていますが、以下によく使いそうな例を示します。なお、各々の文字エンコーディングには別名があり、例えば'utf-8'の代わりに'utf_8'や'utf8'と書くこともできます。

▼文字エンコーディングの例

| 名前 | 意味 |
|---|---|
| utf-8 | UTF-8 |
| shift-jis | シフトJIS |
| euc-jp | 日本語EUC(Extended Unix Code、拡張UNIXコード) |
| iso-2022-jp | JIS |

さて、ファイルオブジェクトのwriteメソッドを使うと、ファイルにテキストを書き込むことができます。writeメソッドは末尾で改行しないので、改行したい場合にはエスケープシーケンスの¥nを使います。

ファイルにテキストを書き込む(writeメソッド)

```
ファイルオブジェクト.write(文字列)
```

**message.txtというテキストファイルに、「Hello」「Python」「Programming」という3行のテキストを出力**するプログラムを書いてみてください。ファイルオブジェクトを代入する変数名は適当に決めて構いません。以下のプログラム例ではfile(ファイル)としています。

なお、open関数の第2引数を'w'(書き込み)にすると、指定したファイルがない場合には新規に作成され、ファイルがある場合には上書きされます。また、open関数のファイル名には、ディレクトリ名などを含むパスを指定することもできます。

▼text1.py

```
with open('message.txt', 'w', encoding='utf-8') as file: ← ファイルを開く
    file.write('Hello¥n')                                ← テキストを出力
    file.write('Python¥n')
    file.write('Programming¥n')
```

プログラムを実行したら、message.txtをテキストエディタで開いてみてください。以下のような内容が書き込まれていたら成功です。

▼実行後のmessage.txt

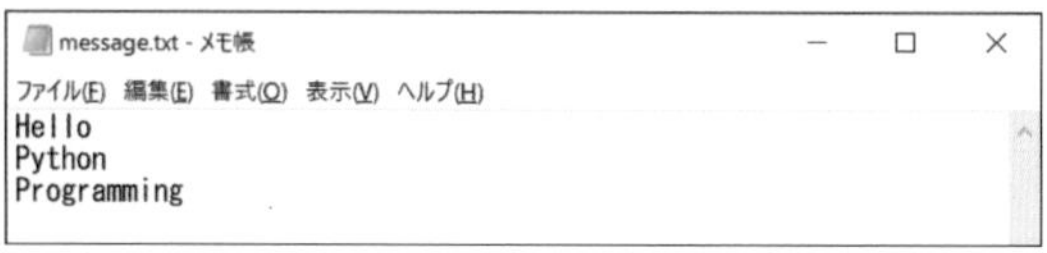


## ❖テキストファイルの入力

今度はテキストファイルを読み込んでみましょう。with文とopen関数を使って、次のように書きます。出力との違いは、第2引数を省略していることです。第2引数に'r'を指定しても構いません。

テキストファイルの読み込み(with文、open関数)

```
with open(ファイル名, encoding=文字エンコーディング) as 変数:
    文…
```

ファイルオブジェクトのreadメソッドを使うと、ファイルのテキストを全て読み込んで、1個の文字列にすることができます。テキストをまとめて読み込みたいときに便利です。

ファイルのテキストを文字列にする(readメソッド)

```
ファイルオブジェクト.read()
```

readメソッドを使って、先ほど作成した**message.txtを読み込んで内容を表示**するプログラムを書いてみてください。readメソッドの戻り値を、そのままprint関数で表示するのが簡単でしょう。

▼text2.py

```
with open('message.txt', encoding='utf-8') as file: ← ファイルを開く
    print(file.read())                              ← テキストの入力と表示
```

実行結果は次のようになります。

```
>python text2.py
Hello
Python
Programming
```

テキストファイルを1行ずつ読み込みたいときには、for文とファイルオブジェクトを組み合わせるとよいでしょう。ファイルオブジェクトは、読み込んだファイルの内容を1行ずつ返す、イテラブルとして働きます。以下のfor文では、指定した変数に対して、読み込んだファイルの1行が代入されます。

テキストファイルを1行ずつ読み込む

```
for 変数 in ファイルオブジェクト:
    文…
```

上記のようなfor文を使って、前述の**message.txtを1行ずつ読み込んで表示**してみてください。enumerate関数(Chapter5)と組み合わせて、1から始まる行番号も表示してください。なお、読み込んだテキストの行末には改行が含まれているので、print関数で表示する際にはキーワード引数のendに''(空文字列)を指定して、改行の出力を抑制するとよいでしょう。

▼text3.py

```
with open('message.txt', encoding='utf-8') as file:   ← ファイルを開く
    for count, text in enumerate(file, 1):            ← 1行を入力
        print(count, text, end='')                     ← 行番号と内容を表示
```

実行結果は次のようになります。

```
>python text3.py
1 Hello
2 Python
3 Programming
```

# section 02 よく使う形式のファイルを読み書きする

CSVやJSONは、データや設定などを保存する際によく使われるファイルの形式です。これらはテキストファイルの一種なので、テキストファイルとしても入出力できますが、専用のライブラリを使うとより簡単に扱うことができます。CSVやJSONを入出力するためのライブラリは、標準ライブラリに含まれています。

また、ここでは画像ファイルの入出力についても学びます。画像の読み書きには非標準ライブラリを使ってみます。

## ❖CSVファイルの出力

CSV(シーエスブイ、Comma-Separated Values、カンマで区切った値)ファイルは、複数の値をカンマ(,)で区切ったテキストファイルです。簡単な形式のファイルなので、テキストエディタで閲覧や編集をすることも可能ですし、Excelなどのソフトウェアも CSVファイルの入出力に対応しています。CSVファイルは各種のデータを保存するのに使われていて、例えば機械学習(Chapter13)用のデータにもよく利用されます。

標準ライブラリのcsvモジュールを使うと、CSVファイルの入出力が可能です。他の方法としては、非標準ライブラリのPandas(Chapter13)を使う方法もあります。

**csvモジュールのドキュメント**

URL https://docs.python.org/ja/3/library/csv.html

まずはCSVファイルを出力してみましょう。最初にimport文を使って、csvモジュールをインポートします。

csvモジュールのインポート

```
import csv
```

CSVファイルを出力するには、次のようなプログラムを書きます。以下ではwith文の行が長いので2行に分けて示しましたが、実際には1行にまとめて書くことができます。

また、asの後にはファイルオブジェクトを代入する変数を書きますが、ここではファイルと表記しました。

CSVファイルの出力(writerowsメソッド)

```
with open(ファイル名, 'w', encoding=文字エンコーディング,
          newline='') as ファイル:
    csv.writer(ファイル).writerows(イテラブル)
```

open関数のキーワード引数newlineに''(空文字列)を指定しているのは、改行の出力を抑制する効果があります。csvモジュールを使う場合、このnewlineを指定しないと改行が余分に出力されてしまい、各行の間に空行が入ってしまうので、上記のようにしています。

CSVファイルに複数の行をまとめて書き込むには、csvモジュールのwriter(ライター)オブジェクトを作成した後に、writerows(ライト・ローズ)メソッドを呼び出します。writerowsメソッドの引数はイテラブルです。イテラブルの各要素をCSVファイルの各行として出力します。

なお、CSVファイルに1行を書き込むwriterow(ライト・ロー)メソッドもあります。writerowメソッドの引数もイテラブルです。

CSVファイルに1行を書き込む(writerowメソッド)

```
csv.writer(ファイル).writerow(イテラブル)
```

writerowメソッドを繰り返し呼び出す場合には、次のようにwriterオブジェクトを変数に代入しておき、再利用するとよいでしょう。

writeオブジェクトを変数に代入して使う

```
変数 = csv.writer(ファイル)
変数.writerow(イテラブル)
```

CSVファイルを書き込んでみましょう。複数行を出力するwriterowsメソッドを使います。次のような**商品の名前と価格をタプルにまとめ、リストに格納したうえで変数catalogに代入**してください。

'hat'と2000のタプル
'shirt'と1000のタプル
'socks'と500のタプル

そして上記の方法を使って、このリストをcatalog.csvというCSVファイルに出力してください。

▼csv1.py

```
import csv
catalog = [('hat', 2000), ('shirt', 1000), ('socks', 500)]     ← リスト
with open('catalog.csv', 'w', encoding='utf-8',
          newline='') as file:
    csv.writer(file).writerows(catalog)                         ← 書き込み
```

テキストエディタでcatalog.csvを開いてみてください。以下のような内容が書き込まれていたら成功です。

▼実行後のcatalog.txt

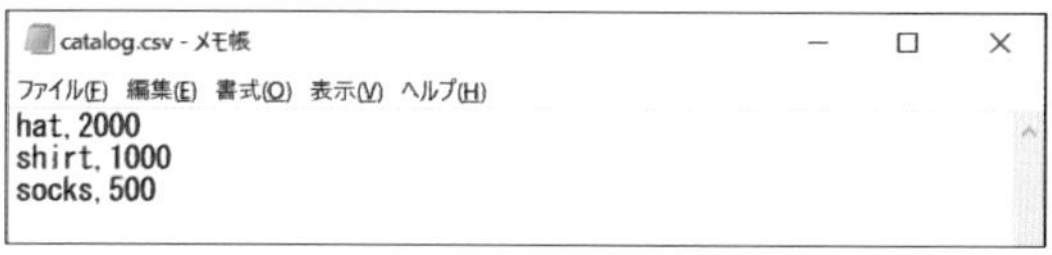


## ❖CSVファイルの入力

今度はCSVファイルを読み込んでみましょう。次のようなプログラムを使うと、CSVファイルを1行ずつ読み込むことができます。

CSVファイルの読み込み

```
with open(ファイル名, encoding=文字エンコーディング) as ファイル:
    for 変数 in csv.reader(ファイル):
        文…
```

上記ではfor文とcsvモジュールのreader(リーダー)オブジェクトを組み合わせています。readerオブジェクトはイテラブルとして働き、CSVの各行に含まれる値をリストとして返します。

CSVファイルを読み込んでみましょう。先ほど作成した**catalog.csvを読み込んで各行の内容を表示**してみてください。なお、以下のプログラム例におけるrow(ロー)は、CSVファイルやデータベースにおける行を表すときによく使う言葉です。列はcolumn(カラム)と呼びます。

▼csv2.py

```
import csv
with open('catalog.csv', encoding='utf-8') as file:
    for row in csv.reader(file):              ← CSVの各行を入力
        print(row)                            ← 各行を表示
```

実行結果は次のようになります。

```
>python csv2.py
['hat', '2000']
['shirt', '1000']
['socks', '500']
```

全てのデータをまとめて管理したい場合には、例えば読み込んだ各行の内容をリストに格納すればよいでしょう。これはリストの内包表記(Chapter7)を使って、次のように書けます。

CSVファイルの内容をリストに格納する

```
[式 for 変数 in csv.reader(ファイル)]
```

前述の**catalog.csvを読み込んで、タプルのリストに格納して表示**するプログラムを書いてみてください。各行のリストをタプルにするには、tuple関数(Chapter4)を使います。

▼csv3.py

```
import csv
with open('catalog.csv', encoding='utf-8') as file: ← ファイルを開く
    print([tuple(x) for x in csv.reader(file)])     ← タプルのリストを作成
```

実行結果は次のようになります。

```
>python csv3.py
[('hat', '2000'), ('shirt', '1000'), ('socks', '500')]
```

実行結果を見ると、CSVファイルに書き込んだ元のデータ(商品を表すタプルのリスト)が再現されていることがわかります。これでCSVファイルにデータを保存したり、読み込んだりすることができるようになりました。

## ❖JSONファイルの出力

JSON(ジェイソン)は、JavaScript Object Notation(JavaScriptにおけるオブジェクトの表記法)の略語で、もともとはプログラミング言語のJavaScriptに由来するデータの形式です。簡単な形式で色々なデータを表現することができ、テキストエディタでも手軽に読み書きできるので、JavaScript以外の言語でも広く使われています。Pythonでは標準ライブラリのjsonモジュールを使って、JSONファイルの入出力が可能です。

**jsonモジュールのドキュメント**
URL https://docs.python.org/ja/3/library/json.html

JSONファイルを出力するには、jsonモジュールをインポートしてから、次のようなプログラムを書きます。asの後にはファイルオブジェクトを代入する変数を書きますが、ここではファイルと表記しました。

JSONファイルの出力(dump関数)

```
with open(ファイル名, 'w', encoding=文字エンコーディング) as ファイル:
    json.dump(イテラブル, ファイル, indent=整数)
```

ファイルを開く処理は、テキストファイルの場合と同様です。jsonモジュールのdump(ダンプ)関数は、開いたファイルにイテラブルの内容を書き込みます。キーワード引数のindent(インデント)を指定するとJSONファイルにインデントや改行が入るので、人間が読みやすくなります。人間が読まない(プログラムで処理する)場合には、indentは指定しなくても構いません。

JSONファイルを書き込んでみましょう。次のような**商品の名前と価格を辞書にまとめ、リストに格納したうえで、変数catalogに代入**してください。辞書のキーはname(名前)とprice(価格)です。

nameは'hat'、priceは2000の辞書
nameは'shirt'、priceは1000の辞書
nameは'socks'、priceは500の辞書

そして上記の方法を使って、この**リストをcatalog.jsonというJSONファイルに出力**してください。indentには4を指定してみましょう。

▼json1.py

```
import json
catalog = [{'name': 'hat', 'price': 2000},          ← 商品カタログ
           {'name': 'shirt', 'price': 1000},
           {'name': 'socks', 'price': 500}]
with open('catalog.json', 'w', encoding='utf-8') as file:← ファイルを開く
    json.dump(catalog, file, indent=4)               ← JSONの出力
```

テキストエディタでcatalog.jsonを開いてみてください。以下のような内容が書き込まれていたら成功です。

▼実行後のcatalog.json

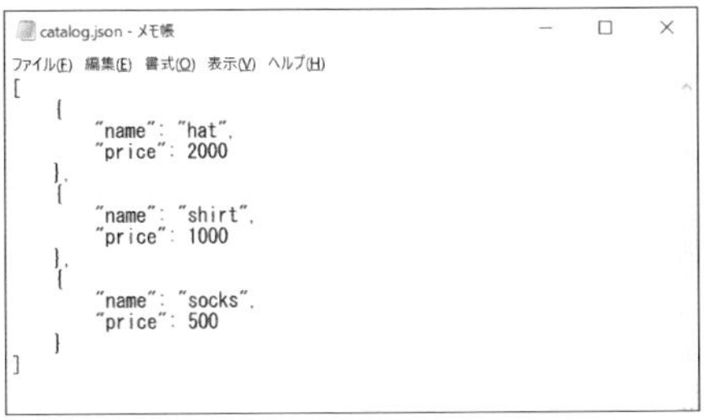

catalog.json - メモ帳
ファイル(F) 編集(E) 書式(O) 表示(V) ヘルプ(H)

```
[
    {
        "name": "hat",
        "price": 2000
    },
    {
        "name": "shirt",
        "price": 1000
    },
    {
        "name": "socks",
        "price": 500
    }
]
```

JSONファイルにおいて、角括弧で囲まれた要素は配列と呼ばれています。JSONの配列はPythonのリストに対応します。また、波括弧で囲まれた要素はオブジェクトと呼ばれます。JSONのオブジェクトはPythonの辞書に対応します。

## ❖JSONファイルの入力

今度はJSONファイルを読み込んでみましょう。読み込みにはjsonモジュールのload(ロード)関数を使います。次のようなプログラムを書くと、JSONファイルの内容を読み込み、変数に保存することができます。変数に保存せずに、他の処理(print関数で表示するなど)を行っても構いません。

JSONファイルの読み込み(load関数)

```
with open(ファイル名, encoding=文字エンコーディング) as ファイル:
    変数 = json.load(ファイル)
```

JSONファイルを読み込んでみましょう。先ほど作成した**catalog.jsonを読み込んで内容を表示**してみてください。以下の実行結果は、見やすくするために改行してあります。

▼json2.py

```
import json
with open('catalog.json', encoding='utf-8') as file:  ← ファイルを開く
    print(json.load(file))                           ← JSONの入力と表示
```

実行結果は次のようになります。

```
>python json2.py
[{'name': 'hat', 'price': 2000},
 {'name': 'shirt', 'price': 1000},
 {'name': 'socks', 'price': 500}]
```

実行結果を見ると、JSONファイルに書き込んだ元のデータ（商品を表す辞書のリスト）が再現されていることがわかります。これでJSONファイルにデータを保存したり、読み込んだりすることができるようになりました。JSONファイルはプログラムの設定を保存するファイルとして使うのも便利です。

## ❖画像ファイルの出力（Pillowライブラリ）

ライブラリを使うと、画像ファイルの読み書きも簡単にできます。画像ファイルの入出力は、画像を一括処理するプログラムを作成するときや、機械学習で画像認識用の画像ファイルを加工する際などに使います。本書では画像の入出力や編集によく利用される、Pillow（ピロー、枕）というライブラリを紹介します。

**Pillowのドキュメント**

**URL https://pillow.readthedocs.io/en/stable/**

Pillowは非標準のライブラリなので、次のようにインストールする必要があります。Anacondaには最初からインストールされています。なお、インストール時のライブラリ名は「pillow」ですが、インストール後のパッケージ名は「PIL」です。

Pillowのインストール（CPython）

```
pip install pillow
```

Pillowのインストール（Anaconda/Miniconda）

```
conda install -y pillow
```

Pillowを使って簡単な画像を作成し、ファイルに保存してみましょう。最初にPIL.Imageモジュールをインポートします。以下のようにすると、以後はPILというパッケージ名を省略して、Imageというモジュール名だけを書けば済むようになります。

PIL.Imageモジュールのインポート

```
from PIL import Image
```

新規に画像を作成するには、次のようなnew（ニュー）関数を使います。new関数はImage（イメージ）クラスのオブジェクトを返します。以後はこのオブジェクトを使って画像を操作するので、変数に代入しておくとよいでしょう。以下では、画像のオブジェクトを代入した変数を「イメージ」と表記しています。

画像ファイルの作成（new関数）

```
イメージ = Image.new(モード, (幅, 高さ), 背景色)
```

モードには、'L'（8ビットグレイスケール）、'RGB'（赤、緑、青各8ビット）、'RGBA'（RGB各8ビットと不透明度を表すアルファ8ビット）などがあります。サイズは幅と高さのピクセル数をタプルで指定し、背景色は色の成分をタプルで指定します。例えばモードが'RGB'の場合は、次のように書きます。

RGBファイルの作成

```
イメージ = Image.new('RGB', (幅, 高さ), (R成分, G成分, B成分))
```

作成した画像を保存するにはsave（セーブ）メソッドを使います。画像ファイルの形式は、ファイル名の拡張子で指定します。指定したファイル名が存在しない場合は新規に作成され、存在する場合は上書きされます。

画像ファイルの保存（saveメソッド）

```
イメージ.save(ファイル名)
```

例えば、**640×480ピクセルの黄色い画像を作成してyellow.pngというファイル名で保存**するプログラムを書いてみてください。画像ファイルの形式はPNG（Portable Network Graphics）になります。

▼image1.py

```
from PIL import Image
image = Image.new('RGB', (640, 480), (255, 255, 0))    ← 画像を作成
image.save('yellow.png')                               ← 画像ファイルを出力
```

プログラムを実行したら、Webブラウザや画像処理ツールでyellow.pngを開いて、黄色い画像ができていることを確認してください。

▼作成されたyellow.png



もしプログラムを実行したときに、「ModuleNotFoundError: No module named 'PIL'」(モジュールが見つからない：'PIL'という名前のモジュールがない)というエラーが発生した場合は、Pillowが正しくインストールされていない可能性があります。前述の手順でPillowをインストールしてから、もう一度実行してみてください。Pillow以外のライブラリについても同様に、「ModuleNotFoundError」が発生した場合には、ライブラリをインストールしてから再び実行してください。

もしCPythonとAnaconda/Minicondaを併用していて、ライブラリをインストールしても「ModuleNotFoundError」が解消されない場合には、CPythonまたはAnaconda/Minicondaのいずれかをアンインストールしてみてください。その後、残ったCPythonまたはAnaconda/Minicondaにライブラリをインストールし、プログラムをもう一度実行してください。

さて、今度はもう少し変化のある画像を作ってみましょう。次のようなputpixel（プット・ピクセル）メソッドを使うと、画像の指定した位置にピクセルを描くことができます。

指定した位置にピクセルを描く（putpixelメソッド）

```
イメージ.putpixel((X座標, Y座標), (R成分, G成分, B成分))
```

上記のputpixelメソッドを使って、画像に何かを描いてからファイルに保存するプログラムを書いてみてください。グラデーションを作ったり、乱数を使ったりして、自由に描いてみてください。

以下のプログラム例では、**for文を使ってピクセルの色を滑らかに変化させることによってグラデーションを描いて**います。結果の画像はgradation.pngに保存するので、Webブラウザや画像処理ツールで確認してみてください。

▼image2.py

```
from PIL import Image
W, H = 640, 480                                     ← 画像のサイズ
image = Image.new('RGB', (W, H), (0, 0, 0))         ← 画像を作成
for x in range(W):
    for y in range(H):
        image.putpixel((x, y),                      ← ピクセルを描く
                       (x*255//W, y*255//H,
                        ((W+H)-(x+y))*255//(W+H)))
image.save('gradation.png')                         ← 画像を保存
```

▼作成したグラデーションの画像（gradation.png）

Pillowには他にも多くの機能があり、例えば矩形や円といった図形を描いたり、画像の色数やサイズを変更したりすることもできます。

## ❖画像ファイルの入力(Pillowライブラリ)

今度は画像ファイルを読み込んでみましょう。読み込みにはImageモジュールのopen関数を使います。open関数は画像のオブジェクトを返します。

画像ファイルの読み込み(open関数)

```
Image.open(ファイル名)
```

先ほど作成した**画像(yellow.pngまたはgradation.png)を読み込み、画像の形式、幅、高さの情報を表示**してみてください。形式、幅、高さは、次のような属性で取得できます。

画像の形式(文字列)を取得

```
イメージ.format
```

画像の幅(整数)を取得

```
イメージ.width
```

画像の高さ(整数)を取得(整数)

```
イメージ.height
```

▼image3.py

```
from PIL import Image
image = Image.open('gradation.png')                    ← 画像ファイルの入力
print(image.format, image.width, image.height)         ← 情報の表示
```

実行結果は次のようになります。

```
>python image3.py
PNG 640 480        ← 形式、幅、高さ
```

次は、**読み込んだ画像の拡張子を.jpg(JPEGファイル)に変更して保存**してみて

ください。これは画像の形式をPNGからJPEGに変換するプログラムです。結果の画像(プログラム例ではgradation.jpg)をWebブラウザや画像処理ソフトで開き、内容を確認してください。このように画像の形式を変換するプログラムも、非常に簡単に書くことができます。

▼image4.py

```
from PIL import Image
image = Image.open('gradation.png')      ← 画像ファイルの入力(PNG形式)
image.save('gradation.jpg')              ← 画像ファイルの出力(JPEG形式)
```

section 03
# ファイルに関連する色々な操作

ここではファイルに対して色々な操作を行う方法を学びます。ディレクトリ内のファイル一覧を取得する方法や、ファイルのコピー、名前の変更、削除の方法などです。コマンドライン引数を取得する方法についても紹介します。

## ❖ファイル一覧の取得

標準ライブラリのglob(グラブ)モジュールを使うと、指定したディレクトリにあるファイルの一覧を取得することができます。特定の拡張子を持つファイルだけを列挙したり、サブディレクトリも含めてファイルを列挙したりすることが可能です。ファイルの入出力と組み合わせると、例えば「ディレクトリ内のテキストファイル(拡張子.txt)について行数の合計を調べる」といったプログラムを作成することができます。

**globモジュールのドキュメント**

URL https://docs.python.org/ja/3/library/glob.html

ファイルの一覧を取得するには、globモジュールをインポートした後に、以下のglob関数を呼び出します。サブディレクトリも処理する場合には、キーワード引数のrecursive(リカーシブ、再帰的な)にTrueを指定します。

ファイルの一覧を取得(glob関数)

```
glob.glob(パス)
```

ファイルの一覧を取得(サブディレクトリも処理)

```
glob.glob(パス, recursive=True)
```

パスには、列挙するファイルのパス(ファイルやディレクトリの場所を表す文字列)を指定します。パスにアスタリスク(*)を含めるとワイルドカードとして働きます。例えば、'*.txt'とすると拡張子が.txtのファイルだけを列挙します。

glob関数はファイル一覧のリストを返します。リストはイテラブルなので、for

文と組み合わせて、見つかったファイルを1個ずつ処理することもできます。

glob関数を使ってみましょう。**カレントディレクトリにあるcatalogという名前のファイル(拡張子は任意)を列挙してファイル名を表示**するプログラムを書いてみてください。

▼glob1.py

```
import glob
for x in glob.glob('catalog.*'):      ← ファイルの一覧を取得
    print(x)                          ← ファイル名を表示
```

以下は、カレントフォルダ内に「catalog.csv」「catalog.json」というファイルを保存した状態で実行したものです。

```
>python glob1.py
catalog.csv
catalog.json
```

glob関数をファイルの入出力と組み合わせてみましょう。上記のプログラムと同様に、**カレントディレクトリにあるcatalogという名前のファイルを列挙したうえで、各ファイルの行数と全ファイルの行数の合計を表示**するプログラムを書いてください。

▼glob2.py

```
import glob
total = 0                                         ← 合計を0で初期化
for x in glob.glob('catalog.*'):                  ← ファイルの一覧を取得
    with open(x, encoding='utf-8') as file:       ← 各ファイルを開く
        s = file.read()                           ← ファイルを読み込む
        n = s.count('¥n')+1 if len(s) else 0      ← 行数を計算
        print(f'{x:15}{n:5}')                     ← 行数を表示
        total += n                                ← 行数を合計に加算
print('-'*20)                                     ← 区切りを表示
print(f'{"Total":15}{total:5}')                   ← 合計を表示
```

実行結果は次のようになります。

```
>python glob2.py
catalog.csv         4
catalog.json       14
--------------------
Total              18
```

上記のプログラム例では、f文字列(Chapter9)を使って表示を整形してみました。書式指定を使って、ファイル名は15桁、行数は5桁で表示しています。

また、ファイルごとの行数を計算する際には、文字列のcountメソッド(Chapter3)と条件式(Chapter5)を使っています。改行(¥n)の個数に1を加算した数をファイルの行数としますが、ファイルの内容が空の場合には行数を0としています。

## ❖ファイルのコピー、名前の変更、削除

標準ライブラリのshutil(エスエイチ・ユーティル)モジュールやos(オーエス)モジュールを使うと、ファイルのコピー、名前の変更、削除といった操作ができます。これらの操作は、例えばプログラムでファイルをバックアップしたり、作業用のファイルやディレクトリを作ったりする際に役立ちます。

**shutilモジュールのドキュメント**

URL https://docs.python.org/ja/3/library/shutil.html

**osモジュールのドキュメント**

URL https://docs.python.org/ja/3/library/os.html

ファイルを操作するには、shutilモジュールやosモジュールをインポートしてから、次のような関数を使います。コピー、名前の変更、削除の他、よく使いそうな操作の例を掲載しました。

ファイルのコピー(shutil.copy関数)

```
shutil.copy(コピー元, コピー先)
```

ファイルの移動(shutil.move関数)

```
shutil.move(移動元, 移動先)
```

ファイル名の変更(os.rename関数)

```
os.rename(古い名前, 新しい名前)
```

ファイルの削除(os.remove関数)

```
os.remove(パス)
```

モードの設定(os.chmod関数)

```
os.chmod(パス, モード)
```

ディレクトリの作成(os.mkdir関数)

```
os.mkdir(パス)
```

ディレクトリの削除(os.rmdir関数)

```
os.rmdir(パス)
```

再帰的にディレクトリを作成(os.makedirs関数)

```
os.makedirs(パス)
```

再帰的にディレクトリを削除(os.removedirs関数)

```
os.removedirs(パス)
```

makedirs(メイク・ディーアイアールズ)関数はディレクトリを作成する際に、途中の必要なディレクトリも一緒に作成します。例えば、'project/programming/python'というパスを指定すると、最下層のpythonディレクトリだけではなく、途中のprojectディレクトリとprogrammingディレクトリも作成します。同様にremovedirs(リムーブ・ディーアイアールズ)関数は、最下層のディレクトリだけではなく、途中のディレクトリも削除します。なおmakedirsやremovedirsのdirは、directory(ディレクトリ)の略と思われます。

パスの区切りにはスラッシュ(/)、円記号(¥)、バックスラッシュ(\)が使えます。円記号やバックスラッシュを文字列内に書く場合、'¥¥'や'\\'のようなエスケープシーケンスにする必要があるので、スラッシュを使うか、raw文字列(Chapter3)を使うと簡単です。

いくつかの操作を実行してみましょう。カレントディレクトリにmessage.txtというファイルがあるときに、次のような操作をしてみてください。エラーが発生せずに実行できれば成功です。

❶message.txtをmessage2.txtにコピーします。
❷message2.txtの名前をmessage3.txtに変更します。
❸message3.txtを削除します。

▼shutil_os1.py

```
import shutil
import os
shutil.copy('message.txt', 'message2.txt')     ← コピー
os.rename('message2.txt', 'message3.txt')      ← 名前の変更
os.remove('message3.txt')                      ← 削除
```

## ❖コマンドライン引数の取得

コマンドライン引数というのは、コマンドライン(コマンドプロンプト、Anacondaプロンプト、ターミナルなど)においてコマンドを入力する際に、コマンドに対して与える引数のことです。次のようにコマンドの後に、空白で区切って、コマンドライン引数を指定します。

コマンドライン引数

```
>コマンド 引数 …
```

以下の例ではtypeコマンドに対して、message.txtというコマンドライン引数を与えています(カレントディレクトリにmessage.txtを保存した状態で実行してください)。Windowsにおいて、typeはテキストファイルの内容を表示するコマンドです。macOS/Linuxでは、代わりにcatコマンドを使ってください。

```
>type message.txt
Hello
Python
Programming
```

Pythonのプログラムにもコマンドライン引数を渡すことができます。以下のようにプログラムを実行した場合、Pythonのプログラム名(○○.py)と以後の引数をプログラムで受け取ることができます。

Pythonのプログラム名と引数

```
>python ○○.py 引数 …
```

コマンドライン引数を受け取るには、標準ライブラリのsys(シス)モジュールを使います。sysモジュールのargv(アーグ・ブイ)属性が、プログラム名とコマンドライン引数のリストになっています。

**sysモジュールのドキュメント**

URL https://docs.python.org/ja/3/library/sys.html

sysモジュールをインポートしてから次のように書くと、コマンドライン引数を取得できます。リストの最初はプログラム名であることに注意してください。このプログラム名は、プログラムの使い方を表示する際などに役立ちます。

プログラム名と引数のリストを取得

```
sys.argv
```

次のようにインデックスを使うと、指定した位置のプログラム名あるいは引数を取得することができます。インデックス0はプログラム名、1以降は引数です。

指定した位置のプログラム名あるいは引数を取得

```
sys.argv[インデックス]
```

次のようにlen関数を使うと、プログラム名と引数を合わせた個数を取得することができます。

プログラム名と引数を合わせた個数を取得

```
len(sys.argv)
```

**プログラム名と引数のリストをそのまま表示**するプログラムを書いてください。そして、コマンドライン引数に1、2、3を与えて、プログラムを実行してみてください。

▼argv1.py

```
import sys
print(sys.argv)
```

実行結果は次のようになります。

```
>python argv1.py 1 2 3
['argv1.py', '1', '2', '3']
```

上記のように、コマンドライン引数は文字列のリストとして取得できます。1、2、3のような数値も文字列になるので、計算に使うときには、int関数やfloat関数を使って数値に変換する必要があります(Chapter3)。

上記のプログラムを応用して、**コマンドライン引数で与えられた整数の合計**を求めるプログラムを書いてみてください。int関数を使って引数を整数に変換してから、sum関数(Chapter9)を使って合計を求めます。全ての引数にint関数を適用するには、map関数(Chapter9)が役立ちます。

▼argv2.py

```
import sys
print(sum(map(int, sys.argv[1:])))
```

コマンドライン引数に1、2, 3を与えて実行してみてください。

```
>python argv2.py 1 2 3
6
```

上記のプログラムでは、スライスを使ってプログラム名以外の引数(インデックス1以降)を取り出した後に、map関数を使って全ての要素にint関数を適用します。最後にsum関数を使って合計を求めます。

コマンドライン引数を使うと、Pythonプログラムを実行する際に色々なデータを渡すことができます。ぜひコマンドライン引数を活用して、Pythonで日常的に使えるツールのプログラムを作ってみてください。

# 応用編 Chapter12

# Pythonによる仕事の自動化

普段は手作業でこなしている仕事をプログラムで自動化すると、驚くほど楽になることがあります。Pythonは色々な処理を行うプログラムを簡単に書ける言語なので、何かの仕事をこなすために、ちょっとした専用のプログラムを作成することも十分に可能です。ここでは自動化すると効果的な仕事をPythonのプログラムでこなす例として、Excelとシステム管理の例を取り上げます。

本章の学習内容

①Excelファイルの操作
②システム情報の監視
③メールの送信

# section 01 Excelの仕事を自動化する(openpyxlライブラリ)

ExcelはMicrosoftの表計算ソフトウェアです。非常にポピュラーなソフトウェアなので、日常的に使っている方も多いかと思います。帳簿を付けるために使う他、注文書や請求書などの書類を作るために使ったり、データの分析にも使うことができます。

ExcelにはVBA(ブイビーエー、Visual Basic for Applications)というプログラミング言語が搭載されています。このVBAを使ってExcelの作業を自動化することもできますが、Pythonのプログラミングに慣れていると「PythonでExcelの作業ができたらいいな…」と思うことがよくあります。実はライブラリを使えば、PythonからExcelファイルを操作することができます。

## ❖新規にExcelファイルを作成する

いくつかのライブラリがExcelファイルに対応していますが、本書ではopenpyxl(オープンパイエックスエル)というライブラリを紹介します。

**openpyxlのドキュメント**

URL https://openpyxl.readthedocs.io/en/stable/index.html

openpyxlは非標準のライブラリなので、次のようにインストールする必要があります。Anacondaには最初からインストールされています。

openpyxlのインストール(CPython)

```
pip install openpyxl
```

openpyxlのインストール(Anaconda/Miniconda)

```
conda install -y openpyxl
```

openpyxlを使ってExcelファイルを作成してみましょう。openpyxlモジュールをインポートしてから、次のようにWorkbook(ワークブック)クラスのオブジェクトを作成します。以下のワークブックは変数です。以下では、Workbookオブジェクトを代入した変数を「ワークブック」と表記しています。

Excelファイルの作成

```
ワークブック = openpyxl.Workbook()
```

ワークブックはExcelのブック(book)に相当します。Excelの文書は、ブックの中に複数のシート(sheet)が配置された構造をしています。ワークブックを作成すると、自動的にシートも作成されます。

ワークブックをファイルに保存するには、以下のsaveメソッドを使います。通常のブックとして保存する場合には、ファイル名の拡張子に.xlsxを指定します。同名のファイルが存在する場合は、上書きで保存されます。

ワークブックのファイルに保存(saveメソッド)

```
ワークブック.save(ファイル名)
```

**商品カタログのワークブックを作成し、ファイルに保存**するプログラムを書いてみましょう。ファイル名はcatalog.xlsx(カタログ.xlsx)にしてください。プログラムを実行した後に、カレントディレクトリにcatalog.xlsxが作成されることを確認してください。

▼excel1.py

```
import openpyxl
book = openpyxl.Workbook()     ← ワークブックを作成
book.save('catalog.xlsx')      ← ワークブックを保存
```

Excelを持っていたら、作成したcatalog.xlsxをExcelで開いてみてください。空のシートが表示されれば成功です。

## ❖セルの値を読み書きする

Excelのシートに並んでいる枠のことを、セル(cell)と呼びます。セルを指定するときには、列方向(横方向)はA、B、C…のようなアルファベットで、行方向(縦方向)は1、2、3…のような整数で表します。例えば左上のセルはA1で、その右のセルはB1です。

▼Excelのセル

| | A | B | C |
|---|---|---|---|
| 1 | A1 | B1 | C1 |
| 2 | A2 | B2 | C2 |
| 3 | A3 | B3 | C3 |

プログラムでセルの値を読み書きするには、まずワークブックからワークシートのオブジェクトを取得します。現在アクティブな(操作対象の)ワークシートは、次のように取得できます。

アクティブなワークシートを取得

```
ワークシート = ワークブック.active
```

セルの値を読み書きするには、次のように角括弧を使って、読み書きするセルを指定します。位置の部分には、'A1'や'B1'などの文字列を指定します。セルの値を読み出す場合にはvalue(バリュー)属性を使い、セルの値を書き込む場合にはそのまま値を代入します。

セルの値を読み出み

```
ワークシート[位置].value
```

セルの値を書き込む

```
ワークシート[位置] = 値
```

セルに値を書き込んでみましょう。**商品カタログのワークブックに、商品の名前と価格を書き込み**ます。セルA1に名前の'hat'(帽子)を、セルB1に価格の2000を書き込んでください。そして、ワークブックをcatalog.xlsxに保存してください。

▼excel2.py

```
import openpyxl
book = openpyxl.workbook()          ← ワークブックを作成
sheet = book.active                 ← ワークシートを取得
sheet['A1'] = 'hat'                 ← セルA1に値を書き込む
sheet['B1'] = 2000                  ← セルB1に値を書き込む
book.save('catalog.xlsx')           ← ワークブックを保存
```

上記のプログラムを実行し、作成されたcatalog.xlsxをExcelで開いて、セルに値が書き込まれていることを確認してください。

▼セルに値を書き込む

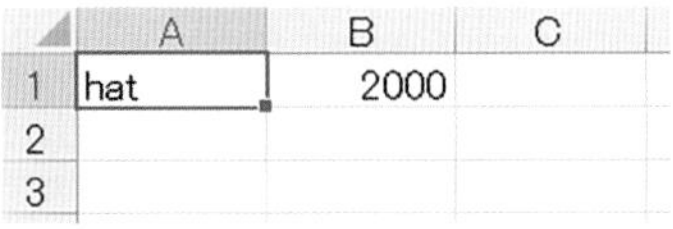


## ❖既存のExcelファイルを開く

既存のExcelファイルを開くには、load_workbook(ロード・ワークブック)関数を使います。load_workbook関数はワークブックのオブジェクトを返します。

Excelファイルを開く(load_workbook関数)

```
ワークブック = openpyxl.load_workbook(ファイル名)
```

load_workbook関数を使うと、Excelを起動することなく、既存のExcelファイルをプログラムから開いて読み書きすることができます。先ほどの**catalog.xlsxを開いて、セルA1とセルB1の内容を表示**するプログラムを書いてみてください。

▼excel3.py

```
import openpyxl
book = openpyxl.load_workbook('catalog.xlsx')     ← ワークブックを開く
sheet = book.active                               ← ワークシートを取得
print(sheet['A1'].value, sheet['B1'].value)       ← セルの値を表示
```

実行結果は次のようになります。

```
>python excel3.py
hat 2000
```

開いたワークブックのセルに値を書き込んで、saveメソッドで同じファイルに上書きすれば、ワークブックを編集することができます。このように既存のExcelファイルを編集するプログラムの例は、後ほど紹介します。

## ❖複数のセルを読み書きする

セルの読み書きをfor文(Chapter5)と組み合わせれば、複数のセルを読み書きすることができます。セルの位置を指定するA1やB1などの文字列は、例えばf文字列(Chapter9)を使って作成すると簡単です。

**既存のExcelファイル(catalog.xlsx)を開き、次のような商品情報を書き込んで、同じファイルに上書きで保存**するプログラムを書いてみてください。

[('hat', 2000), ('shirt', 1000), ('socks', 500)]

これは商品(帽子、シャツ、靴下)の名前と価格をタプルにまとめて、リストに格納したものです。

▼excel4.py

```
import openpyxl
book = openpyxl.load_workbook('catalog.xlsx')          ← ワークブックを開く
sheet = book.active                                    ← シートを取得
catalog = [('hat', 2000), ('shirt', 1000),
           ('socks', 500)]                             ← 商品のリスト
for i, (name, price) in enumerate(catalog, 1):         ← 全商品を順に処理する
    sheet[f'A{i}'] = name                              ← 名前を書き込む
    sheet[f'B{i}'] = price                             ← 価格を書き込む
book.save('catalog.xlsx')                              ← ワークブックを保存
```

上記のプログラムでは、for文とenumerate関数(Chapter5)を組み合わせて、セルの行番号(1, 2, 3…)を作成しています。そしてf文字列を使って、'A1'や'B1'といったセルの位置を表す文字列を作成し、セルに値を設定しています。

このプログラムを実行すると、商品情報が書き込まれたファイル(catalog.xlsx)が出力されます。Excelでファイルを開いて、内容を確認してみてください。

▼複数のセルに値を書き込む

| | A | B | C |
|---|---|---|---|
| 1 | hat | 2000 | |
| 2 | shirt | 1000 | |
| 3 | socks | 500 | |
| 4 | | | |

今度は上記のファイルをプログラムで読み込んで、内容を表示してみましょう。複数のセルに渡る内容を表示するには、for文を使って順番にセルの値を取得します。これは上記のプログラムと同様に、セルの位置を表す文字列を作成すれば実現できますが、次のようなiter_rows（イター・ローズ）メソッドを使う方法もあります。

セルを1行分ずつ取得（iter_rowsメソッド）

```
ワークシート.iter_rows()
```

iter_rowsメソッドはイテラブル（ジェネレータオブジェクト）を返します。このイテラブルは、ワークシートの上から下に向かって1行ずつ、各行のセルを含むタプルを返します。for文と組み合わせれば、各行のセルを順番に操作することができます。

引数に何も指定しない場合は1行目から開始し、値が書き込まれたセルがある限り繰り返します。途中に値が書き込まれていない行があっても、より下にある行に値が書き込まれていれば、繰り返しが続くことに注意してください。

なお、iter_rowsメソッドには次のような引数があります。キーワード引数を使って必要な引数を指定すれば、処理するセルの範囲を限定したり、セルの値だけを返させたりすることができます。

▼iter_rowsメソッドの引数

| 引数名 | 意味 |
|---|---|
| min_row | 最小の行番号（1～） |
| max_row | 最大の行番号（1～） |
| min_col | 最小の列番号（1～） |
| max_col | 最大の列番号（1～） |
| values_only | Trueならばセルの値だけを返す |

**iter_rowsメソッドを使って、前述のcatalog.xlsxを読み込んで内容を表示**するプログラムを書いてみてください。引数のvalues_onlyにTrueを指定して、セルの値だけを取得すると、プログラムが簡潔になります。

▼excel5.py

```
import openpyxl
book = openpyxl.load_workbook('catalog.xlsx')              ← ワークブックを開く
sheet = book.active                                         ← ワークシートを取得
for name, price in sheet.iter_rows(values_only=True):       ← 1行ずつ処理する
    print(name, price)                                      ← 名前と価格を表示
```

実行結果は次のようになります。

```
>python excel5.py
hat 2000
shirt 1000
socks 500
```

なお、iter_rowsメソッドと似たような働きをするiter_cols（イター・コルズ）メソッドもあります。iter_rowsメソッドが1行ずつ繰り返すのに対して、iter_colsメソッドはワークシートの左から右に向かって1列ずつ繰り返します。

## ❖Excelの作業をプログラムに肩代わりさせる

これまでに学んだ操作を使うと、Excelを使って手作業で行うような作業を、プログラムに肩代わりさせることができます。例えば前述の商品カタログについて、全商品の価格を合計し、ワークシートに書き込むプログラムを作成してみましょう。

▼合計をワークシートに書き込む

| | A | B | C |
|---|---|---|---|
| 1 | hat | 2000 | |
| 2 | shirt | 1000 | |
| 3 | socks | 500 | |
| 4 | | | |
| 5 | Total | 3500 | |
| 6 | | | |

このような計算はExcelを使って手作業で行うこともできますが、プログラムを使って自動化することで、大幅に労力を減らせます。また、手作業では困難なくらい多数のExcelファイルがあっても、プログラムならば問題なく処理することがで

きます。例えばglobモジュール（Chapter11）を使って.xlsxファイルを列挙し、プログラムで一括して処理することが可能です。

前述の**catalog.xlsxを読み込み、価格の合計を上記のようにワークシートに書き込んで、同じファイルに上書き保存**するプログラムを作成してみましょう。商品と合計との間は1行空けて、合計の列AにはTotal（合計）と書きます。商品の個数が変化しても、またすでに合計が書き込まれているファイルに対しても、正しく処理できるようにしてください。

▼excel6.py

```
import openpyxl
book = openpyxl.load_workbook('catalog.xlsx')          ← ワークブックを開く
sheet = book.active                                    ← ワークシートを取得
total = 0                                              ← 合計を0で初期化
for i, (name, price) in enumerate(
        sheet.iter_rows(values_only=True), 1):         ← 1行ずつ処理する
    if not price:                                      ← 価格が空ならば次の行へ
        continue
    if name == 'Total':                                ← 合計の行ならば終了
        break
    total += price                                     ← 合計に価格を加算
else:
    i += 2                                             ← 合計を書き込む行番号
sheet[f'A{i}'] = 'Total'                               ← 列AにTotalと書き込む
sheet[f'B{i}'] = total                                 ← 列Bに合計を書き込む
book.save('catalog.xlsx')                              ← ワークブックを保存
```

上記のプログラムでは、iter_rowsメソッドを使って1行ずつセルを読み出し、合計を計算しています。すでに合計が書き込まれたファイルを正しく処理するために、価格が空の場合は次の行へ進み、名前がTotalの場合は繰り返しを終了します。for文のelse節では、まだ合計が書き込まれていない場合に、商品との間を1行空けて合計を書き込むために、行番号（変数i）を2行進めています。

このプログラムと同じ要領で、Excelファイルをプログラムで自動的に処理することができます。多数のExcelファイルを処理したり、複数のExcelファイルにまたがる計算を行ったりといった、手作業では大変な仕事は、ぜひプログラムに肩代わりさせてみてください。

# section 02 システム管理の仕事を自動化する

システム管理といっても、現場によって色々な業務があるかと思いますが、例えばシステムの状態を定期的に監視して、何か問題があれば管理者が対応するというパターンは、多くの業務に共通しているかと思います。こういった形態の仕事を自動化するために、ここではシステムの状態を監視したり、管理者にメールで報告したりするプログラムを、Pythonで開発する方法を紹介します。

## ❖ファイルの追加や削除を監視する

システムの状態を監視する例として、ファイルの状態を監視してみましょう。**カレントディレクトリに対してファイルの追加や削除が行われたときに、その内容を表示**するプログラムを作成します。

具体的には次のような処理を行います。ライブラリとしては、ファイルの一覧を取得するglobモジュール(Chapter11)と、時間待ちを行うtimeモジュール(Chapter10)を使います。

1. globモジュールのglob関数を使って、ファイルの一覧を取得し、変数oldに代入します。
2. 以下の3～7を無限に繰り返します。
3. 時間待ちを行います。プログラム例では、結果が確認しやすいように待ち時間を短め(3秒間)にしています。
4. 再びglob関数を使って、ファイルの一覧を取得し、変数newに代入します。
5. oldに含まれておらず、newに含まれているファイルがあったら、追加されたファイルとして表示します。
6. oldに含まれていて、newに含まれていないファイルがあったら、削除されたファイルとして表示します。
7. oldにnewを代入します。

▼system1.py

```
import glob
import time
old = set(glob.glob('*'))                       ← ファイル一覧（旧）
while True:                                     ← 無限ループ
    time.sleep(3)                               ← 時間待ち
    new = set(glob.glob('*'))                   ← ファイル一覧（新）
    if added := new-old:                        ← 追加されたファイル
        print('Added  :', ' '.join(added))
    if removed := old-new:                      ← 削除されたファイル
        print('Removed:', ' '.join(removed))
    old = new                                   ← 一覧の更新
```

上記のプログラムでは、集合（Chapter4）を使ってファイル一覧を管理しています。集合を使うことの利点は、集合間の差（差集合）を簡単に求められることです。新しい一覧（new）から古い一覧（old）を減算すれば、newだけに含まれているファイル、つまり追加されたファイルを知ることができます。逆に、古い一覧（old）から新しい一覧（new）を減算すれば、oldだけに含まれているファイル、つまり削除されたファイルを知ることができます。

プログラムを実行してから、カレントディレクトリにファイルを追加したり、ファイルを削除したりしてみてください。例えばmessage.txtを追加し、catalog.xlsxを削除すると、次のように表示されます。プログラムを終了するには、**Ctrl**＋**C**キーを押します。

```
>python system1.py
Added  : message.txt        ← 追加されたファイル
Removed: catalog.xlsx       ← 削除されたファイル
```

このように標準ライブラリだけでも、ファイルの状態を監視することができます。追加や削除の他に、例えばファイルのサイズやタイムスタンプなどを監視することも可能です。

## ❖CPUやメモリの使用率を監視する(psutilライブラリ)

システムの状態を監視する別の例として、CPU、メモリ、ディスクの使用率を取得してみましょう。ここではpsutil(ピーエス・ユーティル)というライブラリを使います。psutilは、システムの使用状況(CPU、メモリ、ディスク、ネットワーク、センサー)や、実行中のプロセス(プログラム)に関する情報を取得するためのライブラリです。

### psutilのドキュメント

URL https://psutil.readthedocs.io/en/latest/

psutilは次のようにインストールします。Anacondaには最初からインストールされています。

psutilのインストール(CPython)

```
pip install psutil
```

psutilのインストール(Anaconda/Miniconda)

```
conda install -y psutil
```

psutilをインポートした後に次のようなcpu_percent(シーピーユー・パーセント)関数を使うと、CPUの使用率を浮動小数点数で取得できます。cpu_percent関数を引数なしで実行すると、前回cpu_percent関数を呼び出してから現在までの使用率を返します。キーワード引数のinterval(インターバル)を指定すると、指定した時間内のCPU使用率を取得することができます。また、キーワード引数のpercpu(パー・シーピーユー)にTrueを指定すると、CPUごとの使用率をリストで返します。

CPUの使用率を取得(cpu_percent関数)

```
psutil.cpu_percent()
```

指定した時間内のCPU使用率を取得

```
psutil.cpu_percent(interval=秒数)
```

メモリの使用率を取得するには、次のようにvirtual_memory(バーチャル・メモリ)関数を使います。virtual_memory関数はメモリの使用状況に関するオブジェクト(名前付きタプル)を返します。このオブジェクトのpercent(パーセント)属性が、メモリの使用率です。

なお名前付きタプルは、要素を属性名で取得することができるタプルです。名前付きタプルを作成するには、標準ライブラリのcollections(コレクションズ)モジュールに含まれるnamedtuple(ネームド・タプル)関数を使います。

メモリの使用率を取得(virtual_memory関数)

```
psutil.virtual_memory().percent
```

メモリの全容量(物理メモリ)を取得

```
psutil.virtual_memory().total
```

メモリの使用可能容量(物理メモリ)を取得

```
psutil.virtual_memory().available
```

ディスクの使用率を取得するには、次のようにdisk_usage(ディスク・ユーセジ)関数を使います。この関数はディスクの使用状況に関するオブジェクト(名前付きタプル)を返します。percent属性が使用率です。パスにルートディレクトリ(最上位のディレクトリ)を表す'/'を指定すれば、ディスク全体の使用状況が得られます。

ディスクの使用率を取得(disk_usage関数)

```
psutil.disk_usage(パス).percent
```

ディスクの全容量を取得

```
psutil.disk_usage(パス).total
```

ディスクの使用容量を取得

```
psutil.disk_usage(パス).used
```

ディスクの空き容量を取得

```
psutil.disk_usage(パス).free
```

上記の関数を使って、**CPU、メモリ、ディスクの使用率を表示**するプログラムを書いてみましょう。以下のプログラム例では、f文字列を使って表示桁数を揃えています。

▼psutil1.py

```
import psutil
print(f'CPU    : {psutil.cpu_percent(interval=1):5} %')      ← CPU
print(f'Memory: {psutil.virtual_memory().percent:5} %')   ← メモリ
print(f"Disk   : {psutil.disk_usage('/').percent:5} %")    ← ディスク
```

実行結果は次のようになります。なお、それぞれの数値は環境によって異なります。

```
>python psutil.py
CPU    :   1.6 %
Memory:  47.0 %
Disk   :  79.0 %
```

## ❖指定した条件で管理者にメールを送信する

プログラムでシステムの状態を監視し、管理者にメールで報告するプログラムを実現するために、メールを送信する方法を学びましょう。Pythonでは標準ライブラリを使ってメールを送信することができます。

メールの送信にはSMTP(エスエムティーピー、Simple Mail Transfer Protocol、簡易メール転送プロトコル)サーバを使います。SMTPはメールを送信するための一般的なプロトコル(手順)です。

ここで紹介するプログラム例はいろいろなメールサービスに対応していますが、実行例にはGmail(Googleのメールサービス)を使いました。GmailでSMTPサーバを利用するには、次のような設定が必要です。

1. 「Googleアカウントの管理」の「セキュリティ」を開き、「2段階認証プロセス」を「オン」に設定します。
2. 同じ画面で「アプリ パスワード」を選択します。「アプリを選択」は「その他(名前を入力)」とし、適当な名前(例えば「python_smtp」)を入力して、アプリパスワードを生成します。生成されたアプリパスワードは、後で使うのでメモしておいてください(「アプリ パスワード」が表示されない場合は、ログアウトしてから再度ログインしてみてください)。

　メールを作成するには、email.mime.text（イーメール・マイム・テキスト）モジュールのMIMEText（マイム・テキスト）クラスを使います。次のようにインポートを行えば、以後はMIMETextというクラス名だけで利用できます。

MIMETextクラスのインポート

```
from email.mime.text import MIMEText
```

　最初にMIMETextクラスを使って、次のようにメールを作成します。

メールの作成

```
メール = MIMEText(本文)
```

　メールのヘッダ(件名、送信元、送信先)は以下のように設定します。

メールのヘッダを設定

```
メール['Subject'] = 件名
メール['From'] = 送信元
メール['To'] = 送信先
```

　メールを送信するには、smtplib（エスエムティーピー・リブ）モジュールのSMTPクラスを使って、次のようなプログラムを書きます。お使いのメールサービスにおけるサーバ、ログイン名、パスワードを指定し、ポート番号には587を指定してください。Gmailの場合、サーバには'smtp.gmail.com'を、ログイン名には送信元のメールアドレス'…@gmail.com'を、パスワードには前述のアプリパスワードを指定します。

メールの送信

```
with smtplib.SMTP(サーバ, ポート番号) as smtp:
    smtp.ehlo()
    try:
        smtp.starttls()
        smtp.ehlo()
    except smtplib.SMTPNotSupportedError:
        pass
    smtp.login(ログイン名, パスワード)
    smtp.sendmail(送信元, 送信先, メール.as_string())
```

上記のプログラムでは、SMTPオブジェクトを変数smtpに代入します。SMTPオブジェクトでメールを送信した後には、接続を閉じる必要がありますが、with文を使うと自動的に閉じることができます。

また、上記で呼び出しているSMTPクラスの各メソッドは、次のような動作をします。送信元や送信先はメールのヘッダにも設定しますが、sendmail(センド・メール)メソッドは引数で指定された送信元や送信先を使ってメールを送信します。

▼SMTPクラスのメソッド

| 名前 | 動作 |
|---|---|
| ehlo | SMTPのEHLOコマンドを利用して、クライアント名をサーバに伝える |
| starttls | TLS(Transport Layer Security)を使ってサーバに接続する |
| login | ログイン名とパスワードを使ってサーバにログインする |
| sendmail | 送信元、送信先、内容を指定して、メールを送信する |

以下のような**メールを送信**するプログラムを書いてみてください。送信元と送信先に同じメールアドレスを指定して、自分自身にメールを送信すると、結果が確認しやすいのでおすすめです。

件名：System Report(システムレポート)
本文：The disk is full.(ディスクに空きがありません。)

以下のプログラム例において、サーバ、送信元、送信先、パスワードは、ご自分がお使いのものに書き換えてから実行してください。

▼mail1.py

```
import smtplib
from email.mime.text import MIMEText

SERVER = 'SMTPサーバ'                              ← サーバ
FROM = '送信元メールアドレス'                        ← 送信元
TO = '送信先メールアドレス'                          ← 送信先
PASS = 'パスワード'                                ← パスワード

mail = MIMEText('The disk is full.')              ← メールの作成
mail['Subject'] = 'System Report'                 ← 件名
mail['From'] = FROM                               ← 送信元
mail['To'] = TO                                   ← 送信先
```

```
with smtplib.SMTP(SERVER, 587) as smtp:                ← SMTPオブジェクト
    smtp.ehlo()                                        ← EHLOコマンド
    try:                                               ← TLSの接続を試みる
        smtp.starttls()                                ← TLSの接続を開始
        smtp.ehlo()                                    ← EHLOコマンド
    except smtplib.SMTPNotSupportedError:              ← TLSの接続に失敗
        pass                                           ← TLSは使わずに続行
    smtp.login(FROM, PASS)                             ← ログイン
    smtp.sendmail(FROM, TO, mail.as_string())          ← メールを送信
```

プログラムを実行し、エラーが発生せずに終了したら、受信したメールを確認してください。以下のようなメールが届いていたら成功です。

▼届いたメール

今度は**システムの状態を報告するメール**を送ってみましょう。前述のpsutilモジュールを使って、CPU、メモリ、ディスクの使用率を取得し、メールの本文に記載してください。そして上記のプログラムと同様に、自分自身にメールを送信します。サーバ、送信元、送信先、パスワードは、ご自分がお使いのものに書き換えてから実行してください。

▼mail2.py

```
import psutil
import smtplib
from email.mime.text import MIMEText

SERVER = 'SMTPサーバ'                                  ← サーバ
FROM = '送信元メールアドレス'                          ← 送信元
TO = '送信先メールアドレス'                            ← 送信先
PASS = 'パスワード'                                    ← パスワード
```

```
message = f'''
CPU    : {psutil.cpu_percent(interval=1):5} %
Memory: {psutil.virtual_memory().percent:5} %
Disk   : {psutil.disk_usage('/').percent:5} %

'''                                                  ← メールの本文

mail = MIMEText(message)                             ← メールの作成
mail['Subject'] = 'System Report'                    ← 件名
mail['From'] = FROM                                  ← 送信元
mail['To'] = TO                                      ← 送信先

with smtplib.SMTP(SERVER, 587) as smtp:              ← SMTPオブジェクト
    smtp.ehlo()                                      ← EHLOコマンド
    try:                                             ← TLSの接続を試みる
        smtp.starttls()                              ← TLSの接続を開始
        smtp.ehlo()                                  ← EHLOコマンド
    except smtplib.SMTPNotSupportedError:            ← TLSの接続に失敗
        pass                                         ← TLSは使わずに続行
    smtp.login(FROM, PASS)                           ← ログイン
    smtp.sendmail(FROM, TO, mail.as_string())        ← メールを送信
```

上記のプログラム例では、三重クォートのf文字列を使って、メールの本文を作成しています。このように複数行に渡る文字列を整形したいときには、三重クォートのf文字列が便利です。その後の処理は、前述のプログラムと同様です。

プログラムを実行し、エラーが発生せずに終了したら、受信したメールを確認してください。以下のようなメールが届いていたら成功です。

▼システムの状態を報告するメール

応用編 Chapter13

# 流行のAI技術を活用する

Pythonが人気を集めた背景には、AI(Artificial Intelligence、人工知能)がブームになるなかで、AI関連のライブラリが充実していたことがあります。また、AIブームの前にはビッグデータ(大容量のデータを活用する技術)が話題になりましたが、Pythonにはビッグデータの関連のライブラリも揃っています。ここではAIにもビッグデータにも活用できるライブラリを使って、話題のAIを体験します。

本章の学習内容

①数値データの読み込み
②必要なデータの抽出
③データの可視化
④機械学習の実施

section
# 01 AIを使うと何ができるのか？

最初にAIの概要を知っておきましょう。AIとは何か、なぜAIがブームになったのか、AIに使われている代表的な手法は何か、といったことを学びます。

## AIとは

AI(Artificial Intelligence)は計算機科学(コンピュータサイエンス)における分野の1つです。認識、判断、推論、問題解決、学習といった人間の頭脳の働きを理解することと、頭脳の機能を機械(コンピュータ)によって実現することを目的としています。簡単に表現すれば、AIとはコンピュータを使って人間のような知能を実現する仕組みのことです。

ここ近年でAIがブームになったきっかけは、ディープラーニング(深層学習)などの技術によってAIの性能が大きく向上したことです。この背景には、AIに効果的な学習をさせるための手法が考案されたことや、学習に必要となる高速なハードウェアが普及したことがあります。

AIの性能が上がったことで、AIが活躍できる分野が増えました。例えば、画像や音声を認識するAI、文章を分析するAI、将棋や囲碁をプレイするAI、画像や漫画を生成するAIなどがあります。

このように色々なAIがありますが、AIによって使われている手法はさまざまです。例えばディープラーニングは、階層が深いニューラルネットワークに対して学習を行う技術ですが、全てのAIがディープラーニングを採用しているわけではなく、実に幅広い手法が使われています。

## 機械学習とは

AIにおいて重要な技術の1つが学習です。人間が行うような学習の能力をコンピュータで実現する技術のことを、機械学習(きかいがくしゅう、マシンラーニング)と呼びます。機械学習の特徴は、人間がプログラムを改良するのではなく、入力された膨大なデータを使って、プログラムが自動的にAIの性能を改良していくことです。

機械学習では、学習の成果としてモデルを作成します。モデルとは、データを入力すると内部で処理を行い、結果のデータを出力する仕組みのことです。例えば、何の写真なのかを認識するモデルは、写真の画像を入力すると、画像に写っている物体の番号や文字列を出力します。

機械学習には、次のような教師あり学習と教師なし学習があります。

・教師あり学習

入力に対する正解が用意されたデータを使って、AIを訓練する手法です。AIの出力が正解に近くなるように、モデルの内部にあるパラメータを調整します。

・教師なし学習

入力に対する正解が用意されていないデータを使う手法です。正解が用意されていないので、AIが出力するべき具体的な値は決まっていません。モデルが有用な結果を出力しているかどうかは、人間が判定します。

本書で取り上げるのは、教師なし学習の代表例である、クラスタリング(clustering)という手法です。クラスタリングとは、入力データをいくつかのクラスタ(cluster、群れ)に分類することです。例えば、試験の点数を入力データとして、得点の傾向が似ている受験者をクラスタに分類する、といったことが可能です。また、顧客の購入情報を入力データとして、購入の傾向が似ている顧客をクラスタに分類することにより、クラスタごとに有効そうな広告やダイレクトメールを作成する、といった使い方もできます。

# section 02 数値データを読み込む(NumPyライブラリ)

一般に機械学習では、膨大な入力データを扱う必要があります。ここではNumPyというライブラリを使って、データを読み込んだり、必要なデータだけを取り出したり、統計量を計算したりする手法を学びましょう。これらの手法はAIにも、ビッグデータの解析にも役立ちます。

## ❖CSVファイルを配列に読み込む

NumPy(ナムパイ)は広く使われている数値演算ライブラリです。NumPyは他のライブラリでも利用されていることがあるので、NumPyの使い方を知っておくと役立つことが多くあります。

NumPyの主要な機能は、数値を格納するための配列と、配列に対する各種の演算です。この配列はベクトルや行列として使うこともできますし、CSVファイルから読み込んだ数値を格納したり、各種の統計量を求めたりすることもできます。

### NumPyのドキュメント

URL https://numpy.org/doc/stable/index.html

NumPyは非標準のライブラリなので、次のようにインストールする必要があります。Anacondaには最初からインストールされています。

NumPyのインストール(CPython)

```
pip install numpy
```

NumPyのインストール(Anaconda/Miniconda)

```
conda install -y numpy
```

NumPyを使うには、最初にnumpyモジュールをインポートします。numpyにnpなどの短い別名を付けることもよくあります。

numpyのインポート

```
import numpy
```

別名(np)を付けてnumpyをインポート

```
import numpy as np
```

Pythonインタプリタの対話モードを使って、numpyモジュールをインポートしてみてください。エラーなどが何も表示されなければ成功です。

```
>>>import numpy
>>>                    ← 何も表示されずにプロンプトに戻れば成功
```

ここではNumPyを使って、次のようなCSVファイル(score.csv)を読み込んでみましょう。機械学習用のデータも、CSVファイルとして提供されていることがよくあります。

以下のCSVファイルは、サンプルファイルの「chapter13」フォルダに収録されています。このCSVファイルを読み込むためには、「chapter13」フォルダをカレントディレクトリにしておくか、カレントディレクトリにCSVファイルをコピーしておいてください。あるいは、プログラムでファイルを読み込む際に、CSVファイルの場所を表すパスを指定する方法もあります。

▼score.csv

```
20,52,76
79,55,100
31,60,59
85,66,100
98,96,42
…
```

上記は試験の点数を模したデータです。各列は左から、英語、数学、国語の点数だと考えてください。各行は各受験者による、3教科の得点です。全体で200行(受験者200人分)のデータがあります。

NumPyでCSVファイルを読み込むには、次のようなloadtxt(ロード・テキスト)関数を使います。区切り文字にはカンマ(,)を指定してください。loadtxt関数はCSVファイルを読み込み、NumPyの配列(numpy.ndarrayオブジェクト)を返します。以下では、この配列を代入した変数を「配列」と表記しています。

NumPyでcsvファイルを読み込む(loadtxt関数)

```
配列 = numpy.loadtxt(ファイル名, delimiter=区切り文字, encoding=文字エンコーディング)
```

上記の引数delimiterは、値と値を区切る文字を表します。今回のように値がカンマ(,)で区切られたCSVファイルを読み込むには、delimiterに','を指定します。値が空白で区切られたファイルを読み込む場合には、delimiterを省略できます。

上記の引数encodingは、ファイルの文字エンコーディングを表します。今回のように文字エンコーディングがASCIIのファイルを読み込む場合には、encodingを省略できます。ASCII以外のファイルを読み込む場合には、encodingを指定します。適切な指定を行わないと、ファイルの読み込み時に例外が発生することがあります。

**前述のCSVファイル(score.csv)を読み込んで、変数scoreに代入**してください。

```
>>> score = numpy.loadtxt('score.csv', delimiter=',') ← CSVを読み込む
>>> score                                               ← 配列を表示
array([[ 20.,  52.,  76.],
       [ 79.,  55., 100.],
       [ 31.,  60.,  59.],
       [ 85.,  66., 100.],
       [ 98.,  96.,  42.],
       …
       [ 67.,  60.,  56.],
       [ 61.,  69.,  27.],
       [  8.,  67.,  57.],
       [ 70.,  81.,  89.],
       [ 44.,   2.,   4.]])
```

上記の配列において、角括弧([と])が2重になっているのは、2次元配列であることを表しています。外側の角括弧が1次元目、内側の角括弧が2次元目に対応します。

配列を表示すると、上記のように全要素が表示されるので、要素数が多い場合は結果の確認が難しくなります。そこでスライス(Chapter3)を使って、配列の一部だけを表示してみましょう。文字列やリストにスライスを適用する場合と同じ要領です。変数scoreにスライスを適用して、最初の5行と最後の5行を、それぞれ表示してください。

```
>>> score[:5]                ← 最初の5行
array([[ 20.,  52.,  76.],
       [ 79.,  55., 100.],
       [ 31.,  60.,  59.],
       [ 85.,  66., 100.],
       [ 98.,  96.,  42.]])
>>> score[-5:]               ← 最初の5行
array([[67., 60., 56.],
       [61., 69., 27.],
       [ 8., 67., 57.],
       [70., 81., 89.],
       [44.,  2.,  4.]])
```

配列の要素数はlen関数(Chapter2)で取得できます。また、次のようなshape(シェイプ、形状)属性を使うと、各次元の要素数をまとめたタプルを取得することが可能です。

配列の要素数をまとめたタプル

```
配列.shape
```

**len関数とshape属性を前述の変数scoreに適用**してみてください。len関数は1次元目の配列の要素数を返します。

```
>>> len(score)
200              ← 1次元目の要素数
>>> score.shape
(200, 3)         ← 各次元の要素数
```

## ❖インデックスを使って配列の要素を取得する

NumPyの配列で特定の要素を取得するには、インデックスを使います。以下は2次元配列において、特定の要素を指定する方法です。CSVファイルを読み込んだ場合、1次元目はCSVファイルの行に対応するので、「行のインデックス」と表記しました。同様に2次元目はCSVファイルの列に対応するので、「列のインデックス」と表記しました。

多次元配列の場合には、角括弧を並べる方法と、タプルを使う方法があります。タプルを使う方法では、タプルを囲む丸括弧がありませんが、パッキング(Chapter4)の働きによってタプルになります。

配列の要素を取得(角括弧を並べる方法)

```
配列[行のインデックス][列のインデックス]
```

配列の要素を取得(タプルを使う方法)

```
配列[行のインデックス, 列のインデックス]
```

文字列やリストなどと同様に、行や列のインデックスは0から始まります。数学やExcelでは行や列の番号を1から始めますが、ここではインデックスに合わせて、行や列の番号を0から始めることにします。

上記の方法を前述の変数scoreに使って、2行1列目(2行目の中の1列目)の要素を取得してみてください。

```
>>> score = numpy.loadtxt('score.csv', delimiter=',')
>>> score
>>> score[2][1]              ← 角括弧を並べる方法
60.0
>>> score[2, 1]              ← タプルを使う方法
60.0
```

ある行や列を丸ごと取得する場合には、次のように書きます。列の場合には、コロン(:)またはドット3個(...)を使うことに注意してください。:や...を書いた次元については、全ての要素を取得します。なお、...はEllipsis(エリプシス、省略)リテラルと呼ばれています。

配列の行を取得

```
配列[行のインデックス]
```

配列の列を取得

```
配列[:, 列のインデックス]
配列[..., 列のインデックス]
```

上記の方法を前述の変数scoreに使って、**2行目と1列目を、それぞれ丸ごと取得**してみてください。

```
>>> score[2]                              ← 行を取得
array([31., 60., 59.])
>>> score[:, 1]                           ← 列を取得
array([ 52.,  55.,  60.,  66.,  96.,  …
        60.,  69.,  67., 81.,   2.])
>>> score[..., 1]                          ← 列を取得
array([ 52.,  55.,  60.,  66.,  96.,  …
        60.,  69.,  67., 81.,   2.])
```

配列の指定した範囲を取得する場合には、スライスを使って次のように書きます。文字列やリストなどに対するスライスと同様に、終了行(終了行番号の行)や終了列(終了列番号の列)は範囲に含まれないことに注意してください。行番号、列番号、ステップはいずれも省略することができます。また、行に:や...を指定すると、指定した範囲の列を丸ごと取得することが可能です。

配列の指定した範囲を取得

```
配列[開始行番号:終了行番号, 開始列番号:終了列番号]
```

配列の指定した範囲を取得(ステップを指定)

```
配列[開始行番号:終了行番号:行のステップ, 開始列番号:終了列番号:列のステップ]
```

上記の方法を前述の変数scoreに使って、2行目から3行目の、1列目から2列目までを取得してみてください。

```
>>> score[2:4, 1:3]
array([[ 60., 59.],
[ 66., 100.]])
```

## ❖条件に基づいて配列の要素を取得する

指定した条件を満たす要素だけを取得することもできます。例えば、2列目(国語の点数)が95以上の行だけを取得する、といった使い方です。次のように、角括弧の中に真偽値を返す式を書きます。

指定した条件を満たす要素を取得

**配列[式]**

前述の変数scoreについて、**2列目が95以上の行を取得**するには、次のように書きます。実行して、該当する行だけが表示されることを確認してください。

```
>>> score = numpy.loadtxt('score.csv', delimiter=',')
>>> score[score[:, 2] >= 95]   ← 角括弧の中に真偽値を返す式を書く
array([[ 79.,  55., 100.],
       [ 85.,  66., 100.],
       [ 59.,  99.,  95.],
       [ 95.,  47.,  99.],
       [ 52.,  56.,  99.]])
```

上記において角括弧内に書いた式は、次のように真偽値の配列(ブール配列)を返します。このようにNumPyの配列に対して演算(ここでは比較演算)を行うと、結果も配列になります。実は角括弧の中に真偽値を返す式を書く記法では、角括弧の中に指定された配列を使って、真偽値がTrueの要素だけを取得していたのです。NumPyでは、この記法のことをブール配列インデックス(boolean array indexing)と呼びます。

```
>>> score[:, 2] >= 95                    ← 真偽値の配列(ブール配列)を返す式
array([False,  True, False,  True, False, …
       False, False, False, False, False])
```

ブール配列インデックスにおいて、ブール演算子(and、or、not)に相当する処理を行いたいときには、アンパサンド(&)、バーティカルバー(|)、チルダ(~)を使います。これらの記号はビット単位演算子と呼ばれており、通常は整数に対してビット単位の演算を行うために使いますが、NumPyではこれらの演算子をブール配列

の加工に転用しています。なお、排他的論理和を表すハット(^)も使えます。

演算子の優先順位の都合上、組み合わせる各々の式を丸括弧で囲むことにも注意してください。これはビット演算子(&、|、^、~など)の方が、比較演算子(==、<、>など)よりも優先順位が高いためです。

▼ブール配列インデックスにおけるビット単位演算子の働き

| 演算子 | 使い方 | 結果がTrueになる条件(これ以外はFalseになる) |
|---|---|---|
| & | (式A) & (式B) | 式Aと式Bの両方がTrue |
| \| | (式A) \| (式B) | 式Aまたは式BがTrue(両方がTrueでもよい) |
| ^ | (式A) ^ (式B) | 式Aまたは式Bの片方だけがTrue |
| ~ | ~(式A) | 式AがFalse |

前述の変数scoreについて、**英語または国語の点数が100の受験者だけを取得**してみましょう。0列目または2列目が100の行だけを取得してみてください。

```
>>> score[(score[:, 0] == 100) | (score[:, 2] == 100)]     ← |を使う
array([[ 79.,  55., 100.],
       [ 85.,  66., 100.],
       [100.,  39.,  84.],
       [100.,  59.,  92.]])
```

同様に、**いずれかの教科の点数が100の受験者を取得**してみてください。いずれかの列(0列目から2列目)が100の行だけを取得します。

```
>>> score[(score[:, 0] == 100) | (score[:, 1] == 100) |
          (score[:, 2] == 100)]
array([[ 79.,  55., 100.],
       [ 85.,  66., 100.],
       [100.,  39.,  84.],
       [ 98., 100.,  47.],
       [ 44., 100.,  78.],
       [100.,  59.,  92.]])        [ 44., 100.,  78.],
       [100.,  59.,  92.]])
```

上記のようなプログラムは、以下のall(オール)関数やany(エニイ)関数を使うと、より簡潔に書くことができます。これらの関数は、指定された軸の方向に要素の真偽値を合成します。all関数は全ての要素がTrueのときにTrueを返し、any関数はいずれかの要素がTrueのときにTrueを返します。

全ての要素がTrueのときにTrueを返す(any関数)

```
numpy.all(配列, 軸番号)
```

いずれかの要素がTrueのときにTrueを返す(any関数)

```
numpy.any(配列, 軸番号)
```

軸番号は以下のように、キーワード引数のaxis(アクシス、軸)を使って指定することもできます。上記のように位置引数で指定しても構いませんが、引数名を書いた方がプログラムが読みやすいと感じるならば、以下のように書くとよいでしょう。

軸番号をキーワード引数で指定

```
numpy.all(配列, axis=軸番号)
numpy.any(配列, axis=軸番号)
```

多次元配列においては、最も外側の角括弧が軸番号0に対応し、内側の角括弧になるにしたがって1、2、3…に対応します。

2次元配列の場合は、軸番号に0を指定すると全ての行について、1を指定すると全ての列について、要素の真偽値を合成します。

**いずれかの教科の点数が100の受験者を取得**するプログラムを、numpy.any関数を使って書いてみてください。この場合は全ての列について真偽値を合成するので、軸番号には1を指定します。

```
>>> score[numpy.any(score == 100, 1)]
array([[ 79.,  55., 100.],
       [ 85.,  66., 100.],
       [100.,  39.,  84.],
       [ 98., 100.,  47.],
       [ 44., 100.,  78.],
       [100.,  59.,  92.]])
```

上記のプログラムにおいて、「score == 100」という式は全要素に対する真偽値の配列(ブール配列)を作成することに注意してください。この配列の真偽値をnumpy.any関数で合成し、行ごとの真偽値を決定します。この真偽値をブール配列インデックスとして使い、scoreから特定の行を取得します。

## ❖統計量を求める

平均値、最大値、最小値といった統計量は、mean(ミーン)、max、min関数で求めることができます。なおmean関数に類似する関数としては、加重平均を求めるaverage(アベレージ)関数もあります。

平均値を求める(mean関数)

```
numpy.mean(配列)
```

最大値を求める(max関数)

```
numpy.max(配列)
```

最小値を求める(min関数)

```
numpy.min(配列)
```

前述の変数scoreに対して上記のmean関数を適用し、**各列(各教科)の平均値**を求めてください。インデックスを使って、配列の各列を指定します。

```
>>> score = numpy.loadtxt('score.csv', delimiter=',')
>>> numpy.mean(score[:, 0])      ← 0列目(英語)
60.19
>>> numpy.mean(score[:, 1])      ← 1列目(数学)
60.735
>>> numpy.mean(score[:, 2])      ← 2列目(国語)
52.825
```

次のように軸番号を指定すると、指定した軸方向について統計量を求めることができます。関数の戻り値は配列です。軸番号の指定方法は、前述のnumpy.all関数やnumpy.any関数と同様です。キーワード引数のaxisを使って軸番号を指定しても構いません。

指定された軸について平均値を求める

```
numpy.mean(配列, 軸番号)
```

指定された軸について最大値を求める

```
numpy.max(配列, 軸番号)
```

指定された軸について最小値を求める

```
numpy.min(配列, 軸番号)
```

軸番号をキーワード引数で指定

```
numpy.mean(配列, axis=軸番号)
numpy.max(配列, axis=軸番号)
numpy.min(配列, axis=軸番号)
```

上記のように軸番号を使って、**全教科の平均値、最大値、最小値**を求めてください。軸番号には0を指定します。

```
>>> numpy.mean(score, axis=0)        ← 平均値
array([60.19 , 60.735, 52.825])
>>> numpy.max(score, axis=0)         ← 最大値
array([100., 100., 100.])
>>> numpy.min(score, axis=0)         ← 最小値
array([1., 2., 0.])
```

section 03

# 必要なデータの抽出(Pandasライブラリ)

実際のデータには数値だけではなく、文字列などが含まれていたり、値が欠けている部分があったりします。また表のデータの場合には、最初の行に列の名前が含まれていることも珍しくありません。ここではPandasというライブラリを使って、ファイルから表を読み込み、機械学習に必要なデータを抽出する方法を学びましょう。NumPyと同様に、これらの手法はAIにもビッグデータの解析にも活用できます。

## ❖CSVファイルをデータフレームに読み込む

Pandas(パンダス)は広く使われているデータ処理ライブラリです。データの読み込み、指定したデータの取得、統計量の計算などを、簡単なプログラムで実現できます。

Pandasの主要な機能は、データフレーム(DataFrame)と呼ばれるオブジェクトです。CSVファイルから読み込んだ表をデータフレームに格納し、特定の要素を取得したり、各種の演算を行ったりすることができます。数値以外のデータも扱えることや、列名を指定して列を操作できることなどが、Pandasの特徴です。

### Pandasのドキュメント

URL https://pandas.pydata.org/docs/index.html

Pandasは非標準のライブラリなので、次のようにインストールする必要があります。Anacondaには最初からインストールされています。

Pandasのインストール(CPython)

```
pip install pandas
```

Pandasのインストール(Anaconda/Miniconda)

```
conda install -y pandas
```

Pandasを使うには、最初にpandasモジュールをインポートします。pandasにpdなどの短い別名を付けることもよくあります。

pandasモジュールのインポート

```
import pandas
```

別名(pd)を付けてpandasをインポート

```
import pandas as pd
```

Pythonインタプリタの対話モードを使って、pandasモジュールをインポートしてみてください。エラーなどが何も表示されなければ成功です。

```
>>> import pandas
>>>                    ← 何も表示されずにプロンプトに戻れば成功
```

ここではPandasを使って、次のようなCSVファイル(score2.csv)を読み込んでみましょう。前述のCSVファイル(score.csv)との違いは、最初の行に列名が含まれていることです。

以下のCSVファイルは、サンプルファイルの「chapter13」フォルダに収録されています。このCSVファイルをプログラムから読み込むためには、「chapter13」フォルダをカレントディレクトリにしておくか、カレントディレクトリにCSVファイルをコピーしておいてください。

▼score2.csv

```
English,Math,Japanese
20,52,76
79,55,100
31,60,59
85,66,100
98,96,42
…
```

上記はscore.csvと同様に、試験の点数を模したデータです。各列は左から、英語(English)、数学(Math)、国語(Japanese)の点数です。列名が含まれているのでわかりやすいかと思います。各行は各受験者による3教科の得点で、全体で200行(受験者200人分)のデータがあります。

PandasでCSVファイルを読み込むには、read_csv(リード・シーエスブイ)関数を使います。この関数はCSVファイルを読み込み、データフレーム(DataFrameオブジェクト)を返します。以下では、このデータフレームを代入した変数を「データフレーム」と表記しています。

PandasによるCSVファイルの読み込み(read_csv関数)

```
データフレーム = pandas.read_csv(ファイル名, encoding=文字エンコーディング)
```

前述の**CSVファイル(score2.csv)を読み込んで、変数scoreに代入**してください。文字エンコーディングには'utf-8'(UTF-8)を指定します。そしてscoreを表示し、CSVファイルが読み込めていることを確認してください。

```
>>> score = pandas.read_csv('score2.csv', encoding='utf_8')    ← 読み込み
>>> score                                                      ← 表示
     English  Math  Japanese
0         20    52        76
1         79    55       100
2         31    60        59
3         85    66       100
4         98    96        42
..       ...   ...       ...
195       67    60        56
196       61    69        27
197        8    67        57
198       70    81        89
199       44     2         4

[200 rows x 3 columns]                                         ← サイズ
```

上記のように、Pandasはデータフレームをわかりやすく表示してくれます。列名や行番号が付加されていたり、サイズ(行数と列数)を表示したり、最初と最後の数行だけを表示してくれたりするので、データフレームの内容が確認しやすくなっています。

データフレームの最初または最後の指定した行数を取得するには、次のようなhead(ヘッド)メソッドとtail(テイル)メソッドを使います。行数を省略すると5行分を取得できます。

データフレームの最初から指定した行数を取得(headメソッド)

```
データフレーム.head(行数)
```

データフレームの最後から指定した行数を取得(tailメソッド)

```
データフレーム.tail(行数)
```

上記のメソッドを使って、**最初の3行と最後の3行を表示**してみてください。

```
>>> score.head(3)                ← 最初の3行
   English  Math  Japanese
0       20    52        76
1       79    55       100
2       31    60        59
>>> score.tail(3)                ← 最後の3行
     English  Math  Japanese
197        8    67        57
198       70    81        89
199       44     2         4
```

## ❖データフレームの列や行や要素を取得する

データフレームに対してインデックスを使うと、指定した列を取得することができます。列を番号ではなく列名で指定するので、わかりやすいのが利点です。

列を取得

```
データフレーム[列名]
```

前述の変数scoreについて、**国語(Japanese)の列を取得して表示**してみてください。

```
>>> score = pandas.read_csv('score2.csv', encoding='utf_8')
>>> score['Japanese']          ← 指定した列を取得
0       76
1      100
2       59
3      100
4       42
```

```
        ...
195      56
196      27
197      57
198      89
199       4
Name: Japanese, Length: 200, dtype: int64  ← 列の情報
```

上記のように、取得した列の内容と一緒に、列名(Name)、長さ(Length)、データ型(dtype)の情報も表示されます。int64というのは、64ビットの整数型のことです。なおPandasにおけるデータ型の構成は、Pythonにおけるデータ型の構成とは異なります。

次のように列名のリストを指定すると、複数の列をまとめて取得することができます。これは複数の列を比較したいときなどに便利です。

複数の列をまとめて取得

```
データフレーム[[列名, …]]
```

前述の変数scoreについて、**英語(English)と国語(Japanese)の列を取得して表示**してみてください。

```
>>> score[['English', 'Japanese']]        ← 複数の列を取得
     English  Japanese
0         20        76
1         79       100
2         31        59
3         85       100
4         98        42
..       ...       ...
195       67        56
196       61        27
197        8        57
198       70        89
199       44         4

[200 rows x 2 columns]                    ← サイズ
```

スライスを使うと、指定した行を取得することができます。行番号は0から始まります。また、終了行(終了行番号の行)は結果に含まれないことに注意してください。

指定した行を取得

```
データフレーム[開始行番号:終了行番号]
```

ステップを指定して、複数行ごとに取得することもできます。

指定した行を取得(ステップを指定)

```
データフレーム[開始行番号:終了行番号:ステップ]
```

前述の変数scoreについて、2行目から3行目を取得して表示してみてください。終了行番号には、3に1を加算した4を指定する必要があります。終了行の手前の行までが取得されます。

```
>>> score[2:4]        ← 指定した行を取得
   English  Math  Japanese
2       31    60        59
3       85    66       100
```

インデックスとスライスを併用して、列と行を指定することもできます。列を指定するインデックスと、行を指定するスライスは、どちらを左にしても構いません。また、列のインデックスにはリストも使えます。

行と列を指定して要素を取得

```
データフレーム[列のインデックス][行のスライス]
データフレーム[行のスライス][列のインデックス]
```

前述の変数scoreについて、**英語(English)と国語(Japanese)の列だけを2行目から3行目まで取得して表示**してみてください。列と行のどちらを先に(左に)書いても、同じ結果になります。

```
>>> score[['English', 'Japanese']][2:4]     ← 列を先に指定
   English  Japanese
2       31        59
3       85       100
>>> score[2:4][['English', 'Japanese']]     ← 行を先に指定
   English  Japanese
2       31        59
3       85       100
```

## ❖ 条件に基づいてデータフレームの要素を取得する

データフレームの中から、ある条件に合う要素だけを取得することもできます。角括弧の中に真偽値を返す式を書くと、式の値がTrueになる要素を取得することが可能です。これはNumPyにおけるブール配列インデックスと同様の機能です。複雑な条件を書く場合には、ビット単位演算子(&、|、^、~)も使えます。

条件に合う要素だけを取得

```
データフレーム[式]
```

前述の変数scoreについて、**国語(Japanese)の点数が95以上の行だけを取得し、表示**してみてください。

```
>>> score = pandas.read_csv('score2.csv', encoding='utf_8')
>>> score[score['Japanese'] >= 95]
    English  Math  Japanese
1        79    55       100
3        85    66       100
22       59    99        95
39       95    47        99
76       52    56        99
```

同様に、**英語(English)または国語の点数が100の行を取得して表示**してください。条件を組み合わせるために、バーティカルバー(|)を使います。

```
>>> score[(score['English'] == 100) | (score['Japanese']==100)]
     English  Math  Japanese
1         79    55       100
3         85    66       100
87       100    39        84
149      100    59        92
```

条件に合う要素を取得する別の方法として、query(クエリー)メソッドを使うこともできます。引数には式を文字列として渡します。この式の中には、列名を記述することもできます。

条件に合う要素だけを取得(queryメソッド)

```
データフレーム.query(文字列)
```

前述の変数scoreについて、**国語(Japanese)の点数が95以上の行だけを取得して表示**してみてください。式の文字列には'Japanese >= 95'を指定します。

```
>>> score.query('Japanese >= 95')
    English  Math  Japanese
1        79    55       100
3        85    66       100
22       59    99        95
39       95    47        99
76       52    56        99
```

queryメソッドにおいて複雑な条件を書く場合には、ビット単位演算子ではなく、ブール演算子(and、or、not)を使います。そのため、通常のPythonプログラムで複雑な条件を書くときと同じ感覚で記述できます。

前述の変数scoreについて、**英語(English)または国語の点数が100の行を取得して表示**してください。条件を組み合わせるために、or演算子を使います。前述のブール配列インデックスに比べると、queryメソッドを使った方が、式が簡潔になっています。

```
>>> score.query('English == 100 or Japanese == 100')
     English  Math  Japanese
1         79    55       100
3         85    66       100
87       100    39        84
149      100    59        92
```

今度は、**いずれかの教科の点数が100の受験者を取得**してください。ブール配列インデックスで書くと、次のようにかなり長くなります。

```
>>> score[(score['English'] == 100) | (score['Math'] == 100) |
              (score['Japanese'] ==100)]
     English  Math  Japanese
1         79    55       100
3         85    66       100
87       100    39        84
92        98   100        47
97        44   100        78
149      100    59        92
```

queryメソッドで書くと少し短くなりますが、さらに列の数が増えると、この方法では限界がありそうです。

```
>>> score.query('English == 100 or Math == 100 or Japanese == 100')
     English  Math  Japanese
1         79    55       100
3         85    66       100
87       100    39        84
92        98   100        47
97        44   100        78
149      100    59        92
```

上記のようなプログラムは、以下のallメソッドやanyメソッドを使うと、より簡潔に書くことができます。これらの関数は、numpy.all関数やnumpy.any関数と同様に、指定された軸の方向に要素の真偽値を合成します。allメソッドは全ての要素がTrueのときに、anyメソッドはいずれかの要素がTrueのときにTrueを返します。

軸番号の指定方法はNumPyと同様です(482ページを参照)。軸番号は、キーワード引数のaxisを使って指定しても構いません。

全ての要素がTrueのときにTrueを返す(all関数)

```
データフレーム.all(軸番号)
```

いずれかの要素がTrueのときにTrueを返す(any関数)

```
データフレーム.any(軸番号)
```

**いずれかの教科の点数が100の受験者を取得**するプログラムを、anyメソッドを使って書いてみてください。この場合は列方向について真偽値を合成するので、軸番号には1を指定します。

```
>>> score[(score == 100).any(1)]
     English  Math  Japanese
1         79    55       100
3         85    66       100
87       100    39        84
92        98   100        47
97        44   100        78
149      100    59        92
```

上記のプログラムにおいて、「score == 100」という式は全要素に対する真偽値のデータフレームを作成します。このデータフレームの真偽値を、anyメソッドで全ての列方向について合成し、行ごとの真偽値を決定します。この真偽値をNumpyのブール配列インデックスと同様に使い、scoreから特定の行を取得します。

## ❖計算の結果をデータフレームに出力する

データフレームからは値を読み出すだけではなく、値を書き込むこともできます。例えば、データフレーム上の値を使って何らかの計算を行い、結果を新しい列に書き込む、といった処理ができます。

新しい列を追加するには、次のように書きます。列名には既存の列名とは異なる、新しい列名を指定します。新しい列は既存の列の末尾に追加されます。

データフレームに新しい列を追加

```
データフレーム[列名] = 値
```

上記の値について、単独の値(例えば0など)を指定した場合には、全ての行に同じ値がコピーされます。既存の行と行数が等しいデータフレームを指定した場合には、既存の行に並ぶ形で、新しい列を追加することができます。

前述の変数scoreについて、**全教科(English、Math、Japanese)の合計点を、Total(合計)という新しい列に書き込んで**みてください。そしてscoreを表示し、結果を確認してください。Totalという列に合計が表示されれば成功です。

```
>>> score = pandas.read_csv('score2.csv', encoding='utf_8')
>>> score['Total'] = score['English']+score['Math']+score['Japanese']
>>> score
     English  Math  Japanese  Total
0         20    52        76    148
1         79    55       100    234
2         31    60        59    150
3         85    66       100    251
4         98    96        42    236
..       ...   ...       ...    ...
195       67    60        56    183
196       61    69        27    157
197        8    67        57    132
198       70    81        89    240
199       44     2         4     50

[200 rows x 4 columns]
```

不要な列は、del文を使って削除できます。

列の削除(del文)

```
del データフレーム[列名]
```

先ほど追加した**合計の列(Total)を削除**し、結果を確認してみてください。Totalという列が消えていれば成功です。

```
>>> del score['Total']
>>> score
     English  Math  Japanese
0         20    52        76
1         79    55       100
2         31    60        59
3         85    66       100
4         98    96        42
..       ...   ...       ...
195       67    60        56
196       61    69        27
197        8    67        57
198       70    81        89
199       44     2         4

[200 rows x 3 columns]
```

さて、先ほど全ての列についての合計を求めたときには、各列を順に加算しましたが、この方法では対応できる列の数に限界があります。これは次のようなsumメソッドを使うと解決できます。軸番号の指定方法は、前述のallメソッドやanyメソッドと同様です。

指定した軸について合計を求める(sumメソッド)

```
データフレーム.sum(軸番号)
```

前述の変数scoreについて、**全教科の合計点をTotal(合計)という新しい列に書き込み**、結果を確認してください。先ほどと同様に、Totalという列に合計が表示されれば成功です。軸番号には1を指定します。

```
>>> score['Total'] = score.sum(1)          ← 結果を確認
>>> score                                   ← 合計を計算
     English  Math  Japanese  Total        ← Totalが追加されている
0         20    52        76    148
1         79    55       100    234
2         31    60        59    150
3         85    66       100    251
4         98    96        42    236
```

```
..          ...   ...          ...    ...
195          67    60           56    183
196          61    69           27    157
197           8    67           57    132
198          70    81           89    240
199          44     2            4     50

[200 rows x 4 columns]
```

最後に、**合計の列を加えたデータフレームをCSVファイルに保存**してみましょう。CSVファイルへの保存は、次のようなto_csv(トゥー・シーエスブイ)メソッドで行います。to_csvメソッドは、デフォルトでは各行に行番号を付加して出力します。

データフレームをCSVファイルに保存(to_csvメソッド)

```
データフレーム.to_csv(ファイル名)
```

行番号が不要な場合には、キーワード引数のindexにFalseを指定します。

データフレームをCSVファイルに保存(行番号なし)

```
データフレーム.to_csv(ファイル名, index=False)
```

前述の変数scoreに対してto_csvメソッドを適用し、**データフレームをscore3.csvというファイルに保存**してください。

```
>>> score.to_csv('score3.csv')     ← CSVファイルに保存
>>>
```

保存後にscore3.csvをテキストエディタなどで開き、合計の列を含む表が保存されていることを確認してください。

▼score3.csv

```
,English,Math,Japanese,Total
0,20,52,76,148
1,79,55,100,234
2,31,60,59,150
3,85,66,100,251
4,98,96,42,236
…
```

# section 04 データを可視化する(Matplotlibライブラリ)

図などを使ってデータをわかりやすく表示することを、可視化(かしか)と呼びます。データを分析したり、クラスタリングなどのAIの手法を適用するときには、データを可視化することが重要です。可視化されたデータを人間が見ることにより、得られた結果から何らかの知見を導き出したり、選択した手法が適切だったのかどうかを検討したりすることができます。ここではMatplotlibというライブラリを使って、データを可視化する方法を紹介します。

## ヒストグラムを表示してみる

Matplotlib(マットプロットリブ)は広く使われている可視化ライブラリです。NumPyの配列やPandasのデータフレームなどから、色々な種類の図を作成することができます。

Matplotlibのドキュメント

URL https://matplotlib.org/contents.html

Matplotlibは非標準のライブラリなので、次のようにインストールする必要があります。Anacondaには最初からインストールされています。

Matplotlibのインストール(CPython)

```
pip install matplotlib
```

Matplotlibのインストール(Anaconda/Miniconda)

```
conda install -y matplotlib
```

Matplotlibを使うには、最初にインポートが必要です。今回はmatplotlibパッケージの中のpyplot(パイプロット)モジュールを使うので、次のようにインポートします。pltなどの短い別名を付けることもよくあります。

pyplotモジュールのインポート

```
from matplotlib import pyplot
```

別名(plt)を付けてpyplotをインポート

```
from matplotlib import pyplot as plt
```

ここではPandasを使って前述のCSVファイル(score2.csv)を読み込み、Matplotlibを使って可視化してみましょう。色々な可視化の方法がありますが、ここでは数学(Math)の点数を横軸に、受験者数を縦軸にした、得点の分布を表すヒストグラムを作成してみます。ヒストグラムというのは、横軸に階級(例えば点数など)を、縦軸に度数(例えば受験者数など)を取り、各階級の度数を柱で示した図です。

PandasとMatplotlibを使ってヒストグラムを作成し、ファイルに保存して、画面にも表示してみましょう。pyplotモジュールの各関数を使って、次のような手順で処理します。

1. figure(フィギュア)関数で図を作成します。
2. xlabel(エックス・ラベル)関数で横軸名を設定します。
3. ylabel(ワイ・ラベル)関数で縦軸名を設定します。
4. hist(ヒスト)関数でヒストグラムを描画します。
5. savefig(セーブ・フィグ)関数で図をファイルに保存します。
6. show(ショー)関数で図を画面に表示します。

図を作成(figure関数)

```
pyplot.figure(タイトル, figsize=(横, 縦))
```

横軸名を設定(xlabel関数)

```
pyplot.xlabel(横軸名)
```

縦軸名を設定(ylabel関数)

```
pyplot.ylabel(縦軸名)
```

ヒストグラムを描画(hist関数)

```
pyplot.hist(データフレーム)
```

図をファイルに保存(savefig関数)

```
pyplot.savefig(ファイル名)
```

図を画面に表示(show関数)

```
pyplot.show()
```

figure関数のキーワード引数figsize(フィグ・サイズ)には、図のサイズをインチ単位で指定します。

**score2.csvを読み込んで数学の点数に関するヒストグラムを作成**するプログラムを書いてみてください。図を保存するファイル名はhist1.pngとします。

▼hist1.py

```
import pandas
from matplotlib import pyplot

score = pandas.read_csv('score2.csv', encoding='utf_8')   ← CSVを読み込む
pyplot.figure('Math')                                      ← 図を作成
pyplot.xlabel('Score')                                     ← 横軸名
pyplot.ylabel('Count')                                     ← 縦軸名
pyplot.hist(score['Math'])                                 ← ヒストグラム
pyplot.savefig('hist1.png')                                ← ファイルに保存
pyplot.show()                                              ← 図を表示
```

プログラムを実行して、次のようなヒストグラムが表示されれば成功です。表示を終了するにはQキーを押します。hist1.pngにも同じ内容のヒストグラムが保存されているので、Webブラウザや画像処理ツールで内容を確認してみてください。

▼Matplotlibで作成したヒストグラム

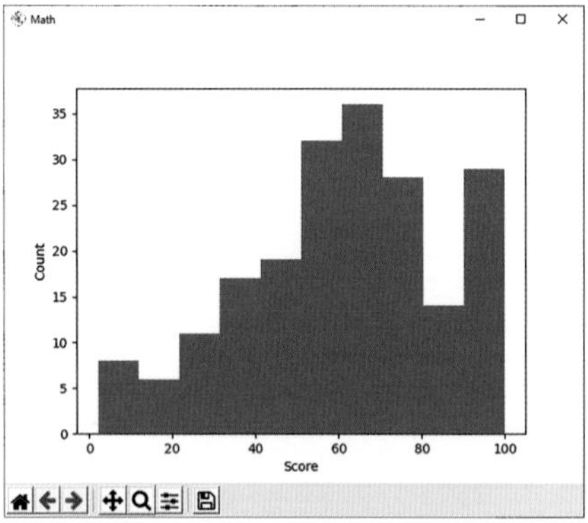


実はPandasを使ってヒストグラムを作成することもできます。方法は簡単で、次のようにhistメソッドを呼び出すだけです。

Pandasを使ってヒストグラムを作成(histメソッド)

```
データフレーム.hist()
```

score2.csvを読み込み、上記の**histメソッドを使ってヒストグラムを作成し、保存と表示**を行うプログラムを書いてみてください。図を保存するファイル名はhist2.pngとします。

▼hist2.py

```
import pandas
from matplotlib import pyplot

score = pandas.read_csv('score2.csv', encoding='utf_8')  ← CSVを読み込む
score.hist()                                               ← ヒストグラム
pyplot.savefig('hist2.png')                                ← ファイルに保存
pyplot.show()                                              ← 図を表示
```

上記のプログラムは全教科に対するヒストグラムを作成します。細かな見た目などを指定する必要がなく、とりあえずヒストグラムを作成したい場合には、この方法が簡単そうです。表示を終了するにはQキーを押します。

▼Matplotlibで作成したヒストグラム

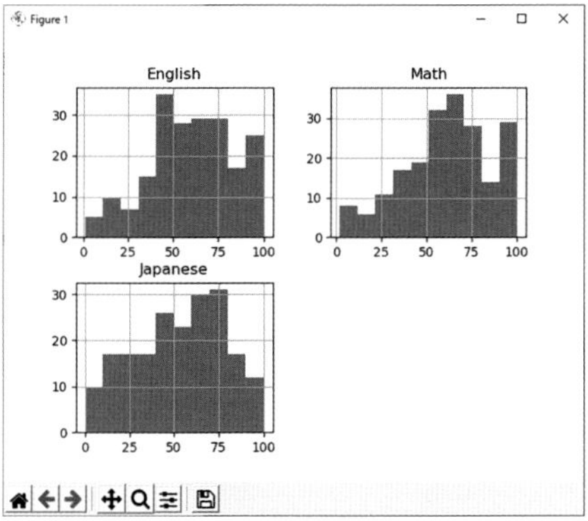

## ❖散布図を表示してみる

散布図(さんぷず)は、2種類の値を横と縦の座標として使い、その座標に点を描いた図です。点の分布がわかりやすく表示されるので、2種類の値の間にどんな関係があるのかを判断するために利用されます。例えば、後で紹介するクラスタリングの結果を散布図にすると、どの点が同じクラスタに属しているのかをわかりやすく示すことができます。

Pandasでは次のようなscatter(スキャッター)メソッドを使って、データフレームから簡単に散布図を作成することができます。以下の横軸と縦軸には、データフレームの列名を文字列で指定します。またキーワード引数を使って、「x=横軸」や「y=縦軸」のように指定しても構いません。

散布図の作成(scatterメソッド)

```
score.plot.scatter(横軸, 縦軸)
```

scatterメソッドには次のような引数もあります。これらの引数を使うと、散布図の見た目を調整することができます。いずれの引数も省略可能なので、必要な引数だけをキーワード引数で指定するとよいでしょう。

▼scatterメソッドの引数

| 引数名 | 意味 |
|---|---|
| s | 点のサイズ |
| c | 点の塗りつぶし色 |
| edgecolor | 点の輪郭色 |
| figsize | 図のサイズ(インチ単位) |

前述のscore2.csvを読み込み、**英語(English)の点数を横軸に、国語(Japanese)の点数を縦軸にした散布図を作成し、保存と表示**を行うプログラムを書いてみましょう。これは英語と国語の点数の関係を可視化した散布図です。図を保存するファイル名はscatter.pngとします。

▼scatter1.py

```
import pandas
from matplotlib import pyplot

score = pandas.read_csv('score2.csv', encoding='utf_8')      ← CSVの入力
score.plot.scatter('English', 'Japanese', s=100, c='white',
                   edgecolor='black', figsize=(6, 6))         ← 散布図
pyplot.savefig('scatter1.png')                                ← 保存
pyplot.show()                                                 ← 表示
```

プログラムを実行して、次のような散布図が表示されれば成功です。ここでは紙面で散布図を見やすくするために、色やサイズなどを調整しました。表示を終了するには**Q**キーを押します。

scatter1.pngにも同じ内容の散布図が保存されるので、内容を確認してみてください。

▼Pandasで作成した散布図

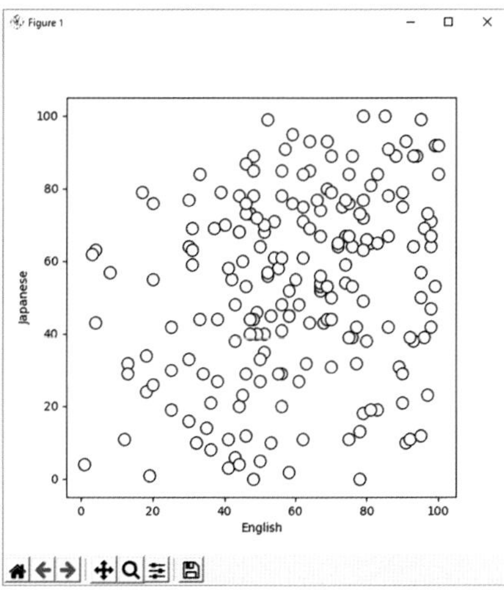

# section 05 データに機械学習を適用する(scikit-learnライブラリ)

いよいよ機械学習を実行してみましょう。今までに学んだ、データの読み込み、加工、可視化に関する知識も活用します。ここではscikit-learnというライブラリを使って、機械学習の代表的な手法の1つであるクラスタリングを行ってみます。

## ❖データをクラスタリングしてみる

scikit-learn(サイキットラーン)は広く使われている機械学習のライブラリです。データに対して、分類、回帰、クラスタリング、次元削減といった、機械学習に関する色々な手法を適用することができます。

### scikit-learnのドキュメント

URL https://scikit-learn.org/stable/user_guide.html

scikit-learnは非標準のライブラリなので、次のようにインストールする必要があります。Anacondaには最初からインストールされています。

scikit-learnのインストール(CPython)

```
pip install scikit-learn
```

scikit-learnのインストール(Anaconda/Miniconda)

```
conda install -y scikit-learn
```

scikit-learnを使うには、最初にインポートが必要です。今回はsklern(エスケー・ラーン)パッケージの中のcluster(クラスタ)モジュールにあるKMeans(ケーミーンズ)クラスを使うので、次のようにインポートします。

KMeansクラスのインポート

```
from sklearn.cluster import KMeans
```

k-means(ケーミーンズ、k平均法)というのは、クラスタリングの代表的なアルゴリズムの1つです。似た傾向を持つデータを同じクラスタに配置することにより、全データを指定した個数のクラスタに分類します。これはクラスタの中心を計算する処理と、各データを中心が最も近いクラスタに所属させる処理を、何度も交互に繰り返すことによって実現しています。

KMeansクラスを使ってクラスタリングを行うには、次のように書きます。KMeansオブジェクトを作成した後に、fit(フィット)メソッドを呼び出しています。前述のように、機械学習の成果としてモデルが作成されますが、fitメソッドはモデルのオブジェクトを返します。以下では、モデルを代入した変数を「モデル」と表記しています。

クラスタリングのモデルを作成(fitメソッド)

```
モデル = KMeans(n_clusters=クラスタ数).fit(データフレーム)
```

上記のfitメソッドは、データフレームに含まれる各行をクラスタリングします。データフレームの特定の列だけを渡せば、例えば「英語と国語の得点傾向に基づいて受験者をクラスタリングする」といった処理が可能です。

クラスタリングの結果は、モデルオブジェクトのlabels_(ラベルズ)属性で取得できます。ラベル(label)というのは、各データがどのクラスタに属するのかを示した番号です。labels_属性は配列になっていて、クラスタリングの対象になったデータの個数分だけ、0から始まる整数が格納されています。

クラスタリングの結果を取得

```
モデル.labels_
```

前述のCSVファイル(score2.csv)を読み込み、**英語(English)と国語(Japanese)の点数に基づいて受験者をクラスタリング**するプログラムを書いてみてください。クラスタ数は3とします。クラスタリングの結果は、とりあえずlabels_属性をそのまま表示することにしましょう。

▼cluster1.py

```
import pandas
from matplotlib import pyplot
from sklearn.cluster import KMeans

score = pandas.read_csv('score2.csv', encoding='utf_8')  ← CSVを読み込み
model = KMeans(n_clusters=3).fit(
    score[['English', 'Japanese']])                      ← クラスタリング
print(model.labels_)                                     ← 結果を表示
```

上記のプログラムでは、列名のリストを指定することにより、データフレームから英語と国語の列だけを取得しています。これをfitメソッドに渡すことにより、英語と国語の点数に基づくクラスタリングを行います。

プログラムを実行すると、以下のような結果が表示されます。0、1、2の整数はクラスタの番号です。データの数(受験者数)と同じ200個の整数があるので、各受験者が3個のクラスタに分類されたことが確認できます。

```
>python cluster1.py
[1 0 1 0 2 0 0 2 0 1 1 1 1 1 0 0 2 0 1 0 0 2 0 1 2 0 1 2 1 0 1 0 0 0 1 2 1
 0 1 0 0 0 0 2 0 1 0 0 0 1 2 1 2 2 0 0 0 0 0 0 2 1 0 1 1 1 0 0 2 2 0 2 0 1
 2 2 0 0 1 0 0 0 0 1 0 1 1 0 1 1 2 1 2 0 1 1 2 0 0 2 0 0 0 0 2 1 1 1 1 1 1
 0 2 1 0 0 1 0 0 1 1 1 0 1 1 1 0 2 2 2 1 1 0 2 0 0 0 0 2 1 2 0 0 1 0 1 0 0
 1 0 0 0 1 1 2 0 0 1 0 0 2 2 2 0 0 0 1 0 0 0 2 2 0 0 2 1 0 2 0 1 1 0 0 1 1
 0 2 0 0 2 0 1 1 0 1 0 2 1 0 1]
```

なお、上記の実行結果は一定ではなく、実行するたびに結果が変わる可能性があります。クラスタの番号が入れ替わる場合もあれば、クラスタの構成自体が変化する場合もあります。これはk-meansが、クラスタの初期配置を乱数で決めることと、クラスタがある程度変化しなくなったら処理を終えることが原因です。

## ❖クラスタリングの結果を可視化する

とりあえずクラスタリングができましたが、もっと結果をわかりやすく表示したいものです。例えば、データの各行に対応するクラスタの番号を、データフレームに新しい列として追加すれば、どのデータがどのクラスタに属しているのかがわかりやすくなりそうです。

クラスタリングを行った後に、**データフレームにCluster(クラスタ)という新しい列を追加して、ここにlabels_属性を書き込み**ます。さらに、結果をCSVファイル(score4.csv)に保存し、画面にも表示してください。

▼cluster2.py

```
import pandas
from matplotlib import pyplot
from sklearn.cluster import KMeans
```

```
score = pandas.read_csv('score2.csv', encoding='utf_8')  ← CSVを読み込み
model = KMeans(n_clusters=3).fit(
    score[['English', 'Japanese']])                      ← クラスタリング

score['Cluster'] = model.labels_                         ← 列を追加
score.to_csv('score4.csv')                               ← ファイルに保存
print(score)                                             ← 結果を表示
```

上記のプログラムを実行すると、以下のようにデータフレームが表示されます。各行にクラスタ番号が示されるので、各受験者がどのクラスタに属しているのかがわかりやすくなりました。保存されたCSVファイル(score4.csv)の内容も確認してみてください。

```
>python cluster2.py
     English  Math  Japanese  Cluster
0         20    52        76        1
1         79    55       100        0
2         31    60        59        1
3         85    66       100        0
4         98    96        42        2
..       ...   ...       ...      ...
195       67    60        56        0
196       61    69        27        2
197        8    67        57        1
198       70    81        89        0
199       44     2         4        1

[200 rows x 4 columns]
```

今度はクラスタリングの結果を散布図にしてみましょう。散布図に描く点を、クラスタ番号に応じて色分けすることによって、各点(各受験者)がどのクラスタに属しているのかを示します。

前述のプログラムのように**クラスタリングを行い、Clusterという列にクラスタ番号を書き込んだうえで、散布図を描く**プログラムを書いてみてください。ポイントは、scatterメソッドのキーワード引数cに「score ['Cluster']」を指定することです。cは点の色を表すので、このように指定すると、点がクラスタ番号に応じた輝度で塗り分けられます（この場合は黒、灰、白)。

▼cluster3.py

```
import pandas
from matplotlib import pyplot
from sklearn.cluster import KMeans

score = pandas.read_csv('score2.csv', encoding='utf_8')   ← CSVを読み込み
model = KMeans(n_clusters=3).fit(
    score[['English', 'Japanese']])                      ← クラスタリング

score['Cluster'] = model.labels_                          ← 列を追加
score.plot.scatter('English', 'Japanese',
                   s=100, c=score['Cluster'],
                   edgecolor='black', figsize=(6, 6))     ← 散布図を作成
pyplot.savefig('scatter2.png')                            ← 散布図を保存
pyplot.show()                                             ← 散布図を表示
```

上記のプログラムを実行すると、以下のような散布図が表示されます。保存された画像(scatter2.png)の内容も確認してみてください。

各点の色(黒、灰、白)が、各受験者が属するクラスタを表します。3個のクラスタをどう解釈するのかは、散布図を見た人間が決めます。例えば「英語と国語の両方が得意なクラスタ」「英語が得意だが国語は不得意なクラスタ」「どちらも不得意なクラスタ」といった解釈が考えられそうです。

▼クラスタリング結果の散布図

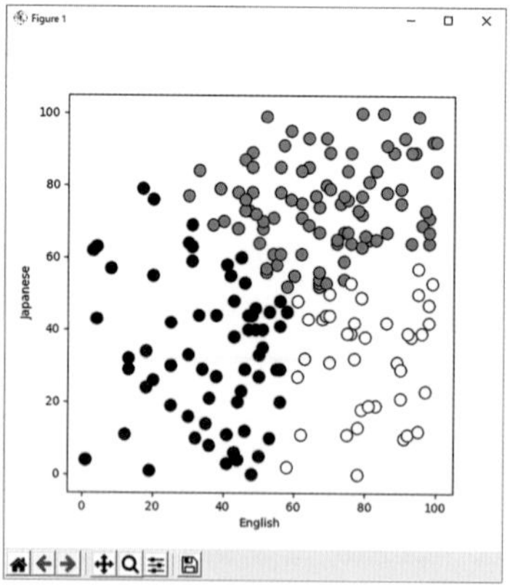

# 応用編 Chapter14

# スクレイピングで Webから情報を引き出す

スクレイピング（Webスクレイピング）とは、プログラムを使ってWebサイトから自動的に情報を収集する技術のことです。例えば検索エンジンは、ボット（Bot）と呼ばれるプログラムを利用してWebページを収集しますが、これはスクレイピングの一種です。また、AIの学習には膨大なデータが必要になりますが、スクレイピングを利用してWeb上の情報を自動的に収集すれば、少ない労力で学習用のデータを揃えられる可能性があります。より日常的な用途としては、天気情報を取得したり、商品の価格情報を取得したりといった使い方もあります。ここではPythonでスクレイピングを行うために必要な手法を学びます。

## 本章の学習内容

①Webページの取得
②目的の情報を引き出す
③定期的に実行する

# section 01 Webページを取得する方法

　スクレイピングを行うには、まずはWebページを取得(ダウンロード)する必要があります。ここでは標準ライブラリのurllibを使う方法と、非標準ライブラリのRequestsを使う方法を紹介します。

## ❖標準ライブラリでWebページを取得する

　標準ライブラリのurllib(ユーアールエル・リブ)パッケージを使って、Webページを取得することができます。
　urllibはいくつかのモジュールから構成されています。詳しくは、以下のドキュメントでご確認ください。

### urllibパッケージのドキュメント

URL https://docs.python.org/ja/3/library/urllib.html

　今回利用するのは、urllib.request(リクエスト)モジュールのurlopen(ユーアールエル・オープン)関数です。urlopen関数は、例えば次のようにインポートします。

urlopen関数のインポート

```
from urllib.request import urlopen
```

　urlopen関数は次のように使います。ファイルを開くopen関数と同様に、with文と組み合わせるのがおすすめです(Chapter11)。urlopen関数は、URLで指定したWeb上のファイル(HTMLファイルなど)を開き、このファイルを読み込むためのオブジェクトを返します。以下では、このオブジェクトを代入した変数(asの後に書いた変数)を「ファイル」と表記しています。

Web上のファイルを開く(urlopen関数)

```
with urlopen(URL) as ファイル:
    文…
```

このオブジェクトはイテラブルなので、次のようにfor文を使えば、ファイルを1行ずつ読み込むことができます。以下の変数には、ファイルの内容が1行ずつ代入されます。

Web上のファイルを1行ずつ読み込む

```
for 変数 in ファイル:
    文…
```

**指定したURLのファイル(HTMLファイル)を取得して内容を表示**するプログラムを書いてみてください。URLは任意ですが、以下のプログラム例では著者のWebサイト(https://higpen.jellybean.jp/)を指定しました。

▼web1.py

```
from urllib.request import urlopen
with urlopen('https://higpen.jellybean.jp/') as file:    ← URLを開く
    for line in file:                                    ← 1行ずつ読み込む
        print(line)                                      ← 1行を表示
```

実行すると、以下のようなバイト列(Chapter9)が表示されます。ASCII文字以外は「¥x○○」のようにエンコードされるので、そのままでは読めませんが、英数字や記号の部分を読むと、HTMLファイルを取得できていることがわかります。

```
>python web1.py
b'<!DOCTYPE html>¥n'
b'<html lang="ja">¥n'
b'<head>¥n'
b'<meta charset="UTF-8">¥n'
…
b'<title>¥xe3¥x81¥xb2¥xe3¥x81¥x90… - HigPen Works</title>¥n'
b'</head>¥n'
b'<body>¥n'
…
b'</body></html>¥n'
```

バイト列を文字列に変換するには、次のようにstr関数(Chapter3)を使います。

バイト列を文字列に変換（str感数）

```
str(バイト列, encoding=文字エンコーディング)
```

先ほどと同様に、**指定したURLのファイルを取得したうえで、通常の文字列に変換してから表示**するプログラムを書いてください。文字エンコーディングは、本来はファイルの内容(<meta charset=…>タグなど)を確認して判定するべきなのですが、ここでは簡単に'utf-8'(UTF-8)を指定します。また、取得したファイルの各行には改行が含まれているので、print関数のキーワード引数endに''を指定して、print関数が改行しないようにするとよいでしょう。

▼web2.py

```
from urllib.request import urlopen
with urlopen('https://higpen.jellybean.jp/') as file:   ← URLを開く
    for line in file:                                     ← 1行ずつ読み込む
        print(str(line, encoding='utf-8'), end='')       ← 変換して表示
```

実行すると、以下のようにファイルの内容が表示されます。先ほどのバイト列とは違い、これならば人間でも読むことができます。

```
>python web2.py
<!DOCTYPE html>
<html lang="ja">
<head>
<meta charset="UTF-8">
…
<title>ひぐぺん工房（松浦健一郎・司ゆき） - HigPen Works</title>
</head>
<body>
…
</body></html>
```

取得したWeb上のファイルを、ローカルファイル(手元のディスク内にあるファイル)として保存するには、次のようなプログラムを書きます。ファイルが2種類あるので、それぞれ「Webファイル」「ローカルファイル」と表記しました。

取得したWeb上のファイルに保存

```
with urlopen(URL) as Webファイル:
    with open(ファイル名, 'wb') as ローカルファイル:
        ローカルファイル.write(Webファイル.read())
```

Webファイルの全体をreadメソッドで読み込み、ローカルファイルのwriteメソッドで保存します。open関数のモードが'wb'になっていることに注目してください。'w'はテキストファイルを書き込みますが、'wb'はバイナリファイルを書き込みます。取得したWebファイルのようなバイト列を書き込むときには、モードを'wb'にします。

**指定したURLのファイルを取得したうえでローカルファイルに保存**するプログラムを書いてみてください。ローカルファイル名はdownload.htmlにしましょう。

▼web3.py

```
from urllib.request import urlopen
with urlopen('https://higpen.jellybean.jp/') as web_file:← URLを開く
    with open('download.html', 'wb') as local_file:     ← ファイルを開く
        local_file.write(web_file.read())               ← 書き込み
```

プログラムを正常に実行できたら、download.htmlをテキストエディタで開いてみてください。1つ前のプログラムの実行結果と同じ内容ならば成功です。また、download.htmlをWebブラウザで開くと、元のWebサイトに近い内容のページが表示されます(一部の体裁が異なったり、画像が欠けていたりはします)。

▼download.html

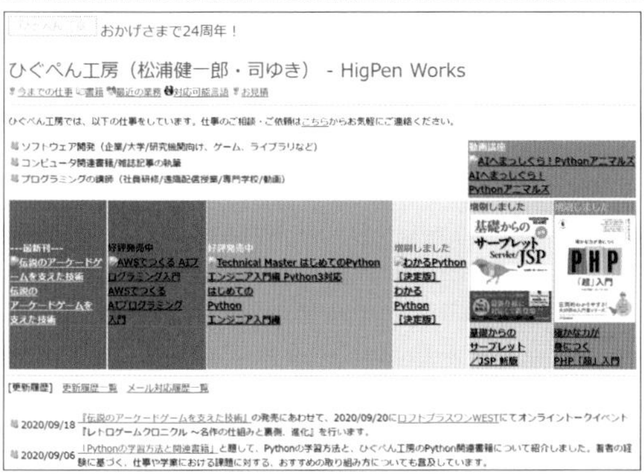

## ❖より簡単にWebページを取得する（Requestsライブラリ）

Requests（リクエスツ）はWebにアクセスするためのライブラリです。標準ライブラリよりも簡潔なプログラムで、手軽にWebを扱えることが特徴です。

### Requestsのドキュメント

URL https://requests.readthedocs.io/en/master/

Requestsは非標準のライブラリなので、次のようにインストールする必要があります。Anacondaには最初からインストールされています。

Requestsのインストール（CPython）

```
pip install requests
```

Requestsのインストール（Anaconda/Miniconda）

```
conda install -y requests
```

Requestsを使うには、最初にrequestsモジュールをインポートします。

requestsモジュールのインポート

```
import requests
```

Web上のファイルを取得するには、次のようなget（ゲット）関数を使います。get関数はレスポンス（Webサーバからの応答）のオブジェクトを返します。以下では、このオブジェクトを代入した変数を「レスポンス」と表記しています。

Web上のファイルを取得（requests.get関数）

```
レスポンス = requests.get(URL)
```

Web上のファイルの内容は、次のようにtext（テキスト）属性から取得できます。

Web上のファイルの内容を取得

```
レスポンス.text
```

Requestsライブラリを使って、**指定したURLのファイルを取得して内容を表示**するプログラムを書いてみてください。プログラム例では著者のWebサイト（https://higpen.jellybean.jp/）を指定しましたが、他のURLを指定しても構いません。

▼requests1.py

```
import requests
r = requests.get('https://higpen.jellybean.jp/')    ← ファイルを取得
print(r.text)                                        ← 内容を表示
```

プログラムを実行すると、以下のような内容が表示されます。標準ライブラリのurllibを使ったときと結果は同じですが、Requestsを使うと非常に簡潔なプログラムになります。また、文字エンコーディングを自動的に処理してくれることも利点です。

```
>python requests1.py
<!DOCTYPE html>
<html lang="ja">
<head>
<meta charset="UTF-8">
…
<title>ひぐぺん工房（松浦健一郎・司ゆき） - HigPen Works</title>
</head>
<body>
…
</body></html>
```

取得したWeb上のファイル(HTMLファイルなど)を、ローカルファイルとして保存するには、次のようなプログラムを書きます。以下で使用しているレスポンスのcontent(コンテント)属性を使うと、ファイルの内容をバイト列として取得できます。

取得したWeb上のファイルを保存

```
with open(ファイル名, 'wb') as ローカルファイル:
    ローカルファイル.write(レスポンス.content)
```

**指定したURLのファイルを取得したうえでローカルファイルに保存**するプログラムを書いてみてください。ローカルファイル名はdownload2.htmlにしましょう。

▼requests2.py

```
import requests
r = requests.get('https://higpen.jellybean.jp/')    ← Webファイルを取得
with open('download2.html', 'wb') as file:          ← ローカルファイルを開く
    file.write(r.content)                           ← 書き込み
```

プログラムを正常に実行できたら、download2.htmlをテキストエディタで開いてみてください。1つ前のプログラムの実行結果と同じ内容ならば成功です。また、download2.htmlをWebブラウザで開くと、元のWebサイトに近い内容のページが表示されます。

# section 02 Webページから目的の情報を引き出す

Web上のファイルをプログラムで取得する方法がわかったので、次はファイルの内容を解析して目的の情報を抽出する方法を学びましょう。標準ライブラリの正規表現モジュールを使った方法と、非標準ライブラリのBeautifulSoupを使った方法を紹介します。

## ❖ 正規表現を使ったパターンマッチ

正規表現(せいきひょうげん)は文字列のパターンマッチを行うための手法です。色々なプログラミング言語やアプリケーションが、正規表現による文字列の検索や置換に対応しています。Pythonでは、標準ライブラリのreモジュールが正規表現の機能を提供します。reはregular expression(正規表現)の略です。以下のドキュメントには、reモジュールの説明と、reモジュールで使える正規表現の説明が記載されています。

### reモジュールのドキュメント

URL https://docs.python.org/ja/3/library/re.html

スクレイピングにおいては、Webページ(多くの場合はHTMLファイル)から目的の情報を抽出する必要があります。そのためには、HTMLファイルに記述された特定の文字列(タグなど)を目印にして、目的の情報を見つけ出す手法が有効です。このような目印の文字列を見つけ出すために、正規表現による検索が役立ちます。

例えば、Pythonの公式ダウンロードページ(https://www.python.org/downloads/)には、リリースの一覧表が掲載されています。この一覧表から、「Python 3.8.5」のようなリリース番号と、「July 20, 2020」のようなリリース日を、スクレイピングによって抽出することを考えてみましょう。

▼リリースの一覧表

Looking for a specific release?

Python releases by version number:

| Release version | Release date | | Click for more |
|---|---|---|---|
| Python 3.9.0 | Oct. 5, 2020 | Download | Release Notes |
| Python 3.8.6 | Sept. 24, 2020 | Download | Release Notes |
| Python 3.5.10 | Sept. 5, 2020 | Download | Release Notes |
| Python 3.7.9 | Aug. 17, 2020 | Download | Release Notes |
| Python 3.6.12 | Aug. 17, 2020 | Download | Release Notes |
| Python 3.8.5 | July 20, 2020 | Download | Release Notes |
| Python 3.8.4 | July 13, 2020 | Download | Release Notes |

View older releases

まずはWebブラウザを使ってページのソースを表示したり、先ほど作成したWeb上のファイルをダウンロードするプログラムを使ったりして、HTMLファイルの内容を確認してみてください。例えば上記の一覧表は、次のように記述されています。

▼https://www.python.org/downloads/

```
<li>
    <span class="release-number"><a href="…">Python 3.8.5</a></span>
    <span class="release-date">July 20, 2020</span>
    …
</li>
```

上記の構造を分析すると、次のことがわかります。

・li要素の中にspan要素がある
・class属性がrelease-number（リリース番号）のspan要素の中にある、a要素の中にリリース番号が記載されている
・class属性がrelease-date（リリース日）のspan要素の中に、リリース日が記載されている

そこで、次の手順をHTMLファイルの全体に対して適用すれば、全てのリリース番号とリリース日を抽出できそうです。

❶<li>要素を見つけます。

❷❶の中にあるclass属性がrelease-numberのspan要素を見つけて、リリース番号を取得します。

❸❶の中にあるclass属性がrelease-dateのspan要素を見つけて、リリース日を取得します。

❹❷と❸が両方とも取得できたら、リリース番号とリリース日の組を保存します。

特定の要素を見つけるには、正規表現を使って、要素を構成する文字列に対するパターンマッチを行います。具体的には、次のような正規表現を書きます。正規表現は以下のように、raw文字列(Chapter3)を使って書くのがおすすめです。

<li>要素

```
r'<li>.+?</li>'
```

class属性がrelease-numberのspan要素と内部のa要素

```
r'<span class="release-number"><a href=".+?">(.+?)</a></span>'
```

class属性がrelease-dateのspan要素

```
r'<span class="release-date">(.+?)</span>'
```

上記で.+?の部分は、「任意の1文字以上に対する最小のマッチ(一致すること)」を意味する正規表現です。.は任意の1文字、+は直前の文字の1文字以上の繰り返しを表します。.+という正規表現は可能な限り長い文字列にマッチしますが、.+?は可能な限り短い文字列にマッチします。前者は貪欲(greedy、グリーディー)なマッチ、後者は非貪欲(non-greedy、ノングリーディー)なマッチと呼ばれます。

上記で.+?を使っているのは、今回の用途では.+を使うと複数の要素にまたがってマッチしてしまうことがあり、正常に動かないためです。例えば次のような文字列を考えてみましょう。

```
<li>A</li><li>B</li>
```

「<li>.+</li>」は「<li>A</li><li>B</li>」にマッチします。この正規表現は「最初が<li>で最後が</li>であるような最長の文字列」にマッチするためです。これは複数の要素にまたがってしまうので、今回の用途には向きません。

「<li>.+?</li>」は「<li>A</li>」または「<li>B</li>」にマッチします。この正規表現は「最初が<li>で最後が</li>であるような最短の文字列」にマッチするためです。これは要素を1個ずつ取り出すことができるので、今回の用途に向いています。

さて、前述の要素を見つける正規表現には、(.+?)という記述も使われていることに注目してください。このように丸括弧で囲んだ箇所にマッチした部分文字列は、後で取り出すことができます。今回はリリース番号とリリース日を取り出すために、(.+?)という正規表現を使っています。

さて、reモジュールを使ってパターンマッチを行うには、reモジュールをインポートしてから、次のような関数を使います。

いずれの関数も、文字列が正規表現にマッチした場合にはマッチオブジェクトと呼ばれるオブジェクトを返し、マッチしなかった場合にはNoneを返します。マッチオブジェクトはTrue扱い、NoneはFalse扱いなので、関数の戻り値をif文などで判定すれば、マッチしたかどうかがわかります。

文字列中の位置にかかわらずにマッチ(re.search関数)

```
re.search(正規表現, 文字列)
```

文字列の先頭でのみマッチ(re.match関数)

```
re.match (正規表現, 文字列)
```

文字列の全体にマッチ(re.fullmatch関数)

```
re.fullmatch(正規表現, 文字列)
```

マッチオブジェクトのgroup（グループ)メソッドを使うと、正規表現において丸括弧で囲んだ箇所にマッチした部分の文字列を取得できます。番号に0を指定するとマッチした文字列の全体を、1以降を指定すると丸括弧で囲んだ箇所(左から順に1、2…)にマッチした部分文字列を返します。

マッチした部分の文字列を取得(groupメソッド)

```
マッチオブジェクト.group(番号)
```

文字列内で正規表現にマッチした全ての部分を取得するには、次のようなfindall（ファインド・オール)関数を使います。findall関数はマッチした全ての部分を、文字列のリストとして返します。

マッチした全ての部分を取得(re.findall関数)

```
re.findall(正規表現, 文字列)
```

**Pythonの公式ダウンロードページのファイル(HTMLファイル)を取得し、リリース番号とリリース日を抽出して表示**するプログラムを書いてみてください。リリース番号とリリース日はタプルにまとめてからリストに格納し、最後にソートして表示してください。

▼re1.py

```
import requests
import re

r = requests.get('https://www.python.org/downloads/')           ← 取得

release = []                                                      ← リスト
for li in re.findall(r'<li>.+?</li>',
                     r.text.replace('¥n', '')):                   ← li要素
    if x := re.search(r'<span class="release-number">'
                      r'<a href=".+?">(.+?)</a></span>', li):← span要素
        if y := re.search(r'<span class="release-date">'
                          r'(.+?)</span>', li):                   ← span要素
            release.append((x.group(1), y.group(1)))              ← 格納

release.sort()                                                    ← ソート
for name, date in release:
    print(f'{name:15}{date}')                                     ← 表示
```

上記のプログラムでは掲載の都合上、長い1行を複数行に分けています。この際に「並んだ複数の文字列リテラルは1個の文字列リテラルに連結される」という機能を使っています(chapter3)。例えば以下のような部分です。

```
r'<span class="release-number">'
r'<a href=".+?">(.+?)</a></span>'
```

上記のような2個の文字列リテラルは、以下のような1個の文字列リテラルに連結されます。

```
r'<span class="release-number"><a href=".+?">(.+?)</a></span>'
```

プログラムを実行すると、以下のような**リリース番号とリリース日の一覧**が表示されます。

```
>python re1.py
Python 2.0.1   June 22, 2001
Python 2.1.3   April 9, 2002
Python 2.2.0   Dec. 21, 2001
Python 2.2.1   April 10, 2002
Python 2.2.2   Oct. 14, 2002
…
Python 3.8.1   Dec. 18, 2019
Python 3.8.2   Feb. 24, 2020
Python 3.8.3   May 13, 2020
Python 3.8.4   July 13, 2020
Python 3.8.5   July 20, 2020
```

## ❖HTMLファイルの構造を解析する(BeautifulSoupライブラリ)

BeautifulSoup(ビューティフルスープ)ライブラリは、HTMLファイルの構造を解析して、必要なデータを抽出するためのライブラリです。要素の階層構造に基づいた処理が可能なので、文字列のパターンマッチよりも確実かつ容易にデータを取り出せる可能性があります。

### BeautifulSoupのドキュメント

URL https://www.crummy.com/software/BeautifulSoup/bs4/doc/

BeautifulSoupは非標準のライブラリなので、次のようにインストールする必要があります。Anacondaには最初からインストールされています。

BeautifulSoupのインストール(CPython)

```
pip install beautifulsoup4
```

BeautifulSoupのインストール(Anaconda/Miniconda)

```
conda install -y beautifulsoup4
```

BeautifulSoup(本書執筆時の最新版であるBeautifulSoup 4)を使うには、bs4モジュールをインポートします。今回利用するのはbs4モジュールのBeautifulSoupクラスなので、次のようにインポートすればよいでしょう。

bs4モジュールのインポート

```
from bs4 import BeautifulSoup
```

HTMLファイルを解析するには、次のようにHTMLファイルの内容(HTMLの文字列)を指定して、BeautifulSoupオブジェクトを作成します。以下では、このオブジェクトを代入した変数を「スープ」と表記しています。

BeautifulSoupオブジェクトの作成

```
スープ = BeautifulSoup(HTMLの文字列, 'html.parser')
```

上記で'html.parser'というのは、Python標準のHTML用パーサ(parser、構文解析器)のことです。BeautifulSoupは、指定されたパーサをHTMLの解析に使います。サードパーティから提供されている別のHTMLパーサを指定することもできます。パーサによって、HTMLの記述に対する柔軟性や処理の速度が異なります。

HTMLファイルから特定の要素を見つけるには、以下のメソッドを使います。find_allの戻り値はイテラブルなので、for文などと組み合わせることができます。

該当する最初の要素を返す(findメソッド)

```
スープ.find(要素名)
スープ.find(要素名, 属性名=値, …)
```

該当する全要素を返す(find_allメソッド)

```
スープ.find_all(要素名)
スープ.find_all(要素名, 属性名=値, …)
```

上記で属性名はオプションです。属性名を指定しない場合には、属性の値を限定しないで要素を見つけます。属性名を指定すると、属性が特定の値である要素だけを見つけます。なお、属性名にclassを指定するときには、Pythonのキーワードであるclassと区別するために、class_と書きます。

**Pythonの公式ダウンロードページを取得し、リリース番号とリリース日を抽出して表示**するプログラムを、BeautifulSoupを使って書いてみてください。

▼soup1.py

```
import requests
from bs4 import BeautifulSoup

r = requests.get('https://www.python.org/downloads/')          ← Webから取得

release = []                                                   ← 空のリスト
soup = BeautifulSoup(r.text, 'html.parser')                    ← 解析を開始

for li in soup.find_all('li'):                                 ← li要素
    if x := li.find('span', class_='release-number'):          ← span要素
        if y := x.find('a'):                                   ← a要素
            if z := li.find('span', class_='release-date'):    ← span要素
                release.append((y.text, z.text))               ← リストに格納

release.sort()                                                 ← ソート
for name, date in release:
    print(f'{name:15}{date}')                                  ← 結果を表示
```

プログラムを実行すると、前述の正規表現を使ったプログラムと同様に、リリース番号とリリース日の一覧が表示されます。

## section 03 スクレイピングを定期的に実行(scheduleライブラリ)

天気や価格のように時間の経過とともに変動する情報は、定期的に取得したいことがあります。ここではスケジュールに基づいて処理を実行するscheduleというライブラリを使って、定期的にスクレイピングを自動実行する方法を紹介します。また、プログラムをモジュールにして利用する方法についても学びます。

### スケジュールを指定して処理を実行する

schedule(スケジュール)ライブラリは、あらかじめ設定したスケジュールに基づいて、指定した処理(関数)を呼び出してくれるライブラリです。「10分ごとに」「毎日の決まった時刻に」「特定の曜日に」などの多彩な方法で、色々な処理が混在するスケジュールを設定することができます。

#### scheduleのドキュメント

URL https://schedule.readthedocs.io/en/stable/

scheduleは非標準のライブラリなので、次のようにインストールする必要があります。

scheduleのインストール(CPython)

```
pip install schedule
```

scheduleのインストール(Anaconda/Miniconda)

```
conda install -y -c conda-forge schedule
```

condaでインストールする場合には、上記のように「-c conda-forge」というオプションを付けてください。-cはチャネル(channel)を指定するためのオプションです。チャネルとは、condaでインストールするファイルの提供元のことです。conda-forge(コンダ・フォージ)はコミュニティによるチャネルで、通常ではインストールできないソフトウェアも、conda-forgeを追加することでインストールできる場合があります。それでもインストールできない場合には、Anaconda/Minicondaにおいてもpipを使ってインストールする方法があります。

scheduleを使うには、scheduleモジュールをインポートします。

scheduleモジュールのインポート

```
import schedule
```

scheduleモジュールをインポートしたら、次のようにスケジュールを設定します。それぞれ決められた時間ごとに、指定した関数を実行します。曜日には月曜日から日曜日まで(monday、tuesday、wednesday、thursday、friday、saturday、sunday)を指定できます。下記の記法は「every hour do」(毎時〜をする)のように、英語として意味が通じるようになっていることが特徴です。

▼スケジュールの設定

| プログラム | スケジュール |
|---|---|
| schedule.every().hour.do(関数) | 毎時間 |
| schedule.every().minute.do(関数) | 毎分 |
| schedule.every().second.do(関数) | 毎秒 |
| schedule.every().day.do(関数) | 毎日 |
| schedule.every().week.do(関数) | 毎週 |
| schedule.every().曜日.do(関数) | 毎指定曜日 |
| schedule.every().minute.at(':分').do(関数) | 毎時間(分指定) |
| schedule.every().day.at('時:分').do(関数) | 毎日(時間指定) |
| schedule.every().曜日.at('時:分').do(関数) | 毎指定曜日(時間指定) |

次のようにevery(エブリ)関数の引数に数値を指定すると、「3時間ごと」や「10分ごと」といったスケジュールも作れます。hoursやminutesの部分は、hourやminuteでも動作しますが、複数形にすることで英語としてより意味が通じるようになっています。

▼スケジュールの設定(○○ごと)

| プログラム | スケジュール |
|---|---|
| schedule.every(数値).hours.do(関数) | 「数値」時間ごと |
| schedule.every(数値).minutes.do(関数) | 「数値」分ごと |

| | |
|---|---|
| **schedule.every(数値).seconds.do(関数)** | 「値」秒ごと |
| **schedule.every(数値).days.do(関数)** | 「数値」日ごと |
| **schedule.every(数値).weeks.do(関数)** | 「数値」週ごと |

スケジュールを実行するには、例えば次のようなプログラムを書きます。run_pending(ラン・ペンディング)関数を呼び出すと、所定のタイミングになったスケジュール(に登録した関数)を実行します。以下のプログラムは、適当な時間待ち(ここでは1秒)をしながら、run_pending関数を繰り返し呼び出します。

スケジュールの実行(run_peding関数)

```
while True:                    ← 無限ループ
    schedule.run_pending()     ← スケジュールを実行
    time.sleep(1)              ← 時間待ち
```

## スケジュールで実行する処理をモジュール化する

ここでは前述のようなスクレイピングを、定期的に実行するプログラムを書いてみましょう。そのためには、まずはscheduleライブラリで実行する処理を関数にまとめる必要があります。同時に、前述のスクレイピングの処理もモジュールにしてみましょう。モジュールにすることは必須ではないのですが、モジュールにすることで、スクレイピングの処理を再利用しやすくなります。例えばスクレイピングの処理だけを単独で実行したり、他のプログラムから利用したりすることができます。

単独でも実行できて、他のプログラムからも利用できるモジュールは、次のように書きます。モジュールの主要な処理を関数にまとめたうえで、モジュールを単独で(pythonコマンドで)実行したときに関数を呼び出す処理を追加します。

モジュールの作成

```
def 関数名(引数, …):               ← モジュールの主要な処理を関数にする
    モジュールの主要な処理…

if __name__ == '__main__':        ← 単独で実行したときに関数を呼び出す
    関数名(引数, …)
```

__name__というのはモジュール名を返す特別な変数です。モジュールを単独で実行したときにはモジュール名は'__main__'になり、他のプログラムから利用したときにはファイル名から「.py」を除いた名前になります。そのため、上記のように__name__が'__main__'に等しいかどうかを判定し、等しいときにはモジュールの主要な処理を行う関数を呼び出すようにすれば、単独でも他のプログラムからでも使えるモジュールになります。

前述の**スクレイピングを行うプログラム(Pythonのリリース番号とリリース日を取得するプログラム)を、scraping(スクレイピング)モジュール(scraping.py)にまとめて**みてください。主要な処理はjob(ジョブ、仕事)関数にまとめます。

定期的にスクレイピングを行ったとき、いつ実行したのかがわかるように、実行時点の日時を表示することにしましょう。標準ライブラリのdatetime(デート・タイム)をインポートしたうえで、以下の方法で現在の日時を取得し、表示してください。

現在日時の取得

```
datetime.datetime.now()
```

プログラム例は以下の通りです。job関数の内容は、前述のスクレイピングを行うプログラムとほとんど同じで、最後に現在の日時を表示する処理を追加しています。また、__name__が'__main__'かどうかを判定する処理を行うことで、このモジュールを単独でも、他のプログラムからでも使えるようにしています。

▼scraping.py

```
import requests
from bs4 import BeautifulSoup
import datetime

def job():                                                    ← 関数
    r = requests.get('https://www.python.org/downloads/')
    release = []
    soup = BeautifulSoup(r.text, 'html.parser')
    for li in soup.find_all('li'):
        if x := li.find('span', class_='release-number'):
            if y := x.find('a'):
                if z := li.find('span', class_='release-date'):
                    release.append((y.text, z.text))
```

```
    release.sort()
    for name, date in release:
        print(f'{name:15}{date}')
    print('-'*30, datetime.datetime.now())            ← 日時表示

if __name__ == '__main__':                            ← 起動確認
    job()
```

次は、**スケジュールに基づいて上記のjob関数を呼び出すプログラム**を書いてみましょう。以下のプログラム例では、毎日12:00(正午)にスケジュールを設定しています。プログラムの動作を確認する際には、現在の時刻の直後(1分後など)に設定すると、動作を確認しやすいでしょう。Webサイトに負荷をかけてはいけないので、高頻度のアクセスを続けることはおやめください。

▼schedule1.py

```
import schedule
import time
import scraping

schedule.every().day.at("12:00").do(scraping.job)    ← 毎日12:00に設定

while True:                                           ← 無限ループ
    schedule.run_pending()                            ← スケジュールを実行
    time.sleep(1)                                     ← 時間待ち
```

上記のプログラムでは無限ループを使って、スケジュールの実行と時間待ちを繰り返します。時間待ちにはtimeモジュールのsleep関数(Chapter10)を使います。ここでは動作を確認しやすいように、待ち時間を短く(1秒間)していますが、より長く(例えば1分間など)してもよいでしょう。

以下が実行例です。リリース番号とリリース日の一覧を表示し、最後に現在の日時を表示します。ここではスクレイピングの結果を画面に表示していますが、テキストファイルやCSVファイルなどに保存してもよいでしょう(Chapter11)。同じ要領で、天気や価格などの情報をWebサイトから定期的に取得するプログラムを開発することもできます。

```
>python schedule1.py
Python 2.0.1   June 22, 2001
Python 2.1.3   April 9, 2002
Python 2.2.0   Dec. 21, 2001
Python 2.2.1   April 10, 2002
Python 2.2.2   Oct. 14, 2002
…
Python 3.8.1   Dec. 18, 2019
Python 3.8.2   Feb. 24, 2020
Python 3.8.3   May 13, 2020
Python 3.8.4   July 13, 2020
Python 3.8.5   July 20, 2020
------------------------------ 2020-08-16 12:00:00.500668
…
```

# 応用編 Chapter15

# データベースとWebプログラミング

PythonはWebアプリケーションの構築にも広く利用されています。Webアプリケーションというのは、Webを基盤としたアプリケーションソフトウェアのことで、WebサーバとWebブラウザが連携して動作することにより、さまざまな機能を実現します。オンラインショッピング、ブログ、掲示板、SNSといった色々なWebアプリケーションがありますが、いずれもPythonを使って開発することが可能です。ここではWebアプリケーションを構築するための技術として、Webプログラミングの技術と、一緒に利用されることが多いデータベースの技術を学びます。

本章の学習内容

①データベースの操作
②Webアプリケーションの作成

# section 01 SQLを使ってデータベースを操作する

データベース(database、DB)とは、検索などの操作を効率的に実行できるような形式に整理して、情報(データ)を集めたものです。データベースには色々な方式がありますが、特に多く使われているのはリレーショナルデータベース(relational database、関係データベース)という方式です。リレーショナルデータベースでは、テーブルと呼ばれる複数の表の形式に整理されたデータに対して、SQL(エスキューエル)というデータベース言語を用いて、検索や更新などの操作を行うことができます。ここではPythonのプログラムから、リレーショナルデータベースやSQLを利用する方法を学びます。

## ❖ まずはデータベースの作成から

データベース(リレーショナルデータベース)を使うのは、ある程度の分量があるデータを蓄積しておき、そのデータに対して検索や更新などの操作を行いたいときです。こういったデータに対する操作は単純なファイルなどを使っても実行できますが、データベースでは、複雑な条件に基づく検索などを簡単に行えることが利点です。また、ほとんどのRDBMS(Relational DataBase Management System、リレーショナルデータベース管理システム)がSQLを採用しているので、SQLを使えば色々なRDBMSに対応できるという利点もあります。このような利点があるため、実用的なアプリケーションソフトウェア(Webアプリケーションを含む)においては、データベースを使うことが一般的になっています。

Pythonでは、プログラムからRDBMSに対してSQL文(SQLの文法に基づいて記述した文)を発行し、RDBMSにSQL文を実行させて、結果のデータを取得することができます。利用できるRDBMSには幅広い選択肢がありますが、最も手軽に使えるのはSQLite(エスキューライト)と呼ばれるRDBMSです。SQLiteはPythonの標準ライブラリ(sqlite3モジュール)に内蔵されているので、RDBMSを別途セットアップする必要がなく、モジュールをインポートするだけですぐに使えます。

sqlite3モジュールのドキュメント

URL https://docs.python.org/ja/3/library/sqlite3.html

ここではsqlite3モジュールを使って、データベースを作成してみましょう。最初にsqlite3をインポートします。

sqlite3モジュールのインポート

```
import sqlite3
```

今回はオンラインショッピングで使うデータベースを想定して、データベース名をshop(ショップ)とします。このshopデータベースの中に、ユーザを管理するaccount(アカウント)テーブルを設けます。リレーショナルデータベースにおけるテーブルは、行と列から構成された2次元の表です。ここではaccountテーブルにuser(ユーザ)列とpassword(パスワード)列を設けて、ユーザのログイン情報を管理することにしましょう。shopデータベースは、次のような階層構造になります。

▼shopデータベースの階層構造

データベースを新規に作成したり、既存のデータベースを開くには、次のようなプログラムを書きます。sqlite3モジュールのconnect(コネクト)関数は、データベースに接続し、接続(connection)を表すオブジェクトを返します。以下では、接続のオブジェクトを代入した変数を「接続」と表記しています。

データベースへ接続(sqlite3.connect関数)

```
接続 = sqlite3.connect('データベース名.db')
```

次に接続のcursor(カーソル)メソッドを呼び出して、カーソルのオブジェクトを取得します。このカーソル(cursor)は、テキストエディタで文字の入力位置を表すカーソルに似たもので、データベースに対する操作の機能を提供します。以下では、カーソルのオブジェクトを代入した変数を「カーソル」と表記しています。

カーソルの取得(cursorメソッド)

```
カーソル = 接続.cursor()
```

カーソルのexecute(エクセキュート)メソッドを呼び出すと、RDBMS(SQLite)に対してSQL文を発行し、実行させることができます。SQL文は文字列で指定します。SQL文の中でシングルクォート(')を使うことがあるので、文字列はダブルクォート(")で囲むと便利でしょう。

SQL文の実行(executeメソッド)

```
カーソル.execute(SQL文)
```

データベースを変更するSQL文を実行したときには、変更を確定するために、次のcommit(コミット)メソッドを実行します。コミットというのはデータベースにおいて、変更を確定する操作のことです。

データベースの変更の確定(commitメソッド)

```
接続.commit()
```

データベースを使い終えたら、最後にclose(クローズ)メソッドを呼び出して、データベースへの接続を閉じます。

データベースへの接続を閉じる(closeメソッド)

```
接続.close()
```

**shopデータベースを作成して以下のSQL文を実行**するプログラムを書いてみましょう。プログラムを実行して、エラーが発生しなければ成功です。カレントディレクトリにshop.dbが作成されます。

・accountテーブルが存在する場合は削除する

```
DROP TABLE IF EXISTS account
```

・accountテーブルを作成し、user列とpassword列を追加する

```
CREATE TABLE account (user TEXT PRIMARY KEY, password TEXT)
```

▼sql1.py

```
import sqlite3
con = sqlite3.connect('shop.db')                          ← データベースに接続
cur = con.cursor()                                        ← カーソルを取得
cur.execute("DROP TABLE IF EXISTS account")               ← SQL文を実行
cur.execute("CREATE TABLE account ¥
            (user TEXT PRIMARY KEY, password TEXT)")      ← SQL文を実行
con.commit()                                              ← コミット
con.close()                                               ← 接続を閉じる
```

## ❖データベースにデータを登録する

作成したshopデータベースは、まだデータがなく空の状態です。以下のようなユーザ名とパスワードの組を、データベースに登録してみましょう。

ユーザ名：suzuki、パスワード：abc123
ユーザ名：satou、パスワード：def456
ユーザ名：tanaka、パスワード：ghi789

上記のデータをタプルのリストにしておきます。このようにリストなどのイテラブルに格納されたデータに対して、SQL文を繰り返し適用するには、次のようなexecutemany(エクセキュート・メニー)メソッドを使います。

SQL文を繰り返し摘要(executemanyメソッド)

```
カーソル.executemany(SQL文, イテラブル)
```

今回は以下のSQL文を記述します。executemanyメソッドや前述のexecuteメソッドにおいて、SQL文の中にクエスチョン(?)を書いておくと、その位置に値を埋め込むことができます。

・accountテーブルに行を追加する

```
INSERT INTO account VALUES (?, ?)
```

前述のリスト(タプルのリスト)に対してexecutemanyメソッドを適用すると、executemanyメソッドはリストからタプルを1個ずつ取り出します。そして、タプルからユーザ名とパスワードを取り出し、上記のSQL文の中にある左の?にユーザ名を、右の?にパスワードを埋め込んでから、SQL文を実行します。

**ユーザ名とパスワードの組をデータベースに登録**するプログラムを書いてみましょう。プログラムを実行して、エラーが発生しなければ成功です。

▼sql2.py

```
import sqlite3
con = sqlite3.connect('shop.db')                         ← データベースに接続
cur = con.cursor()                                       ← カーソルを取得
account = [('suzuki', 'abc123'), ('satou', 'def456'),
           ('tanaka', 'ghi789')]                         ← 登録するリスト
cur.executemany("INSERT INTO account VALUES (?, ?)",
                account)                                 ← データの登録
con.commit()                                             ← コミット
con.close()                                              ← 接続を閉じる
```

データベース内に既存のデータが存在する場合、新規に登録したデータは末尾に追加されます。

## ❖データを取得して表示するには

先ほど登録したデータを、データベースから取得して表示してみましょう。前述のexecuteメソッドを使って、次のようなSQL文を実行します。

・accountテーブルから全ての行を取得する

```
SELECT * FROM account
```

取得したデータは、カーソルをイテラブルとして使って、例えば次のようなfor文を書けば、1行ずつ取り出すことができます。取り出した各行は、各列のデータをまとめたタプルです。以下のように書くと、変数に各列のデータが入ります。

データベースからデータを取得

```
for 変数, … in カーソル:
    文…
```

**accountテーブルから全てのデータを取得して表示**するプログラムを書いてみましょう。

▼sql3.py

```
import sqlite3
con = sqlite3.connect('shop.db')            ← データベースに接続
cur = con.cursor()                          ← カーソルを取得
cur.execute("SELECT * FROM account")        ← SQL文を実行
for user, password in cur:                  ← 結果を1行ずつ取り出す
    print(f'{user:10}{password}')           ← 結果を表示
con.close()                                 ← 接続を閉じる
```

プログラムを実行すると、全てのユーザ名とパスワードの組が、桁を揃えて表示されます。

```
>python Sql3.py
suzuki    abc123
satou     def456
tanaka    ghi789
```

## 既存のデータを更新する

データベース上の既存のデータを更新(変更)してみましょう。前述のexecuteメソッドを使って、次のようなSQL文を実行します。

・user列が指定した値に等しい行について、password列の値を変更する
`UPDATE account SET password=? WHERE user=?`

**ユーザ名suzukiのパスワードを321cbaに変更**するプログラムを書いてみましょう。

▼sql4.py

```
import sqlite3
con = sqlite3.connect('shop.db')                              ← 接続
cur = con.cursor()                                            ← カーソルを取得
user = 'suzuki'                                               ← ユーザ名
password = 'cba321'                                           ← パスワード
cur.execute("UPDATE account SET password=? WHERE user=?",
            (password, user))                                 ← SQL文を実行
con.commit()                                                  ← コミット
con.close()                                                   ← 接続を閉じる
```

プログラム(sql4.py)が正常に実行できたら、データを取得して表示するプログラム(sql3.py)を実行して、結果を確認してください。

```
>python sql4.py
```

```
>python sql3.py
suzuki      cba321        ← パスワードが変更されている
satou       def456
tanaka      ghi789
```

## ❖ログイン機能を作成する

先ほどのデータベース(shop.db)を利用して、アカウントにログインするプログラムを書いてみましょう。コマンドライン引数(Chapter11)にユーザ名とパスワードを指定してプログラムを実行すると、ログインの可否を判定して、結果を表示するようにします。成功したら「Welcome!」(ようこそ)、失敗したら「Failed.」(失敗)と表示することにしましょう。

ログインの可否を判定するには、前述のexecuteメソッドを使って、次のようなSQL文を実行します。入力したユーザ名とパスワードの組がaccountテーブルに登録されているかどうかを調べます。

・accountテーブルから、user列とpassword列が指定した値に等しい行を取得する

```
SELECT * FROM account WHERE user=? AND password=?
```

上記のSQL文を実行した結果、該当する行が見つかればログインは成功で、見つからなければ失敗です。行が見つかったかどうかは、例えばカーソルオブジェクトにlist関数を適用し、結果が空のリストかどうかを調べればわかります。

**コマンドライン引数から入力したユーザ名とパスワードについて、ログインの可否を判定し結果を表示**するプログラムを書いてみてください。以下のプログラム例では、入力したコマンドライン引数の個数が異なる場合、使い方を表示して終了します。文字列を表示して終了するには、次のようなsysモジュールのexit(イグジット)関数を使うと便利です。sysは標準モジュールなので、インストールは必要なく、インポートのみで利用できます。

文字列を表示して終了(sys.exit関数)

```
sys.exit(文字列)
```

▼sql5.py

```
import sqlite3
import sys
if len(sys.argv) != 3:                                        ← 引数の個数
    sys.exit(f'Usage: python {sys.argv[0]} user password')  ← 使い方を表示
con = sqlite3.connect('shop.db')                              ← 接続
cur = con.cursor()                                            ← カーソル
cur.execute("SELECT * FROM account ¥
          WHERE user=? AND password=?", sys.argv[1:])        ← SQL文を実行
print('Welcome!' if list(cur) else 'Failed.')                 ← 結果を表示
con.close()
```

以下の実行例のように、ユーザ名とパスワードを入力して、ログインの可否を確認してみてください。

引数を指定しないで実行すると、使い方が表示されます。

```
>python sql5.py                          ← 引数を指定しない
Usage: python sql5.py user password      ← 使い方を表示
```

正しいユーザ名とパスワードを入力して実行すると、「Welcome!」と表示されます。

```
>python sql5.py satou def456          ← 正しいユーザ名とパスワード
Welcome!                              ← ログイン成功
```

ユーザ名やパスワードが間違っていると、「Failed.」と表示されます。

```
>python sql5.py satou def123          ← 正しくないパスワード
Failed.                               ← ログイン失敗
```

ここではログインの可否に応じてメッセージを表示しました。実際のアプリケーションにおいては、ログインが成功した場合はサービス（データベースに対する操作など）を提供し、ログインが失敗した場合はエラーメッセージを表示して再入力を促す、といった処理を行うとよいでしょう。

# section 02 Webアプリケーションを作成する

データベースに続いて、今度はWebプログラミングについて学びましょう。Pythonの標準ライブラリにはWebサーバが同梱されているので、気軽にWebアプリケーションの開発を始めることができます。まずは先ほどのデータベースとも連携しながら、このWebサーバを使ってログイン機能を作成します。次に非標準のWebフレームワークを使って、画像などのファイルをアップロードする機能を作成します。

## ❖標準ライブラリに同梱のWebサーバを使う

標準ライブラリのhttp.server(エイチティーティーピー・サーバ)モジュールは、Webサーバ(HTTPサーバ)の機能を提供します。本格的にWebサイトで運用する場合には、このWebサーバよりもセキュリティ対策が厳重なWebサーバ製品を利用することが推奨されていますが、このWebサーバはとても簡単に使えるので、Webアプリケーションの開発用としては非常に有用です。

http.serverモジュールのドキュメント

URL https://docs.python.org/ja/3/library/http.server.html

http.serverモジュールのWebサーバを起動するには、コマンドラインから次のコマンドを実行します。以下の-mは、指定したモジュールを起動するためのオプションです。また--cgiは、後述するCGIプログラムを実行するためのオプションです。

Webサーバの起動(http.serverモジュール)

```
python -m http.server --cgi
```

Windowsで上記のコマンドを実行すると、次のようなセキュリティに関するダイアログが表示されることがあります。Webサーバが通信をするためには許可が必要なので、[アクセスを許可する] をクリックしてください。

▼セキュリティの警告

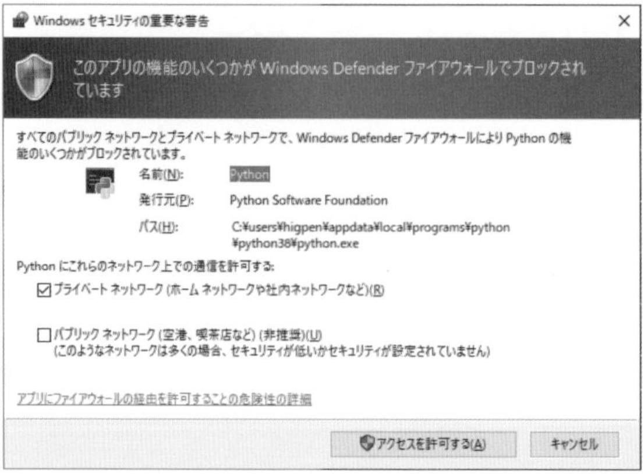


Webサーバを起動すると、起動したときのカレントディレクトリ以下が、Webサーバ経由で公開されます。今回は、次のようなHTMLファイルを用意しておき、このHTMLファイルがあるディレクトリでWebサーバを起動することにしましょう。以下は**ログイン画面のHTML**ファイルで、後ほどログイン機能を実現する際に使います。

▼index.html

```
<!DOCTYPE html>
<html lang="ja">
<head>
<meta charset="UTF-8">
<title>Login</title>
</head>
<body>
<form action="cgi-bin/login.py" method="post">                  ← フォーム
<p>User:<br><input type="text" name="user"></p>                 ← ユーザ名
<p>Password:<br><input type="password" name="password"></p> ← パスワード
<p><input type="submit" value="Login"></p>                      ← ボタン
</form>
</body>
</html>
```

前述の方法でWebサーバを起動してみてください。以下のように表示されれば成功です。Webサーバを終了するには、Ctrl＋Cキーを押してください。

```
>python -m http.server --cgi
Serving HTTP on :: port 8000 (http://[::]:8000/) ...
```

Webサーバを動作させたままで、Webブラウザで「http://localhost:8000/」を開いてください。「https」ではなく「http」を指定します。次のようなログイン画面が表示されれば成功です。以下はChromeによる実行例なので、他のWebブラウザでは表示が多少異なる可能性があります。

▼ログイン画面

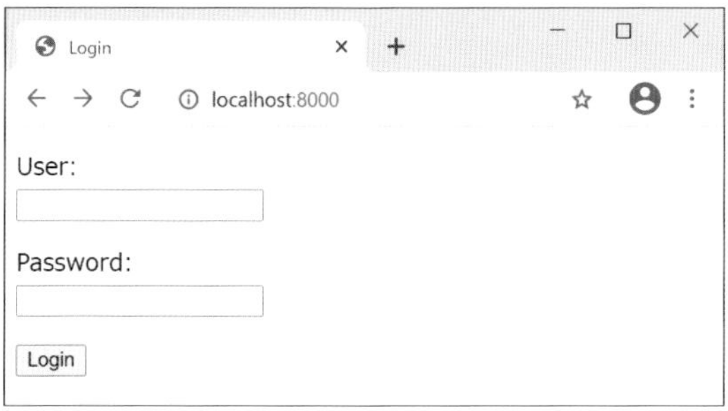


## PythonでCGIプログラムを書いてみる

CGI(Common Gateway Interface、シージーアイ)はWebサーバ上でプログラムを動かすための仕組みです。CGIを使うと、Webブラウザからのリクエストに基づいてWebサーバ上でプログラムを実行し、プログラムの出力をWebブラウザに返すことができるので、アクセスするたびに内容が変化するページを作ることができます。また、ユーザがフォームに入力した情報を、プログラムで受け取って処理することも可能です。

Webサーバ側で動作するCGIを使ったプログラムのことを、CGIプログラムと呼びます。ここではPythonの標準ライブラリを使って、CGIプログラムを作成する方法を紹介します。

CGIプログラムを使って、ログイン機能を実現してみましょう。このCGIプログラムは、フォームに入力されたユーザ名とパスワードを受け取って、ログインの可否を判定し、結果でHTMLで出力する必要があります。フォームを取得するには、sysモジュールとosモジュールを使って標準入力からテキストを読み込み、urllib.parseモジュールを使って解析します。以下で「フォーム」と表記した変数には、フォームの入力内容をまとめた辞書が代入されます。

フォームの取得

```
テキスト = sys.stdin.read(int(os.environ['CONTENT_LENGTH']))
フォーム = urllib.parse.parse_qs(テキスト)
```

フォームの各欄に入力された内容は、inputタグのname属性が表すパラメータ名を使って取得できます。先ほどのHTMLファイル（index.html）において、ユーザ名とパスワードの入力欄は以下のようになっていました。

・ユーザ名の入力欄(パラメータ名：user)

```
<input type="text" name="user">
```

・パスワードの入力欄(パラメータ名：password)

```
<input type="password" name="password">
```

フォームの各欄は次のように取得できます。各欄の入力内容はリストになっていますが、以下では先頭の要素だけを取得しています。

フォームの各欄を取得

```
フォーム[パラメータ名][0]
```

上記の方法を使って**ユーザ名とパスワードを受け取り、データベースを使ってログインの可否を判定し、結果をHTMLで出力**するCGIプログラムは、次のように書くことができます。冒頭の「#!/usr/bin…」は、macOSやLinuxでCGIプログラムを実行する場合に必要な、シバン（シェバン）と呼ばれる記述です。シバンはファイルを実行するためのインタプリタを指定するための機能で、ここではPythonインタプリタ（python3）を指定しています。また、import文の後にある「sys.stdout…」という記述は、標準出力の文字エンコーディングを調整し、文字化けを防ぐための処理です。

▼login.py

```
#!/usr/bin/env python3
import codecs
```

```
import os
import sqlite3
import sys
import urllib.parse

sys.stdout = codecs.getwriter('utf-8')(sys.stdout.detach())← 標準出力
print('Content-type: text/html; charset=UTF-8')             ← ヘッダ出力

text = sys.stdin.read(int(os.environ['CONTENT_LENGTH']))    ← 標準入力
form = urllib.parse.parse_qs(text)                          ← フォーム
user = form['user'][0]                                      ← ユーザ名
password = form['password'][0]                              ← パスワード

con = sqlite3.connect('shop.db')
cur = con.cursor()
cur.execute("SELECT * FROM account ¥
            WHERE user=? AND password=?",
            (user, password))
result = 'Welcome!' if list(cur) else 'Failed.'            ← ログイン判定
con.close()

print(f'''
<!DOCTYPE html>
<html lang="ja">
<head>
<meta charset="UTF-8">
<title>Result</title>
</head>
<body>
{result}
</body>
</html>
''')                                                        ← HTMLを出力
```

http.serverのWebサーバでCGIプログラムを実行する場合、cgi-binディレクトリ（フォルダ）にCGIプログラムを配置する必要があります。今回のプログラムでは、以下のようにファイルを配置します。ログインの判定にデータベースを使うので、先ほど作成したデータベースのファイル（shop.db）も必要です。

なおmacOSやLinuxの場合は、login.pyの属性を実行可能に設定しておく必要があります。cgi-binディレクトリにおいて、ターミナルから「chmod 755 login.py」または「chmod 700 login.py」を実行しておいてください。

▼ファイルの配置

```
カレントディレクトリ
  └ shop.db            ●── データベースのファイル
    index.html         ●── ログイン画面のHTMLファイル
    cgi-binディレクトリ
      └ login.py       ●── ログイン機能のCGIプログラム
```

フォームの送信時に実行するCGIプログラムは、formタグのaction属性で指定します。先ほどのHTMLファイル(index.html)において、フォームは以下のようになっていました。ここでは、cgi-binディレクトリのlogin.pyを指定しています。

・フォーム

```
<form action="cgi-bin/login.py" method="post">
```

上記のようにファイルを配置したうえで、Webサーバを起動してください。次にWebブラウザでログイン画面（http://localhost:8000/）を開き、ユーザ名とパスワードを入力して、［Login］ボタンを押してください。なお、shop.dbには以下のユーザ名とパスワードが登録されています。

ユーザ名：suzuki、パスワード：cba321
ユーザ名：satou、パスワード：def456
ユーザ名：tanaka、パスワード：ghi789

▼ユーザ名とパスワードを入力

【①ユーザ名とパスワードを入力】
【②Loginをクリック】

ログインに成功すると「Welcome!」(ようこそ)、失敗すると、「Failed.」(失敗)と表示されます。

▼ログインを実行

ログイン成功

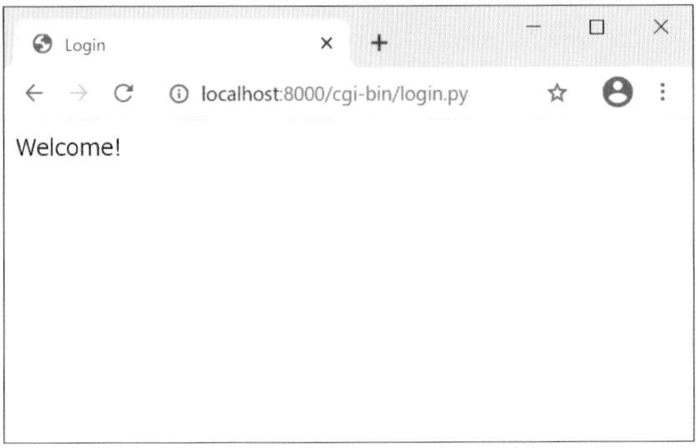


ログイン失敗

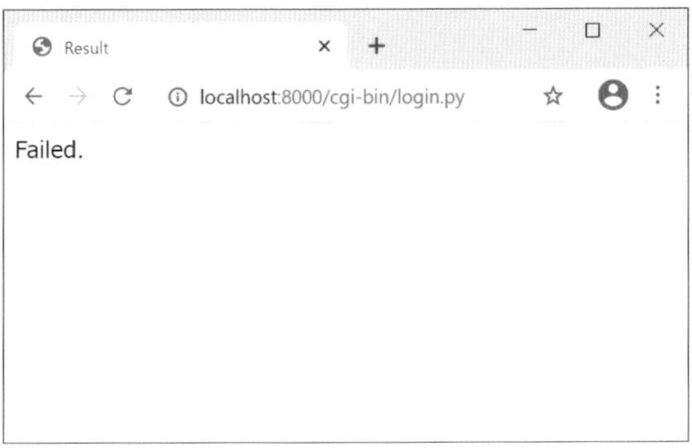


このようにCGIプログラムを使うと、ユーザーが送信した情報をWebサーバ側で処理することができます。複雑な機能を持つWebアプリケーションでも、基本的な構造は今回のCGIプログラムと同じです。

## Webフレームワークを使用する(Bottleフレームワーク)

Webフレームワークは、Webアプリケーションの構築を簡単にするためのソフトウェアです。前述のCGIプログラムでもWebアプリケーションを作成することはできますが、Webフレームワークを効果的に使うと、開発効率を上げたり、より高度な機能を実現できたりする可能性があります。

Python用のWebフレームワークは数多くありますが、ここでは代表的な製品の中でも最も簡潔でコンパクトなものの1つであるBottle(ボトル、瓶)を使います。Bottleは非標準のライブラリなので、次のようにインストールする必要があります。condaでインストールする場合には、「-c conda-forge」を付けてください。

Bottleのインストール(CPython)

```
pip install bottle
```

Bottleのインストール(Anaconda/Miniconda)

```
conda install -y -c conda-forge bottle
```

Bottleの動作を知るために、簡単なプログラムを実行してみましょう。以下のプログラムは、Webブラウザで開いたURLに応じて異なるテキストを表示するプログラムです。

- 「http://localhost:8000/hello」を開く→「Hello!」(こんにちは)と表示
- 「http://localhost:8000/bye」を開く→「Bye!」(さようなら)と表示

▼bottle1.py

```
import bottle

html = '''                                ← 出力するHTMLの共通部分
<!DOCTYPE html>
<html lang="ja">
<head>
<meta charset="UTF-8">
<title>Bottle</title>
</head>
<body>
{}                                        ← ここに文字列を埋め込む
</body>
</html>
'''

@bottle.route('/hello')                   ← /helloにアクセスしたときの処理
def hello():
    return html.format('Hello!')
```

```
@bottle.route('/bye')                          ← /byeにアクセスしたときの処理
def bye():
    return html.format('Bye!')
bottle.run(host='localhost', port=8000)        ← Webサーバを起動
```

上記のプログラムにおける「@bottle.route…」は、デコレータと呼ばれるPythonの機能を使っています(Chapter16)。デコレータは関数やクラスに特別な機能を付加します。上記のデコレータには、Webブラウザが特定のURLにアクセスしたときに結果を返す関数を、指定する働きがあります。このデコレータのおかげで、1つのプログラムの中に色々なURLにアクセスしたときの処理を混在させることができます。

また、プログラムの最後にある「bottle.run…」は、Webサーバを起動しています。Bottleではこのように、プログラムの中でWebサーバを起動するので、プログラム自体は通常のPythonプログラムとして実行することができます。そのため、標準ライブラリのWebサーバとCGIプログラムを組み合わせるよりも、プログラムの配置や実行の方法が簡単になっています。

上記のプログラムを実行してみてください。BottleのWebサーバが起動し、以下のように表示されれば成功です。終了したいときには、Ctrl+Cキーを押してください。もしCtrl+Cを押しても終了しないときには、Webブラウザ側でページを更新すると終了する場合があります。

```
>python bottle1.py
Bottle v0.12.18 server starting up (using WSGIRefServer())...
Listening on http://localhost:8000/
Hit Ctrl-C to quit.
```

Webブラウザを使って、前述の2種類のURLを開いてみてください。それぞれ次のように表示されれば成功です。

▼WebブラウザからURLを開く

「Hello!」と表示

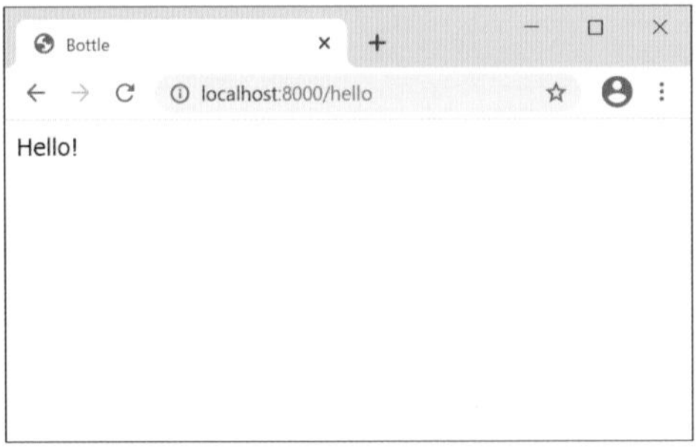


「Bye!」と表示

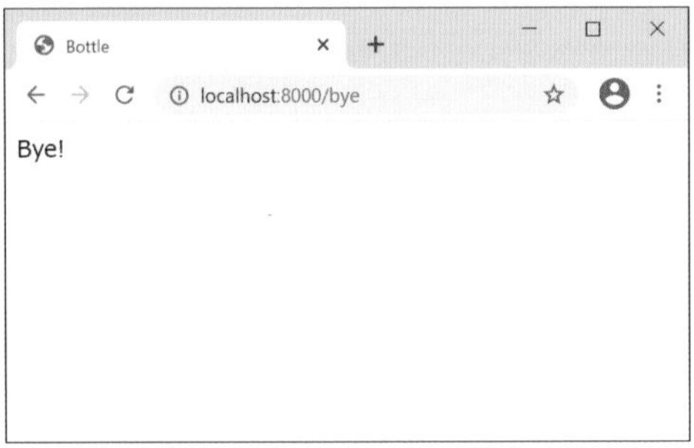


## ❖ファイルアップロード機能を作成する(Bottleフレームワーク)

ブログ、掲示板、SNSなどのWebアプリケーションには、画像などのファイルをアップロードする機能があります。Bottleを使って、このようなファイルアップロード機能を作成してみましょう。

ファイルのアップロード画面には、次のようなフォームとファイル選択欄を配置します。formタグのenctype属性を以下のように設定することと、inputタグのtype属性をfileにすることが必要です。

・フォーム

```
<form action="…" method="post" enctype="multipart/form-data">
```

・ファイル選択欄

```
<input type="file" name="…">
```

アップロードされたファイルを取得して保存するには、以下のようなプログラムを書きます。パラメータ名には、上記のinputタグ(ファイル選択欄)のname属性に指定した値を使います。

アップロードされたファイルを取得して保存

```
ファイル = bottle.request.files.パラメータ名  ← ファイルを取得
if ファイル:                                  ← ファイルを取得できたか
    ファイル.save(保存先, overwrite=True)     ← ファイルを保存
```

**ファイルアップロード機能**のプログラムは、以下のように書くことができます。

▼bottle2.py

```
import bottle
import os

html = '''                                        ← HTMLの共通部分
<!DOCTYPE html>
<html lang="ja">
<head>
<meta charset="UTF-8">
<title>Bottle</title>
</head>
<body>
{}                                                ← 文字列を埋め込む
</body>
</html>
'''

@bottle.route('/')                                ← /の処理
def index():
    return html.format('''
    <form action="/upload" method="post"          ← フォームを表示
        enctype="multipart/form-data">
    <p><input type="file" name="file"></p>
    <p><input type="submit" value="Upload"></p>
    </form>
    ''')

@bottle.route('/upload', method='post')           ← /uploadの処理
def upload():
```

```
    file = bottle.request.files.file                         ← ファイルを取得
    if file:                                                 ← 選択済みの場合
        os.makedirs('uploaded', exist_ok=True)               ← ディレクトリを作成
        file.save('uploaded', overwrite=True)                ← ファイルを保存
        return html.format(f'''
        <p>Uploaded.</p>
        <p><img src="/uploaded/{file.filename}"></p>         ← 画像を表示
        ''')
    else:                                                    ← 未選択の場合
        return html.format('''
        <p>Choose a file and try again.</p>                  ← エラーを表示
        ''')

@bottle.route('/<file:path>')                                ← 静的ファイルの処理
def static(file):
    return bottle.static_file(file, root='.')

bottle.run(host='localhost', port=8000)                      ← Webサーバを起動
```

上記のプログラムの終盤にある「静的ファイルの処理」は、プログラムで応答を作成しない静的なファイル(上記の場合は画像ファイルなど)をWebブラウザに送るための処理です。上記の場合は、結果の画面に表示する画像のファイルをWebブラウザに送るために使います。

アップロードしたファイルはuploadedディレクトリに保存します。プログラム(bottle2.py)とディレクトリ(uploaded)の配置は以下の通りです。uploadedディレクトリがない場合には、プログラムが自動的に作成します。

▼ファイルの配置

```
カレントディレクトリ
  └─ bottle2.py               ●―― ファイルアップロード機能のプログラム
     uploadedディレクトリ     ●―― アップロードされたファイルを保存
```

上記のプログラムを実行してみてください。BottleのWebサーバが起動したら、Webブラウザを使って、「http://localhost:8000/」を開いてみてください。ファイルの選択画面が表示されるので、[ファイルを選択]ボタンをクリックして、適当な画像ファイル(以下ではwalrus.png)を選択してください。

▼ファイルを選択

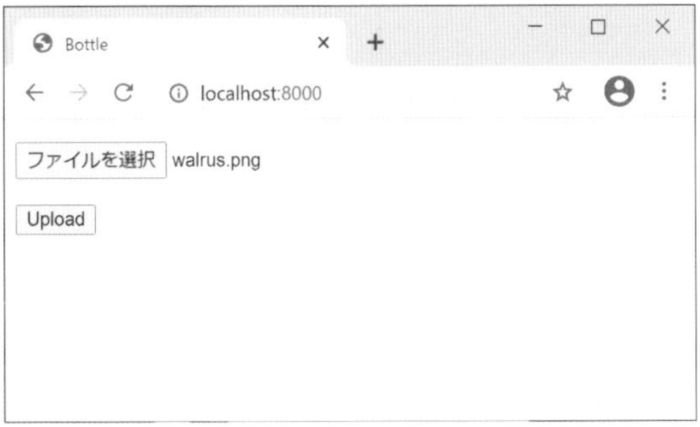


次に［Upload］ボタンをクリックしてください。「Uploaded.」(アップロードしました)というテキストが表示されれば成功です。アップロードした画像も表示されますが、環境によっては表示されない場合もあります。アップロードされたファイルはuploadedディレクトリに保存されるので、エクスプローラなどで確認してみてください。

▼アップロード成功

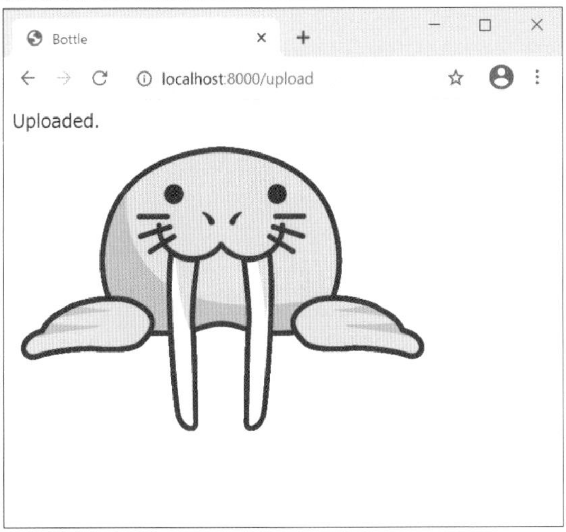

［Upload］ボタンをクリックしたときに、アップロードするファイルが未選択だった場合には、「Choose a file and try again.」（ファイルを選択してやり直してください）と表示します。

▼ファイル未選択時のエラー

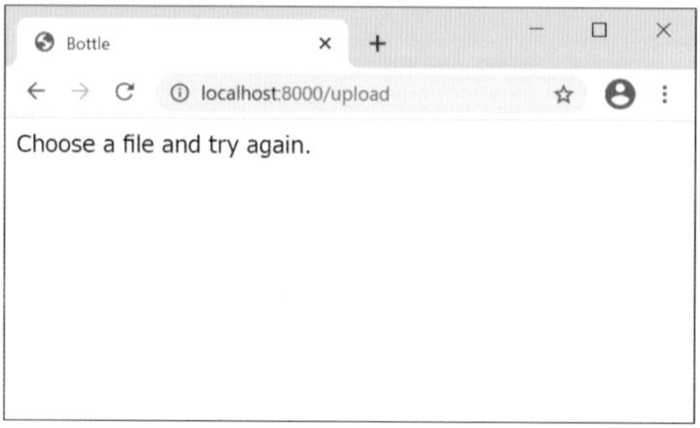


このようにBottleを使うと、SNSなどに欠かせないファイルアップロード機能も、比較的簡単に実現できます。

応用編 Chapter16

# オブジェクトについてより深く知る

Pythonのオブジェクト指向プログラミングについては、基本的な機能をChapter7で学びましたが、ここではもう少し発展的な機能を学びましょう。クラスの振る舞いをより深く理解したり、特殊メソッドやデコレータを使って便利なクラスを作ったり、属性を操作する関数を学んだりします。ここで解説する機能を使うことは必須ではありませんが、効果的な使いどころを紹介するので、ぜひ活用してみてください。

本章の学習内容

①ダックタイピングと抽象クラス
②特殊メソッドの定義
③デコレータの利用
④属性の仕組み

section 01

# オブジェクトの振る舞いを理解する

最初はダックタイピングという考え方と、抽象クラスについて学びましょう。ダックタイピングについて知ると、Pythonにおけるオブジェクトの振る舞いをより深く理解できます。また抽象クラスは、オブジェクト(インスタンス)を作らせたくないクラスを定義するときに役立ちます。

## ❖アヒルのように鳴けばアヒルとして扱うダックタイピング

「もしもアヒルのように歩き、アヒルのように鳴くならば、それはアヒルに違いない」という、ダックテスト(duck test)と呼ばれる考え方があります。このダックテストに由来するプログラミング上の考え方がダックタイピング(duck typing、アヒルの型付け)で、「あるオブジェクトが必要なデータ属性やメソッドを備えていれば、どのクラスのオブジェクトであるかは問わない」という方針をとります。

Pythonはダックタイピングを採用しています。例えば、次のようなadd(加算)関数を考えてみましょう。このadd関数は**引数のxとyを受け取り、「x + y = xとyの和」のような式を表示**します。

```
def add(x, y):
    print(x, '+', y, '=', x+y)
```

引数に整数の1と2を指定して、上記のadd関数を呼び出してみてください。

▼duck1.py

```
def add(x, y):
    print(x, '+', y, '=', x+y)

add(1, 2)
```

以下のように、1と2を加算した3が表示されます。

```
>python duck1.py
1 + 2 = 3
```

上記のadd関数は文字列に対しても呼び出せます。引数に文字列の'Hello'と'Python'を指定して、add関数を呼び出してみてください。

▼duck2.py

```
def add(x, y):
    print(x, '+', y, '=', x+y)

add('Hello', 'Python')
```

両者を連結した「HelloPython」が表示されます。

```
>python duck2.py
Hello + Python = HelloPython
```

上記のadd関数は、引数がどのクラスのオブジェクトなのかは問いません。オブジェクトが加算(+演算子)に対応していれば、add関数の引数に指定することができます。上記では整数と文字列を指定しましたが、他のオブジェクトに関しても、+演算子に対応していれば引数に指定することが可能です。

これがダックタイピングの効用です。オブジェクトが必要な機能さえ備えていればよいので、色々な種類のオブジェクトに対して共通の処理(ここではadd関数)を適用することができます。1つの処理を広範囲に活用できるため、上手に使えばプログラムが簡潔になります。

ダックタイピングを採用しないプログラミング言語では、たとえオブジェクトが必要な機能を備えていたとしても、決められたクラスのオブジェクトでなければ受け入れません。例えばC++やJavaのオブジェクトは、ダックタイピングではありません。一方で、C++のテンプレートはダックタイピングです。

## ❖抽象クラスの仕組みと利用方法

抽象クラスというのは、オブジェクト(インスタンス)を作れないクラスのことです。オブジェクトを作れないクラスというと、一見用途がなさそうにも思いますが、実は基底クラスとして役立ちます。抽象クラスを基底クラスにしたものを、抽象基底クラスと呼びます。

抽象基底クラスを定義するには、標準ライブラリのabcモジュールを使います。abcは抽象基底クラス(abstract base class)を意味します。

**abcモジュールのドキュメント**

URL https://docs.python.org/ja/3/library/abc.html

abcモジュールの中には複数の機能があります。そこで例えば、次のようにfrom節を付けたimport文を使って、abcモジュール内の全ての機能をインポートしておきます。

abcモジュールのインポート

```
from abc import *
```

抽象基底クラスを定義するには、次のようにabcモジュールのABCクラスを基底クラスとして、派生クラスを定義します。また、@abstractmethod(アブストラクトメソッド)デコレータを使って、抽象メソッド(abstract method)を定義します。抽象メソッドとは、処理が実装されていないメソッドのことです。以下の例ではpass文を使って、何も処理を行わないメソッドにしています。pass文の代わりに、省略を表す「...」(Ellipsisリテラル)を使って書くこともできます。

抽象基底クラスの定義

```
class クラス名(ABC):              ← 抽象クラスはABCクラスから派生する
    @abstractmethod               ← 抽象メソッドを表すデコレータ
    def メソッド名(self, …):      ← 抽象メソッドの定義
        pass                      ← 何も処理を行わない
```

上記のような抽象基底クラスを使って、派生クラスを定義します。抽象基底クラスには複数の抽象メソッドを定義することができますが、派生クラスではこれら全ての抽象メソッドをオーバーライドする必要があります。つまり、抽象基底クラスは派生クラスに対して、メソッドの実装を強制することができます。

例えば、テキストエディタのようなツールにおいて、コマンドのアンドゥ(取り消し)やリドゥ(やり直し)の機能を実現することを考えてみましょう。この機能を実現するには､実行したコマンドをリストなどに記録しておく必要があります。ツールには色々なコマンドがあるので、基底クラスとしてCommand(コマンド)クラスを定義し、この派生クラスとして各種のコマンドに対応するクラスを定義することにしましょう。

**Commandクラスにはコマンドを実行するためのrunメソッドを定義**します。runメソッドの引数はselfおよびtext(処理の対象となるテキスト)とし、処理は何も行わない(pass文を書く)ことにします。このようなCommandクラスを定義してみてください。

▼abc1.py

```
from abc import *                ← abcモジュールの全機能をインポート

class Command(ABC):              ← ABCクラスからCommandクラスを派生
    @abstractmethod
    def run(self, text):         ← 抽象メソッドのrunを定義
        pass
```

上記の**Commandクラスのオブジェクトを生成**しようとすると、以下の実行結果のようなTypeError(型エラー)が発生します。エラーの内容は「抽象メソッドのrunを持つ､抽象クラスのCommandについて､インスタンスを生成できない」です。このように抽象メソッドを持つ抽象クラスについては、オブジェクト(インスタンス)を生成することができません。逆にいえば、オブジェクトを生成したくない(生成する必要がない、生成する意味がない)クラスについては、このように抽象メソッドを持つ抽象クラスにすればよいということです。

▼abc2.py

```
from abc import *

class Command(ABC):
    @abstractmethod
    def run(self, text):
        pass

Command()                    ← オブジェクトの生成
```

実行結果は次のようになります。

```
>python abc2.py
…TypeError: Can't instantiate abstract class Command
            with abstract methods run
```

今度は上記のCommandクラスから、具体的なコマンドのクラスを派生させてみましょう。**指定されたテキストの末尾に新しいテキストを追加するAppendクラスと、指定した位置に新しいテキストを挿入するInsertクラスを定義**します。各クラスについて、オブジェクトの初期化を行う__init__メソッドと、コマンドを実行するrunメソッドを定義しましょう。

Appendメソッドは、例えば次のように定義できます。__init__メソッドは、追加するテキストを引数textで受け取り、データ属性self.textに代入します。runメソッドは、引数textの末尾にデータ属性self.textを追加し、結果の文字列を返します。

▼abc3.py

```
from abc import *

class Command(ABC):
    @abstractmethod
    def run(self, text):
        pass

class Append(Command):           ← CommandクラスからAppendクラスを派生
    def __init__(self, text):    ← オブジェクトの初期化
        self.text = text         ← データ属性に代入
```

```
    def run(self, text):          ← コマンドの実行
        return text+self.text     ← テキストを追加
```

Appendクラスと同様に、Insertクラスを定義してみてください。__init__メソッドは、挿入するインデックスとテキストを引数で受け取り、データ属性に保存することにします。runメソッドでは、インデックスの位置にテキストを挿入し、結果の文字列を返してください。

▼abc4.py

```
※CommandクラスとAppendクラスの定義は省略

class Insert(Command):                          ← Insertクラスの定義
    def __init__(self, index, text):            ← オブジェクトの初期化
        self.index = index                      ← インデックスを保存
        self.text = text                        ← テキストを保存

    def run(self, text):                        ← コマンドの実行
        i = self.index                          ← インデックスを取得
        return text[:i]+self.text+text[i:]      ← テキストを挿入
```

最後に、上記のAppendクラスとInsertクラスを使ってみましょう。空文字列に対して、以下のコマンドを順に実行します。

①末尾に'th'を追加(Append)
②先頭に'py'を挿入(Insert)
③末尾に'on'を追加(Append)

プログラムは次の通りです。プログラムを読んで、結果の文字列がどんな内容になるか予想してから、実行してみてください。

▼abc5.py

```
from abc import *

class Command(ABC):
    @abstractmethod
    def run(self, text):
        pass
```

```
class Append(Command):
    def __init__(self, text):
        self.text = text

    def run(self, text):
        return text+self.text

class Insert(Command):
    def __init__(self, index, text):
        self.index = index
        self.text = text

    def run(self, text):
        i = self.index
        return text[:i]+self.text+text[i:]

c = [Append('th'), Insert(0, 'py'), Append('on')]    ← コマンドのリスト
s = ''                                               ← 空文字列
for x in c:                                          ← 繰り返し
    s = x.run(s)                                     ← コマンドを実行
print(s)                                             ← 結果を表示
```

実行結果は次のようになります。

```
>python abc5.py
python
```

## section 02 特殊メソッドを定義して使いやすいクラスを作る

特殊メソッドというのは、前後に2個ずつアンダースコア(_)が付いた、特殊な名前を持つメソッドです。クラスに特殊メソッドを定義すると、そのクラスのオブジェクトに対する色々な演算を実装することができます。例えば、オブジェクトに対して+や*といった算術演算子を適用することが可能になります。これはC++などのプログラミング言語においては、演算子のオーバーロードと呼ばれている機能です。

特殊メソッドを定義することによって、クラスを使いやすくできる場合があります。特に、既存のライブラリにはない機能を持った新しいライブラリを実現する際に役立つことが多いです。

### print関数でオブジェクトを出力できる__str__メソッド

特殊メソッドの__str__を定義すると、そのクラスのオブジェクトをprint関数などで出力する際に、何を出力するのかを指定することができます。例えば、次のようなPointクラスを考えてみましょう。これは2次元の座標を表すクラスで、**データ属性のxとyに座標を格納**します。

▼str1.py

```
class Point:                          ← Pointクラスの定義
    def __init__(self, x, y):         ← オブジェクトの初期化
        self.x, self.y = x, y

print(Point(1, 2))                    ← オブジェクトの生成と表示
```

このPointクラスのオブジェクトを生成し、print関数に渡すと、何が表示されるでしょうか。上記のプログラムを実行してみてください。

```
>python str1.py
<__main__.Point object at 0x…>
```

上記のようにPointオブジェクトの情報が表示されます。しかし、(1, 2)のように座標を表示する方がもっと便利そうです。このようにprint関数で表示する内容を指定するには、次のような__str__メソッドを定義します。そして、表示したい内容を文字列として返します。

__str__メソッドの定義

```
def __str__(self):
    return 文字列
```

前述のPointクラスに対して、**座標の文字列を返す__str__メソッドの定義を追加**してください。そしてプログラムを実行し、座標(1, 2)が表示されることを確認してください。以下のプログラム例ではf文字列(Chapter9)を使って、座標の文字列を作成しています。

▼str2.py

```
class Point:
    def __init__(self, x, y):
        self.x, self.y = x, y

    def __str__(self):                          ← __str__メソッドの定義
        return f'({self.x}, {self.y})'          ← 座標の文字列を返す

print(Point(1, 2))
```

実行結果は次のようになります。

```
>python str2.py
(1, 2)
```

## ❖算術演算子の特殊メソッド

クラスに次のような特殊メソッドを定義すると、+や*のような算術演算子をオブジェクトに対して適用できるようになります。自作のクラスについても、intやfloatなどの数値と同様の演算が可能になるので、使いやすいクラスになります。

▼算術演算子に対応する特殊メソッド

| 演算子 | メソッド | 動作 |
|---|---|---|
| + | __add__ | 加算 |
| - | __sub__ | 減算 |
| * | __mul__ | 乗算 |
| @ | __matmul__ | 行列積 |
| / | __truediv__ | 除算 |
| // | __floordiv__ | 除算（結果が整数） |
| % | __mod__ | 剰余 |
| ** | __pow__ | べき乗 |

上記の特殊メソッドは、次のように定義します。引数としてはselfの他に、算術演算子の右辺に対応するオブジェクトを受け取ります。戻り値としては、演算結果のオブジェクトを生成して返します。

演算の特殊メソッドを定義

```
def メソッド名(self, 右辺):
    return 演算結果
```

前述のPointクラスに対して**__add__メソッドを定義して加算(+)**ができるようにしてください。データ属性のxとyをそれぞれ加算します。そして次のような計算を実行し、結果を表示してみてください。

```
Point(1, 2)+Point(3, 4)
```

▼operator1.py

```
class Point:
    def __init__(self, x, y):
        self.x, self.y = x, y
```

```
    def __str__(self):
        return f'({self.x}, {self.y})'

    def __add__(self, other):                          ← __add__メソッド
        return Point(self.x+other.x, self.y+other.y)   ← 結果を生成して返す

print(Point(1, 2)+Point(3, 4))
```

結果が(4, 6)になれば成功です。

```
>python operator1.py
(4, 6)
```

今度は**__mul__メソッドを定義して整数との間で乗算(*)**ができるようにしてください。データ属性のxとyにそれぞれ整数を乗算します。そして次のような計算を実行し、結果を表示してみてください。

```
Point(1, 2)*3
```

▼operator2.py

```
class Point:
    def __init__(self, x, y):
        self.x, self.y = x, y

    def __str__(self):
        return f'({self.x}, {self.y})'

    def __add__(self, other):
        return Point(self.x+other.x, self.y+other.y)

    def __mul__(self, other):                       ← __mul__メソッド
        return Point(self.x*other, self.y*other)    ← 結果を生成して返す

print(Point(1, 2)*3)
```

結果が(3, 6)になれば成功です。

```
>python operator2.py
(3, 6)
```

Pythonには本書で紹介した以外にも、多くの特殊メソッドがあります。特殊メソッドの一覧については、公式のPython言語リファレンスに記載されています。

**Python言語リファレンス(特殊メソッド名)**

URL https://docs.python.org/ja/3/reference/datamodel.html#special-method-names

section 03

# クラスの定義に役立つ色々なデコレータ

デコレータは関数やクラスに特別な機能を付加します。抽象メソッドを定義するための@abstractmethodデコレータの他にも、クラスの定義に役立つデコレータは色々あります。ここではプロパティ、静的メソッド、クラスメソッドを定義するためのデコレータについて学びます。

## ❖プロパティでデータ属性の取得や設定を制御する

オブジェクトのデータ属性は、クラスの外部からでも自由に取得や設定が可能です。一方で、データ属性が不適切な値になることを防ぐために、データ属性の設定を禁止したり、設定の際に値を修正したりしたいことがあります。こういった要求に応えるのが、プロパティ(property)と呼ばれる機能です。

次のようなItem(商品)クラスの例を考えてみましょう。Itemクラスには**name(名前)とprice(価格)というデータ属性**があります。

nameに'burger'(バーガー)、priceに100(100円)を指定して、Itemクラスのオブジェクトを生成してみてください。そしてデータ属性のnameとpriceを取得し、表示してください。

▼property1.py

```
class Item:                              ← クラスの定義
    def __init__(self, name, price):     ← オブジェクトの初期化
        self.name = name
        self.price = price

x = Item('burger', 100)
print(x.name, x.price)
```

実行結果は次のようになります。

```
>python property1.py
burger 100
```

データ属性はクラスの外部からでも取得できますが、設定することもできます。例えば上記のプログラムにおいて、priceを-100（-100円）という不適切な値に設定してから、nameとpriceを表示してみてください。

▼property2.py

```
class Item:
    def __init__(self, name, price):
        self.name = name
        self.price = price

x = Item('burger', 100)
x.price = -100             ← 不適切な値の設定
print(x.name, x.price)
```

実行結果は次のようになります。

```
>python property2.py
burger -100
```

上記のように不適切な値の設定を防ぐには、マングリング(Chapter7)を使ってデータ属性を外部から隠蔽する方法があります。しかし同時に、データ属性を外部から取得することも、通常の方法ではできなくなってしまいます。

ここで役立つのがプロパティです。@propertyデコレータを使って、クラスに次のような関数を定義すると、取得専用のプロパティを作成することができます。プロパティ名とデータ属性名は、それぞれ自由に命名することができます。また、単にデータ属性を返すのではなく、計算の結果などを返すこともできます。

取得専用のプロパティを作成

```
@property
def プロパティ名(self):
    return self.データ属性名
```

上記のように定義したプロパティは、以下のように取得します。このプロパティに値を代入することはできません。値を代入する方法については後述します。

プロパティの取得

```
オブジェクト.プロパティ名
```

前述のItemクラスに**nameプロパティとpriceプロパティを追加**してみてください。データ属性は__nameと__priceにして、マングリングを利用することにします。__init__メソッドにおけるデータ属性名も変更する必要があります。

▼property3.py

```
class Item:
    def __init__(self, name, price):
        self.__name = name                ← データ属性__nameへの代入
        self.__price = price              ← データ属性__priceへの代入

    @property
    def name(self):                       ← nameプロパティの取得用関数
        return self.__name

    @property
    def price(self):                      ← priceプロパティの取得用関数
        return self.__price

x = Item('burger', 100)
print(x.name, x.price)                    ← プロパティの取得と表示
```

実行結果は次のようになります。

```
>python property3.py
burger 100
```

上記のプログラムにおけるプロパティは取得専用なので、値を設定しようとするとエラーになります。例えば、次のようにpriceプロパティに値を設定してみてください。

▼property4.py

```
class Item:
    def __init__(self, name, price):
        self.__name = name
        self.__price = price

    @property
    def name(self):
```

```
        return self.__name

    @property
    def price(self):
        return self.__price

x = Item('burger', 100)
x.price = -100                        ← プロパティに値を設定
print(x.name, x.price)
```

実行するとAttributeError(属性エラー)が発生します。エラーの内容は「属性を設定できない」です。

```
>python property4.py
…AttributeError: can't set attribute
```

プロパティに値を設定できるようにするには、@プロパティ名.setter(セッター)というデコレータを使って、以下のような関数を定義します。

プロパティに値を設定できるようにする

```
@プロパティ名.setter
def プロパティ名(self, 引数):
    self.データ属性 = 式
```

引数をデータ属性に代入するのが典型的な処理ですが、もっと複雑な処理を行うこともできます。例えば、引数をそのままデータ属性に代入するのではなく、値が特定の範囲の場合だけ代入したり、値の範囲を調整してから代入したりといった処理が可能です。

前述のItemクラスについて、**priceプロパティを設定可能**にしてください。値を設定する際に、負数の場合には0を設定することで、priceが負数にならないようにします。そしてItemオブジェクトを生成した後に、priceに110を設定し、続いて-100を設定してみてください。

▼property5.py

```
class Item:
    def __init__(self, name, price):
        self.__name = name
        self.__price = price

    @property
    def name(self):                       ← nameプロパティの取得用関数
        return self.__name

    @property
    def price(self):                      ← priceプロパティの取得用関数
        return self.__price

    @price.setter
    def price(self, value):               ← priceプロパティの設定用関数
        self.__price = max(value, 0)

x = Item('burger', 100)                   ← オブジェクトを生成
print(x.name, x.price)

x.price = 110                             ← priceに110を設定(110が設定される)
print(x.name, x.price)

x.price = -100                            ← priceに-100を設定(0が設定される)
print(x.name, x.price)
```

実行結果は次のようになります。

```
>python property5.py
burger 100
burger 110
burger 0
```

プロパティの利点は、データ属性を読み書きするのと共通の記法を使いながら、値の設定を禁止したり、値が適切かどうかを検査したりできることです。クラスを定義する際には、最初はデータ属性を使っておき、後で必要なものだけをプロパティに変更すればよいでしょう。両者の記法は共通なので、このクラスを利用する側の

プログラムは変更しなくて済みます。

Javaなどのプログラミング言語では、データ属性の取得や設定に相当する処理を行うために、get○○のような名前のゲッター(getter)や、set○○のような名前のセッター(setter)と呼ばれるメソッドを定義する場合があります。Pythonでもゲッターやセッターを定義することはできますが、プロパティを使う方がおすすめです。

## ❖オブジェクトを使わないで呼び出す静的メソッドとクラスメソッド

静的メソッド(static method)とクラスメソッド(class method)は、通常のメソッドとは異なり、処理の対象となるオブジェクト(インスタンス)を指定しないで呼び出すためのメソッドです。なお、静的メソッドやクラスメソッドと区別したいときには、通常のメソッドのことをインスタンスメソッドと呼びます。

すでに学んだように、インスタンスメソッド(通常のメソッド)は次のように定義します。第1引数のselfを使って、処理の対象となるオブジェクトを受け取ります。

インスタンスメソッドの定義

```
def メソッド名(self, 引数, …):
    文…
```

静的メソッドは次のように、@staticmethod(スタティックメソッド)デコレータを使って定義します。静的メソッドは処理の対象となるオブジェクトを受け取らないので、引数にselfはありません。

静的メソッドの定義

```
@staticmethod
def メソッド名(引数, …):
    文…
```

クラスメソッドは次のように、@classmethod(クラスメソッド)デコレータを使って定義します。クラスメソッドは処理の対象となるオブジェクトは受け取りませんが、第1引数のclsを使って、呼び出しに使われたクラスを受け取ります。clsは他の名前でも構いませんが、標準コーディングスタイル(PEP8)ではclsという引数名が推奨されています。classはPythonのキーワードのため引数名としては使えないので、classを縮めたclsという引数名を使います。

クラスメソッドの定義

```
@classmethod
def メソッド名(cls, 引数, …):
    文…
```

さて、メソッドを呼び出すには、以下のように複数の方法があります。①と②はオブジェクトを指定して呼び出す方法、③はオブジェクトを指定しないで呼び出す方法です。

①オブジェクト.メソッド名(引数, …)
②クラス名.メソッド名(オブジェクト, 引数, …)
③クラス名.メソッド名(引数, …)

各メソッドの使い方を比較するために、次のようなColor(色)クラスを考えてみましょう。**色のRGB(赤、緑、青)成分を格納**することができるクラスです。初期化を行う__init__メソッドと、内容を文字列で表現する__str__メソッドを定義します。以下では使用例として、RGB値が(255, 128, 0)のオブジェクトを生成しています。

▼method1.py

```
class Color:                                      ← クラスの定義
    def __init__(self, r, g, b):                  ← オブジェクトの初期化
        self.r, self.g, self.b = r, g, b

    def __str__(self):                            ← 文字列の作成
        return f'({self.r}, {self.g}, {self.b})'

print(Color(255, 128, 0))                         ← オブジェクトの生成
```

実行結果は次のようになります。

```
>python method1.py
(255, 128, 0)
```

上記のColorクラスについて、**水色を表すColorオブジェクトを返すcyan(シアン、水色)メソッドを定義**してみましょう。RGB値は(0, 255, 255)とします。まずはインスタンスメソッドとして定義し、前述の方法③で呼び出してみてください。以下のようにTypeError(型エラー)が発生します。エラーの内容は「cyan()に必要な1個の位置引数がない：'self'」です。

▼method2.py

```
class Color:
    def __init__(self, r, g, b):
        self.r, self.g, self.b = r, g, b

    def __str__(self):
        return f'({self.r}, {self.g}, {self.b})'

    def cyan(self):                          ← インスタンスメソッド
        return Color(0, 255, 255)

print(Color.cyan())                          ← メソッドの呼び出し
```

実行結果は次のようになります。

```
>python method2.py
…TypeError: cyan() missing 1 required positional argument: 'self'
```

実は上記のプログラムにおいて、cyanメソッドの定義から引数selfを取り除けば、方法③で呼び出すことができるようになります。しかし、方法①や②で呼び出すことはできなくなります。

次は**静的メソッドとしてcyanメソッドを定義**してください。cyanメソッドの引数はなしにして、@staticmethodデコレータを付けます。前述の方法③で呼び出すと、正しく呼び出せるはずです。

▼method3.py

```
class Color:
    def __init__(self, r, g, b):
        self.r, self.g, self.b = r, g, b

    def __str__(self):
        return f'({self.r}, {self.g}, {self.b})'

    @staticmethod
    def cyan():                                  ← 静的メソッド
        return Color(0, 255, 255)

print(Color.cyan())                              ← メソッドの呼び出し
```

実行結果は次のようになります。

```
>python method3.py
(0, 255, 255)
```

今度は**クラスメソッドとしてcyanメソッドを定義**してください。cyanメソッドの引数をclsとして、@classmethodデコレータを付けます。前述の方法③で呼び出すと、やはり正しく呼び出せます。

▼method4.py

```
class Color:
    def __init__(self, r, g, b):
        self.r, self.g, self.b = r, g, b

    def __str__(self):
        return f'({self.r}, {self.g}, {self.b})'

    @classmethod
    def cyan(cls):                               ← クラスメソッド
        return Color(0, 255, 255)

print(Color.cyan())                              ← メソッドの呼び出し
```

実行結果は次のようになります。

```
>python method4.py
(0, 255, 255)
```

静的メソッドとクラスメソッドは、方法①でも呼び出しが可能です。方法②では呼び出せずにエラーとなります。つまり、インスタンスメソッドは方法①と②で、静的メソッドとクラスメソッドは方法①と③で呼び出しが可能です。オブジェクト(インスタンス)を指定しないで呼び出したいときには、方法③を使うことになるので、静的メソッドやクラスメソッドを利用するのがおすすめです。

静的メソッドとクラスメソッドの使い分けとしては、クラスの情報が不要な場合は静的メソッドを、必要な場合にはクラスメソッドを使うとよいでしょう。クラスの情報が必要なのは、例えばクラス属性、静的メソッド、クラスメソッドを利用するような場合です。

前述のColorクラスに対して、**cyanメソッドと同様に水色のColorオブジェクトを返すaqua(アクア、水色)メソッドを追加**してください。aquaメソッドはクラスメソッドとして定義し、内部でcyanメソッドを呼び出すことにします。最後にaquaメソッドを、前述の方法③で呼び出してください。

▼method5.py

```
class Color:
    def __init__(self, r, g, b):
        self.r, self.g, self.b = r, g, b

    def __str__(self):
        return f'({self.r}, {self.g}, {self.b})'

    @staticmethod
    def cyan():                              ← 静的メソッド
        return Color(0, 255, 255)

    @classmethod
    def aqua(cls):                           ← クラスメソッド
        return cls.cyan()

print(Color.aqua())                          ← メソッドの呼び出し
```

実行結果は次のようになります。

```
>python method5.py
(0, 255, 255)
```

上記のaquaメソッドでは、引数clsを利用してcyanメソッドを呼び出しています。**aquaメソッドを静的メソッドとして定義**することもできますが、この場合はColorというクラス名を使って呼び出すことになります。

▼method6.py

```
class Color:
    def __init__(self, r, g, b):
        self.r, self.g, self.b = r, g, b

    def __str__(self):
        return f'({self.r}, {self.g}, {self.b})'

    @staticmethod
    def cyan():
        return Color(0, 255, 255)

    @staticmethod
    def aqua():                          ← aquaを静的メソッドとして定義
        return Color.cyan()              ← クラス名を使って呼び出し

print(Color.aqua())
```

一方、引数clsを使う方法は、呼び出しにクラス名を使っていません。そのため、もしColorというクラス名を別の名前に変更することになっても、cyanメソッドの呼び出しを変更しなくてすむことが利点です。

# section 04 オブジェクトを支える属性の仕組み

オブジェクトのデータ属性やメソッドといった機能は、属性(attribute、アトリビュート)と呼ばれる機構によって実現されています。属性の仕組みはシンプルで、オブジェクトに属性を追加したり、属性に値を設定したり、属性の値を取得したり、といった機能があるだけです。

Pythonではオブジェクト指向プログラミングの機能をできる限り簡潔にしているとはいえ、機能の多さに圧倒されることがあるかもしれません。そんなときは、これらの機能の基盤はシンプルな属性の機構であり、プログラマの便宜を図るために色々な記法が用意されているということに立ち戻ると、理解が進むことがあります。そこで、属性について学んでみましょう。

## 属性の追加、設定、取得、削除を行う組み込み関数

ここでは属性を操作する組み込み関数について学びます。組み込み関数を使わずに属性を操作する方法も合わせて紹介します。

最初は属性に値を設定するsetattr(セット・アトリビュート)関数です。attrはattribute(アトリビュート)の略と思われます。指定した属性がまだ存在しない場合、setattr関数はオブジェクトに属性を追加したうえで値を設定します。

属性に値を設定(setattr関数)

```
setattr(オブジェクト, 属性名, 値)
```

属性に値を設定(代入文)

```
オブジェクト.属性名 = 値
```

属性の値を取得するには、getattr(ゲット・アトリビュート)関数を使います。ドット(.)を使っても同じことができます。

属性の値を取得(getattr関数)

```
getattr(オブジェクト, 属性名)
```

属性の値を取得(ドットを使った記法)

```
オブジェクト.属性名
```

属性が存在するかどうかを調べるには、hasattr(ハズ・アトリビュート)関数を使います。属性が存在する場合はTrue、存在しない場合はFalseを返します。

属性の存在を調べる(hasattr関数)

```
hasattr(オブジェクト, 属性名)
```

属性を削除するには、delattr(デル・アトリビュート)関数を使います。del文を使っても同じことができます。

属性の削除(delattr関数)

```
delattr(オブジェクト, 属性名)
```

属性の削除(del文)

```
del オブジェクト.属性名
```

上記の関数を使って、次のようなプログラムを書いてみましょう。

❶空のクラスAを定義し、オブジェクトを生成して、変数aに代入します。
❷setattr関数を使って、aに属性xを追加し、整数123を設定します。
❸getattr関数を使って、属性xの値を取得し、表示します。
❹hasattr関数を使って、属性xがあるかどうかを調べ、結果を表示します。
❺delattr関数を使って、属性xを削除します。
❻hasattr関数を使って、属性xがあるかどうかを調べ、結果を表示します。

▼attr1.py

```
class A:                    ← 空のクラスを定義
    pass

a = A()                     ← オブジェクトを生成
setattr(a, 'x', 123)        ← 属性を追加
print(getattr(a, 'x'))      ← 属性の値を取得
print(hasattr(a, 'x'))      ← 属性の存在を確認
delattr(a, 'x')             ← 属性を削除
print(hasattr(a, 'x'))      ← 属性の存在を確認
```

実行結果は次のようになります。

```
>python attr1.py
123     ← 属性xの値
True    ← 属性xが存在する
False   ← 属性xが存在しない
```

## ❖属性の一覧を取得する組み込み関数

次のような関数を使うと、オブジェクトが持つ属性の一覧を取得することができます。dir(ディーアイアール)関数はオブジェクトとクラス(基底クラスを含む)が持つ属性名の一覧を、vars(バーズ)関数はオブジェクトが持つ属性名と値の一覧を返します。dirはdirectory(ディレクトリ)の略で、varsはvariables(バリアブルズ、変数)の略と思われます。

オブジェクトとクラスが持つ属性名の一覧を取得(dir関数)

```
dir(オブジェクト)
```

オブジェクトとクラスが持つ属性名と値の一覧を取得(vars関数)

```
vars(オブジェクト)
```

上記の関数を使って、次のようなプログラムを書いてみましょう。

❶空のクラスAを定義し、オブジェクトを生成して、変数aに代入します。
❷setattr関数を使って、aに属性xを追加し、整数123を設定します。
❸dir関数を使って、属性名の一覧を取得し、結果を表示します。
❹vars関数を使って、属性名と値の一覧を取得し、結果を表示します。

▼attr2.py

```
class A:                    ← 空のクラスを定義
    pass

a = A()                     ← オブジェクトを生成
setattr(a, 'x', 123)        ← 属性を追加

print(dir(a))               ← dir関数
print(vars(a))              ← vars関数
```

実行結果は次のようになります(省略して掲載しています)。

```
>python attr2.py
['__class__', '__delattr__', '__dict__', '__dir__', …
…, '__str__', '__subclasshook__', '__weakref__', 'x']     ← dir関数の結果
{'x': 123}                                                 ← vars関数の結果
```

## ❖属性の追加を制限するスロット

クラスの定義において属性の構成を決定するプログラミング言語(C++やJavaなど)とは異なり、Pythonのオブジェクトには、後からでも自由に属性を追加することができます。一方で、スロット(slot)という機能を使うと、こういった属性の追加を制限することができます。スロットを使うことで、メモリの消費量を抑えたり、処理を高速化したりする効果があります。

スロットは次のように使います。__slots__というクラス属性に対して、このクラスが持つことができる属性名の一覧を、文字列、イテラブル、シーケンス(リストやタプル)として代入します。以下はリストを用いた例です。

スロットの定義

```
class クラス名:
    __slots__ = [属性名, …]
```

スロットを使って、以下のようなプログラムを書いてみましょう。

1 クラスAを定義し、クラス属性の__slots__に'x'と'y'のリストを代入します。
2 クラスAのオブジェクトを生成して、変数aに代入します。
3 setattr関数を使って、aに属性xを追加し、整数123を設定します。
4 setattr関数を使って、aに属性yを追加し、整数456を設定します。
5 setattr関数を使って、aに属性zを追加し、整数789を設定します。

上記の⑤はAttributeError(属性エラー)になります。エラーの内容は「Aオブジェクトには属性zがない」です。

▼attr3.py

```
class A:                          ← クラスを定義
    __slots__ = ['x', 'y']        ← スロットを設定

a = A()                           ← オブジェクトを生成
setattr(a, 'x', 123)              ← 属性xを追加
setattr(a, 'y', 456)              ← 属性yを追加
setattr(a, 'z', 789)              ← 属性zを追加(エラー)
```

実行結果は次のようになります(省略して掲載しています)。

```
>python attr3.py
…AttributeError: 'A' object has no attribute 'z'
```

# index

## 記号・数字



## A



## B



## C

## D



## E



## F



## G

### さ行

## 本書サポートページ

https://isbn2.sbcr.jp/07647/

・本書をお読みいただいたご感想を上記URLからお寄せください。
・上記URLに正誤情報、サンプルダウンロードなど、本書の関連情報を掲載しておりますので、あわせてご利用ください。
・本書の内容の実行については、すべて自己責任のもとで行ってください。内容の実行により発生した、直接・間接的被害について、著者およびSBクリエイティブ株式会社、製品メーカー、購入された書店、ショップはその責を負いません。

## 著者紹介


**松浦 健一郎（まつうら けんいちろう）**

東京大学工学系研究科電子工学専攻修士課程修了。研究所において並列コンピューティングの研究に従事した後、フリーのプログラマ＆ライター＆講師として活動中。企業や研究機関向けのソフトウェア、ゲーム、ライブラリ等を受注開発している。司 ゆきと共著でプログラミングやゲームに関する著書多数（本書で34冊目）。

**司 ゆき（つかさ ゆき）**

東京大学理学系研究科情報科学専攻修士課程修了。大学で人工知能（自然言語処理）を学び、フリーランスとなる。研究機関や企業向けのソフトウェア開発や研究支援、ゲーム開発、書籍や研修用テキストの執筆、論文や技術記事の翻訳、学校におけるプログラミングの講師を行う。

著者Webサイト「ひぐぺん工房」 https://higpen.jellybean.jp/
※本書のQ&Aも掲載しています。


# Python［完全］入門


2021年 1 月30日　初版第1刷発行
2024年 3 月11日　初版第8刷発行

著者　松浦健一郎　司ゆき

発行者　小川 淳
発行所　SBクリエイティブ株式会社
〒105-0001 東京都港区虎ノ門2-2-1
https://www.sbcr.jp/

印刷　株式会社シナノ
カバーデザイン　米倉英弘（株式会社 細山田デザイン事務所）
本文デザイン・組版　株式会社エストール

落丁本、乱丁本は小社営業部にてお取り替えいたします。
定価はカバーに記載されています。

Printed in Japan ISBN978-4-8156-0764-7